Bajo cero

Bajo cero

Karen Marie Moning

Traducción de Scheherezade Surià

TERCIOPELO

© Karen Marie Moning, 2012

Título original: *Iced*

Primera edición: noviembre de 2013

© de la traducción: Scheherezade Surià
© de esta edición: Roca Editorial de Libros, S. L.
Av. Marquès de l'Argentera 17, pral.
08003 Barcelona
info@terciopelo.net
www.terciopelo.net

Impreso por EGEDSA
Roís de Corella 12-16, nave 1
Sabadell (Barcelona)

ISBN: 978-84-15410-84-3
Depósito legal: B. 14.726-2013
Código IBIC: FR

PRIMERA PARTE

La música es la materia que forma el cosmos. Imagina
un mundo sin ningún tipo de melodía. Sin el gorjeo
de los pájaros, el cricrí de los grillos o el movimiento
de las placas tectónicas. Todo se reduce a que
la música siga sonando. Si deja de hacerlo…

El libro de Rain

PRÓLOGO

Dublín, me conquistaste con el «hola»

*I*magina un mundo que no conoce sus propias reglas. No hay móviles, ni Internet, ni mercado de valores, ni dinero, ni sistema legal. Un tercio de la población mundial ha sido eliminada en una sola noche y el número de muertes aumenta en millones cada día. La raza humana está en peligro de extinción.

Hace mucho tiempo los *faes* destruyeron su mundo y decidieron ocupar el nuestro. Cuenta la historia que se instalaron en nuestro mundo entre el 10.000 y el 6.000 a. C., pero los historiadores no tienen ni idea. Jericho Barrons dice que llevan aquí desde los albores del tiempo. Nadie lo sabe mejor que él porque estoy bastante convencida de que también lleva aquí desde entonces.

Durante mucho tiempo hubo un muro entre ambos mundos. A excepción de algunas grietas, era una barricada segura, sobre todo, la prisión que encarcelaba a los *unseelies*.

Esa barricada ha desaparecido y los muros de la prisión no son más que polvo.

Ahora todos los *faes* son libres: los mortíferos miembros de la Corte Oscura y los arrogantes de la Corte de la Luz, igual de mortíferos, pero más hermosos. Un *fae* es un *fae*. No hay que fiarse nunca de ninguno. Somos presa de unos monstruos voraces que son prácticamente imposibles de matar. ¿Su comida favorita? Las personas.

Y por si fuera poco, hay fragmentos de la realidad Faery suspendidos en el aire que arrasan con lo que se encuentran por el camino. Son difíciles de captar; por ejemplo, si no te andas con cuidado puede que choques con uno mientras conduces. La noche que cayeron los muros, el mundo Faery se fracturó. Algunos dicen que hasta cambió el infame Salón de Todos los Días y se abrieron portales a nuestro mundo. La deriva es lo que más me irrita. Te acuestas en tu cama y puede que te despiertes en una realidad completamente distinta. Con suerte el clima no te matará al instante y sus habitantes no te comerán. Si tienes mucha más suerte quizá encuentres la forma de regresar a casa. Al cabo de mucho, claro. Y si tienes muchísima más, el tiempo transcurrirá a una velocidad normal mientras estés desaparecido. Sin embargo, nadie tiene tanta suerte. Las personas desaparecen sin parar. Se esfuman sin más y no se las vuelve a ver.

Y luego están las Sombras amorfas que merodean en la oscuridad y se zampan a todo ser viviente a su paso, hasta los nutrientes mismos del suelo. Cuando han terminado, lo único que queda es suciedad en la que ni un gusano podría vivir, aunque tampoco es que dejen vivos a esos bichos. Hay un campo minado al otro lado de la puerta. Pisa con cuidado. Ya no se aplican las reglas de tus padres. No le tengas miedo a la oscuridad. Y si crees que hay un monstruo debajo de la cama o en el armario, lo más probable es que sea verdad. Levántate y compruébalo.

Bienvenido al planeta Tierra.

Ahora este es nuestro mundo, uno que no conoce sus propias reglas. Y cuando tienes un mundo que no conoce sus reglas, todo lo oscuro y asqueroso que antaño estaba reprimido sale arrastrándose de las grietas para probar suerte con lo que le dé la gana. Es una especie de todos contra todos, una batalla campal. Volvemos a ser hombres y mujeres de las cavernas. El poder es lo principal; la supervivencia del más fuerte. La posesión lo es casi todo por ley. Cuanto más grande y malo seas, mayores serán tus posibilidades de sobrevivir. Consigue un arma o aprende a correr muy deprisa. Preferiblemente ambas cosas.

Bienvenido a Dublín, TCM —Tras la Caída de los Muros— donde todos luchamos por la posesión de lo que nos queda de planeta.

Los *faes* no tienen rey, ni reina ni nadie al mando. Dos

príncipes *unseelies* inmortales y psicóticos se pelean por el dominio de ambas razas. Los humanos no tenemos gobierno. Y aunque lo tuviéramos, dudo que le hiciéramos mucho caso. Es un caos absoluto.

Soy Dani «Mega» O'Malley.

Tengo catorce años.

Este año acaba de ser nombrado año 1 TCM y las calles de Dublín son mi hogar. Ahí afuera es zona de guerra. No hay dos días iguales.

Y no hay ningún otro sitio en el que quisiera vivir.

UNO

«Ding dong, la bruja ha muerto»,
subtitulaba Rowena... ¿quién?

—Yo voto para que sigamos la recomendación de Mac y llenemos toda la habitación de cemento —dice Val.

Me estremezco. Solo oír su nombre hace que se me revuelva el estómago. Mac y yo éramos uña y carne, como hermanas. Ahora me mataría sin pensar dos veces.

Bueno, lo intentaría.

Yo soy más rápida.

—Y, exactamente, ¿cómo esperas que consigamos hormigoneras o camiones capaces de acceder hasta las catacumbas que hay debajo de la abadía? —quiere saber Kat—. Por no hablar de la enorme cantidad de hormigón que se necesitaría para sellar esa cámara. Es tres veces más grande que la zona de formación del inspector Jayne, con un techo tan alto como el de una catedral.

Cambio de postura y me abrazo las rodillas con cuidado para no hacer mucho ruido. Noto calambres de sentarme sobre las piernas cruzadas. Estoy en la cafetería de la abadía, sentada en una viga en lo alto del techo donde nadie puede verme, me como una barrita de chocolate Snickers y las espío. Es uno de mis escondites favoritos para enterarme de todo lo que se cuece. Soy buena escaladora, rápida y ágil. Como sigo siendo una niña, según la mayoría de la gente, rara vez me dejan meter baza. No me preocupa. Soy una profesional en escabullirme desde hace años.

—¿Qué sugieres que hagamos entonces, Kat? —pregunta Margery—. ¿Que dejemos al príncipe *unseelie* más poderoso de todos, congelado en un pequeño bloque de hielo bajo nuestra casa? ¡Es una locura!

La cafetería está llena de *sidhe-seers*. La mayoría de ellas dice que está de acuerdo, pero es que ellas son así. La persona que habla más alto en este momento es con la que están de acuerdo. Borregas. La mitad del tiempo que las espío tengo que armarme de paciencia para no saltar, menear el culo, decirles «Bééé» y a ver si alguna me entiende.

Llevo en la abadía casi toda la noche, esperando a que la gente despierte y empiece a hacer el desayuno, impaciente porque aquellas que, como yo, han pasado toda la noche despiertas, nos cuenten las noticias a las otras y empiece el debate. Yo no necesito dormir tanto como las demás, pero cuando finalmente caigo rendida, duermo como un tronco. Es peligroso perder el conocimiento de esa forma, así que siempre me ando con cuidado con el sitio en el que duermo, por ejemplo, detrás de un montón de puertas cerradas con llave y con bombas trampa. Sé cómo cuidar de mí misma. Llevo sola desde los ocho años.

—No es más que un cubo de hielo —dice Kat—. El mismo rey *unseelie* aprisionó a Cruce. Ya viste cómo salieron disparados los barrotes del suelo a su alrededor.

No tengo familia. Cuando mi madre murió, Ro hizo que me mudara a la abadía con las otras *sidhe-seers*, las que podemos ver a los *faes*, incluso antes de que los muros cayeran. Algunas de nosotras tenemos también dones únicos. Estamos acostumbradas a pensar en términos de «nosotros» y «ellos», los humanos y los *faes*, hasta que nos enteramos de que el rey *unseelie* nos manipuló y mezcló su sangre con el linaje de seis antiguas estirpes irlandesas. Algunos dicen que estamos envenenadas, que tenemos al enemigo dentro. Yo digo que cualquier cosa que te hace más fuerte... pues eso, te hace más fuerte.

—La alarma no está puesta —replica Margery—. Y ninguna de nosotras sabe cómo armar la red que impide que entre la gente. Peor aún, ni siquiera conseguimos cerrar la puerta. Mac se pasó horas intentándolo.

No vomito el pedacito de chocolate y cacahuete que intento tragar, pero estoy a punto. Tengo que aprender a superar mi reacción al oír su nombre. Cada vez que lo oigo, veo la expresión de su cara al enterarse de la verdad sobre mí.

¡Joder! Ya sabía lo que pasaría si se enteraba de que era yo la que había matado a su hermana. Ahora no vale la pena ir lloriqueando por eso. Si sabes lo que va a pasar y no haces nada para evitarlo, no tienes derecho a hacerte el sorprendido y cabrearte cuando se arma la gorda. Primera regla del universo: la gorda se arma siempre. Las cosas son así y punto.

—Nos dijo que no podía hacer nada —dice Margery—. Piensa que el rey le hizo algo. Barrons y sus hombres trataron de cerrar la puerta a la fuerza, pero no hubo suerte. Ha quedado abierta.

—Así cualquiera puede entrar como si nada —dice Colleen—. Hemos encontrado a los gemelos Meehan allí esta mañana, agarrados a los barrotes, mirándolo como si fuera una especie de ángel.

—¿Y qué estabas haciendo tú allí esta mañana? —le preguntó Kat a Colleen. Colleen apartó la vista.

Con sangre contaminada o no, no me quejo de ser una *sidhe-seer*. Me dieron el mejor don de todos. Ninguna de las otras *sidhe-seers* sabe cómo lidiar conmigo. Soy rapidísima, superfuerte, tengo un oído muy desarrollado, un olfato privilegiado y una vista de lince. No sé si tengo mejor sentido del gusto o no. Como no puedo probar con la lengua de otra persona, supongo que no lo sabré nunca. Lo de la supervelocidad es lo mejor. Puedo pasar zumbando por una habitación sin que la gente pueda verme siquiera. Si sienten la brisa cuando paso, suelen pensar que es por una ventana abierta. Abro las ventanas allá donde voy. Es la forma que tengo de camuflarme. Si entras en una habitación con un montón de ventanas abiertas, fíjate bien en la brisa que parece venir en sentido contrario a la que entra de fuera.

—Eso es porque se parece a un ángel —dice Tara.

—Tara Lynn, no empieces —le espeta Kat—. Cruce nos habría destruido a todos si hubiera pensado que podría sacarle beneficio, y eso antes de leer el Libro y absorber su poder. Ahora, él es el Sinsar Dubh, la magia más oscura y retorcida de la raza *fae*. ¿Has olvidado lo que le hizo a Barb? ¿No te acuerdas de a cuántas personas masacró el Libro cuando no tenía un cuerpo? Ahora ya lo tiene. Y está debajo de nuestra abadía. ¿Y crees que se parece a un ángel, que es bonito? ¿Se te ha ido la olla?

No estuve en las catacumbas anoche, de modo que no tuve oportunidad de ver lo que pasó con mis propios ojos. Me mantuve a una distancia prudencial de esa persona cuyo nombre no quiero ni pronunciar. Sin embargo, sí oí lo que sucedió. Es de lo único de lo que se habla.

¡Joder, tía, V'lane es Cruce!

Ni siquiera es *seelie*. Es el peor de todos los príncipes *unseelies*.

Casi no me lo creo. ¡Estuve enamorada hasta las trancas de él! Pensé que sería quien nos salvaría a todos, que libraría una buena batalla y estaría del lado humano en la guerra. Pero resulta que él era la guerra, literalmente, cual jinete del Apocalipsis, y que cabalgaba con sus tres hermanos, los otros príncipes *unseelies*: Muerte, Peste y Hambre. Estaba claro que la mitología era real. Cuando volvieron a cabalgar por nuestro mundo todo se fue a pique. Nadie sabía que estaba vivo. Se suponía que habían asesinado a Cruce tres cuartos de millón de años atrás. En lugar de eso, se hizo pasar por V'lane todo ese tiempo, oculto tras el glamour. Se infiltró en la corte *seelie*, manipuló todos los acontecimientos que pudo y orquestó la oportunidad de conseguir lo que ansiaba: el dominio de las dos razas.

Los *faes* tienen una paciencia infinita. Claro que ser paciente debe de ser fácil cuando eres inmortal, ¡no te fastidia!

También me enteré de que era uno de los cuatro que violaron a M. —esa persona en cuyo nombre no estoy pensando siquiera— aquel día en la iglesia cuando lord Master liberó a los príncipes y se los echó encima.

¡Y por si fuera poco le dije que le daría mi virginidad algún día! Él me trajo bombones y hasta flirteó conmigo.

V'lane es Cruce. Joder. A veces eso es lo único que puedes decir.

Tara mira a Kat desafiante y sin pestañear.

—Eso no significa que quiera liberarlo. Solamente digo que es guapo. Nadie puede rebatírmelo. Hasta tiene alas de ángel.

Es guapo, sí, pero tenemos un problema bien gordo. Bajé a

las catacumbas anoche en cuanto desapareció todo el mundo. Me abrí paso por las entrañas laberínticas del edificio hasta que encontré la cámara que antaño contenía al Sinsar Dubh. Y todavía lo contiene pero en otra forma, con otra piel.

V'lane ya no parece V'lane. Está congelado en el interior de un bloque de hielo que a su vez está dentro de una jaula de barrotes brillantes. Tiene la cabeza echada hacia atrás y los ojos son puro fuego iridiscente, está rugiendo y tiene las enormes alas de terciopelo negro desplegadas. Unos brillantes tatuajes de serpientes resplandecen en su piel como si fueran oro en polvo. Y está desnudo. Si no hubiera visto otros penes en películas, me preocuparía perder la virginidad.

—Son unas alas negras, Tara —dice Kat—, como negra es la magia e igual de mortal. Ya era peligroso antes y ahora es mil veces peor. El rey nunca debió dejarle leer el Libro entero. Tendría que haberle parado los pies.

—Mac dijo que el rey no quería dejar el Sinsar Dubh dividido —dice Colleen—. Le preocupaba no ser capaz de mantenerlo encerrado en dos lugares.

Rebusco en un bolsillo de la mochila que siempre llevo colgando del hombro —nunca se sabe lo que puedo necesitar porque estoy siempre en marcha— y saco otra barrita de Snickers. Y otra vez pienso en el nombrecito de marras. Suerte que comer me alivia ese nudo en el estómago.

—Pero si ni siquiera conseguimos mantenerlo encerrado cuando estaba en un solo lugar —dice Kat.

—Porque Rowena lo soltó —dice Val.

He oído esa parte de la historia esta mañana al escuchar a las *sidhe-seers* hablando en las duchas. Anoche, cuando el Sinsar Dubh tomó posesión de Rowena, esa persona que no quiero nombrar la mató. Pero no antes de que Ro se jactara de cómo había liberado al Sinsar Dubh. Y, aun así, algunas hablan de celebrar un funeral en honor de la vieja bruja. Yo opino que la Gran Maestra de las *sidhe-borreguitas* está muerta así que: ¡Hurra! ¡Sacad el pastel y los sombreros de fiesta!

—Eso debilitó a Rowena —dice Kat.

Rowena nació débil. Era una bruja hambrienta de poder.

—Tal vez Cruce nos debilitara —dice Kat.

Reprimo un suspiro dándole un bocadito a la barra de caramelo. La nueva líder provisional de la abadía y Gran Maestra temporal de las *sidhe-seers* de todo el mundo acaba de cometer un gran error. Aprendí un par de cosas de esa persona, que no quiero nombrar, cuando solíamos pasar el rato juntas. Las *sidhe-borregas* necesitan mano dura, pero no dura como la de Ro, que era intimidatoria, denigrante y tiránica, sino lo suficientemente firme para que el rebaño no salga de estampida. El miedo y la duda son los principales motivos para la estampida. Kat debería haber dicho lo bueno que es que todas ellas fueran mucho más fuertes que Rowena. Hasta un niño se daría cuenta de lo que está pasando en esa sala. Las *sidhe-seers* tienen miedo. Rowena está muerta. Dublín ha quedado reducido a escombros, es un caos lleno de monstruos. Uno de los buenos resultó ser el malo de la película. Sus vidas han dado un giro de ciento ochenta grados varias veces y todavía son incapaces de asumir estos cambios. Son presa fácil para una líder más persuasiva, más fuerte, y eso quiere decir que Kat necesita convertirse en una y rápido. Antes de que alguien mucho menos amable y capaz lo haga.

Alguien como Margery, que observa a las demás con los ojos entrecerrados, como si les hubiera puesto un termómetro en el culo y les tomara la temperatura. Es un año mayor que Kat y formaba parte del círculo íntimo de Ro cuando la vieja bruja estaba viva. No va a tolerar un cambio de guardia que no la incluya. Creará problemas a las primeras de cambio. Espero que Kat sepa lo traicionera que puede llegar a ser. Cualquier persona que alguna vez haya estado cerca de Ro más de un segundo tiene algo que da mucho miedo. Lo sé por experiencia. Yo estuve más cerca de ella que ninguna otra. Política de *sidhe-borrega*. Y mira que la detesto porque te enreda como una telaraña pegajosa. ¡Me encanta vivir por mi cuenta!

Sin embargo, echo de menos la abadía de vez en cuando. Sobre todo, cuando las recuerdo haciendo galletas y cosas por el estilo. Es agradable oír voces en un segundo plano mientras duermes. Y aunque sepas que no te entienden, no estás totalmente sola en el mundo.

Kat tiene razón: el Sinsar Dubh que solíamos tener hechizado y bajo llave en la abadía no es nada comparado con lo que hay ahora bajo el entarimado.

El problema es que no parece el Sinsar Dubh.

Lo más oscuro de la magia y del poder de la raza *fae* ya no está atrapado entre las tapas de un libro. Está en el cuerpo de un príncipe *fae* alado y desnudo en toda su gloria. Y si nunca habéis visto un príncipe *fae* antes, sabed que es un ser glorioso, asombroso, alucinante, que te deja lela, vamos.

Es solo cuestión de tiempo que alguien lo libere.

Y Kat no ha analizado aún el factor crítico: mucha gente sabe que está allí, lleno hasta los topes de la magia mortal de la raza *fae*.

Conozco a la gente; la conozco aunque tenga formas y tamaños distintos. Alguien será lo bastante estúpido para creer que puede controlarlo. Alguien encontrará la forma de romper ese hielo.

Jericho Barrons es solo uno de los muchos que perseguían el Sinsar Dubh desde hace miles de años, pero nadie supo nunca dónde estaba.

De haberlo hecho, habrían asaltado la abadía en la Edad Media, cuando una simple torre redonda de piedras era lo único que ocultaba la entrada a nuestra ciudad subterránea. Y la habrían echado abajo, piedra por piedra, hasta que hubieran conseguido lo que venían a buscar.

Ahora hay un montón de humanos y *fae* que saben exactamente dónde se halla el arma más poderosa jamás creada.

La gente habla. Pronto el mundo entero sabrá que está aquí.

Resoplo al imaginar las hordas que nos atacarían, furiosas, y blandiendo sus armas. Estas *sidhe-borregas* bobaliconas están demasiado ocupadas debatiendo la mejor manera de defenderse, de conseguir protegerse, al menos. Suspiro.

Kat levanta la vista.

Dejo de respirar y me abrazo las rodillas contra el pecho. Me quedo completamente inmóvil.

Al cabo de un momento, Kat sacude la cabeza y vuelve a la conversación.

Suspiro de nuevo, pero más flojito.

Acaba de cometer un segundo error.

Frente a algo que no podía explicar, fingió que no estaba allí. Menudo avestruz está hecha.

Lo que yo decía: es cuestión de tiempo.

Espero unos minutos hasta que las cosas se calientan otra vez y aprovecho el desconcierto para salir de ahí con mi supervelocidad.

Me encanta moverme así. No me imagino la vida de otra forma.

Cuando algo me molesta, lo único que tengo que hacer es recorrer la ciudad y echarle un ojo a todas estas personas que se arrastran por la calle y ver lo lentos que van. Al instante me siento muchísimo mejor.

Tengo el mejor curro del mundo.

Soy una superheroína.

Hasta hace poco, yo era la única que conocía.

Según mi madre, no hice la transición habitual en una niña normal, de gatear a caminar. Pasé de estar recostada de espalda, contándome los dedos regordetes y ronroneando feliz mientras ella me cambiaba los pañales —nunca he entendido por qué lloran los bebés si les están limpiando las caquitas—, a lo que pensó inicialmente que era teletransportación. En un segundo estaba en el suelo del comedor y al siguiente había desaparecido. Tenía miedo que los *faes* me hubieran raptado —solían llevarse a las *sidhe-seers* si las descubrían—, hasta que me oyó hurgando en la despensa tratando de abrir un potito. Recuerdo que era crema de maíz. Todavía me encanta la crema de maíz. Sin embargo, no da mucha energía como combustible y yo quemo muchísima en muy poco tiempo.

Nunca llegué a ir a la escuela.

Mejor que no os cuente cómo conseguía que no saliera de casa. No dispones de muchas opciones cuando tienes una cría que se mueve más deprisa de lo que tú parpadeas. Y no, un ordenador tampoco lo es.

Nunca más seré la única superheroína en Dublín, algo que me jode muchísimo, pero poco a poco me estoy dando cuenta de que podría ser algo bueno.

Me estaba durmiendo en los laureles y eso puede llegar a volverte torpe si no llevas cuidado. Y a aburrirte, también. Ser siempre la mejor y la más rápida deja de ser divertido a la larga. Un poco de competencia te mantiene alerta, hace que te esfuerces más y que aspires a más.

Y en eso estoy ahora, en aspirar a más y vivir a lo grande.

Quiero acabar entre estallidos de gloria mientras sea joven. No quiero ir rompiéndome a pedacitos, perder la cabeza y morir arrugada y vieja. Viendo como está nuestro mundo ahora, no creo que ninguno de nosotros tenga que preocuparse de eso.

En los primeros puestos de mi lista de hombres que derrotar están Jericho Barrons y sus hombres. Al igual que yo, son superrápidos y superfuertes. Y por mucho que me fastidie reconocerlo, son más rápidos que yo. Pero estoy trabajando en ello.

Barrons puede interceptarme en el aire como si nada mientras me desplazo, que es como llamo a mi forma de moverme, como si congelara las imágenes. Me sitúo en el punto A, tomo una foto mental de todo lo que me rodea, piso el acelerador, y en un abrir y cerrar de ojos estoy en el punto B. Solamente tiene un par de inconvenientes. El primero es que mientras me desplazo, alguna vez choco contra cosas a toda velocidad porque algunas de estas cosas que fotografío con la mente no son estáticas, como personas, animales y *faes*. Y el segundo es que desplazarme requiere una tonelada de comida como combustible. Tengo que pasarme el santo día comiendo. Es un peñazo tener que recoger tanta comida y cargarla. Si no como lo suficiente, me siento débil y con flojera. Es muy triste. Soy como un depósito de gas andante que o está lleno o vacío. Nunca a la mitad. ¿Sabes esas películas donde la peña lleva ristras de munición alrededor del pecho? Pues yo llevo barritas energéticas y Snickers.

Por lo menos una vez cada noche me paso por el Chester's —el lugar de moda clandestino de Dublín para ir de fiesta, ligar sea cual sea tu fantasía e ir a la pesca de la inmortalidad—, un local que es propiedad de Ryodan, hombre de confianza de Barrons, y empiezo a cargarme a todos los *faes* que estén a su alrededor. Por lo general, sus hombres aparecen a los cinco segundos, pero yo hago maravillas en ese ratito.

El Chester's es una zona segura. Allí está prohibido matar a los *faes*, independientemente de lo que hagan. Y hacen cosas enfermizas.

Sin embargo, matar a los seres humanos no está prohibido

en el Chester's. Y eso me cabrea muchísimo, así que sigo dándole la vara a Ryodan y no pienso parar.

Una de estas noches seré más rápida que él, más rápida que todos ellos, y mataré a todos los *faes* que haya en el Chester's.

En el segundo lugar de mi lista de competencia están los *faes* a los que persigo. Algunos pueden teletransportarse, aunque lo llaman «tamizarse». No entiendo cómo va eso. Solo sé que es un sistema más rápido que mi forma de desplazarme, cosa que me preocuparía más si no tuviera la Espada de la Luz, una de las dos armas que pueden acabar con su puta inmortalidad. Así pues suelen dejarme tranquila la mayor parte del tiempo. Aquella, a quien no pienso nombrar, tiene la otra arma: la Lanza.

Me noto otra vez un nudo en el estómago. Al abrir una barrita energética, decido empezar a pensar en ella como «esa persona», abreviado como EP. Tal vez así mi mente pueda eludir los pensamientos sobre EP sin notar estas molestias en la barriga.

Por último están los Príncipes Oscuros. Antes eran cuatro. Cruce está fuera de escena de momento. Dos permanecen en Dublín, pero ya no están bajo el dominio de lord Master, lo que los hace mucho más peligrosos de lo que solían ser. Han empezado a luchar el uno contra el otro; libran su guerra particular. Estos dos suponen un problema importante. No solo pueden tamizarse, sino que te hacen llorar sangre si les miras. Y si te acuestas con ellos… Bueno, ¡mejor no lo hagas! No digo más. Han formado sus sectas y todo. Las ovejas siempre buscan un nuevo pastor, sobre todo cuando el terreno se vuelve pedregoso.

No me pongo a prueba con los príncipes. Mantengo las distancias. Duermo con la espada en la mano y hasta me baño con ella. Nunca dejo que nadie la toque. Me encanta mi espada. Es mi mejor amiga.

Maté al otro príncipe *unseelie*. Soy la única persona que lo ha conseguido. ¡Dani Mega O'Malley asesinó a un príncipe *unseelie*! Genial. El único problema es que ahora los dos que quedan me tienen un odio increíble. Espero que estén demasiado ocupados luchando entre ellos para venir a por mí.

Mi vida se basa en vigilar la ciudad y estar al tanto de todo lo que está cambiando. Me chifla saber los detalles de las cosas y difundir las noticias importantes por todos lados. No sé qué haría Dublín sin mí.

Dirijo un periódico llamado *El Diario de Dani* que publico tres veces a la semana. A veces hago una edición especial si sucede algo grande. Recojo los mensajes que dejan en la oficina central de correos —o lo que queda de ella— aquellas personas que tienen problemas con los *faes* duros de pelar. Me gusta atacarlos y salvar el pellejo de la gente. Me lo tomo muy en serio, como el inspector Jayne y los guardianes que patrullan las calles por la noche. Dublín me necesita y no pienso decepcionarla.

Acabo de publicar mi primer libro, *Dani toma Dublín: el ABC TCM*. Dancer me ayuda a imprimirlo y distribuirlo. Las críticas han sido fenomenales. El único problema es que cada vez que aprendo cosas nuevas, algo que ocurre constantemente, tengo que sacar una nueva edición revisada. Voy ya por la quinta.

Algunas de las personas a las que ayudo están locas de atar, ¡le tienen miedo a su propia sombra! Con solo mirarlos puedo adivinar que no vivirán mucho tiempo. Me entristece un poco, pero hago lo que puedo.

Decido pasarme por la oficina de correos, a ver si alguien ha dejado alguna nota para mí.

Acabo con la barrita energética en dos bocados y me guardo el envoltorio en el bolsillo. No sé por qué, pero no me siento bien tirando la basura al suelo. Aun sabiendo que las calles están llenas de escombros desde la noche del motín cuando Dublín cayó, contribuir a la suciedad me sabe mal.

Entrecierro los ojos, me fijo en la calle hasta donde me alcanza la vista, sitúo cada obstáculo mentalmente hasta que todo encaja en su lugar: coches abandonados con las puertas abiertas que pueden darme un buen golpe si calculo mal unos milímetros; farolas arrancadas de la acera con pedazos de hormigón en la base y tiras de metal que sobresalen y que me rajarán las espinillas si no llevo cuidado; mesas que han arrojado por las ventanas de un pub y que bloquean ambas aceras. Os hacéis una idea.

Inspiro hondo y me concentro, dejo por un momento ese rinconcito de *sidhe-seer* en mi interior y me vuelvo otro ser. Ro solía pedirme que se lo explicara como si así pudiera encontrar la forma de hacerlo ella esforzándose lo suficiente. Lo mejor que se me ocurrió es esto: es como si recogieras todo tu ser mentalmente y lo dejaras a un ladito, hasta que de pronto te vuelves... otra persona. Es como si cambiara de marcha. El subidón es muy intenso y, bueno, no me imagino la vida sin esta habilidad porque sin ella no viviría, básicamente.

Lo hago ahora, cambio de marcha y me desplazo rápidamente; de repente me siento llena, libre y perfecta. ¡Noto la brisa en el pelo! Ni siquiera me siento los pies porque es como si tuvieran alas. Frunzo el ceño por la concentración y me empujo hacia delante más fuerte, más rápido, cada nanosegundo cuenta si quiero vencer...

Choco contra una pared.

¿De dónde coño ha salido eso?

¿Cómo me ha pasado por alto?

Tengo la cara entumecida y no veo nada. El impacto ha interrumpido el desplazamiento y tropiezo con lo que me rodea. Cuando por fin recupero el equilibrio, sigo sin poder enfocar bien. Me he dado tal golpe con la pared que me ha cegado momentáneamente. Voy a tener la cara azulada de las magulladuras durante días y los ojos se me hincharán tanto que parecerán rendijas. ¡Qué vergüenza! No me gusta andar por ahí con la prueba de mis errores marcada en la cara, a la vista de todo el mundo.

Pierdo unos segundos preciosos tratando de recuperarme y en lo que puedo pensar es en que he tenido suerte que haya sido una pared y no un enemigo. Soy un blanco fácil en este momento y es culpa mía. Sé bien que no tengo que ir con la cabeza por delante cuando me desplazo porque un día de estos me voy a matar. El cuerpo puede absorber mejor los impactos que la cara. Como no me ande con cuidado acabaré con la nariz incrustada en el cerebro.

—Qué torpe eres, Mega —murmuro. Sigo sin poder ver. Me limpio la sangre de la nariz con la manga y alargo el brazo para palpar lo que me ha golpeado.

—Me estás tocando el paquete —dice Ryodan.

Aparto la mano.

—¡Ah! —exclamo, asqueada. Vuelvo a notarme la cara. Normal, en estos momentos es como si me ardiera. ¿Cómo demonios he llegado a este punto en el que creo notar un muro y resulta que es un pene?

Entonces recuerdo que es Ryodan y frunzo el ceño.

—¡Lo has hecho a propósito! —le acuso—. Has visto cómo acercaba la mano y te has puesto en medio.

—¿Y por qué haría algo así, nena?

Ryodan tiene una forma de hacer preguntas de lo más exasperante porque nunca le pone inflexión al final. Su voz es plana, no revela nada. No sé por qué me molesta tanto, pero así es.

—Para avergonzarme y hacerme sentir imbécil. Siempre tienes que tomar la delantera, ¿verdad? —Ryodan me pone de los putos nervios. No lo soporto.

—Te quedas corta con eso de torpe —me suelta—. Podría haberte matado. Cuidado con la cabeza, niña. Vigila por dónde vas.

Empiezo a recuperar algo de visión.

—Ya vigilaba —le digo, cabreada—. Has sido tú el que te has metido en medio.

Levanto la vista. Joder, qué alto es. La farola que funciona está justo detrás de su cabeza y le deja el rostro ensombrecido. Sin embargo, así es como a él le gusta. No sé cómo lo hace, pero os juro que a cada lugar al que va se las apaña para tener siempre la luz detrás. Esboza esa media sonrisa tan típica en él, como si le hiciéramos mucha gracia nosotros, esos seres inferiores.

—Yo no soy un ser inferior —le digo, muy cabreada.

—No he dicho que lo seas. De hecho, mi radar te capta porque no lo eres.

—Bueno, quítame de ahí.

—No puedo.

Se me cae el alma a los pies. No hace mucho tiempo Ryodan me localizó cuando estaba colgada en lo alto de mi torre favorita y me dijo que tenía un trabajo para mí. Me negué, por supuesto. Desde entonces, he estado diciéndome a mí misma que habrá llenado la vacante con cualquier otra persona.

No quiero asociarme a Ryodan y sus hombres. Me da la sensación de que después ya no puedes dejarles. Al menos, con vida.

Por supuesto, eso no me impide husmear en el Chester's. Tienes que saber quién es tu competencia y estar al tanto de lo que están haciendo. Este tío quiere algo de mí y quiero saber qué es exactamente. La semana pasada descubrí una entrada trasera en su club. Me juego el cuello a que nadie más salvo sus hombres y yo la conocemos. Debieron de pensar que estaba tan bien escondida que no tenían por qué preocuparse en custodiarla. ¡Y vaya cosas vi! Se me encienden las mejillas al recordarlo.

—He estado esperando a que me pasaras un informe, Dani. Tal vez te has encontrado un problema del que no sé nada.

¿Pasarle un informe? Tiene que estar de guasa. Yo no respondo ante nadie. La forma en que dice esa última frase me suena a que me ha estado vigilando y ahora sabe qué problemas tengo o dejo de tener.

—Mira, te lo repetiré una vez más: ya te puedes ir olvidando.

—No lo entiendes. No te estoy dando una opción.

—Eres tú quien no lo entiende. Yo tomo mis propias decisiones y opciones. A mí no me mandas, no eres mi jefe.

—Pues yo espero que sí, nena, porque eres un peligro en mi ciudad. Y yo trato las variables incontroladas de dos maneras. Una de ellas es ofrecerles trabajo.

La mirada que me lanza deja claro que es mejor no saber cuál es la segunda opción. Me limpio más sangre de la nariz y saco pecho.

—Pensé que era la ciudad de Barrons —le digo.

Hace caso omiso a mi pulla.

—Eres un peligro, un riesgo que no pienso asumir. Eres demasiado rápida, demasiado fuerte y demasiado tonta.

—No tengo ni un pelo de tonta, aunque rápida y fuerte soy un rato —añado con cierto pavoneo—. Soy lo mejor de lo mejor. Dani Mega O'Malley. Así es como me llaman: Mega. No me supera nadie.

—Y tanto que sí. Hay gente que te supera en sabiduría, en sentido común y en la capacidad para diferenciar entre una batalla que vale la pena luchar y la típica pose engreída de adolescente con las hormonas disparadas.

¡Ah! ¡Qué rabia! ¡No es ninguna pose! No me hace falta. Soy real y auténtica, una heroína de pies a cabeza. Ryodan sabe cómo chincharme pero no pienso darle la satisfacción de demostrárselo.

—Las hormonas no interfieren en mis procesos de pensamiento —le digo con frialdad—. Además, ni que estas putas hormonas fueran distintas a las tuyas. Le dijo la sartén al cazo.

—Tras mi visita clandestina la semana pasada, sé un par de cosillas de Ryodan.

—Eres humana. Tus hormonas serán una desventaja en todo momento comparadas con las mías. Y eres demasiado joven para saber una mierda sobre mí.

—No soy demasiado joven para nada. Sé que tú y los otros tíos os pasáis el día follando. Vi a esas mujeres que tenéis… —Me callé la boca.

—Lo viste.

—Nada. No vi nada. —No suelo patinar así de esta manera, al menos antes no me pasaba. Pero últimamente las cosas se han vuelto muy extrañas. Me cambia el estado de ánimo como los colores a un camaleón en un caleidoscopio. Me pongo más sensible y quisquillosa y acabo diciendo cosas que no debería. Sobre todo, cuando alguien me sigue llamando «niña» o «nena» y me va dando órdenes. Soy imprevisible, incluso para mi gusto. Es demasiado.

—Has estado en el nivel cuatro. —Sus ojos me dan mucho miedo. Por otra parte, es Ryodan. Sus ojos dan miedo siempre.

—¿Cuál es el nivel cuatro? —pregunto con aire inocente, aunque él no se lo traga. El nivel cuatro es algo salido de una película porno. Lo sé. Vi bastantes hasta hace poco, hasta que alguien a quien no le importo una mierda me leyó la cartilla, como si a EP le importara. Es una bobada pensar que solo porque alguien te grita, se preocupe realmente por cómo te estás educando o en lo que te estás convirtiendo.

Sonríe. Me da mucha rabia cuando sonríe.

—Niña, estás coqueteando con la muerte.

—Tendrás que atraparme primero. —Los dos sabemos que es una fanfarronada sin sentido porque él puede hacerlo.

Me mira fijamente. Me niego a apartar la mirada a pesar de que siento como si estuviera hurgando en los recuerdos que tengo almacenados y revisara lo que he visto. Pasan unos segundos que se me hacen eternos. Levanto la barbilla, meto una mano en el bolsillo de los vaqueros e inclino la cadera. Mi cuerpo quiere mostrarle indiferencia, frivolidad y aburrimiento, ya que no capta el mensaje que transmito con la expresión de mi rostro.

—Sentí una brisa en el privado del club la semana pasada —dice al final—. Como si alguien pasara deprisa. Pensé que sería Fade para que no le vieran, pero no fue así. Eras tú. No mola, Dani. No mola nada. ¿Hablo en tu idioma lo suficientemente claro para que lo entienda la adolescente suicida que llevas dentro?

Pongo los ojos en blanco.

—Joder, tío, no intentes hablar como yo. ¡Se me caen las orejas de oírte! —Le dedico una sonrisa arrogante—. No es culpa mía que no puedas verme cuando paso. ¿Y qué te ha dado con toda esta tontería sobre ser adolescente? Sé bien la edad que tengo. ¿Necesitas recordarla tú? ¿Por eso me lo sigues restregando como si fuera un insulto? Pues no lo es, para que lo sepas. Tener catorce es lo más; estoy en la cima del mundo.

Y sin darme cuenta invade mi espacio vital, engulléndolo por completo. Apenas me deja espacio y no pienso soportarlo ni un segundo más.

Me desplazo a un lado. O lo intento.

Me estrello contra él y choco de frente con su barbilla. Tampoco es tan dura. Al desplazarme y chocar contra él debería haberme partido la cabeza.

Doy marcha atrás. Puedo dar un par de pasos, pero no logro zafarme de sus brazos.

¿Pero qué coño?

Me desconcierta tanto haber fallado que me quedo ahí tiesa como una imbécil. Hasta ese preciso instante ni siquiera estaba segura de cómo se escribía ese verbo y mucho menos esperaba que me pasara. He fallado estrepitosamente y con todas las letras.

Me agarra de los hombros y me atrae hacia él. No sé qué cree que hace, pero no pienso acercarme a él. Estallo como una granada, lanzo los puños y le enseño los dientes, entre otras muestras de enfado para que se dé cuenta de que es mejor que no me toque cuando estoy cabreada.

Al menos eso intento. Le propino un puñetazo flojo antes de parar; no quiero comunicarle más noticias catastróficas a un tipo que no se pierde ni una y que no dudará en usar mis debilidades en mi contra.

¿Qué coño me pasa?

¿Me pasó algo al chocar con él? ¿Me rompí o algo?

La superrapidez se ha acabado. La superfuerza se ha agotado. Soy igual de débil que cualquier otro humano y… ¡puaj! Sigo entre sus brazos. Muy cerca de él, como si bailáramos una balada o nos fuéramos a dar un beso.

—¿Pero qué te pasa? ¿Te molo o algo? ¡Suéltame!

Me mira. Casi puedo ver cómo le trabaja la mente tras sus ojos. No me gusta que esté así de pensativo cuando me mira.

—Pelea, niña.

Arrugo la nariz con aire desafiante y levanto la mandíbula en una pose que significa «jódete».

—Tal vez no me apetece. Ya has dicho que no vale la pena. No dejas de repetirme lo grande y poderoso que eres.

—No he hecho amago de defenderme.

—Tal vez no quiera romperme una uña —le espeto con indiferencia para ocultar que acabo de intentar luchar y huir. Y por primera vez, me siento normal…

La palabra se me atraganta en la garganta. No puedo toser siquiera para deshacer ese nudo que me impide tragar.

De acuerdo. No hace falta que vuelva a decirla. No es verdad y nunca lo será.

Nunca he sido esa palabra. No forma parte de mi realidad. Quizá no he comido lo suficiente. Hago un rápido recuento mental del combustible consumido durante las últimas horas: once barras energéticas, tres latas de atún, cinco latas de judías negras, siete Snickers. Está bien, el menú es flojo, pero no tanto como para ir en reserva. Piso el acelerador otra vez.

Sigo sin moverme. Nada, ni un pelo. Estoy cagada.

Me sostiene la mano y me mira las uñas cortas que EP me pintó de negro la noche en que se enteró de la verdad sobre mí.

No sé por qué aún no me he quitado el color. Se me desconcha todo el tiempo por lo mucho que lucho.

—No tienes uñas que romperte. Inténtalo otra vez.

—Suéltame la mano.

—Oblígame.

Antes de poder darle una réplica mordaz, noto como la cabeza se me va hacia atrás, se me arquea la espalda y tengo la cara de Ryodan en el cuello.

Me muerde. ¡El muy cabrón me muerde! Ahí, en el cuello.

Me hinca los colmillos en la yugular. Los noto muy afilados, agudos, hundiéndose con fuerza. Duele mucho.

¡Ryodan tiene colmillos! No quise creérmelo cuando me pareció vérselos en la azotea la otra noche, cuando me decía que tenía un trabajo para mí.

—¿Pero qué coño haces? ¿Es que eres un vampiro o algo así? ¿Me estás convirtiendo? —Estoy horrorizada. Estoy... intrigada. ¿Esto me hará más fuerte? ¿Existen los vampiros? Las hadas, sí. Supongo que eso deja abierta la posibilidad. La verdad empezará a salir ahora. ¿EP lo sabe? ¿Barrons es vampiro? ¿Qué está pasando aquí? Joder, mi mundo acaba de volverse mucho más interesante.

De repente, me veo de pie, tambaleándome, sin oponer resistencia, como un molinete. Me jode que Ryodan me haga parecer torpe delante de él. Me limpio una mancha de sangre del cuello y la miro con desdén. ¿Cuándo fue la última vez que alguien me hizo sangrar? Nunca. Me voy dando golpes con la cabeza, sí, pero lo hago yo solita. Nadie más lo hace. O lo hacía, porque ya no es así.

¿Sangro? ¿Soy torpe y lenta? ¿Quién soy?

—Ahora sé qué sabor tienes, niña. Conozco tu olor como conozco el mío. Nunca podrás ir por delante de mí sin que me dé cuenta de que eres tú. Y si alguna vez te atrapo en las plantas inferiores del Chester's... o en cualquier parte de mi club...

Levanto la mirada furibunda de mis manos a su cara.

Él me sonríe. Tiene sangre en los dientes.

No mola nada que alguien te sonría con tu sangre en los dientes. Me ofende sobremanera. ¿Dónde tenía los colmillos? ¿Los tenía ya de antes? ¿Son naturales o son implantes? Nunca se sabe con la peña últimamente. No hicieron clic al sacarlos, como se ve en la televisión, o lo hubiera oído. Tengo un oído superdesarrollado. Bueno, a veces. Igual que, en teoría, también tengo supervelocidad y superfuerza. Antes era así, ahora ya no sé.

—… No me dejes…

Su mirada hace una cosa rara, como si parpadeara a cien por hora, que me desconcierta. Creo que es porque me mira de arriba abajo tan deprisa que no puedo concentrarme en sus ojos al cambiar de dirección y veo una especie de escalofrío ocular. Me pregunto si también yo puedo hacerlo y activar la supervelocidad en una parte solamente, como tal vez repiquetear con los dedos a la velocidad de la luz. Necesito practicar. Suponiendo que pueda ser superrápida otra vez, claro. ¿Qué coño me pasa? ¿Me he quedado estancada? ¿Cómo ha podido suceder? ¡Yo no me detengo nunca!

—… a menos que trabajes para mí y sigas mis directrices. Ese el trato. —Es frío. Gélido, mejor dicho. Y sin que me lo diga sé cuál es la segunda opción: morir. Trabaja para mí o muere. Me jode muchísimo.

—¿Me estás dando un ultimátum? Porque eso no mola.

—No muestro desdén: yo soy puro desdén. Lo fulmino con mi mirada del tigre. ¡Todos los adultos son iguales! Ven a un adolescente con más complejidades de las habituales y ya no saben qué hacer con él, por lo que tratan de encerrarlo, meterlo en una caja, hacerle sentir mal solo por ser lo que es. Como si yo pudiera evitarlo… Dancer tiene razón: los adultos tienen miedo de los niños que están criando.

—Si crecer significa acabar como tú —le digo—, no pienso crecer. Sé quién soy y me gusta. No voy a cambiar por nadie.

—Un día, niña, estarás dispuesta a vender hasta el alma de los cojones por alguien.

—No creo que debas decir «de los cojones» estando yo cerca. Por si lo has olvidado, solo tengo catorce años. Y para que te enteres: no tengo alma. Ya no hay bancos ni dinero, así que ya te puedes ir olvidando.

—No se puede estar más pagado de sí mismo…

Le fulmino con una mirada arrogante.

—Estoy dispuesta a intentarlo.

Ryodan se ríe y, al hacerlo, recuerdo la noche que lo vi en la cuarta planta. También se estaba riendo entonces. La mirada de esa mujer y el ruido que hacía mientras le hacía eso... ¡Puaj! Aggggh! ¡Qué asquerosidad! ¿Qué me pasa?

Él me observa detenidamente y quiero que me trague la tierra.

Ryodan mira a las personas de un modo completamente distinto al de los demás. Es como si tuviera una visión de rayos X o algo así y supiera lo que está pasando por la cabeza de la gente.

—No hay ningún misterio, niña. Si vives lo suficiente, sabes lo que están pensando —me dice—. Los seres humanos son predecibles; están cortados por un mismo patrón. Pocos evolucionan más.

¿Qué? No es posible que acabe de responder a mis pensamientos. No puede ser, joder.

—Sé tu secreto, Dani.

—No tengo secretos.

—A pesar de todo este fanfarroneo del que haces gala, no quieres que nadie te vea. No quieres que te vean de verdad. La chica invisible; eso es lo que quieres ser. Me pregunto por qué.

Lo empujo con ambas manos y me desplazo con todas mis fuerzas.

¡Esta vez funciona! ¡De puta madre! Me alegro de volver a ser yo misma! De notar el viento en el pelo. ¡Mega vuelve a la carga y puede sortear edificios enormes de un solo salto!

Bueno, tal vez la última parte sea un poco exagerada, pero aun así...

¡Zuuum! Me desplazo por las calles de Dublín.

De repente, choco contra una pared y pierdo el conocimiento.

DOS

«Ice ice baby»
('Hielo, hielo, nena...')

Como duermo como un tronco, me cuesta despertarme. Da igual que me haya quedado dormida o me hayan noqueado. Siempre estoy taciturna al principio porque no puedo sacarme el sueño de encima tan rápido como la mayoría de la gente. Los sueños se me enredan con el mundo real y tardan en desaparecer, como si fueran carámbanos que gotearan, poco a poco, en las canaletas con el sol de la mañana.

Esta vez no.

Recobro la consciencia como si me hubiera electrocutado: estoy acostada boca abajo y un segundo después me pongo a cuatro patas y, por último, amenazo a Ryodan con la espada en su garganta.

Él la aparta con un golpe. La espada sale volando y se estrella contra la pared de su despacho.

Me abalanzo tras ella y choco contra la pared, pero ¿a quién le importa? Vuelvo a tener la espada en la mano. Me levanto de espaldas a la pared, con la espada directamente delante de mí, sin apartar los ojos de él ni un instante, esperando a que intente quitármela una vez más. Como se atreva, se la clavaré en el corazón.

—Nos podemos pasar el día así si quieres —me dice.

—Me has dejado inconsciente —le digo apretando la mandíbula. Estoy cabreadísima, me palpita el rostro y me duelen hasta los dientes. Me sorprende que todavía me quede alguno.

—Matiza eso. Me interpuse en tu camino. Te dejaste inconsciente tú solita. Te dije que vigilaras por dónde ibas.

—Eres más rápido que yo. Eso significa que tienes que cederme el paso.

—Ni que fuéramos coches. Qué maja. Yo no cedo el paso nunca. —Pasa un pie por detrás de la pata de una silla y la empuja hacia mí—. Siéntate.

—Vete a la mierda.

—Soy más fuerte que tú, más rápido que tú y carezco de la emoción humana que te mueve a ti. Eso me convierte en tu peor pesadilla. Siéntate o haré que te sientes.

—No se me ocurre nada peor —murmuro.

—Veo que quieres jugar. No creo que te gusten mis juegos.

Le doy vueltas a eso. Estoy preocupada por lo de antes, cuando me quedé estancada. ¿Y si vuelve a pasar y él se da cuenta? Estoy doblemente preocupada porque me noqueó, así en seco, cuando estaba desplazándome. Está claro que no puedo escapar si no quiere soltarme. Estoy en Chester's, en su territorio, con sus hombres en los alrededores. Y aunque Barrons esté por ahí, no me ayudará. Estoy bastante segura de que EP ha conseguido que me odie a estas alturas.

Examino la habitación. No he estado nunca en este despacho. Hay pantallas LED que hacen las veces de molduras y recubren la totalidad del techo, emitiendo luz de una zona a otra. Desde aquí Ryodan lo ve todo. Estoy en las entrañas de su club.

—¿Cómo he llegado aquí? —Solo hay una respuesta posible, pero trato de ganar tiempo para orientarme. Me toco la nariz con cuidado y palpo la punta: está bulbosa y blanda.

—Te he traído yo.

Eso me cabrea tanto que casi no puedo respirar. Me ha noqueado, me ha levantado como si fuera un saco de patatas, me ha acarreado por las calles de Dublín, abriéndose paso entre toda la gente y los repugnantes monstruos que pululan por Chester's. Seguramente todo el mundo miraba y sonreía. Hace mucho tiempo que no he estado tan indefensa.

Hecho: podría hacerlo de nuevo si se le viniera en gana. Una y otra vez. Este tío que tengo delante podría hacerme cosas mucho peores de las que hicieron mi madre o Ro.

Decido que lo más sabio es seguirle la corriente hasta que me deje ir. Luego me zamparé todo lo que caiga en mis manos, me pondré a prueba, me aseguraré de que todo va bien, me refugiaré en algún lugar seguro y pasaré desapercibida durante un tiempo. En clandestinidad, practicaré para ser más rápida y más fuerte, para no tener que soportar nunca más un momento como este. Y yo que creía que estos días ya se habían terminado para siempre.

Me siento.

No se ve tan petulante como yo haría. Me lanza una mirada de aprobación o algo así.

—No necesito tu aprobación —digo, irritada—. No necesito la aprobación de nadie.

—No cambies.

Frunzo el ceño. No entiendo a Ryodan en absoluto.

—¿Por qué estoy aquí? ¿Por qué me trajiste al Chester's? Ve al grano. Tengo cosas que hacer. Llevo una agenda apretada, ya sabes. Estoy muy solicitada.

Miro alrededor. En el despacho todo es de cristal: paredes, techo y suelo. Nadie puede ver el interior, pero desde fuera sí se puede ver el exterior. Es extraño caminar sobre un suelo de cristal. Es como si la parte inferior del mundo se desprendiera con cada paso que das. Incluso sentado sientes un poco de vértigo.

Bajo la mirada. Hay kilómetros de pistas de baile debajo de mí. El club tiene múltiples niveles, quizás un centenar de subclubes separados en niveles, cada uno con su propio tema. *Seelies*, *unseelies* y humanos conviven y cierran a saber qué tipo de tratos. Aquí en el Dublín posapocalíptico, por un precio, se puede obtener de todo en el Chester's. Por un instante, se me olvida que él está aquí, fascinada como estoy observando todo lo que sucede entre las zapatillas altas que llevo. Podría quedarme aquí sentada días y días, examinando cosas, volviéndome más inteligente. Podría hacer una lista de cada casta *fae*, correr la voz por la ciudad: qué son, cómo se les puede derrotar o, por lo menos, cómo escapar de ellos o retenerlos hasta que yo llegue y los mate con la espada. Esa es, en gran parte, la razón por la que he estado tan empecinada en entrar en Chester's. ¿Cómo puedo proteger mi ciudad si no puedo advertir a la gente de todos los peligros que existen? Tengo trabajo que hacer y necesito toda la información que pueda conseguir.

En la pista de baile hay un hombre *seelie*, rubio y guapo

como V'lane antes de desactivar su glamour y mostrarse ante todos como *unseelie*. En el siguiente subclub hay un *fae* oscuro de casta inferior que nunca he visto antes. Es brillante, parece húmedo y compuesto por capas de... ¡puaj! ¡Las múltiples capas y los fragmentos que lo forman se están separando y se escabullen en todas direcciones como si fueran cucarachas! Odio las cucarachas. Empiezan a desaparecer por debajo de las perneras de los pantalones de la gente. Rápidamente levanto los pies del suelo y me siento con las piernas cruzadas sobre la silla.

—Lo observas todo.

No es una pregunta, así que no contesto. Lo miro, me cruzo de brazos y espero.

Ahí está esa sonrisa de nuevo.

Saco el labio inferior con aire desafiante.

—¿Qué te has creído? ¿Soy un chiste andante o qué? ¿Por qué siempre sonríes cuando me miras?

—Ahora lo verás. —Se acerca a su escritorio, abre un cajón, saca una hoja de papel y me la da—. Rellénalo y fírmalo.

La cojo y la examino. Es una solicitud de empleo. Lo miro.

—Colega, estamos en un mundo posapocalíptico. ¿Quién sigue redactando solicitudes de empleo?

—Yo.

Miro la solicitud con los ojos entrecerrados y luego levanto la vista.

—¿Cuánto me vas a pagar? —pregunto.

—Colega, estamos en un mundo posapocalíptico. ¿Quién sigue haciendo dinero?

Me río disimuladamente. Es la primera señal de sentido del humor que le veo. Entonces recuerdo dónde estoy y por qué. La arrugo en una bola y se la lanzo. Le rebota en el pecho.

—Estás perdiendo el tiempo, niña. Cuanto antes hagas lo que te digo, antes podrás salir de aquí. —Vuelve a su escritorio, saca otra hoja y me la da junto con un bolígrafo.

Me relajo. Eso es que piensa soltarme y puede que sea pronto, incluso.

Le echo una ojeada a la solicitud. Tiene los espacios habituales en blanco: nombre, dirección, fecha de nacimiento, formación, trayectoria laboral, espacio para la firma y la fecha. Es la solicitud más elegante que haya visto nunca, con el membrete de «Chester's» grabado en un borde que enmarca la página.

Todos se aferran a algo cuando el mundo se hunde. Supongo que a Ryodan le gusta tener los detalles de su negocio bien organizados y planificados, independientemente del caos que haya al otro lado de la puerta. Bueno, no me voy a morir por rellenar este papelucho y acceder a lo que sea que quiera. Así podré largarme de aquí y buscar un buen escondite. Suspiro. Esconderme. Yo. Anhelo los días en que era la única superheroína de la ciudad.

—Si relleno esto, ¿dejarás que me vaya?

Inclina la cabeza.

—Pero tengo que hacer alguna clase de trabajo para ti, ¿no?

Vuelve a inclinar la cabeza.

—Si hago este trabajo, ¿habremos terminado? ¿Para siempre? Solo un trabajo, ¿verdad? —Tengo que conseguir que esto suene convincente o se dará cuenta de que pienso desaparecer.

Una vez más, asiente con ese gesto imperial que es casi imperceptible. Más bien es como si se rebajara a reconocer mi insignificante existencia.

No le pregunto en qué consiste el trabajo porque no tengo intención de hacerlo. No pienso ser la solución de nadie para los problemas de la gente. Ya hice lo impensable por Ro. Fue pasarse de la raya, una raya muy profunda. Ahora ella está muerta y yo soy libre. La vida comienza ahora. Le observo. Está completamente inmóvil y la luz que tiene detrás —como es habitual— sumerge sus rasgos en sombras.

Los gatos también se quedan así de quietos antes de atacar.

Aquí pasa algo, algo más grande de lo que percibo a simple vista.

Me duele la cara. Tengo los ojos hinchados; el izquierdo está casi cerrado.

—¿Tienes un poco de hielo? —Necesito ganar tiempo para averiguar qué está sucediendo. Además, si va a buscar hielo, podré husmear en el despacho.

Me echa una mirada que he visto a otros hombres antes, sobre todo, dedicada a las mujeres: barbilla baja, miran desde arriba con una sonrisa ligeramente burlona. Hay algo en esa mirada que no entiendo, pero el desafío es inconfundible.

—Ven aquí —dice—. Te curaré. —Está sentado detrás del escritorio, mirándome. Quieto, muy quieto. Es como si ni siquiera respirara.

Lo miro. No sé qué pensar de él. Parte de mí quiere levantarse, acercarme a ese escritorio y averiguar de qué está hablando.

—¿Podrías hacerlo? ¿Podrías hacer que mis moretones y cortes desaparecieran? —Siempre estoy magullada y se me agarrotan los músculos por usarlos demasiado. A veces se me desgastan tanto los zapatos que se me despellejan los pies. Estoy empezando a cansarme.

—Puedo conseguir que te sientas mejor de lo que te has sentido en tu vida.

—¿Cómo?

—Hay ciertos secretos, Dani O'Malley, que solo se aprenden si participas.

Reflexiono un poco.

—Entonces, ¿qué? ¿Tienes hielo?

Se ríe y pulsa un botón en su escritorio.

—Fade. Hielo. Ya mismo.

—Entendido, jefe.

A los pocos minutos, estoy sentada con un paquete de hielo sobre una mitad de mi rostro y entorno un poco los ojos para llenar la solicitud de marras de Ryodan. Estoy terminando y a punto de firmar cuando noto una sensación extrañísima en la mano, con la que sostengo la hoja.

Es mi mano izquierda, la mano de la espada, la que se puso negra hace un tiempo, la noche en la que le atravesé el corazón a un Cazador y lo maté. O, mejor dicho, la noche en que creí haber matado a un Cazador. La verdad es que no estoy realmente segura de haberlo hecho, pero no voy a retractarme ahora. El público necesita creer en ciertas cosas. Cuando volví para sacarle fotos para *El Diario de Dani* y mostrárselo a la gente, había desaparecido. No quedaba ni rastro. Ni una sola gota de sangre negra por ningún lado. Barrons dice que no se les puede matar. Después del incidente pensé que perdería la mano. Las venas se me volvieron negras y la mano se me enfrió tanto como un cubito de hielo. Tuve que llevar un guante varios días. Le dije a las *sidhe-ovejas* que había tocado un zumaque venenoso. Es raro en estos lugares, pero alguno había. No sé si las Sombras se los comieron todos. Me pregunto si al hacerlo les entró una buena comezón en el estómago.

Ahora noto una sensación extraña, como un hormigueo. La miro con atención y me pregunto qué será lo siguiente que me suceda. Quizás apuñalar al Cazador me ha hecho algo. Quizás sea por eso que me quedé inmóvil. Quizás se avecinen cosas peores.

¡Esto no es propio de mí! Yo soy puro optimismo. Mañana es mi día. ¡Nunca sabes qué grandes aventuras te esperan a la vuelta de la esquina!

—Niña, ¿te quedarás ahí sentada todo el día soñando despierta o firmarás eso de una puta vez?

Y justo entonces lo veo. Estoy tan sorprendida que se me queda la boca abierta.

¡He estado a punto de firmarlo!

Seguro que interiormente ha estado partiéndose de risa todo el rato, satisfecho por su ingenio.

Levanto la cabeza con brusquedad.

—Entonces, ¿qué es lo que hace el hechizo en el borde de esta cosa, exactamente? —Nunca he visto nada así y mira que he visto un montón de hechizos. Ro era una profesional. Algunos eran realmente desagradables. Ahora que lo veo, me sorprende que se me haya pasado antes. En el intricado borde negro hay unas formas y unos símbolos relucientes que se contonean y se retuercen, que no dejan de moverse. Una de esas formas quiere salir de la página y llegar a mi regazo, arrastrándose.

La arrugo en una bola y se la tiro.

—Buen intento, pero no.

—Ah, vaya. Era una posibilidad para que firmaras. La solución más simple.

Se muestra imperturbable. Me pregunto si habrá algo que lo perturbe, que lo haga perder la calma, enojarse por algo, chillar y gritar. No se me ocurre nada. Creo que Ryodan deambula por la vida impertérrito y con el mismo humor todo el tiempo.

—¿Qué me hubiera hecho si lo hubiera firmado? —pregunto. La curiosidad nunca me falta. Mi madre decía que me mataría. Algo tiene que hacerlo, ¿no? Hay cosas peores.

—Algunos secretos...

—Sí, sí, bla, bla, bla tienes que participar y todas esas bobadas. Lo capto.

—Bien.

—Tampoco quería saberlo de todas formas.

—Sí que querías. No soportas no saber las cosas.

—Así que, ¿ahora qué? —Hemos llegado a un punto muerto, él y yo. Sospecho que su «solicitud» era en realidad un contrato. Un contrato vinculante, de esos que te atan el alma y la meten en el bolsillo de otra persona. He oído rumores, pero nunca pensé que fueran reales. Sin embargo, si alguien conoce la manera de atar tu alma a un contrato comercial, ese debe de ser Ryodan. Jericho Barrons es un animal. Una bestia descontrolada. Ryodan no tanto; es una máquina.

—Felicidades, niña —dice—. Has superado la primera prueba. Aún puedes conseguir el trabajo.

Suspiro.

—Va a ser un día largo, ¿verdad? ¿Servís el almuerzo aquí? Y necesitaré más hielo.

Se abre una puerta que ni siquiera sabía que estaba ahí, en la pared de cristal de su despacho, y se ve un ascensor de cristal. Chester's es mucho más grande de lo que creía. Mientras bajamos me quedo fascinada por las vistas. Y un poco preocupada.

Que me esté dejando ver tanto significa que firmara o no firmara su estúpida solicitud, piensa que me tiene bien atada.

El despacho de cristal de Ryodan no es el único lugar desde donde él puede observar las cosas. No es más que la punta del iceberg y, colega, lo del iceberg lo digo muy en serio: hay millones de cosas escondidas bajo la superficie. La parte central del Chester's —la mitad interior, una docena de plantas que son las que ve el público— no es más que una décima parte del mismo. La parte principal donde todo el mundo pasa el rato y baila y pacta con el diablo está construida dentro de una estructura mucho más grande. Ryodan y sus hombres viven tras los muros del club, en lo que me empieza a parecer, desde donde me encuentro, una enorme ciudad subterránea. Todas las paredes son de cristal polarizado. Se puede acceder a cualquier nivel por el ascensor o la pasarela, y observar todo lo que está sucediendo en cualquier momento. Detrás del diseño de este lugar hay mucha planificación. Está claro que no lo han construido desde que los muros cayeran el pasado Halloween. Me pregunto cuánto tiempo ha estado todo aquí, bajo el elegante, ostentoso y glamuroso Chester's que había antes, el punto de encuentro de estrellas de cine, modelos y multimillonarios. Me pregunto si, igual que nuestra abadía, su mundo subterráneo lleva milenios bajo un exterior cambiante.

No podría estar más impresionada. Es tan impactante que estoy celosa. Esto es fisgonear, pero a un nivel tecnológico completamente nuevo.

—Te gusta lo que ves, niña.

Me toqueteo las cutículas, fingiendo que estoy aburrida.

El ascensor se detiene y se abren las puertas. Imagino que debemos de estar a unos ochocientos metros debajo de Dublín.

Lo primero que percibo es el frío. Me ciño la chaqueta, pero no sirve de mucho. Me encanta como queda el cuero, pero no su nula capacidad para abrigar.

Lo segundo que percibo es el silencio. En la mayoría de las zonas del Chester's se oye música o retazos de conversación, sea el día y la hora que sea. Al menos algún tipo de ruido blanco. En esta planta, no obstante, el silencio es hasta ensordecedor.

Lo tercero que me impresiona es lo oscuro que está.

Ryodan me espera fuera del ascensor.

—¿Ves bien aquí afuera? —¿Tiene algún otro superpoder que yo no tenga? Veo bastante bien en la oscuridad, pero no cuando esta es absoluta.

Él asiente. Lo odio.

—Bueno, yo no, así que enciende alguna luz, joder. Además, ¿qué hay de las Sombras?

—A mí no me molestan.

Las Sombras no le molestan. Las Sombras se lo comen todo, no discriminan.

—Qué valiente eres. A mí sí me molestan, así que enciende ya las luces.

—Las luces no funcionan aquí abajo.

Antes de que pueda decir nada más, se saca una linterna del bolsillo y me la da. No he visto cosa más chula: tiene forma de bala, es pequeña, elegante, plateada y cuando la enciendo ilumina el pasillo más allá del ascensor como si hubiera salido el sol.

—Tío —digo con respeto—, tienes unos juguetes fantásticos.

—Sal del ascensor, niña. Tenemos trabajo que hacer.

Lo sigo y el aliento se me hiela en el aire.

Pensaba que solo había seis plantas en el Chester's. Ahora sé que hay al menos veinte; las he contado mientras bajaba. El nivel en el que estamos ahora tiene tres subclubes distintos. Veo cosas a través de las puertas abiertas que ninguna chica de catorce años debería ver. Claro que esa es la historia de mi vida.

El frío empeora a medida que avanzamos por el pasillo, de camino a un par de puertas altas. El frío atraviesa el chaquetón que llevo y se me mete dentro. Me estremezco y me empiezan a castañetear los dientes.

Ryodan me mira.

—¿Cuánto puedes resistir antes de morir congelada?

Directo y al grano, así es Ryodan.

—No lo sé. Te lo diré cuando crea que estoy a punto de palmarla.

—Pero resistes el frío mejor que la mayoría de humanos.

Como es habitual en él, no lo formula como una pregunta y yo asiento de todos modos. Lo soporto todo mejor que la mayoría de las personas.

Aun así, cuando nos detenemos ante el par de puertas cerradas al final del pasillo, me duele todo. He estado pisando con fuerza a cada paso durante los últimos cuarenta y cinco metros. Empiezo a dar saltitos para evitar que la sangre se me congele en las venas. Me arden la garganta y los pulmones cada vez que inhalo. Noto el frío empujando las puertas al otro lado como si tuviera presencia propia. Miro a Ryodan.

Tiene el rostro escarchado. Cuando arquea una ceja, el hielo se quiebra y cae al suelo.

Sacudo la cabeza.

—No puedo. —No pienso entrar ahí.

—Creo que sí puedes.

—Colega, soy genial. Soy la repera, pero tengo unos límites. Creo que mi corazón se está solidificando.

Y en un abrir y cerrar de ojos noto su mano en mi pecho como si estuviera magreándome.

—¡Apártate de mí! —le espeto, pero ahora me agarra una muñeca con la otra mano. Sacudo la cabeza y aparto la cara como si no soportara mirarlo siquiera. No puedo detenerlo. No con palabras o acciones. Será mejor que le deje hacer y acabe con esto de una vez.

—Eres lo bastante fuerte. —Deja caer la mano.

—No lo soy. —Ha sido una mañana difícil. A veces me gusta probar mis límites. Ahora no es una de esas veces. No después del tartamudeo de antes.

—Sobrevivirás.

Levanto la vista para mirarlo. Lo raro es que por mucho que me cabree y aunque sea tan impredecible, le creo. Si Ryodan cree que puedo soportarlo, ¿quién soy yo para discutir? Ni que fuera infalible o algo. Quién diría que acabaría teniendo más fe en el diablo que en cualquier dios.

—Pero tendrás que hacerlo a tu máxima velocidad.

—¿Hacer qué?

—Ya verás. —Las puertas dobles son altas y tienen muchos adornos tallados. Parecen pesadas. Cuando él toca el pomo y abre la puerta, se le recubren de hielo los dedos inmediatamente. Al apartar la mano, se le quedan trozos de piel congelada en el pomo—. No te detengas una vez que estés allí. Ni siquiera un segundo. Solo te latirá el corazón mientras te estés moviendo. Como te pares, morirás.

¿Ha averiguado todo esto con solo ponerme la palma en el pecho?

—¿Y por qué tengo que entrar ahí? —No veo ni una sola razón para asumir tal riesgo. Me gusta vivir. Mucho, además.

—Niña, Batman necesita a Robin.

Ay, me derrito por dentro y reprimo un suspiro soñador. ¡Ser el Robin de Batman! Compañeros superhéroes. Hay muchas versiones donde Robin se hace más fuerte. Él me hubiera convencido con un hola si hubiera dicho eso primero.

—No quieres que trabaje para ti. Quieres una compañera superhéroe. Esa es una historia completamente diferente. ¿Por qué no lo has dicho antes?

Él entra en la sala y aunque no quiera reconocerlo, admiro que pueda hacerlo. Yo no podría y lo sé. Con la ráfaga de frío mortal que sale por la puerta me vienen ganas de llorar de puro dolor, de darme la vuelta y echar a correr en la dirección opuesta tan rápido como pueda, pero él simplemente avanza. No se mueve fluidamente como suele hacer. Es como si se empujara a sí mismo hacia una pared de hormigón a base de fuerza de voluntad. Me pregunto por qué no va más rápido, como me ha dicho a mí que haga.

Que él pueda hacerlo me provoca. ¿Voy a ser yo la gallina? ¿Permitiré que me supere? Este es Ryodan. Si quiero ser capaz de vencerlo, tengo que arriesgarme.

—¿Qué tengo que buscar? —pregunto mientras me castañetean los dientes y me preparo psicológicamente para desplazarme. No quiero entrar.

—Todo y nada. Absorbe todos los detalles, busca cualquier pista. Necesito saber quién le hizo esto a los clientes de mi club. Te garantizo protección, confía en mí. Como se extienda el rumor…

No termina la frase. No le hace falta. Nada de esto puede saberse. El Chester's tiene que ser un terreno seguro sin excepciones o perderá el negocio. Y Ryodan no soporta perder lo que es suyo, sea por el motivo que sea.

—Quieres que te haga de detective.

Me mira. Tiene el rostro cubierto de hielo y al hablar se le rompe en las comisuras de los labios.

—Sí.

No puedo contenerme y le pregunto:

—¿Por qué yo?

—Porque lo ves todo. No temes hacer lo que sea necesario sin decir una palabra a nadie sobre ello.

—Hablas como si me conocieras.

—Lo sé todo de ti.

El escalofrío que me provocan esas palabras tan medidas es casi peor que el que proviene del club. Conozco a la gente. Ryodan no habla por hablar. No intenta ganarse la confianza de la gente ni finge. No puede saberlo todo. No hay forma de que lo sepa todo.

—Deja de hablar. Necesito concentrarme si quieres que ponga mi supercuerpo y mi supercerebro a trabajar al mismo tiempo. Esa es mucha Meganitud.

Se ríe, creo. El sonido es plano y resuena a hielo en su garganta.

Apunto la linterna hacia el interior oscuro del club. Hay alrededor de cien humanos congelados, en mitad de un paso de baile, en mitad del sexo, a medio morir, mezclados con una casta de *unseelies* que solamente he visto en un par de ocasiones: la casta que hacía las veces de guardia imperial de lord Master. La sala está decorada en consonancia con su rango: todo rojo y negro, con cortinas congeladas de terciopelo rojo y sillas de terciopelo negro recubiertas de hielo, sofás rojos de piel, soportes acolchados y muchas cadenas en cada mueble. Hay también tiras de cuero y cuchillas afiladas. Hay charcos de hielo negro en el suelo. Sangre humana.

Tortura. Asesinato. Gente masacrada.

Empiezo a entenderlo y me quedo observándolo todo un segundo e intento no perder los nervios.

—Has permitido que pase esto. ¡Has dejado que los monstruos asesinaran a toda esta gente!

—Vienen aquí por propia voluntad. Anoche, la cola para entrar en mi club daba la vuelta a dos manzanas.

—¡Están confundidos! ¡Su mundo acaba de venirse abajo!

—Hablas como Mac. Esto no es nuevo, niña. Los débiles siempre han sido comida para los fuertes.

Oír su nombre es como una patada en el estómago.

—Sí, bueno, mi madre me enseñó a no jugar con la comida antes de comérmela. Eres un puto psicópata.

—Cuidado, Dani. No tires piedras contra tu propio tejado.

—Yo no tengo nada propio como el Chester's.

—Es un refrán, todo el mundo lo sabe.

—Pues yo no. No será tan conocido.

—Quiero decir que es mejor que no hagas ninguna bobada que te perjudique a ti misma. Tal vez quieras hablar de tu madre.

Aparto la mirada. Me guardaré las piedras un ratito más. Al menos hasta que sepa con certeza qué es exactamente lo que sabe de mí.

Vuelvo a prestar toda mi atención a la sala y la tensión desaparece, reemplazada ahora por una gran emoción. Me encantan los misterios. ¡Qué forma de poner a prueba la mente! A Dancer y a mí nos gustan los rompecabezas y los acertijos. A veces me gana. Dancer es la única persona que conozco que creo que puede ser más lista que yo. ¿Pero qué es este lugar? ¿Qué sucedió?

—¿Tienes cámaras aquí? —digo.

—Dejaron de funcionar cuando todo iba normal.

Como si algo alguna vez hubiera sido «normal» en esta cámara de tortura. Ahora es incluso más raro.

Todas las personas y *faes* de esta sala están congelados en forma de figuritas silenciosas, blancas y sólidas. De la nariz les cuelgan como estalactitas de cristal, como si sus últimas exhalaciones se hubieran quedado heladas. Al contrario que Cruce, que está retenido dentro de un bloque de hielo sólido, parece que esta gente se hubiera quedado congelada de repente y de algún modo extraño. Si le diera un golpecito a alguno de los *faes*, ¿se rompería?

—¿Crees que fue el rey *unseelie* quien hizo esto?

—No le encuentro explicación —dice Ryodan—. No es de los que pierden el tiempo con pequeñeces. Date prisa, niña, que no estamos de picnic.

—¿Y por qué estás tú aquí?

—No doy nada por sentado.

Quiere decir que puede que alguno de ellos no esté completamente congelado.

—Me estás cubriendo la espalda.

—Siempre cubro la espalda de un empleado.

—Compañera —corrijo, y tampoco es que me guste. Me he sentido halagada cuando me ha llamado Robin, pero ya lo he superado. Este es su verdadero yo: alguien que dirige un lugar donde los *faes* matan humanos por pura diversión.

Yo los salvo. Él los condena. Hay un abismo entre ambos que ningún puente puede cruzar. Investigaré este asunto, pero no por él, sino por los humanos. Hay que inclinarse por un bando u otro. Yo sé de parte de quién estoy.

Me alegro pensando en lo mucho que puedo ayudar a toda la gente en Dublín a sobrevivir. Con algo tan simple me siento perfecta, libre y preparada para lo que sea, de modo que me concentro para desplazarme.

Moverme de esta forma tan especial dificulta ver las cosas. Por este motivo, me quedo de pie junto a la puerta mientras lo examino todo durante un buen rato y recopilo observaciones a distancia. El frío me provoca un dolor intenso incluso desplazándome. Cuando paso rápidamente junto a él, le pregunto:

—¿Qué temperatura hace aquí? —Supongo que obtendré la respuesta cuando vuelva a pasar.

—Ningún termómetro puede soportarlo —me dice al oído, y me doy cuenta de que él también se desplaza como yo. Está justo a mi lado—. No toques nada. Está demasiado frío y es mejor no arriesgarse.

Rodeo un guardia *fae* a máxima velocidad. Me muevo una y otra vez, buscando pistas. Si el rey *unseelie* hizo esto, ¿por qué eligió este lugar? ¿Por qué congelar a sus propios guardias?

—¿Este es el único clu... club que con... congeló? —tartamudeo por el frío.

—Sí.

—¿Cu... cuándo? —Piso fuerte mientras me desplazo con hipervelocidad, cabreada por el tartamudeo repentino. Da igual que sea por el frío: hace que parezca tonta. ¿Qué será lo próximo? ¿Un ceceo?

—Hace ocho días.

Unos días después de que Ryodan me acorralara en la torre de agua. Agacho la cabeza. Acabo de oír un ruido en esa sala completamente congelada. Corro hacia donde estaba cuando lo he oído y doy varias vueltas aguzando el oído.

Silencio.

—¿Has... has oído e... eso? —logro preguntar con dificultad. Se me está durmiendo la cara y cada vez es más difícil mover los labios. Rodeo a una humana que se quedó congelada en mitad del coito. No es simple rocío lo que la volvió blanca. Está cubierta de escarcha como la que se forma en una fría noche de niebla. Y, además, la recubre una capa de hielo transparente de dos centímetros y medio de espesor.

—Sí. —Ryodan pasa junto a mí. Con mucha cautela rodeamos la sala por lados opuestos y los examinamos todos al detalle, pero con sumo cuidado.

Es difícil escuchar bien cuando tienes tanto viento en los oídos debido a la velocidad de nuestros movimientos. Ryodan y yo hemos estado prácticamente dando vueltas como una peonza sin parar mientras hablábamos.

—Como un que… quejido a… agudo —digo. No podré estar en esta sala mucho más tiempo. ¡Otra vez el ruido! ¿De dónde viene? Cruzo el subclub cada vez más rápido. Ryodan y yo zigzagueamos entre las figuras congeladas en un intento de averiguar de dónde proviene.

—¿No… notas eso? —pregunto. Algo está cambiando… noto una vibración, como si la planta tuviera temblores, como si todo estuviera… cambiando.

—¡Mierda! —espeta Ryodan. Entonces me coge de la cintura y me carga sobre su hombro como un puto saco de patatas y se mueve más deprisa de lo que jamás me he desplazado en toda mi vida.

En ese momento comienzan a estallar como si fueran petardos. Los *faes* y los humanos explotan, llenando el aire de metralla helada y de color carne.

Uno tras otro revientan violentamente y con cada nueva explosión, la siguiente es todavía más fuerte. Los muebles también estallan. Los sofás deflagran con una erupción de astillas de madera heladas y relleno duro como piedra. Los estantes se hacen añicos. Es como si abrieran fuego mil metralletas.

Un par de cuchillos pasan volando, seguidos de una docena de picahielos.

Escondo la nariz en la espalda de Ryodan. Mi rostro ya ha soportado suficientes golpes por un día. No me apetece que se me clave ahora algo afilado. Noto un golpe en la parte trasera de la cabeza y me protejo el cráneo con los brazos. No me gusta estar sobre su hombro, pero él es más rápido que yo. Me pongo tensa al notar todos los trozos que me impactan en la espalda porque temo que se me clave alguno de esos amenazantes cuchillos o un picahielos.

Estamos a mitad del pasillo, casi en el ascensor. Los otros dos clubes también han empezado a estallar. Oigo un enorme estruendo y me doy cuenta de que el suelo se está agrietando debajo de nosotros.

Comienzan a caer trozos de techo.

Al llegar al ascensor, Ryodan me lanza al interior con un movimiento rápido y fluido.

Salgo de un brinco.

—¡Esto va a volar por los aires y quieres que me meta aquí! —le espeto.

—Llegarás arriba antes de que eso suceda.

—¡Joder! ¡Tengo un cincuenta por ciento de probabilidades de lograrlo!

—Me vale.

Vuelvo a notar cómo me lanza al ascensor. El techo del pasillo se está cayendo entero: molduras, paredes de yeso, vigas de acero. Lo aplastará. Aunque eso tampoco me importa.

—¿Y tú qué?

Sonríe enseñándome los colmillos. Me da repelús.

—¿Qué pasa, niña? ¿Acaso te importa?

Cierra las puertas de golpe y juraría que le da un empujón desde abajo.

Me catapulto rápidamente hacia el Chester's.

TRES

« When the cat's away... »
('Cuando el gato no está...')

En circunstancias normales, habría husmeado por la oficina de Ryodan, pero mi día no había sido normal y estaba cabreada.

Tenía dos cosas en mente: alejarme de Ryodan tanto como fuera posible mientras él estuviera agonizando (con suerte), y matar tantos *faes* dentro del Chester's como pudiera de camino a la salida.

El club estaba desprotegido. ¡Por fin!

Sus hombres habían pasado zumbando por mi lado tan deprisa que el pelo se me puso de punta unas cinco, seis y hasta siete veces, salvo Barrons, que no se aparta mucho de EP. Se dirigían, sin duda, a la planta congelada a salvar a su jefe, a evitar que muriera aplastado. Con algo de suerte todo el club se derrumbaría y acabaría convertido en un montón de escombros que los mataría a todos... pero lo dudaba.

Eran como Barrons. Ni siquiera estaba segura de que se les pudiera matar. De ser así, tal vez fuera con una arma muy concreta, oculta en una caja invisible, en un planeta invisible, con una atmósfera que quemara cualquier cosa viviente al instante, como a tropecientos años luz de distancia.

Sin embargo, conocía algunas cosas que sí se podían matar. Y la mano en la que llevo la espada me pica constantemente.

Matar *unseelies* me da un subidón casi tan intenso como desplazarme. Solamente me falta tener a EP detrás, pero sé bien que si alguna vez la vuelvo a tener detrás, será porque querrá atravesarme el corazón con la lanza.

Con el subidón de adrenalina y rabia, me abro paso rebanando y cortando. Es el subclub que más me molesta: las camareras van vestidas de colegialas con falda plisada corta, calcetines blancos y camisas blancas almidonadas.

Los niños son las peores víctimas tras la caída del muro. Hay muchísimos que se esconden en la calle, sin idea de cómo sobrevivir.

En Chester's, las mujeres adultas se visten como niñas para intercambiar favores sexuales por trozos de carne *unseelie*, la droga más nueva del mercado. Tiene unos poderes curativos increíbles y da a los humanos mucha más fuerza y resistencia temporalmente. He oído que también consigue que el sexo sea realmente intenso. Hay que ver las cosas que la gente está dispuesta a hacer por colocarse: ¡comer trozos de la carne de nuestros enemigos! Me entran unas ganas enormes de machacarles la cabeza.

Y eso es lo que hago.

De paso, aprovecho y les doy codazos a las camareras. La mitad de ellas son esas chicas bobas de «Nos vemos en Faery», esas que canturrean la frase de siempre cada vez que se despiden, como si ir a Faery fuera algo a lo que aspirar en lugar de algo que evitar como si fuera la peste.

Deberían estar en las calles, ayudándonos a luchar y a reconstruir nuestro mundo. Sin embargo, están aquí, confraternizando con el enemigo, vendiéndose en busca de la inmortalidad. Yo no me trago esa tontería. Creo que los *unseelies* se inventaron eso de que si comes suficiente carne *unseelie*, al final también te vuelves inmortal y puedes socializar con ellos en Faery.

Mato hasta el último de los *faes* en ese subclub de ambiente infantil, pasando de las camareras que me gritan para que me detenga. Algunas personas simplemente no saben lo que es bueno para ellas.

Tengo las manos manchadas de sangre negra, llevo un pegote en el pelo y me noto los ojos tan hinchados por los golpes de antes que apenas puedo ver, pero tampoco me hace falta ver mucho. Tengo un sistema que me guía cuando se trata de los *faes*. Noto a los *unseelies* y me los cargo.

Noto a uno malo y grande detrás de mí, peor que cualquiera de los que he matado hasta ahora, y que rezuma toda clase de poder. Echo la espada hacia atrás, preparada para asestarle el golpe mortal, me giro, bajo el brazo y...

¡Fallo!

El *unseelie* se agacha, rueda por el suelo y se incorpora de un salto media docena de mesas más allá. Se echa su larga melena negra por encima del hombro, musculoso y tatuado, y me gruñe.

Me lanzo tras él sin pensar siquiera y estoy a punto de chocar con él cuando me doy cuenta de quién es.

Cambio de dirección a mitad del salto y retrocedo a tropezones. Me quedo pataleando en el aire. Mierda, mierda, mierda. ¡Uno de los príncipes *unseelies* me ha encontrado!

¡Esta es una batalla para la que no estoy preparada ahora mismo! ¡No me lo esperaba porque nunca he oído que los príncipes *unseelie* hayan pisado el Chester's!

Choco con una mesa, me caigo de espaldas, ruedo hasta ponerme a cuatro patas y me alejo de un salto. Estoy a punto de descubrir si puedo desplazarme más rápido de lo que él puede tamizarse. Abro una barrita energética, me meto la mitad en la boca y empiezo a activarme cuando el príncipe *unseelie* dice:

—Chiquilla, ¿qué demonios haces? ¿Te has fijado en lo que te rodea?

A través de las hendiduras que tengo por ojos a causa de la hinchazón, y a pesar de que veo algo borroso, le echo un vistazo al lugar. La actividad en el club se ha parado en seco. Los *faes* y los humanos rodean los balcones y me miran desde todos los niveles.

Empiezo a oír lo que dicen.

—Está loca. Esta niña está chalada.

—Que la sacrifiquen ya.

—Yo paso de acercarme. ¿Has visto cómo se mueve? ¿Ves lo que lleva en la mano?

—La Espada de Luz —dice fríamente un *fae*—. Nuestra espada.

—¡Quitádsela!

—Matadla aquí mismo.

—Seguro que puedo tamizarme más deprisa de lo que ella puede matar —gruñe uno.

Me aparto el pelo de los ojos, a cuatro patas y tensa hasta el último músculo, a la espera. Sí, sí, ahora lo averiguaremos.

—¿Quién ha permitido que entre esta… esta repugnante… cosa humana? ¿Dónde está nuestro anfitrión? ¡Estamos en territorio neutral!

—Hizo un juramento. ¡Nos ha fallado!

No puedo evitar sonreír. Como Ryodan sobreviva al derrumbe, se va a poner como una moto. Acabo de conseguir exactamente lo que él quería evitar al «contratarme»: arruinar su reputación. Ahora todo el club sabe que no es capaz de garantizar la seguridad en el Chester's. La noticia habrá dado la vuelta a Dublín en menos de una hora. También podría imprimir una edición especial de *El Diario de Dani* para asegurarme. Bien. Cuanto menos gente venga al Chester's, menos gente morirá.

Vuelvo a mirar al tío al que inicialmente tomé por un príncipe *unseelie*. En cuanto habló, me tranquilicé. Ahora que voy a velocidad normal, observo las diferencias.

He estado a punto de matar a un humano. Bueno, a un humano que está en proceso de convertirse en otra cosa. Si no hubiera hablado, tal vez no hubiera estado segura de quién era, pero nunca he oído a un *fae* llamar «chiquilla» a nadie. No creo que esta peña se rebaje a eso, ni siquiera para hacerse pasar por nadie.

Es el escocés que me fastidió la fiesta en la torre de agua la misma noche que lo hizo Ryodan.

Los dos se enfrentaron entonces en una lucha encarnizada, lo que me dio tiempo a escapar. Era como si hubiera acudido a ayudarme o bien a molestar a Ryodan. Sea lo que sea, lo convierte en bueno para mí.

Este tío tiene unos problemas tan grandes como los míos, quizás más aún. Me lo quedo mirando. No le cae bien Ryodan y le rodea un halo casi mágico. Lo noto vibrando en el aire a su alrededor. Podría ser un buen as en la manga, si es que se puede confiar en él.

—Eres un MacKeltar, ¿verdad?

—Christian —dice.

—¿No son tus tíos una especie de hechiceros o algo así? Ayudaron a cazar el Sinsar Dubh.

—Son druidas, chiquilla. No hechiceros.

—¿Sabes pelear?

Me mira con aire burlón.

—No me hace falta. Puedo sacarte de aquí sin mover un dedo siquiera.

Gran charla. Decido dejar que lo intente.

Se coloca a mi lado y nos dirigimos hacia la puerta. Entre su aspecto y mi espada, los ocupantes del Chester's retroceden mientras pasamos. No puedo evitar pavonearme mientras pasamos por delante de sus narices.

Nos sueltan gruñidos, abucheos y amenazas, pero nadie se atreve a moverse.

Podría acostumbrarme a esto. ¿Quién necesita a EP? Tengo a alguien que parece un príncipe *unseelie* junto a mí y nadie, pero nadie, ni siquiera los *unseelies*, se meten con sus príncipes. Ah, sí, este tipo va a ser una gran baza en mi columna. Le miro de reojo.

Si consigo superar el hecho de que parece el más terrorífico de todos los *unseelies*.

Me echo un vistazo en el espejo al pasar. Entre las contusiones, los ojos hinchados, los cortes y la sangre de todos los colores, no estoy precisamente buenorra.

Con la espada en alto, entrecierro los ojos hinchados y memorizo los rostros de camino a la salida.

Afuera en las calles, en el fragor de la batalla, algunas veces debes tomar elecciones duras. Algunas veces no puedes salvarlos a todos.

Los humanos que vienen al Chester's nunca estarán en los primeros puestos de mi lista.

Cuatro

«I want a girl with a mind like a diamond»
('Quiero una chica con una mente brillante')

Me siento atraído por ella.

Tiene catorce años y me siento atraído por ella.

Soy ocho años mayor que ella. Once si tienen en cuenta los tres años que pasé intentando escapar de los Espejos Plateados de los *faes*. Ocho u once, ¿qué más da? Eso me convierte en un *highlander* pervertido.

O lo que sea que soy, vamos.

Está bañada en sangre, literalmente. Va cubierta de tripas y sangre de toda la matanza. En la nariz lleva una capa de sangre reseca, está magullada por todas partes y antes de que anochezca se le van a poner los ojos aún más morados. Es demasiado tarde para ponerle hielo y reducirle la hinchazón.

Y está que arde.

Su delicado rostro dolorido irradia luz, que resplandece también en sus ojos verdes. La melena de rizos cobrizos le cae hasta la mitad de la espalda. Todo en ella es brillante e intenso. Es consciente de ello y está involucrada en el mundo de un modo en que la mayoría de los adultos nunca lo estará. Lo sé. Yo también lo estuve una vez. Cuando creía que mi mayor problema era pensar que las mentiras de los demás eran ciertas. Ella lo hace todo poniendo un ciento diez por ciento de sí misma, con todo su corazón.

Eso es lo que me toca la fibra.

La atracción no siempre tiene que ver con el sexo. Algunas veces está relacionada con algo mucho más sutil y mucho más grande.

Vi cómo luchaba.

Y sentí dentro de mí algo que creía muerto.

No mi polla. Eso funciona a las mil maravillas. Mejor que nunca. Siempre dura. Siempre preparada.

Lo que sentí por dentro fue como una suave lluvia en un cálido día de verano. Dulce. Tierno. Algo que yo solía ser con mi clan, con mis sobrinos.

Ella me recuerda a las Highlands… las tierras a las que ya no puedo regresar.

Sé exactamente lo que ella será algún día: alguien a quien valdrá la pena esperar.

Lo malo es que ya no estaré aquí.

«Tómala ahora.»

—Catorce —gruño. Se me da bien discutir con la voz que oigo en la cabeza. Tengo mucha práctica. Un príncipe *unseelie* no pensaría dos veces en su edad. Un príncipe *unseelie* solo vería que tiene las partes correctas y temperamento de sobra. Cuanto mayor fuera la pelea, mejor sería el festín.

—¿Por qué diantre sigue diciendo eso la gente como si fuera algún tipo de insulto? Como si a mí se me olvidara, aunque fuera un minuto… —dice, enojada—. ¡Joder! ¡Nunca había visto a la gente tan obsesionada con mi edad!

Esa Dani enojada es algo digno de ver. Sonrío y ella da un paso atrás, cautelosa.

—Colega, ¿piensas comerme o algo?

Mi sonrisa se desvanece y aparto la mirada.

Llevo una máscara: un rostro que no es el mío.

Solía tener lo que las mujeres llamaban una sonrisa asesina. Ahora tengo la sonrisa de un asesino.

—Lo digo porque Ryodan ya me ha mordido hoy y no estoy de humor para otro mordisco… sea donde sea.

¿Ryodan la ha mordido? Una razón más para matarlo. Vuelvo a mirarla con el semblante carente de expresión. No tiene sentido intentar aparentar tranquilidad. Este rostro no podrá conseguirlo nunca.

—No te morderé. Lo prometo.

Ella entrecierra los ojos con recelo.

—Colega, ¿qué eres? ¿Eres *unseelie* o humano? ¿Qué te ha pasado?

—Mac es lo que me ha pasado. —Veo cómo se encoge al nombrarla y me pregunto por qué… También culpo a Jericho Barrons. Si sobrevivo a lo que me estoy convirtiendo, los mataré a los dos. El odio me corre por las venas, denso, negro y sofocante. De no haber sido por ellos, seguiría siendo yo mismo. Sin embargo, si Mac no hubiera hecho lo que hizo, yo no estaría aquí, para empezar. O si Barrons no hubiera hecho lo que hizo —mejor dicho, si no la hubiera cagado—, lo que me hizo Mac no me hubiera convertido en esto. Barrons no comprobó mis tatuajes antes de realizar un peligroso ritual druida y luego me abandonó en los Espejos plateados para que muriera. Cuando Mac me encontró allí, me alimentó con carne *unseelie* para mantenerme vivo. Es imposible decidir a cuál de los dos culpo más. Así que culpo a ambos y cada día me siento más feliz por eso.

Vi a Mac hace algunas noches, en un extremo del Chester's, con una melena rubia, hermosa y feliz. Me gustaría cogerle ese brillante pelo rubio, retorcérselo como si fuera un garrote y estrangularla. Oírla rogar y matarla de todas formas, disfrutando de cada minuto.

Más tarde esa misma noche, me miré al espejo durante un buen rato. Tenía el brazo doblado detrás de la cabeza, me rascaba la espalda con un cuchillo —entonces me picaba todo el tiempo—, disfrutaba de la sangre caliente que brotaba de mí y que me bajaba por la columna hasta los vaqueros. Antes la sangre me daba asco. Ahora podría bañarme en ella, incluso. Era como leche materna.

—Sí, ella es así —dice Dani con un suspiro—. A mí también me pasó.

—¿Qué te hizo a ti?

—Qué me hará si me atrapa, mejor dicho —aclara—. No quiero hablar más de eso. ¿Y tú?

—Tampoco quiero hablar de eso.

—Hay mejores cosas de las que hablar, de todos modos. Así que, ¿qué estabas haciendo en el Chester's?

Buena pregunta. No tengo ni puta idea. Creo que la cantidad de *unseelies* reunidos me llamó la atención, me hizo hervir la sangre de algún modo. Ya no sé por qué voy a la mitad de los lugares a los que voy. A veces, ni siquiera recuerdo las horas que he tardado en llegar o que he pasado en ellos. Solo soy consciente de que estoy en un lugar nuevo, pero no recuerdo cuándo he decidido ir o cómo he llegado hasta allí.

—Quería una cerveza. Ya no quedan demasiadas opciones en Dublín.

—No hace falta que lo jures —coincide ella—. Y no solo para la cerveza sino para todo. ¿De qué lado estás? —me pregunta, sin rodeos—. ¿Humanos o *fae*?

Es una buena pregunta y no tengo una buena respuesta.

No puedo decirle que no discrimino. Los desprecio a todos. Bueno, a casi todos. Está esta pelirroja de catorce años con esa mente tan afilada.

—Si me estás preguntado si te cubro la espalda, chiquilla, sí, lo hago.

Entrecierra los ojos y me mira fijo. Estamos fuera del Chester's en una zona donde nos inunda la luz. El cielo está tan nublado que parece el atardecer aunque sean las tres de la tarde. De repente nos veo desde arriba: una joven delgada de rostro delicado con un abrigo largo de cuero y los brazos en jarra, mirando a un *highlander* que se está transformando en un príncipe *unseelie*. La imagen es dolorosa. Debería ser un apuesto estudiante universitario de veintidós años con una sonrisa asesina y un brillante futuro por delante. Tramaríamos, planearíamos y pelearíamos juntos por el bien. Esa versión de mí mismo la cuidaría. Se aseguraría de que nadie le hiciera lo que la voz en mi cabeza me dice que le hará el primer *unseelie* que la atrape sin su espada. Y lo que parte de mí también quiere hacer. La furia me llena. Contra ellos. Contra mí. Contra todo.

—Nunca te separas de esa espada, ¿verdad?

Ella da un paso atrás y se tapa las orejas con las manos.

—Joder, tío, que no estoy sorda. No hace falta que grites.

No sabía que estaba gritando. Claro que hay muchas cosas que salen distintas a cómo las tengo previstas.

—Lo siento. Digo que si te das cuenta de lo que ocurrirá si alguno de los *unseelies* te atrapa. ¿Lo sabes?

—Eso no pasará nunca —responde ella petulantemente.

—Con esa actitud, pasará. El miedo es saludable, es bueno. Te mantiene atenta.

—¿En serio? Pues yo creo que es una pérdida de tiempo. Seguro que tú no le temes a nada —declara con admiración.

Cada vez que me miro en el espejo.

—Seguro que sí. Temo que te vuelvas descuidada, te distraigas y uno de ellos te atrape. Que te elimine.

Ella inclina la cabeza y mira con los ojos entrecerrados. No mucha gente me mira directamente a la cara últimamente. Al menos no durante mucho tiempo, de todos modos.

—Quizás aún no seas un príncipe *unseelie* del todo. Tal vez podamos hacer algún arreglillo.

—¿En qué estás pensando?

—Quiero cerrar el Chester's. Prenderle fuego y acabar con él.

—¿Por qué?

Me lanza una mirada de desprecio e incredulidad.

—¿Has visto qué hay ahí dentro? ¡Son unos putos monstruos! Odian a los humanos. Los usan, se los comen y se los cargan. ¡Y Ryodan y sus hombres se lo permiten!

—Pongamos que cerramos el lugar, que lo quemamos hasta los cimientos. Seguro que encuentran otro sitio al que ir.

—No, no lo harán —insiste—. Se largarán de ahí. Se darán cuenta de lo que pasa y verán que los hemos salvado.

Me inunda entonces una ola de emoción, empalagosamente dulce, que me hincha la lengua con un sabor a la vez familiar y nauseabundo. Es dura, valiente, capaz; es una asesina a sangre fría cuando necesita serlo.

Pero es la mar de ingenua.

—Están en el Chester's porque quieren estar allí. No te equivoques con eso, chiquilla.

—Que no, joder.

—Que sí, joder.

—¡Están confundidos!

—Saben exactamente lo que están haciendo.

—¡Pensé que eras diferente, pero no es así! ¡Eres igual que Ryodan! Igual que todos. Estás dispuesto a cargártelos a todos y no te das cuenta de que algunas personas necesitan que las salven.

—Eres tú la que no se da cuenta de que la mayoría de la gente ya no se salvará.

—¡No hay nadie que no pueda salvarse! ¡Nadie! ¡Jamás!

—Dani —la llamo por su nombre con ternura, saboreando el dolor que me hace sentir.

Me doy la vuelta y me alejo. No puedo hacer nada.

—¿Así que eso es todo? —me grita—. ¿Tú tampoco me ayudarás a pelear? ¡Beee! ¡Eres otro borrego! ¡Sois todos unos malditos borregos inmensos y gordos que no hacen más que mover el culo lanudo!

Es demasiado joven y demasiado inocente.

Es demasiado humana si tengo en cuenta en lo que me estoy convirtiendo.

CINCO

«Our house is a very very very fine house»
('Nuestra casa es una casa muy, muy, muy bonita...')

—¿*T*ienes hambre? —pregunta Dancer al abrir la puerta de un golpe y lanzar la mochila y el MacHalo sobre el sillón.

—Me muero de hambre.

—Genial. Hoy he ido a comprar.

A Dancer y a mí nos pirra ir de «compras», es decir, a saquear. De niña, soñaba que me olvidaban dentro de un gran centro comercial después de cerrar, sin nadie alrededor, lo que significaba que podía coger cualquier cosa que quisiera.

El mundo actual es así. Si eres lo bastante fuerte para enfrentarte a las calles y tienes los ovarios suficientes para entrar en las tiendas oscuras, todo lo que puedas cargar es tuyo. Lo primero que hice cuando cayó el muro fue ir a una tienda de artículos deportivos y llenar un macuto de zapatillas de deporte. Las quemo rápidamente.

—He encontrado algo de fruta enlatada —dice.

—¡Joder! —Cada vez es más difícil de encontrar. Hay muchas asquerosidades en los estantes—. ¿Melocotón? —pregunto con optimismo.

—No, esas naranjitas raras.

—Mandarinas. —No es mi favorita, pero es mejor que nada.

—También he encontrado coberturas para helado.

Se me hace la boca agua al oírlo.

Una de las cosas que más echo de menos es la leche y todos sus derivados. Hace un tiempo, a un par de condados al oeste, había alguien que tenía tres vacas lecheras que las Sombras no se habían comido, pero luego otras personas intentaron robárselas y acabaron a tiros. Se mataron ellos y también a las vacas. Nunca he entendido esa parte. ¿Por qué disparar a las vacas? ¡Toda esa leche y manteca y helado desperdiciados y eliminados de nuestro muuuuundo para siempre! Me río yo sola por la ocurrencia. Luego veo la mesa y el montón de comida y me río aún más.

—¿Estás esperando un ejército?

—De uno solo. Sé cómo comes.

Le fascina. A veces se limita a sentarse y a observarme. Antes me perturbaba, ahora ya no tanto.

Devoro el festín y luego nos tiramos en el sillón a ver películas. Dancer lo tiene todo cableado para tener electricidad con los generadores más silenciosos que haya visto jamás. Es inteligente. Sobrevivió a la caída sin un solo superpoder, sin familia y sin amigos. Tiene diecisiete años y está solo en el mundo. Bueno, técnicamente tiene familia, pero está toda en algún lugar de Australia. Con retazos de realidad Faery por doquier, sin aviones en el cielo y nadie predispuesto a salir a navegar, es como si estuvieran muertos.

Si no lo están ya, en realidad.

Prácticamente la mitad del mundo ha muerto. Sé que él piensa que están muertos. No hablamos de estas cosas, pero lo sé por las cosas que no dice.

Dancer estaba en Dublín visitando el departamento de Física del Trinity College, tratando de decidir qué posgrado hacer cuando los muros cayeron y lo dejaron aislado y solo. Fue educado en casa por múltiples tutores y es más inteligente que nadie que haya conocido. Terminó la universidad hace seis meses, habla cuatro idiomas con fluidez y sabe leer en tres o cuatro lenguas más. Sus padres son filántropos y extremadamente ricos. Su padre es o era una especie de embajador y su madre una doctora que se pasaba el tiempo organizando servicios médicos gratuitos para países tercermundistas. Dancer creció en todas las partes del mundo. Me cuesta comprender este tipo de familia y me cuesta creer lo bien que se ha adaptado. Él sí que me fascina.

A veces lo miro cuando no se da cuenta. Ahora me acaba de pillar.

—¿Piensas en lo guapo que soy, Mega? —se burla.

Pongo los ojos en blanco. Entre nosotros no hay este tipo de cosas. Solo pasamos el rato juntos.

—Hablando de guapura...

Vuelvo a poner los ojos en blanco porque como me diga que estoy más guapa desde que la Mujer Gris me robó el aspecto y luego me devolvió un poco más, me largo de aquí. Hasta ahora ha tenido la decencia de no comentarlo. Lo prefiero así. Dancer es... bueno, Dancer. Es mi zona segura. No hay tensión entre nosotros. Solo somos dos chicos en un mundo de mierda.

—Prueba con un poco de agua caliente. Mega, estás hecha un desastre. He conseguido arreglar la ducha. Ve a ducharte, anda.

—No es más que un poco de sangre...

—Ahí llevas un cubo. Quizás dos.

—Y un par de moretones.

—Parece que te haya atropellado un camión. Y apestas.

—No apesto —protesto, indignada—. Lo sabría. Tengo superolfato.

Me observa con atención.

—Mega, creo que tienes tripas en el pelo.

Levanto la mano, preocupada. Pensaba que me las había quitado todas mientras venía de camino. Me revuelvo los rizos y arranco una pieza larga y babosa.

La miro, asqueada, y pienso en que quizás debería cortarme el pelo a lo chico o empezar a usar una gorra de béisbol todo el tiempo. Sin embargo, lo miro, parece que esté a punto de vomitar y, de repente, nos echamos a reír.

Nos reímos tanto que no podemos ni respirar. Nos tiramos al suelo agarrándonos los costados.

Tripas en el pelo. ¿En qué clase de mundo vivo? Aunque siempre he sido diferente y he visto cosas que los demás no veían, nunca pensé que estaría tirada en un sofá, en una especie de refugio nuclear subterráneo, con cámaras de seguridad, trampillas y trampas explosivas alrededor, pasando el rato con un genio de diecisiete años (¡y guapo!) que se asegura de que coma algo más que barritas energéticas y tabletas de chocolate (dice que no tomo las vitaminas y minerales que hacen falta para una buena salud ósea) y que sabe cómo arreglar una ducha en el Dublín posapocalíptico.

¡Ah! También juega muy bien al ajedrez.

En cualquier caso, pone la película en pausa cuando me voy a la ducha. Cojo una muda de ropa de camino.

Estoy en la casa de Dancer, pero tiene cosas para mí en caso de que me pase por allí. Como yo, él también tiene un montón de casas y sitios a los que ir. En esta ciudad no puedes detenerte si quieres aumentar las posibilidades de supervivencia. Además, tienes que controlar muy bien dónde dejas las cosas para saber después si alguien ha invadido tu territorio mientras no estabas. Es un mundo sin piedad. La gente se mata por la leche.

El agua caliente dura cuatro minutos gloriosos. Me lavo el pelo, lo envuelvo con una toalla y me examino el rostro en el espejo empañado. Soy un moretón andante. Sé cómo va a ir esto: el negro se vuelve violeta, el violeta se vuelve verde y luego parece que tengas ictericia. Miro más allá de los moretones, me fijo bien en el reflejo y no aparto la vista. El día en que apartas la vista comienzas a perderte a ti mismo. No quiero perderme. Eres lo que eres. Lucha contra eso o cambia.

Tiro la toalla, me peino con los dedos, me pongo unos vaqueros, una camiseta y me planteo calzarme unas botas de combate. Dancer las escogió para mí. Me dijo que no se me gastarían las suelas tan deprisa. Decido probarlas.

Cojo otro cuenco de gajos insignificantes de mandarina de camino al sofá, abro un tarro de crema de merengue con la que recubro los gajos que luego baño en chocolate.

Dancer y yo nos ponemos manos a la obra. Pone la película otra vez mientras yo saco el juego de mesa. Me dio una paliza al Go Bang la última vez que pasé por aquí, pero esta noche me siento afortunada. Hasta he aceptado magnánimamente una segunda oportunidad cuando al lanzar la moneda para empezar el juego he ganado yo.

Hago algo que no he hecho en mucho tiempo. Bajo la guardia. Estoy empachada de fruta y de merengue y por la emoción de haber ganado al Go Bang. Anoche estuve despierta toda la noche y tuve un día largo y lleno de incidentes.

Además, Dancer tiene trampas explosivas alrededor de todo el lugar, casi tan buenas como las mías.

Aparto la mochila y me quedo dormida en su sofá, con el puño debajo de la mejilla y la espada en la mano.

No sé qué me despierta, pero algo lo hace y levanto la cabeza un par de centímetros, entrecierro los ojos y miro alrededor.

Hay unos hombretones de aspecto aterrador rodeándome.

Pestañeo para tratar de ver mejor, algo difícil porque tengo los ojos aún más hinchados de lo que estaban cuando me dormí.

Me doy cuenta de que soy la diana de un círculo de ametralladoras.

Me incorporo de un salto y estoy a punto de desplazarme cuando una mano me tira de vuelta al sofá tan fuerte que el marco de madera se rompe en mis omóplatos.

Me levanto otra vez y me empujan de nuevo.

Uno de los hombres se echa a reír.

—La niñata no sabe cuándo quedarse quieta.

—Aprenderá.

—Ya te digo. Si él la deja vivir, claro.

—Pues no debería. No después de lo que hizo.

—Dani. Dani. Dani.

Me estremezco. Nunca he oído a nadie decir mi nombre tan delicadamente. Me pone la piel de gallina.

Se impone sobre mí, con los brazos cruzados sobre el pecho; sus antebrazos tienen unas cicatrices oscuras que resaltan bajo las mangas enrolladas de su impecable camisa blanca. Reparo en que lleva unos brazaletes de plata en las muñecas. Tiene la luz por detrás de su cabeza, como de costumbre.

—¿No creerías en serio que dejaría que te salieras con la tuya? —pregunta Ryodan.

SEIS

«I will break these chains that bind me»
('Romperé esas cadenas que me atan')

—El dolor es una cosa curiosa —dice Ryodan.

No digo nada. Estoy esforzándome mucho para mantenerme de pie, a pesar de las cadenas que me inmovilizan. Estoy en algún lugar del Chester's, en una habitación con paredes de piedra. Oigo el golpeteo distante y rítmico del bajo que retumba en las plantas de los pies. Si no tuviera supersentidos, no sería capaz de notar casi nada. Como es tan leve, sé que estoy muy por debajo de la parte pública del club, probablemente en la planta baja. Eso significa que los niveles más bajos no resultaron tan dañados en la explosión de ayer como esperaba.

Me pusieron una bolsa en la cabeza cuando me trajeron aquí. Donde sea que esté, no querían que fuera capaz de encontrar la salida. Una deducción lógica es que piensan dejarme vivir, ya que no le cubres la cabeza con una bolsa a alguien que nunca volverá a ver nada. Una sola lámpara de baja intensidad ilumina la habitación detrás de él, o no lo consigue. Apenas hay suficiente luz para verlo a tres metros de distancia.

—Algunas personas se desmoronan cuando les hacen daño —dice él—. Se sumen en la apatía y la desesperación y ya no consiguen reponerse. Se pasan la vida esperando que venga alguien a rescatarlos. —Se mueve de esa manera tan fluida, sin desplazarse, pero sin caminar como una persona normal tampoco; es todo músculos ondulantes y ráfaga de viento. En un segundo lo veo frente a mí—. Pero otros... bueno, pasan del daño al dolor. Pasan instantáneamente del insulto a la rabia. Arrasan todo lo que ven, y generalmente terminan destruyendo la misma cosa que los hirió. Sin embargo, provocan daños colaterales.

Agacho la cabeza para que no pueda ver el fuego que arde en mi mirada.

—Colega, qué aburrido eres. Si alguna vez hubiera estado herida, me importaría algo, pero no ha sido así.

Me aparta el pelo de la cara con ambas manos, deslizando sus palmas sobre mis mejillas. Tengo que esforzarme muchísimo para ocultar el estremecimiento que me produce. Me obliga a levantar la barbilla y yo le dedico la mejor de mis sonrisas.

Nos miramos fijamente. No seré yo quien la aparte primero.

—No te dolió cuando tu madre te dejó en una jaula como un perro y se olvidó de ti durante varios días mientras ella se largaba con uno de su interminable lista de novios.

—Tienes una imaginación realmente fértil.

Me tira de un mechón de pelo para evitar que mire hacia otro lado, como yo había planeado. Me mete la mano en uno de los bolsillos del abrigo, saca una barrita de Snickers y la boca se me hace agua. Luché contra él y sus hombres con tanta fuerza en casa de Dancer que ahora estoy agotada. Finjo que mi columna es un palo de escoba para no colgar de las cadenas que me sujetan a la pared. Fingir es un juego que se me da genial.

Lo abre con los dientes. Huelo el chocolate y me duele el estómago.

—Cuantas veces te acurrucaste en esa jaula, atada con un collar alrededor del cuello, esperando, preguntándote si ella se acordaría de ti esta vez. Preguntándote qué te mataría primero, el hambre o la deshidratación. ¿Cuánto tiempo pasaba? A veces te dejaba sola hasta cinco días. Sin comida, sin agua. Dormías en tu propia...

—Cállate la puta boca.

—Cuando tenías ocho años, murió mientras tú estabas encerrada. Rowena no te encontró hasta pasada una semana.

Esa es la historia, sí. No digo nada. No hay nada que decir. Las cosas eran realmente simples en esa jaula. Solo hay dos cosas de las que preocuparse en la vida: si eres libre o si no lo eres. Si eres libre, no hay nada de qué preocuparse. Si no lo eres, la emprenderás a golpes con todo lo que te rodea hasta serlo.

—A veces sus novios jugaban contigo.

No de esa forma. Así, nunca. Soy virgen y me lo tomo muy en serio. Perderé la virginidad a lo grande algún día, cuando esté lista. Tendré las experiencias más fantásticas para compensar aquellas de mierda que tuve de niña. Por eso, quería dársela a V'lane o quizás a Barrons cuando fuera lo suficientemente mayor. Alguien estelar. Quiero que sea con alguien que haga de esa noche una gran noche inolvidable.

—¿Estamos filosofando, Ryodan? Porque si es así, aquí va la mía: vete a la mierda. El pasado, pasado está.

—Te carcome.

—Desaparece. No significa nada —digo.

—Por mucho que corras nunca dejarás eso atrás…

—Puedo correr más rápido que el viento.

—La herida que te niegas a vendar nunca sana. La vida se te escapa a borbotones y no sabes siquiera por qué. Te debilitará en los momentos críticos, que es cuando necesitas ser fuerte.

—Ya lo entiendo, ¿vale? Me torturarás hablando sin parar. Mátame ahora. Termina ya de una vez. Pero usa algo rápido y limpio. Como una motosierra o tal vez una granada.

Me toca la mejilla.

—Dani.

—¿Eso es lástima, Ryodan? Porque no la necesito. Creía que eras más duro que eso.

Su pulgar me roza la boca y me mira de una forma que no entiendo. Le aparto la mano de un cabezazo.

—¿Piensas encadenarme a una pared y quedarte ahí plantado? Y encima me dirás que está bien ser como soy, ¿no es así? Seguramente me dirás que debido a toda la mierda que la gente me hizo pasar cuando era más joven está bien que me haya vuelto así, ¿verdad? Mira, tío, no tengo problemas con lo que me he convertido. Me gusta ser quien soy.

—Rowena te hizo matar a tu primer humano a los nueve años.

¿Cómo diantre sabe estas cosas? Hizo que pareciera un juego. Me dijo que quería saber si podía pasar rápidamente y verter un poco más de leche en el tazón de cereales de Maggie sin que ella me viera. Por supuesto que podía. Maggie murió ahí sentada a la mesa del desayuno. Ro me dijo que fue una coincidencia, que era vieja y había sufrido un paro cardíaco. Cuando tenía once años descubrí la verdad. Ro odiaba a Maggie porque había estado reuniendo *sidhe-seers* para elegir a una nueva Gran Maestra. Encontré los diarios de la vieja bruja. La tía escribía una crónica de todo lo que hacía, como si pensara que un día la inmortalizarían y que las personas querrían leer sus memorias privadas. Yo conservo todos esos diarios ahora; los tengo guardados bien lejos en un lugar seguro. Envenené a Maggie ese día con la «leche» que le había puesto en el tazón. Había hecho muchas otras cosas también; cosas que en su momento no entendía.

—Lo más relevante aquí es que Rowena me obligó a hacerlo. Lo superé hace mucho tiempo.

—Qué curioso, tu forma de hablar está cambiando, niña. Te estás volviendo adulta.

—Colega —añado.

—Va a ser difícil hacer que te desmorones.

—Déjame darte una pista: sustituye la palabra «difícil» por «imposible».

Le quita la envoltura al Snickers y me ofrece un bocado.

Aparto la cabeza. No pienso comer como un animal encadenado.

—Cuando encontremos a tu noviete, cambiarás de opinión.

Se me desatan las tripas y casi me dejo caer en las cadenas del alivio, pero me obligo a poner rectas las piernas para que no se me doblen por las rodillas. Acaba de decir «cuando» lo encuentren, lo que significa que todavía no lo han conseguido. No digo nada por si se me escapa. Tenía miedo de que hubieran cogido a Dancer. Debe de haberse ido mientras yo dormía. Tiene unos horarios muy extraños; a veces se va hasta que le apetece volver. No siempre lo encuentro cuando quiero y a veces me paso días enteros sin verle. Es bueno saber que está a salvo en algún lugar. No lo han atrapado. Solamente me tienen a mí y yo puedo soportar esta clase de cosas. Me estoy curtiendo. Dancer... bueno, tenía una vida segura hasta que los muros cayeron. No quiero que tenga que lidiar con estos hombres.

—No es mi novio.

—¿Cuánto tiempo me obligarás a tenerte aquí, Dani?

—Hasta que te des cuenta de que no te servirá de nada.

Él esboza una breve sonrisa y se aleja. En la puerta, hace una pausa y pone la mano en el interruptor de la luz como si me estuviera dando elección. Como si todo lo que tuviera que hacer fuera lanzarle una mirada que diga «por favor, no me dejes en la oscuridad» y no lo hará.

Le saco el dedo corazón con ambas manos encadenadas sobre la cabeza.

Él se larga con mi espada y me deja en la oscuridad. No me preocupa.

Conozco a Ryodan. Si alguien va a matarme, será él. Eso significa que tiene este lugar protegido de Sombras y *faes* o nunca me hubiera dejado aquí.

Estoy cansada y tengo hambre. Cierro los ojos y juego a un viejo juego conmigo misma, uno que aprendí de pequeña.

Finjo que tengo una almohada enorme y mullida en el estómago y la voy llenando poquito a poco, absorbiendo el ácido que borbotea del hambre extremo que tengo. Finjo que estoy tendida en una cama suave y blanda en un lugar perfectamente seguro donde nadie puede hacerme daño.

Y así, mientras cuelgo de las esposas que me sujetan las muñecas, me quedo dormida.

—¿Qué creíste que iba a suceder, Dani? —pregunta Mac.

Abro los ojos apenas y gimo. EP está ahí, parada justo frente a mí.

Echo un vistazo rápido. No le veo la lanza, pero sé que la tiene en alguna parte. No va a ningún lado sin ella.

—No es justo —digo—. No puedes matarme mientras estoy encadenada. Colega, tienes que darme al menos la oportunidad de luchar. Desencadéname. —No pelearé con ella, pero sí correré. Corro más deprisa que EP.

—No lo entiendo, Dani —dice—. Cuando mataste a todos esos *faes* frente a miles de testigos debías de saber que eso te pondría en la lista negra de toda persona y *fae* con poder en esta ciudad, Ryodan y sus hombres a la cabeza. ¿Acaso querías convertirte en la más buscada de Dublín?

—Como si tú no lo hubieras sido ya durante un tiempo y sobreviviste.

—Tenía a Barrons respaldándome. Tú cabreaste a tu versión de Barrons.

Soy obtusa adrede.

—¿Christian MacKeltar? No está cabreado conmigo.

—Ryodan.

—¡Ryodan no es Barrons y nunca lo será!

—De acuerdo. Pero él podría respaldarte, si lo dejaras. En lugar de eso, no solo te enfrentas abiertamente a él, sino que encima le pones en una situación en la que tiene que castigarte. Lo desafiaste delante de toda la ciudad. Dani, Dani.

—¿De qué puto lado estás? ¿Y por qué no intentas matarme?

—No me hace falta. Tienes a la ciudad entera haciendo cola para hacerlo. «¡Dani! ¡Dani!»

—Tendrán que atraparme primero. ¿Por qué sigues diciendo mi nombre de esa manera?

—Despierta. Te han atrapado —dice EP—. Sé que no eres estúpida ¿Qué estás haciendo? «¡Dani! ¡Dani!»

—Lo mismo que hacías tú siempre. Tomar una posición. No dar ni un solo paso atrás. Aunque no tenga todas las respuestas y no pueda predecir cómo saldré de esta, saldré de esta.

Todavía estoy esperando a que una lanza me atraviese las tripas. En lugar de eso, EP sonríe y dice:

—Aférrate a ese pensamiento.

—¡Despierta, Dani!

Me escuece la cara como si alguien me hubiera abofeteado. Abro los ojos y eso que pensaba que ya los tenía abiertos.

Jo está parada frente a mí. Me pica la mejilla. La frotaría, pero estoy encadenada.

—¿Adónde ha ido EP? —digo, confundida.

—¿Qué? —dice Jo.

Me paso la lengua por los labios, o lo intento. Tengo la boca tan seca que pasarme la lengua sirve de poco. Tengo el labio inferior partido y con una costra de sangre seca. Me duele la base del cráneo. Debo de haberme dado un buen golpe al desmayarme, o tal vez haya recibido un golpe en la parte de atrás de la cabeza cuando estaba luchando con los hombres de Ryodan.

—Siento haberte golpeado, pero temía que estuvieras...
¡Oh, Dani! ¿Qué te ha hecho? ¡Te ha pegado! ¡Y luego lo he
hecho yo! —Parece a punto de llorar. Me toca la cara suavemente y hago una mueca.

—¡Suéltame!

—Voy a matarlo —susurra, y hay algo en esas palabras pro-
nunciadas con tanta delicadeza que me sorprende. Es como si se
estuviese volviendo sedienta de sangre, se convirtiese en mí.

Intento determinar si EP fue el sueño o lo es Jo, o ambas.
A veces, tengo unos sueños extrañísimos. Como si EP realmente se molestara en aconsejarme... Debí haber sabido inmediatamente que era un sueño por el hecho de que no me
estaba matando.

—Me topé con él —le digo—. Así, literalmente, chocamos.
Dos veces. Por eso tengo la cara tan magullada. —Bueno, el
motivo es ese en gran parte.

—¿Estás defendiendo a Ryodan? ¡Mira lo que te ha hecho!
Dani, ¿te ha lavado el cerebro? ¿Tienes el síndrome de Estocolmo o qué?

—¿Qué mierda tiene que ver Estocolmo con esto? ¿No es
una ciudad en Suecia?

Me rodea con los brazos e invade mi espacio personal. Es
algo incómodo al tener las manos encadenadas sobre la cabeza
y los tobillos con grilletes en el suelo. Me abraza como puede y
no consigo sacármela de encima porque estoy presa.

—¡Colega! —Me encojo en un intento de zafarme de ella.
Es tenaz; no deja de abrazarme—. ¿Qué estás haciendo?

Cuando se aparta veo que está llorando. Debo de tener una
pinta espantosa.

—¿Por qué lo hiciste? —Se sorbe la nariz y se la limpia con
el dorso de la mano—. Hablamos y hablamos sobre eso, pero
no pude imaginarlo. No solo agitaste una bandera roja frente a
un toro. Te paseaste delante de él, le diste un puñetazo en el
morro y luego intentaste bailar sobre sus cuernos. Dani, ¿en
qué estabas pensando?

Suspiro. La gente hace unas preguntas la mar de estúpidas.
A veces no piensas. Lo haces y punto. Algunos momentos son
demasiado importantes para pasarlos por alto. Juegas y lo pa-
gas. Siempre he estado de acuerdo con eso.

La miro con recelo. No es posible que Jo esté aquí. No en las entrañas del Chester's.

—No eres real —le digo.

Me palpa la frente.

—Tienes fiebre.

Lo sé. Estoy empapada en sudor y me congelo de frío. Siempre me entra fiebre cuando tengo un hambre voraz. Es otra de mis debilidades. Tengo infinidad de superfuerzas, pero muchos límites también. No permito que la gente lo sepa.

—Tal vez tenga un resfriado —le digo.

Guardo comida en cada bolsillo, pero con las manos atadas sobre la cabeza no puedo darle ni un mísero mordisco.

—Saca una barrita energética del bolsillo y dame de comer. —Si esto está pasando de verdad, recuperaré las fuerzas otra vez y la temperatura corporal volverá a la normalidad. Si esto es un sueño, por lo menos, soñaré con el sabor de la comida. No tengo nada que perder y todo que ganar—. Supongo que no has visto unas llaves para estas esposas tiradas por aquí, ¿verdad? —le pregunto sin muchas esperanzas. Ryodan no es tan descuidado.

Cuatro barritas energéticas más tarde, sé que no estoy soñando. Me palpita la cabeza, pero está empezando a aclararse. EP no era real.

Pero Jo sí lo es.

Me dice que se corrió la voz por todas partes de que me había cargado a un montón de *faes* sin ayuda de nadie en Chester's y luego me había paseado toda engreída con un príncipe *unseelie*. Margery insistió en que el príncipe *unseelie* me había matado y logró convencer a muchas *sidhe-borregas* de que me olvidaran, tomando el testigo de Rowena y difamando mi nombre.

Kat veía las cosas de otra forma. Investigó un poco antes de tomar su decisión. Según los testigos, el «príncipe» que andaba conmigo no usaba torques. Los príncipes *unseelies* llevan torques plateadas alrededor del cuello que brillan como si fueran radioactivas. El collar parece formar parte de ellos; inseparable como sus tatuajes y sus alas. Eso le dio la pista a Kat; le dijo todo lo que necesitaba saber: si el príncipe no llevaba torques, tenía que ser Christian quien me escoltó hasta el exterior.

No estoy segura de cómo hizo la siguiente deducción, pero me alegro de que lo hiciera. Envió a un grupo de chicas al Chester's para buscarme, pues creía que Ryodan había ido tras de mí y me había capturado.

Me asombra lo rápido que actuó. Tal vez, Kat lo haga bien con las *sidhe-seer* a pesar de todo.

—¿Cómo se dio cuenta de que había desaparecido tan rápido?

—Llevabas desaparecida tres días, Dani.

Estoy perpleja. ¿Llevo encadenada aquí abajo tres días? No es de extrañar que me muera de hambre.

—¿Cómo coño me habéis encontrado? Me imaginaba que me habían enterrado en el calabozo del Chester's o algo así.

—Lo estás. Vi a Ryodan salir del ascensor escondido en la pared exterior del retroclub. La puerta no se cerró del todo y me colé cuando nadie miraba.

Cierro los ojos y suspiro.

Hay tres errores en esa oración. Primero, a Ryodan no lo ves a menos que él quiera que lo veas. Segundo, las puertas de ese lugar no se quedan abiertas. Nunca. Y tercero, nadie consigue colarse sin que lo vean.

La única manera de que Jo podría ver a Ryodan salir del ascensor es si él se lo hubiera permitido. Lo que significa que no habían podido encontrar a mi «noviete» durante los últimos tres días. Aunque seguro que había encontrado a alguien a quien usar en mi contra.

Con los ojos cerrados veo a Jo encadenada; le están dando una paliza.

Ryodan ni siquiera tuvo que salir del club. Se limitó a esperar a quienquiera que apareciera primero buscándome.

Abro los ojos.

—Sal de aquí, Jo —digo—. Ahora.

—Ninguna se irá a ninguna parte —dice Ryodan mientras da un paso al frente desde las sombras.

SIETE

«I fall to pieces»
('Me vengo abajo')

Me desmorono con facilidad si sabes qué botones tocar.

Si has leído alguna tira cómica, sabrás que los superhéroes tienen una vulnerabilidad crítica: la sociedad a la que protegen.

Jo forma parte de mi sociedad. El hecho es que, cualquiera *sidhe-oveja* encadenada a mi lado me haría cantar otra melodía. Bueno, Margery quizás no.

De hecho, hasta ella, tal vez.

Lo que me resulta difícil es saber que puedo soportar más que el resto. Como ese estúpido conejito que salía una y otra vez en los anuncios: me golpean, pero yo sigo peleando. Y dando puñetazos. Y respirando.

A las demás personas no les pasa lo mismo: mueren muy fácilmente.

Además, no le temo al descanso final; supongo que es otra aventura más.

Intento convencer a Ryodan para que no encadene a Jo, pero no me escucha.

Se vuelve loca cuando la agarra. Empieza a gritar, a chillar y a dar patadas. Me impresiona ver la fuerza con la que lucha.

Creo que ver Dublín destruida en Halloween, ver a nuestra amiga Barb poseída por el Sinsar Dubh —y metralleta en ristre para masacrar a muchas de nosotras—, además de vivir en un mundo donde tienes que sacudir bien los zapatos antes de ponértelos para asegurarte de que no te coman las Sombras antes de que puedas decir «Oh, mierda», está afectando a Jo.

Solía ser como Kat, centrada y cuidadosa con sus decisiones. Nunca tenía una mala palabra para nadie.

—¡Te mataré, cabronazo! ¡No te saldrás con la tuya! —grita ahora—. ¡Suéltame! ¡Quítame las manos de encima, hijo de perra!

Ryodan la encadena junto a mí. Ella forcejea un poco, pero es como ver a una mosca golpear una ventana en un intento de escapar. Sabes que nunca va a funcionar.

La miro.

—¿Tienes alguna otra idea brillante, Jo? Tráele unos bebés para que los torture la próxima vez.

Le da un tirón violento a las cadenas. Estamos encadenadas a una pared de piedra.

—Que tengas suerte. —Si yo no pude romperlas con mi superfuerza, tiene las mismas posibilidades que si lanzase una bola de nieve en el infierno. Me da la sensación de que ha encantado el metal, que lo ha hechizado. Quiero saber dónde aprende esos hechizos para apuntarme a un cursillo acelerado. Si llevo encadenada aquí abajo tres días, debería estar, no sé… más sucia de lo que estoy. ¿Cómo me ha mantenido inconsciente tres días? ¿Me ha tenido hibernando, con las constantes vitales suspendidas de algún modo? Tengo ganas de mear.

—Solo quería ayudar —dice ella.

—Deberías haberme golpeado en la cabeza con un bate de béisbol. Me habrías librado de mi miseria. —Podría haber soportado estar aquí abajo más tiempo, pero no, ella tenía que venir a ofrecerse a Ryodan como arma.

Hablando del rey de Roma, lo tenemos frente a nosotras, con las piernas separadas y los brazos cruzados sobre el pecho. Es un tipo grande. Me pregunto si Jo sabe que tiene colmillos. Me pregunto qué es él. Me pregunto por qué ella lo mira así. Lo odia.

Me saco esas preguntas sin sentido de la cabeza y me concentro en lo importante. Aplazar las cosas está en el número tres de mi lista de bobadas. Al final, sigues exactamente donde no querías estar y haces exactamente lo que no querías hacer, con la única diferencia de que has perdido todo ese tiempo en el medio, durante el cual podrías haber estado haciendo algo divertido. Incluso peor, tal vez has estado de mal humor durante todo el tiempo que has estado evitándolo. Si sabes que algo es inevitable, hazlo y termina con ello. Avanza. La vida es corta.

Si él tortura a Jo, cederé. Lo sé yo y lo sabe él. Ergo, torturarla es una gran pérdida de tiempo. El suyo. El mío. El de ella.

—¿Qué quieres de mí, Ryodan? —digo.

—Es el momento de decidirte, Dani.

—¿Estás sordo? Te he preguntado que qué quieres de mí.

—Me debes una compensación.

—Colega, que ya te he entendido. La perdiz está lista; no hace falta que la marees más.

—He vivido mucho tiempo, niña, y nunca he oído a nadie mutilar el idioma tanto como tú.

—¿De cuánto tiempo estamos hablando? —pregunta Jo.

Suelto un bostezo grande y dramático.

—Sigues andándote por las ramas. —Sonrío y sacudo los brazos como las ramas.

Él entrecierra los ojos como si estuviera pensando. Quizás aún no haya decidido qué quiere de mí y eso me preocupa. Debería de ser muy sencillo: quiere que trabaje para él. Sé que no es brillante como yo, así que le echo una mano.

—Investigaré ese misterio del hielo, Ryodan. Lo pondré en el primer lugar de mi lista de prioridades. Y ahora, suéltanos.

—Ya no es tan sencillo, joder. Me complicaste demasiado las cosas cuando decidiste desafiarme públicamente. Nadie hace eso y vive luego para contarlo.

—Pues estoy viva —digo.

—¿Tienes que seguir diciendo «joder» delante de ella? Solo tiene trece años —dice Jo.

—Catorce —la corrijo, cabreada.

—Mis hombres te quieren muerta. Me están presionando para que te ejecute en plan dramático, en el mismo club. Dicen que es la única forma de calmar a los clientes del Chester's.

—Siempre he querido marcharme de este mundo a lo grande —le digo—. Quizás podríamos incluir fuegos artificiales, ¿te parece? Creo que quedan algunos en esa antigua gasolinera en O'Clare.

—Nadie ejecutará a nadie —dice Jo—. Es una niña.

—Que no soy una niña, joder. No creo que ni siquiera naciera así.

—Les he dicho que creo que puedes ser útil —explica Ryodan—. Que puedo controlarte.

Me sobresalto y muevo las cadenas. Nadie me controla. Ya no.

—Sin embargo, dicen que nunca obedecerás a nadie. Ni siquiera Barrons está de mi lado.

Seguro que es porque EP le ha dicho a Barrons que le dijera a Ryodan que me matara. O que le permitiera hacerlo.

—Son ocho contra uno —dice él.

—Ocho contra dos —dice Jo—. Si cuentas a sus hermanas *sidhe-seers*, y más vale que lo hagas porque son ocho contra miles.

—Ese número se ha reducido drásticamente —dice Ryodan.

—En el mundo somos más de veinte mil.

—No lo sabía —le comento a Jo—. ¿Por qué no lo sabía? —A Ryodan, le digo—. Tío, mátame o libérame.

—Si la matas —continúa Jo—, provocarás la ira de todas las *sidhe-seers* en el mundo. Irán a por ti. Dani es una leyenda entre nosotros. No estamos dispuestas a perderla.

—Si decido matarla —dice Ryodan—, nadie sabrá nunca lo que os ha pasado a las dos.

Parpadeo y repito mentalmente, una y otra vez, lo que ha dicho Jo, pero no me canso de oírlo.

—¿En serio? ¿Soy una leyenda? ¿Me conocen en todo el mundo? ¡Repítelo! —chillo. No tenía ni idea. Aún me quedan unas pocas fuerzas para pavonearme después de todo. Inclino la cadera.

—Deja que se marche —le pide Jo a Ryodan—, y yo me quedaré en su lugar.

—¡Y una mierda! —le suelto.

—Te estás ofreciendo a quedarte aquí, encadenada, conmigo. En lugar de ella. —Esboza una sonrisa.

—Mientras me tengas de rehén, ella se comportará.

—¡Y una mierda! —repito, dado que nadie ha reaccionado como debería; nadie me ha hecho ni caso, vamos. No me han prestado atención, siquiera.

—No he olvidado lo que le hiciste a mi teléfono, *sidhe-seer* —dice Ryodan.

—Estabas haciendo fotos en nuestra propiedad. Es privada —le recuerda Jo.

—Vosotras estáis en mi propiedad. Es privada.

—No estoy haciendo fotos. He venido a recuperar algo que nos pertenece, algo que no tenías derecho a llevarte.

—No soy un «algo». Ni una niña —protesto.

—Ella no tenía derecho a matar a los clientes de mi club. Se lo habíamos advertido ya muchas veces.

—Pero ya sabes lo bien que escucha. No deberías haberla traído a tu club y dejarla sola con una espada. ¿Cómo pudiste ser tan imbécil?

—¡¿Queréis dejar de hablar como si no estuviera?!

—*Sidhe-seer*, ándate con ojo —le dice a Jo, y su voz se vuelve muy suave. Viniendo de Ryodan, ese tono no es buena señal.

—Déjame ocupar su lugar. No es más que una niña.

—¡Que no soy una niña! Y ella no va a quedarse aquí. ¡Nadie se queda aquí! ¡Salvo yo, tal vez!

—Ya sabes lo que significaría —le dice a Jo, como si yo ni siquiera estuviera peleándome a grito pelado con las cuatro cadenas que me tenían presa—. Si ella da un paso en falso, estás muerta.

Noto cómo me quedo lívida. Siempre doy pasos en falso. Es como un apellido, justo después de Mega. No puedo no dar un paso en falso. Tengo buenos pies.

—Entiendo.

—¡No lo dice en serio! —grito—. ¡Ni siquiera sabe de qué está hablando! No tiene idea de cómo sois vosotros. Además, ella ni siquiera me importa lo más mínimo. Puedes matarla. Así que, total, puedes dejarla marchar.

—Cállate, Dani —me suelta Jo.

—Tendrás que firmar una solicitud de empleo —le dice Ryodan a Jo.

—¡No la firmes, Jo! El documento está hechizado.

—¿Me tienes como rehén o estoy pidiendo empleo? —pregunta Jo.

—Ando corto de camareras. Algunas fueron víctimas colaterales el otro día. —Ryodan me mira.

—No maté a ningún humano.

—Dos habían consumido demasiada carne *unseelie* y al parecer no pudiste diferenciarlas —dice Ryodan.

¿Maté humanos? ¿Cuánto *unseelie* habían comido?

—¿Quieres que sea una camarera? —dice Jo, horrorizada, como si fuera un destino peor que la muerte—. Intenté trabajar de camarera en el instituto. No se me da nada bien: se me caen los platos y tiro las bebidas. Soy investigadora, lingüista. Trabajo con la mente. No sirvo mesas.

—Da la casualidad de que tengo dos solicitudes a mano. —Ryodan se saca un fajo de papeles doblados del bolsillo.

—¿Por qué dos? Yo no pienso servir mesas —le digo a la defensiva.

—¿Tengo que servir a los *faes*? ¿Tomar los pedidos y llevarlos? ¿Servírselo en sus mesas? —Jo no parece capaz de entenderlo, como si prefiriera quedarse encadenada a la pared que servir mesas.

—Y a mis hombres. Y supongo que en algún momento también me serviréis a mí. Con una sonrisa, claro. —La mira de arriba abajo, como a cámara lenta—. Te sentará bien el uniforme. Trato hecho. —Como es habitual en Ryodan, su voz no se eleva al final de la pregunta. Sabe que el trato ya está hecho. Lee a Jo como si fuera un libro abierto.

Las cadenas que me atan resuenan cuando las empujo con todas mis fuerzas. Él no va a poner a Jo a trabajar en el subclub ese de estilo infantil. Tiene ese tipo de rostro delicado y bonito que puede llevar el pelo muy corto, a lo chico, y estar buenísima a pesar de todo. Hasta esa mierda de gafas que lleva para leer le quedan bien porque hacen que sus facciones parezcan más elegantes. Tiene algo etéreo. No va a llevar una falda tableada corta, una blusa blanca ceñida, unos calcetines altos y unos zapatos de colegiala de tacón alto. ¡No servirá a Ryodan y a sus hombres! El Chester's se la tragará como si fuera un bocado sabroso y luego escupirá su sangre y sus cartílagos.

—No, Jo —le digo llanamente—. No te atrevas.

—Tenemos un trato —dice Jo.

Él desencadena a Jo, le entrega la «solicitud» y una pluma. Ella la apoya contra la pared y firma sin siquiera leerla. Ryodan la dobla y se la devuelve.

—Sube en el ascensor hasta donde viniste. Lor te está esperando. Te dará un uniforme. Comienzas esta misma noche. Tienes una única misión: hacer felices a mis clientes.

—Lor me está esperando —dice Jo. Se pasa una mano por el pelo oscuro y corto y lo mira de una forma que me sorprende, por los ovarios que le echa—. Creía que habías dicho que tus hombres esperaban que nos mataras.

—Si no le entregas la solicitud firmada, lo hará. Sugiero que te asegures de que la vea en cuanto salgas del ascensor.

—¿Y qué hay de Dani?

—Subirá pronto.

—Se viene conmigo ahora mismo —dice Jo.

—No me digas qué he de hacer. Nunca. —Ryodan vuelve a hablar con una voz baja y suave. No sé a Jo, pero a mí me da escalofríos cuando habla así.

—¡Lárgate de aquí ya, estúpida *sidhe-oveja*! —le digo—. Estaré bien. ¡Y habría estado mejor si tú no hubieras aparecido! —Ahora él es su dueño. La tiene hechizada de alguna forma. Y eso me cabrea tanto que empiezo a temblar.

Cuando Jo ya se ha ido, Ryodan se me acerca de esa forma tan rara, casi como si levitara. No se movía así delante de Jo; caminaba a cámara lenta.

Veo el destello de un cuchillo plateado en su mano.

—Tío, no hace falta que me cortes. Firmaré la puta solicitud. Dame una pluma. —Tengo que salir de aquí. Tengo que salvar a Jo, que se ha puesto en peligro por mí. No puedo soportarlo.

—Niña, cuándo aprenderás.

—Te sorprendería la de cosas que sé.

—Puede que puedas salir de una telaraña a base de golpes, pero dar golpes en la arena movediza no funciona. Cuanto más luchas, más te hundes. Pelear solo consigue que la derrota, inevitable, sea más rápida.

—Nunca me han derrotado y nunca lo harán.

—Rowena era una telaraña. —Me toca la mejilla con la mano que sostiene el cuchillo. La plata despide un destello a dos centímetros de mi ojo—. Y ya sabes qué soy yo.

—Un grano en el culo.

—Esto es arena movediza y estás bailando encima.

—Tío, ¿a qué viene ese cuchillo?

—Ya no me interesa la tinta. Me firmarás el contrato con sangre.

—Creía que habías dicho que era una solicitud.

—Lo es, Dani. Para un club muy exclusivo. De lo que es mío.

—No soy de nadie.

—Firma.

—No puedes obligarme.

—Jo morirá de una forma lenta y dolorosa.

—Joder, ¿por qué sigues hablando? Desátame ya y dame el puto contrato.

Hay una guillotina por encima de mi cabeza. La oigo moverse y rasgar el aire. En la brillante hoja hay un nombre grabado: JO. Lo veo con el rabillo del ojo a cada paso que doy. Me va a volver loca.

Después de firmar su maldito contrato —sujeto una toallita de papel en el puño porque me sigue sangrando el corte de la palma—, me suelta. Así de sencillo. Me suelta el otro brazo y las piernas, se ofrece a curarme y le espeto un gran «que te jodan». Luego me acompaña hasta el ascensor y me dice que me vaya adonde sea que entienda por hogar.

Espero que me diga que tengo que mudarme al Chester's para que pueda vigilar todos mis movimientos, como Barrons hizo con M... digo, con EP. Espero que se vuelva un maníaco controlador.

Lo que no esperaba era que me devolviera la espada y me enviara a casa con un recordatorio de que debo presentarme al «trabajo» al día siguiente a las ocho de la tarde. Se ve que hay otra cosa que quiere que vea.

Esto me jode mucho.

No me está avasallando con sus mil y una reglas como creí que haría.

Me da todo tipo de sogas para que me cuelgue. Y yo estoy haciendo nudos con esa soga. Y me muevo tan deprisa que es inevitable que, de alguna manera, me enrede en tanta soga, con una vuelta o dos alrededor del cuello.

¿Cómo voy a sacar a Jo de esta?

Cuatro de sus tipos enormes y llenos de cicatrices me esperan al salir del ascensor. Miro alrededor con cautela en busca de Barrons y EP mientras blando exageradamente el contrato ante los hombres de Ryodan para que no me den la vara antes de que me lo quiten y lo guarden donde sea que Ryodan piense guardarlo y de donde yo acabaré robándolo. Se me han acabado las barritas energéticas y no estoy de humor para una discusión sin fin. Por suerte, no veo a EP por ningún lado.

Voy al baño escoltada. ¿Qué creen que haré? ¿Volar el lugar? No puedo. No tengo la mochila ni tampoco un MacHalo. No lo trajeron cuando me atraparon en casa de Dancer. Miraría por una ventana, pero el club no tiene ninguna. La intuición me dice que es de noche. No pienso arriesgarme con las Sombras. Me niego a morir tan estúpidamente.

—Necesito linternas —digo al salir del baño.

Uno de los tipos gruñe y se va. El resto me escolta a través de los subclubs. Todos los *faes* con los que me cruzo me miran. Hay muerte en sus miradas.

Y algo raro me ocurre en la salida. Al desplazarme noto como si mentalmente me levantara y me moviera lateralmente y me convirtiera en otro ser. Me gusta.

Ahora, cuando salgo y veo todos los rostros enfadados, humanos y *faes*, una parte completamente diferente de mí se levanta y se desplaza hacia un costado sin que yo siquiera lo intente —de hecho, estoy segura de que me estoy resistiendo— y eso no me gusta ni un ápice porque, de repente, veo el mundo como a través de otros ojos.

No me gustan estos ojos. Ven las cosas mal.

Los *faes* me odian. También muchos humanos. Los hombres de Ryodan me quieren muerta y no tengo ni idea de por qué me mantiene con vida.

EP —bueno, a la mierda—, Mac, la mejor amiga que jamás tuve, Mac... la misma que me hizo un pastel de cumpleaños y estuvo conmigo y se portó genial, y vendió una parte de su alma a la Mujer Gris para salvarme, también me odia. Quiere matarme porque maté a su hermana siguiendo las órdenes de Rowena antes de que ni siquiera supiera que Mac existía.

La vida de Jo pende de un hilo que yo sostengo en las manos; unas manos nada fiables.

Se me ocurre una idea que nunca he tenido en mis catorce años de vida (¡y he tenido muchas ideas!). Es un poco borrosa (probablemente porque preferiría no oírla) y dice algo así: «Santo cielo, Dani, ¿qué mierda has hecho?».

Siempre he sido como una lancha motora que surca las crestas de las olas, que disfruta de la sensación a tope, con el viento en el pelo y el agua en la cara; y que se lo pasa bien. Nunca he echado la vista atrás. Jamás he visto lo que sucede alrededor o detrás de mí.

Estos nuevos ojos ven la estela: ven lo que dejo atrás cuando paso.

Barcos volcados, gente que agita los brazos entre las olas. Gente que me importa. No hablo de Dublín, la ciudad que siempre tengo como impersonal, sin un rostro real. Pero esta gente sí tiene rostros.

Pasamos junto a Jo. Ya está vestida y recibe formación en su nuevo puesto junto a otra camarera. Sí le queda bien el uniforme. Me mira cuando paso; mitad exasperación, mitad súplica para que me comporte. Su formadora me lanza dagas con la mirada. Me pregunto si las camareras que maté eran sus amigas.

—No deberían haber comido tanto *unseelie* —murmuro en mi defensa.

Intento volver a la forma que tenía antes de salir del ascensor, volver a la Dani, «Mega», a la que todo le importa una mierda.

No sucede nada.

Vuelvo a intentarlo.

Todavía siento la brisa de esa guillotina.

Uno de los tipos de Ryodan, Lor, me entrega una linterna.

—Joder —digo—. Gracias. Una linterna contra una ciudad llena de Sombras.

—Se han ido. La mayoría, al menos.

Pongo los ojos en blanco.

—A ti ya te está bien eso de «la mayoría» porque ellas no os comen, seáis lo que seáis.

Lor no me responde, pero tampoco esperaba que lo hiciera.

En cuanto llegamos a la puerta, me desplazo.

Puedo correr más deprisa que todo y que todos.

Incluso que yo misma.

OCHO

«And I'm hungry like the wolf»
('Estoy hambriento como un lobo...')

*E*nciendo la linterna y me dirijo a la tienda más cercana que sé que todavía tiene Snickers en los estantes, para reponer provisiones.

Tengo un estómago insaciable y me duele del hambre. Es una sensación que procuro evitar, sobre todo si me noto la cabeza a punto de estallar. Me habría puesto hielo, pero si he estado inconsciente tres días, ya es demasiado tarde. El hielo solo funciona si lo utilizas al momento. Busco en el cuero cabelludo, entre el pelo, encuentro la zona inflamada y la herida en la nuca que me está causando tanto dolor, suspiro y me pregunto con qué me di el golpe y cuándo fue. Hay quien piensa que, como siempre voy magullada, soy masoquista. No lo soy. Simplemente así es mi vida.

Como ya suponía, es de noche, así que las calles están desiertas en su mayoría. La gente hace la «compra» durante el día. Aquellos que sí cazan por la noche solo hacen eso... cazar. Salen en manadas, armados hasta los dientes y van tras cualquier *unseelie* que puedan encontrar.

Muchos de los cazadores nocturnos están dispuestos a asumir cualquier riesgo. No saben cómo vivir en el mundo actual, así que se arriesgan demasiado. Acabo rescatando justicieros por todos lados. A veces, se encuentran con Jayne y antes de que alguien pueda decir «no disparéis, somos humanos», se producen bajas. Todos tienen unos dedos agilísimos en el gatillo.

Las cosas han cambiado muchísimo desde que los muros cayeron el pasado octubre. Hace siete meses las calles eran fáciles. Salías de noche, matabas algunos *faes* y luego te cargabas algunos más. Los *unseelies* eran fáciles de tomar por sorpresa porque tenían una opinión muy pobre de los humanos. No nos veían como una amenaza seria y real.

Ahora sí.

Ahora están en guardia, son más peligrosos, más difíciles de atrapar e imposibles de matar a menos que seas Mac, una Sombra, o yo. Las Sombras son caníbales. La vida es siempre vida y no discrimina. Hay humanos que luchan contra *faes*, humanos que luchan contra humanos, *faes* que luchan entre sí y todos, en general, tratamos de deshacernos de las Sombras.

Reduzco la velocidad hasta el paso de una persona normal, estoy perdiendo fuerza. Necesito comida pero ya. Ya me he comido todo lo que llevaba en los bolsillos: es lo que consiguen tres días de hambre. Giro la espada con un golpe de muñeca (tardé meses en perfeccionar ese movimiento… y es genial), me agacho para entrar en la tienda de comestibles con las ventanas rotas, los estantes caídos, la caja registradora abierta y hecha añicos. No entiendo por qué alguien se molestaría en robar dinero. No sirve de nada. La gente abrió los ojos al final: el dinero es tan inútil como siempre. De pequeña me sorprendía que la gente intercambiara pedazos de papel que todos acordaban que significaban lo mismo, cuando todos sabían que no significaban nada. Fue la primera conspiración adulta de la que fui consciente. Me hizo pensar que quizás jamás ningún adulto debía ser mi jefe. Soy la persona más inteligente que conozco. Salvo Dancer, tal vez. No lo digo con arrogancia; serlo es un auténtico grano en el culo la mayor parte del tiempo.

«Comprar», hoy en día, funciona de una forma sólida y real: el sistema de trueque. Ryodan tiene a los camareros y las camareras del Chester's bien formados para aceptar ciertos artículos que o bien quiere para sí mismo o puede cambiar por algo más que quiera. Si tienes algo importante en lo que él está interesado, te dará una línea de crédito. He oído que recibe favores de los *faes* a cambio de darles un lugar donde puedan dar caza a los humanos. Aunque me fastidia que Jo trabaje en el Chester's, en cierta manera me alegro porque ahora obtendré mayor información desde dentro. Podré descubrir qué motiva a Ryodan y cuáles son sus debilidades. El tío tiene que tener algún punto débil en su armadura. Todos tienen su talón de Aquiles.

Sorteo un montón de ropas y cáscaras (malditas Sombras, ¡las odio!) y me dirijo hacia el estante de dulces. Está vacío. No hay ni un solo Snickers. No hay nada, de hecho.

Me acerco al pasillo de las galletas. Esas estanterías también están vacías.

Me ruge el estómago, cabreado. No me tiemblan las rodillas todavía, pero están a punto.

Giro la linterna para echarle un ojo al resto de la tienda. Lo han arrasado todo.

Suspiraría en plan melodramático, pero es un gasto de energía que, ahora mismo, no me puedo permitir. Ya no muevo la espada ni doy saltitos alternando los pies como suelo hacer. No muevo ni un solo pelo si no es necesario. La vida se me acaba de volver más difícil. Cuando eres un cochazo como yo, o bien necesitas un depósito de gasolina enorme —que no tengo al medir un metro cincuenta y nueve— o debes vivir en una ciudad con muchas gasolineras.

Y se me están acabando las gasolineras.

Está bien. Ya lo veía venir. Dancer también. Hace meses que escondo suministros de comida, agua y medicinas en muchos rincones escondidos alrededor de Dublín. Dancer y yo hemos estado aumentando esas reservas en nuestro tiempo libre durante las últimas semanas. Él no sabe dónde están todos mis escondites, y yo no sé dónde guarda él sus cosas. De esta manera, si alguien intenta torturarnos a uno de los dos para que cante, no podremos delatarnos del todo. Intenté decirle a las *sidhe-ovejas* que lo hicieran, pero me tomaron por loca. Me dijeron que como más de la mitad de la población había desaparecido, había suficientes existencias en las tiendas. Les dije que alguien intentaría monopolizar la distribución de comida. Es por el trueque, tías: la comida y el agua son lo más buscado. Me dijeron que todo el mundo estaba demasiado ocupado tratando de sobrevivir. Yo dije que no durarían mucho. ¿No habían leído *Cántico por Leibowitz*? ¿No se dan cuenta de cómo son las tendencias? Ellas me contestaron que qué tenía que ver *Cántico por Leibowitz* con la comida y yo les pregunté: «¿Tengo que empezar a llamaros *sidhe-simples* en lugar de *sidhe-ove-*

*jas? ¿*Tengo que traducirlo todo? ¿No podemos usar metáforas para algunas cosas?».

«Me fastidia tener siempre la razón», me digo para mis adentros. Hablar requiere respirar y respirar requiere una gasolina que no tengo.

Salgo de la tienda lentamente y casi me da un maldito ataque al corazón al ver al príncipe *unseelie* de pie ahí, con medio cuerpo en las sombras. La mitad de él que está fuera está bañada con la luz de la luna, pero la luna no brilla igual que antes de la llegada de los *faes*. No suele tener el mismo color de una noche a otra. Esta noche tiene una luminosidad púrpura plateada, con lo que una de sus mitades es una silueta negra y la otra mitad es de un lavanda metalizado. Está tatuado, es muy guapo, misterioso, exótico y hace que me palpite el corazón de una manera que no tiene nada que ver con el miedo.

Mi espada brilla. Tiene una hoja larga y de alabastro. Hago fuerza con el codo para que no me tiemble el brazo.

—Tranquila, muchacha.

—¡Deja de aparecer así de repente! —¿Cómo puedo no oírlo? Él y Ryodan tienen esa capacidad de sorprenderme y me cabrea. Tengo un oído finísimo, es tan bueno que hasta oigo cómo se agita el aire cuando otras personas se mueven. Nadie puede aparecerse furtivamente. Sin embargo, ambos lo consiguieron esa noche en la torre de agua y Christian acababa de volver a hacerlo. Se ha acercado a un metro y medio de distancia sin que lo haya notado.

—La espada. Bájala.

—¿Por qué debería hacerlo? —Cada vez es más erótico, como los otros príncipes *unseelies*. Mi antigua mejor amiga Mac dice que son *faes* con capacidad de muerte orgásmica porque pueden matar mediante el sexo. Y eso en el mejor de los casos. ¿El peor caso? Te convierten en *pri-ya* como lo hicieron con Mac. Te dejan viva, pero totalmente adicta al sexo, insaciable y demente. Los otros príncipes me acorralaron una vez y me hicieron cosas en las que no me gusta pensar. No quiero que el sexo sea de esa manera, como si fueras una especie de animal indefenso. Me he sentido como un animal indefenso casi toda mi vida y ya he tenido suficiente. Lo que Christian emite e irradia no es ni una décima parte de lo que los otros príncipes *unseelies* tienen, pero es malo.

—Nunca te haré daño, muchacha.

—Dice el príncipe *unseelie*. —No obstante, bajo la espada y la dejo apoyada contra la pierna. De todos modos, tampoco estaba muy segura de cuánto tiempo podría sostenerla.

Se contraen los músculos de su rostro como si estuvieran compitiendo para dar forma a su expresión; parece que la rabia gana y tengo la sensación de que llamarlo príncipe *unseelie* puede haber sido un pequeñísimo error de juicio por mi parte. Últimamente he cometido demasiados.

—Llámame por mi nombre, muchacha.

Me cubro los oídos y lo miro pensando: «¿Pero qué coño?».

De repente, repite con voz atronadora:

—¡Llámame por mi maldito nombre! —Un trueno resuena en el cielo. Me cubro la cabeza con los brazos para silenciar su voz. En momentos como este aborrezco mi superoído. Levanto la vista: no se avecina ninguna tormenta. Él está influyendo en el clima, igual que la realeza *fae*. Bajo la vista. Una capa de hielo ha cubierto la acera a su alrededor. El polvillo de los cristales ha tiznado sus botas negras y le está empezando a congelar la pernera de los vaqueros.

—Christian —digo.

Inhala con fuerza, como si algo le hiriera solo porque digo su nombre, y cierra los ojos. Su rostro se ondula, se queda suave como la plastilina recién sacada del plástico y luego se contrae otra vez. Me pregunto si al tocarlo podría darle forma, quizás estampar algunas caricaturas de la sección de historietas del periódico. ¡Es que me hago una gracia…!

—Dilo de nuevo, muchacha.

Si eso evita que active su sensualidad principesca conmigo, de acuerdo.

—Christian. Christian. Christian.

Esboza una sonrisa o eso creo. Joder, no logro leer la expresión en su rostro, del mismo modo que no consigo averiguar cómo se las arregla para aparecerse…

—¡Me cago en…! —De repente lo veo claro—. ¡Sabes tamizarte! Te estás convirtiendo en un príncipe *unseelie* de verdad, con todos los superpoderes. ¡Colega! ¿Qué más puedes hacer?

Si eso era una sonrisa, acaba de desaparecer. No parece tan feliz como yo lo estaría si estuviera recibiendo todo ese poder. Seguro que a su depósito de combustible no le falta gasolina. Estoy tan celosa que le escupiría, pero eso también requeriría energía.

Da un paso al frente, sale de las sombras, y veo que lleva una caja bajo el brazo.

—Voy a matar a Ryodan —dice él.

Dejo de protegerme la cabeza. De nuevo volvemos a unos tonos de conversación más normales. Me meto la espada debajo del abrigo.

—Pues que tengas buena suerte. Si averiguas cómo, házmelo saber, ¿de acuerdo?

—Toma esto. —Empuja la caja hacia mí.

Voy hacia ella, entorpecida por el hambre. Está resbaladiza porque la recubre una capa de hielo. La atrapo justo cuando toca el suelo. ¡Qué torpe soy! Reconozco el color y la forma ahora que está en mis manos, y me enciendo como un árbol de navidad.

—¡Christian! —Sonrío. Diré su nombre tantas veces como quiera. Lo gritaré desde lo alto de las torres de agua. Qué cojones, ¡compondré una alegre cancioncilla para él y la cantaré mientras corro por Dublín!

¡Me acaba de regalar una caja entera de Snickers! Rasgo el envoltorio de una, rompo la barrita medio congelada por la mitad y me la meto en la boca.

Me aparto el pelo de la cara y levanto la mirada para agradecerle con la boca llena, pero él ya se ha ido.

Tres barritas de chocolate más tarde, me doy cuenta de lo que acaba de suceder.

Me siento en la acera, me guardo barritas de chocolate en los bolsillos y en la mochila, y digo:

—¡Mierda!

Christian sabía cuánto necesitaba la comida. Me está observando. Me pregunto por qué y con qué frecuencia lo hace. Me pregunto si está ahí ahora mismo, mirándome desde algún lugar y yo ni siquiera lo sé. Joder, hay un príncipe *unseelie* que me espía. Genial.

Con el depósito lleno de nuevo, paso por el castillo de Dublín. Tres días fuera son demasiados y tengo trabajo que hacer: el trabajo de un superhéroe nunca termina. Entre patrullar la ciudad, imprimir y distribuir el Diario, matar *unseelies*, vigilar a Jo y a las otras *sidhe-seers* —y ahora trabajar toda la noche para Ryodan, cada noche—, ¡no va a haber suficientes horas en el día!

—¿Dónde demonios has estado? —dice el inspector Jayne en cuanto me ve—. Tengo *unseelies* hacinados en todas las jaulas. Acordamos que vendrías tres veces a la semana y los matarías con la espada. Si antes ya no dábamos abasto... ¡No te he visto en cinco días! ¡Cinco putos días! Si no te tomas en serio tus responsabilidades, mis hombres te quitarán esa espada.

Se queda mirando el pliegue de cuero, que delata dónde llevo la espada guardada debajo de este chaquetón que me roza hasta los cordones de las zapatillas. Es mayo y hace demasiado calor para llevar cuero negro, aunque es mi favorito. Pronto tendré que colgarme la espada a la espalda y lidiar con todo el mundo mirándola, codiciándola. Por lo menos ahora no hay mucha gente que sepa que la tengo. Pero claro, mi reputación está empezando a precederme. ¡Jo dijo que era una leyenda!

—Inténtalo si te atreves, colega. —Me voy pavoneando hacia la zona de entrenamiento, entre él y sus hombres. Solo unos doce llevan armadura completa y sudan como cerdos apestosos. A veces, el superolfato es una mierda. Ha estado haciéndolos trabajar duro, se nota. Me pregunto qué estará pasando. Es de noche y normalmente hace que sus hombres cacen de noche, patrullen y, en definitiva, mantengan las calles a salvo.

Nos fulminamos con la mirada.

Él se ablanda al poco. Siempre lo hace. Le cuesta mirarme y estar cabreado durante mucho rato porque ve a sus propios hijos reflejados en mi rostro. Jayne tiene un punto muy débil por los niños. Él y su esposa han estado adoptando huérfanos de todos lados. No sé cómo los alimenta a todos. Sin embargo, Jayne no es tonto y sospecho que también tiene existencias escondidas. Hasta esta misma noche, parecía que la mayoría jugábamos con las mismas reglas. Llévate mucho, pero deja algo.

Ya no hay reglas. Alguien está limpiando las estanterías y eso no es nada civilizado.

—¡Joder, Dani, me tenías preocupado!

—Supéralo, Jayne. Sé cuidarme; siempre lo he hecho.

A sus ojos se asoma esa expresión que siempre me incomoda,

como si estuviera a punto de abrazarme en plan paternal o quisiera limpiarme una mancha de sangre de la mejilla. Me estremezco. Me pica la mano de la espada y estoy lista para aliviarla.

—Ya estoy aquí. No perdamos más el tiempo. ¿Qué *unseelie* quieres que muera primero?

—¿Sabes por qué no saldremos a cazar esta noche?

No me gusta que me hagan adivinar, así que me limito a mirarlo.

—No hay espacio en las jaulas. Libéralos a todos y no te vayas hasta que lo hayas hecho.

Me vuelve a mirar el pliegue de la espada debajo del abrigo, luego hace algo que hace muchas veces. Mira a sus hombres y me vuelve a mirar a mí con aire frío y especulador. No ve a una niña cuando lo hace: está viendo un obstáculo.

Conozco muy bien a Jayne. Él ni siquiera sabe que lo hace.

Se está preguntando si podrían quitarme la espada; se pregunta si permitiría que sus hombres me mataran para conseguirla. Si se lo preguntara, me lo negaría hasta el final de los días. Cree que realmente se preocupa por mí y, hasta cierto punto, es verdad. Piensa que le gustaría llevarme a casa con su esposa y hacerme parte de su familia, darme la clase de vida que está seguro que nunca tuve.

Pero un metro veinte de brillante metal que se interpone entre nosotros es un metro veinte de poder inmenso; y eso lo cambia todo. No soy una niña. Soy lo que se interpone entre él y algo que desea por un buen motivo. Y, al mismo tiempo, no está tan seguro de no llegar a hacer algo muy malo también por un buen motivo.

Mi espada y la lanza de Mac son las únicas armas que pueden matar a los *faes*. Eso las hace sin ninguna duda el premio gordo en, no solo Dublín, sino en el mundo entero. En parte, Jayne es como Barrons. Quiere matar *faes* y yo tengo el arma que necesita para hacerlo. No puede evitarlo, es un líder y de los buenos. Cada vez que me ve, valora si cree que podrá quitármela o no. Y puede que algún día dé el paso.

No se lo tendré en cuenta. Yo haría lo mismo.

Me doy cuenta del momento en que decide que es un riesgo que no vale la pena asumir porque aún no está seguro de que no vaya a matar a algunos de sus hombres, quizás incluso a él.

No se quita esa duda de la cabeza. La parte subconsciente donde tiene lugar todo esto.

Me dice algo amable, pero ni lo oigo siquiera. Jayne es un buen hombre, pero eso no lo hace menos peligroso. Algunos creen que soy un poco adivina, aparte de tener otros superpoderes. No lo soy. Solo sé leerles las intenciones. Recojo pequeñas pistas que otros no captan: la forma en que los músculos se les tensan en los dedos cuando miran mi espada como si imaginaran cómo sería sostenerla, o el modo en que sus miradas se apartan rápidamente cuando dicen que están contentos de que sea mi responsabilidad y no la suya. Lo que me resulta gracioso es observar cómo su consciente y su subconsciente parecen estar tan divididos, como si no se hablaran en absoluto. Como si no pudieran coexistir sentimientos contradictorios dentro de ti. Joder, pasa todo el tiempo. Yo misma soy como una pelota emocional de pimpón entre dos palas: un día tengo unas ganas enormes de follar y al siguiente pienso que el semen es la cosa más asquerosa del mundo. El lunes estoy loca por Dancer, el martes lo odio porque me importa. Simplemente sigo adelante, me dejo llevar, me centro en el sentimiento que se manifiesta más a menudo e intento mantener la boca cerrada cuando siento otra cosa. Pero la mayoría de la gente tiene su Ello y su Yo en diferentes pisos en la casa que representa su cabeza, en diferentes habitaciones. Han cerrado las puertas que los comunicaban y han clavado tablones de madera contrachapada encima porque creen que son una especie de enemigos que no pueden pasar tiempo juntos.

Ro pensaba que todo el asunto del consciente y del subconsciente tenía que ver con por qué soy como soy. Me dijo que padezco un trastorno neurológico llamado sinestesia, que es como si algunas zonas cruzadas del cerebro hablaran entre sí. La vieja bruja siempre me psicoanalizaba; ella era la psicópata y yo a la que analizaba, vaya. Decía que mi Ello y mi Yo son muy buenos amigos, tanto, que no solo viven en el mismo piso, sino que comparten cama. A mí ya me está bien. Eso libera espacio para otras cosas.

Me pongo en marcha, me desconecto y hago lo que mejor se me da: matar.

NUEVE

«And it all goes boom, chicka boom, boom-boom, chicka boom»
('Y todo hace boom, chicka boom, boom-boom, chicka boom')

—¿Qué es este lugar? —le pregunto a Ryodan.

—Tienes un montón de lugares por toda la ciudad, niña.

No digo «sí». Parece ser que, últimamente, la gente lo sabe todo de mí. Y él tampoco dice: «bueno, yo también». Cuando Ryodan desperdicia palabras, lo hace de la peor manera posible. Se pone todo filosófico y me entran unas ganas horribles de bostezar. Hay observaciones de los hechos que te mantienen vivo, como comprender a Jayne, pero filosofar es algo muy distinto. Lo primero es lo que me interesa.

Estamos en un muelle de carga, fuera de un almacén industrial en la zona norte de Dublín. Ryodan nos ha traído hasta aquí en un Hummer militar. Está aparcado detrás de nosotros, apenas visible en la noche, negro sobre negro —hasta las ruedas lo son— y con ventanillas oscuras. Yo lo habría conducido si hubiera encontrado uno, claro. Pero no he visto ninguno hasta ahora. Es una pasada. Y yo que pensaba que los coches de Barrons eran geniales.

Empiezo a investigar. No hay ninguna luz encendida alrededor del edificio.

—Colega, ¿tienes protección contra las Sombras?

—No la necesito. No hay nada vivo adentro.

—¿Qué hay de la gente que va y viene?

—Solo durante el día.

—Tío, es de noche. Estoy aquí.

Él me mira, mira mi cabeza, y le tiemblan los labios como si se esforzara por no echarse a reír.

—Eso no te hace falta... sea lo que sea esa mierda.

—No pienso morir por una Sombra. Y es un MacHalo. —Lo primero que he hecho esta mañana ha sido pasar por casa de Dancer a llevarme mis cosas.

El MacHalo es un invento fantástico. Solo en Dublín ha salvado miles de vidas. Lleva ese nombre en honor a la que solía ser mi mejor amiga, Mac, la persona que inventó el casco de bicicleta con luces LED, delanteras, laterales y traseras. Añadí un par de soportes al mío para que me ilumine mejor cuando voy a cámara rápida. (Aunque siempre me he preguntado si podría atravesar una Sombra a supervelocidad, aunque fuera sin él.) Es lo más novedoso y avanzado en cuanto a protección contra Sombras. He oído que están siendo un gran éxito en todo el mundo. Todos en Dublín tienen uno. Durante un tiempo los hacía y entregaba a los supervivientes todos los días. Algunas personas dicen que las Sombras han dejado Dublín, que se han mudado a pastos más verdes. Pero las Sombras son furtivas y solo hace falta una para matarte al momento. No pienso correr ningún riesgo.

—¿Qué tiene este lugar en común con tu club? —digo.

Él me mira como diciendo: «Colega, si lo supiera ¿crees que habría pedido tu insignificante ayuda?».

Me río disimuladamente.

—Qué te hace tanta gracia.

—Tú. Te has cabreado porque hay algo que no sabes y tienes que solicitar los servicios de Mega.

—Alguna vez se te ha ocurrido pensar que te estoy usando por razones que tu cerebro inferior de humana no puede entender siquiera.

Otra de sus preguntas que no suena a pregunta. Es una táctica muy, muy irritante, tanto que desearía que se me hubiera ocurrido a mí. Claro que, si empiezo a hacerlo ahora, me vería como una imitadora. Por supuesto que se me había ocurrido que tenía segundas intenciones. Todo el mundo las tiene. Ahora soy yo la que se cabrea. Entro en modo observación y me atuso el pelo erizado para recobrar la compostura. El humor es el mejor amigo de una chica. El mundo es un lugar divertido.

Calculo que las puertas dobles del almacén tienen unos diez

metros de altura y que la entrada es casi el doble de ancho si se corren los cuatro paneles que forman las puertas. El metal corrugado emite un frío tan intenso que se me congela el aliento a unas pocas bocanadas y queda suspendido en el aire como si fueran pequeñas nubes heladas. Le doy un puñetazo a una, que cae al suelo y tintinea al hacerse añicos helados. De repente, hago una conexión mental y veo el patrón: me fijo en la capa de hielo en los vaqueros de Christian. Me quedo pensando un momento y luego decido que no hay manera. La realeza *fae* puede afectar mínimamente el clima a su alrededor y la palabra clave aquí es «mínimamente», pero esto es algo grande. Y Christian no es ni siquiera un *fae* de pura sangre.

Las puertas están recubiertas de un hielo completamente translúcido. Busco la espada.

Noto el pecho de Ryodan en mi espalda y su mano posada sobre la mía en la empuñadura de la espada antes de que procese siquiera que se ha movido. Me quedo totalmente quieta, ni siquiera respiro. Me está tocando. No puedo pensar cuando está tan cerca de mí. Me limito a subir el volumen del ruido estático en mi cabeza y me concentro en tratar de alejarme lo más rápido posible. Viajar en coche con él ha sido un suplicio. Es un compartimiento cerrado, como una lata de sardinas electrificada. Bajar las ventanillas no ha ayudado ni un poco. Esto es un millón de veces peor.

—Colega. —Subo aún más el volumen.

—¿Qué estás haciendo, Dani?

Noto su cara, que prácticamente me toca el cuello. Si me muerde otra vez le daré una paliza.

—Estaba pensando en clavarla en el hielo para ver lo grueso que es.

—Casi cinco centímetros.

—Apártate.

—Suelta la espada o no dejaré que te la quedes.

Jayne no puede quitármela, pero este cabrón sí. Puede porque es un príncipe *unseelie*, un motivo más por el que no soporto a Ryodan.

—No puedo soltar la espada hasta que no me quites la mano de encima. ¿Tanto te cuesta? —le espeto, cabreada.

Ambos la soltamos al mismo tiempo. Lo fulmino con la mirada, o donde creo que está, vaya, pero él se ha esfumado. Lo encuentro a unos seis metros, cerca de una puerta de tamaño normal. La abre y su rostro se congela al momento.

—¿Preparada? —pregunta.

—No te muevas de esa manera delante de Jo.

—Lo que haga con Jo no es de tu incumbencia.

—Será mejor que no hagas nada con Jo. Me estoy comportando como una buena soldado. —Y no veas lo que me jode. Tener que presentarse a trabajar a las ocho de la tarde. Presentarse, dice... Como si no tuviera mis propios planes, como si no pasara horas cazando para Dancer, como si no tuviera atrasados ya dos *Diarios de Dani* y no me hubiera pasado la mayor parte del puto día trabajando en uno, después de pasarme por la abadía para asegurarme de que Jo estuviera bien. Tenía novedades asquerosas que contarme sobre el nuevo y segmentado *unseelie*, pero aparte de eso no había querido hablar mucho más. Creo que está bastante molesta conmigo. Bueno, tampoco es nada nuevo. Si no hubiera ninguna *sidhe-oveja* enfadada conmigo, no sabría quién soy, o si la Tierra todavía orbita alrededor del Sol—. Me estoy portando bien y ella está a salvo. Déjala en paz y punto.

Él esboza una sonrisa.

—O qué, niña.

—¿Sabes una cosa, colega? Como no pongas un signo de interrogación al final de las preguntas, no las contestaré más. Es de mala educación.

Se ríe. Odio cuando se ríe. Es como si quisiera recordarme la planta pornográfica del Chester's y eso me da muchísimo asco, así que vuelvo a activar el ruido blanco y estático en mi cabeza.

Paso junto a él desplazándome tan deprisa que se le alborota el pelo. Me aseguro de pisar a través de un montón de polvo y doy un giro de talón adicional al pasar zumbando por ahí para que salga disparado directamente hacia su nariz (un truco que perfeccioné en la abadía). Él estornuda y lo hace igual que una persona normal. Me sorprende un poco descubrir que respira de verdad.

El frío me impacta como una pared de ladrillos y por un segundo no puedo respirar.

Entonces lo noto en mi espalda, a centímetros de mi rueda trasera metafórica, como si se aprovechara de mi desplazamiento. Me pone muy nerviosa. Como me enciende los ánimos, me facilita el respirar de nuevo.

Como en el primer escenario que me enseñó, un silencio congelado pende en el ambiente como esas mañanas en las que acaba de nevar, no hay nadie más despierto y el mundo está más tranquilo aún de lo que nunca pensaste que podría estar, hasta que das un primer paso que chirría en el cúmulo de nieve. Siempre he querido hacer una gran pelea de bolas de nieve con alguien en mañanas como esas, pero nadie ha sido capaz de seguirme el ritmo. Lanzarle bolas de nieve a la gente es como derribar latas sobre una valla con una pistola de aire comprimido.

Atravieso el almacén volando, revisándolo todo, fascinada a pesar de estar aquí en contra de mi voluntad. Me encanta un buen rompecabezas. ¿Quién está congelando estos lugares y por qué?

Hay varias docenas de *unseelies* congelados en la plataforma de entrada.

Ryodan tiene obreros de castas inferiores que trabajan para él. Hay un montón de Rhino-boys congelados en mitad de la acción. Al igual que el subclub en el Chester's, hace un frío terrible. Hace que me note el corazón embotado y apretado. No dejo de moverme, no me detendré por nada.

Los Rhino-boys se están congelando mientras cargan y descargan tarimas y cajas; tienen la piel gris cubierta de blanco, como barnizada con una capa transparente de hielo. Lo que fuera que les sucedió pasó muy deprisa. No se dieron cuenta de nada. Sus expresiones congeladas son completamente normales.

Bueno... tan normales como pueden ser en un *unseelie*, claro.

Paso zumbando alrededor de dos muy corpulentos. Examino sus rostros rugosos de rinoceronte, sus bocas abiertas con los colmillos al descubierto, para analizar sus gestos.

Se me ocurre que tal vez sus expresiones no sean tan normales. Baso mis suposiciones en lo que sé de los humanos, en cómo reaccionan nuestras caras. Christian es la prueba de que no puedo hacer eso. Ni siquiera detecto cuándo está sonriendo.

La lógica exige que elimine la suposición de que los Rhino-boys no se dieron cuenta de nada, de que no hubo ninguna advertencia. ¿Un Rhino-boy puede parecer aterrado? No lo sé. Tal vez demuestran su miedo con algo tan pequeño y particularmente *fae* como un destello multicolor en sus diminutos ojos brillantes, y la escarcha blanca lo está ocultando. Nunca me he dado cuenta de qué expresión adoptan sus rostros cuando los mato. Por lo general, estoy demasiado ocupada buscando al siguiente candidato. De repente, me entran unas ganas enormes de encontrarme a uno esta noche y hacer la prueba. Cualquier excusa es buena para matar a un *unseelie*.

¿Quién haría algo como esto? ¿Y por qué?

Tiene que ser un *fae* porque, la verdad, no me imagino a un humano apañándoselas para construir una pistola de rayos congelantes que funcione a esta escala solo para hacer de justiciero.

Por otro lado… tampoco puedo descartar esa posibilidad.

Hasta ahora, los dos lugares que he visto congelados son exactamente la clase de lugares que yo misma congelaría. Si tuviera un arma tan perversamente genial.

Seguramente la mayoría de la gente no cree que exista nadie que pueda moverse como yo, luchar como yo y oír como yo. Por lo tanto, no puedo descartar la posibilidad de que alguien más sea tan inteligente que ha descubierto la forma de construir una enorme pistola de rayos congelantes capaz de reducir la temperatura de los lugares para helar los objetos en el espacio. Con tiempo suficiente, creo que hasta Dancer podría hacerlo. ¡Él es así de inteligente!

Mierda. Tengo hechos, pero ninguna conexión. No puedo deducir nada todavía.

De repente, veo más allá de las figuras congeladas.

El almacén está lleno de cajas de cartón, cajas grandes de madera y palés amontonados por doquier. Hay un montoncito de aparatos electrónicos congelados que parece un equipo de sonido de algún tipo. Supongo que tal vez para el club. El montón de cajas de madera llega hasta el techo. En ese momento estaban trayendo más cosas cuando todo sucedió.

Llego a una conclusión completamente clara: ¡Ryodan es el tío que está vaciando las tiendas! Acosa a los humanos del mismo modo que los *unseelies*: nos quita la capacidad de sobrevivir para que él pueda vendérnosla después al coste que el señorito quiera imponer.

Todo está congelado, hasta el último rincón.

Me pregunto si algunos de los comestibles se podrán descongelar y salvar. La gente morirá porque es un cerdo demasiado codicioso.

Estoy tan furiosa que abro una caja de un golpe al pasar zumbando.

—¡Ay! —digo con aire inocente y como si hubiera sido sin querer. Las astillas de madera salen volando en todas direcciones.

Unas armas automáticas explotan entre los restos y resbalan por el piso congelado, donde chocan contra un *unseelie* congelado que se rompe en añicos de cristal.

De acuerdo, esa caja tenía armas dentro. Eso solo significa que he pateado la caja que no era. Estoy tan segura de que él es el cabronazo que está acaparando la comida que le doy un golpe a otra y esta vez paso de fingir que ha sido por accidente. Más armas.

Entro en un frenesí destructor. Cada vez que destrozo una caja que contiene municiones o armas, me pongo más furiosa. Supongo que ha ocultado la comida antes de traerme aquí. Estoy a punto de patear la quinta caja cuando, de repente, Ryodan me coge de las solapas del chaquetón, me carga como un saco de patatas sobre su hombro, me saca a toda velocidad por la puerta, me estrella contra un poste de teléfono y me espeta:

—¿Qué coño te pasa? —En ese preciso instante, el edificio estalla en pedazos.

—Colega, ¿estás preparando estos lugares para que exploten? —le pregunto de camino al Chester's—. ¿Se trata de otra de tus estúpidas pruebas? ¿Tengo que resolver tu pequeño misterio en los tres segundos que tengo para examinarlo antes de que la escena del crimen vuele en mil pedazos? —El edificio entero había explotado a lo largo de una manzana. Escapamos por los pelos de la metralla.

—He perdido una gran cantidad de propiedad personal en

ambas explosiones. No sacrifico nada mío que pueda reportarme beneficios.

—Lo que significa que mientras te sea útil, ya que piensas que soy tuya, no voy a… —Me paso un dedo por el cuello.

—Niña, puede que me cabrees tanto que sí termine matándote.

—Lo mismo digo, jefe.

Él sonríe y siento que comienzo a sonreír. Eso me jode tanto que miro por la ventanilla y me concentro en el paisaje que se distingue bajo la rosácea luz de la luna, que tampoco es tanta porque las Sombras se llevaron todo lo que valía la pena contemplar. Tengo tres escondites por aquí y un alijo grande. No sabía que Ryodan también se refugiaba en la zona. Abandonaré este distrito en cuanto tenga tiempo para reubicarme.

—Observaciones —me exige.

—Lo único que he podido distinguir que fuera común y endémico en las dos escenas son cuatro guardias imperiales *unseelie.* —Estaban de pie, iban armados, custodiaban las puertas de embarque y supervisaban la entrega.

Él me mira de soslayo.

—Vaya. Ha sido una frase completa, con sustantivos, verbos y tejido conjuntivo. Endémico. Qué palabra más culta.

—¿Y tú? ¿Qué es eso del tejido conjuntivo?

—Nada más.

Lo miro. Me repatean sus preguntas sin tono de interrogación. No las voy a contestar más.

Se ríe.

—¿Nada más? —Su voz se eleva en el «más» una nota más alta que en la palabra «nada»; una concesión que solo alguien como yo, con mi oído privilegiado podría percibir. Aun así, es una concesión de Ryodan, algo más raro que el agua en el desierto.

—El hielo estaba formado por las mismas capas. Tal vez fuera escarcha, en cuyo caso era escarcha muy dura. El hielo transparente lo recubre todo. Este tipo de escarcha es algo raro. El hielo blanco viene de la congelación de la niebla. ¿Por qué había niebla en el interior de ambos edificios?

—¿Cómo ha estallado este?

Pienso en lo sucedido. Todo ha pasado muy deprisa y ya estábamos fuera; él me bloqueaba la vista, y yo estaba más centrada en sacármelo de encima que en cualquier otra cosa. No me gusta, pero lo reconozco.

—No puedo sacar ninguna conclusión debido a las circunstancias.

Él me mira de reojo otra vez.

—Si hablo como tú, tal vez podamos terminar antes con toda esta mierda. La comunicación ya es bastante difícil estando todos de acuerdo...

—Eso no es verdad. Dame la mano.

—No.

—Ya.

Y una mierda le voy a dar la mano.

Él dice algo flojito en un idioma que no entiendo. Se me levanta el brazo solo. Lo observo, horrorizada, mientras mi mano se acerca a su lado del Hummer con la palma hacia arriba.

Él deja caer un Snickers, murmura algo y me devuelve la movilidad de la mano. Me pregunto cuándo, cómo y por qué mi maldito apetito se ha convertido en asunto de todos.

—Come.

Pienso en tirarle la barrita de chocolate a la cara o por la ventanilla. Me niego a permitir que mis dedos la agarren.

Pero me vendría muy bien.

Él frena, se detiene en medio de la calle, se vuelve hacia mí, me coge de las solapas de la chaqueta, me acerca hasta que paso por encima de la separación entre nuestros asientos y se inclina hacia delante. Nos miramos fijamente. Estaremos a unos veinte centímetros de distancia y creo que la única razón por la que nuestras narices no se tocan es porque uno de los soportes del MacHalo casi le roza la frente. Mi culo ya no está pegado al asiento.

Nunca he visto unos ojos tan claros como los de Ryodan. La mayoría de la gente está a rebosar de emociones, con arruguillas alrededor como si fueran cicatrices de guerra. Al mirar a los adultos noto si han pasado sus años riendo, llorando o bien resentidos con todo el mundo. Oigo a las madres decirles a los hijos cuando hacen muecas: «Cuidado, que se te quedará la cara así». Y así es. A cierta edad madura, la mayoría de la gente lleva escrito en su rostro lo que sea que haya sentido más para que todo el mundo lo vea. ¡A muchos debería darles vergüenza! Por eso me río tanto. Si se me va a quedar así la cara, me gustará mirarla.

Mirar a Ryodan es como mirar al diablo a los ojos. Está claro lo que ha sentido en su vida… nada. Es despiadado; un tío frío.

—No volveré a hacerte daño a menos que tú me obligues, Dani.

—Eres tú el que tiene la oportunidad de decidir qué constituye la definición de «obligar». Hay mucho margen ahí.

—No necesitas margen.

—Porque lo aniquilas todo.

—Otra palabra culta.

—Joder, tío, ¿pero qué me acabas de hacer?

—Te he dado lo que necesitabas, pero te negabas a coger por cabezona. —Me cierra el puño alrededor de la barrita de chocolate. No puedo sacármelo de encima con la suficiente rapidez—. Come, Dani.

Me deja caer de nuevo en mi asiento, pone el cochazo en marcha y arranca.

Mastico bien la barrita a pesar del sabor amargo que tengo en la boca, pensando en cómo solía ser invisible.

—Los superhéroes nunca son invisibles —dice—. Solamente se engañan a sí mismos.

Vuelvo la cabeza hacia los edificios que pasan volando, arrugo la frente y saco la lengua.

Se ríe.

—Te veo por el espejo retrovisor, niña. Y ten cuidado o la cara se te va a quedar así.

En cuanto vuelvo a tener control sobre mi tiempo, salgo a la calle con cajas llenas de diarios recién impresos (¡me encanta el olor a tinta fresca!) en un maltrecho carrito de la compra. Puedo ir corriendo con el carrito y pegar los carteles en los postes más rápido de lo que podría hacerlo en moto. Mi moto es para el placer, para el tiempo de pura relajación, cuando no tengo ningún otro peso sobre los hombros, cuando no estoy salvando al mundo, como siempre. No tengo oportunidad de subirme mucho a ella.

El recordatorio de Ryodan de que debo presentarme a trabajar todas las noches a las ocho en punto de la tarde todavía resuena en mis oídos y me vuelve loca. ¿Por qué quiere torturarme todas las noches? ¿Está congelando esos sitios él solamente como excusa para meterse conmigo? Me dirijo al oeste y comienzo mi ruta habitual. Pasa de la medianoche. No debería de tardar más de un par de horas; luego volveré a buscar a Dancer. Me estoy empezando a preocupar un poco por él. La mayoría de las veces que se ha ido a otro lugar sin decírmelo, han sido solo unos días. No conozco todos los lugares que frecuenta, al igual que él no conoce todos los míos, pero seguiré echándole un ojo a los que sí conozco.

Tengo algunos puestos, postes y bancos que la gente visita con frecuencia, como los quioscos habituales, a la espera de mis últimas informaciones. Puede que la gente esté un poco preocupada porque llevo el diario atrasado y todo. Tengo información importante que compartir esta noche.

Miro el diario, orgullosa de él. La tinta es fresca y limpia, y parece realmente profesional.

El Diario de Dani

21 DE MAYO, 1 TCM

¡Nueva casta de *unseelie*! ¡Actualizad el manual!

¡EXCLUSIVA DE EDD, VUESTRA ÚNICA FUENTE PARA LAS ÚLTIMAS NOTICIAS DENTRO Y ALREDEDOR DE DUBLÍN!

¡Colegas, he descubierto un nuevo tipo de *unseelie* en el Chester's!

A este lo llamo Papa Roach, ¡y no me refiero a la banda! Tomad nota: tiene entre noventa centímetros y un metro veinte de altura, con un cuerpo segmentado de color marrón violáceo brillante, seis brazos, dos piernas y la cabeza más pequeña que he visto jamás, del tamaño de una nuez, con unos ojos como huevas de pescado. Puede dividirse en segmentos del tamaño de cucarachas que se arrastran dentro de tu ropa y te carcomen por dentro... ¡LITERALMENTE!

Si ves venir a esta cosa, corre como alma que lleva el diablo, porque aún no he encontrado la manera de acabar con él. Será mejor que llevéis un bote de laca para el pelo o llenéis un bote con gasolina y llevéis siempre encima un montón de cerillas (yo tengo un soplete). De esta forma, si os arrinconan, podéis rociarlas y prenderles fuego. No las mata, pero seguro que las mantiene ocupadas mientras huis.

¡SEGUIRÉ INFORMANDO, DUBLÍN!
¡CAMBIO Y CORTO!
DANI

No les digo que la peor parte es lo que Jo me ha dicho esta mañana: que algunas de las camareras del Chester's animan a los bichos a meterse debajo de su piel. No quiero darles ideas. Este *unseelie* tiene una especialidad: se alimenta de la grasa humana. ¡Y de repente, cintura de avispa! ¡Hola bicho, adiós celulitis! ¿No te gustan esos muslos con piel de naranja? Pues a por el bicho se ha dicho. Los muros no llevan destruidos el tiempo suficiente para que la gente se ponga delgada distópicamente o con la sexualidad exacerbada de tanta realeza *fae* pululando por ahí con la promesa de una posible inmortalidad. El énfasis en la moda y la belleza nunca ha sido más extremo.

Jo me ha dicho que un par de camareras están muy orgullosas de tener uno. Se está convirtiendo en un símbolo de estatus o algo así, como las extensiones capilares o las operaciones de aumento de mamas. Dice que estas tías afirman que no matan a los humanos, solo se comen su grasa y que casi no los notan en la piel.

Creo que es una gilipollez. Creo que se enganchan a ellos porque obtienen más de los humanos que solo grasa. Creo que experimentan todo lo que su «anfitrión» experimenta: el placer, el dolor, lo que sea. Los *unseelies* están llenándonos de bichos y nosotros se lo permitimos. Invaden nuestros cuerpos y reúnen información desde el interior, luego se lo comunican a Papa Roach, quien probablemente informa a los príncipes *unseelies* de cómo atacarnos mejor. ¿Qué creen estas camareras idiotas? ¿Que el bicho regresará al final a su propio cuerpo y las dejará a todas hermosas y delgadas, sin causarles ningún tipo de daño, sin trampa ni cartón?

¡Colega, son *unseelies*! Siempre hay una trampa.

Doblo rápidamente una esquina hacia mi primer poste; el carrito de compras va traqueteando.

Cuando veo uno de mis periódicos de la semana pasada ahí colgado y de un color blanco rosáceo bajo la luz rosada de la luna, me quedo patidifusa. La gente siempre los quita, se los lleva a casa, donde quiera que tengan su casa, vamos. Muy pocos se quedan colgados.

A medida que me acerco, me doy cuenta de que no es mi periódico.

¿Pero qué coño...? ¿Qué hay en mi poste? La gente sabe que debe dejarme las notas en la Oficina General de Correos. Me desplazo rápidamente y pego la nariz al papel.

Estoy tan asombrada que se me desencaja la mandíbula.

El Diario de Dublín

20 DE MAYO, 1 TCM

¡TU ÚNICA FUENTE DE NOTICIAS CREÍBLES EN Y ALREDEDOR DE LA NUEVA DUBLÍN DE MANO DE NOSIMPORTAS!
¡TE TRAEMOS TODAS LAS NOTICIAS QUE INTERESAN!
¡TE AYUDAREMOS A SOBREVIVIR!
NOSIMPORTAS

—Joder, tíos, ¿cómo se puede plagiar tanto? —Arranco el panfleto ofensivo de mi poste y cuando estoy a punto de tirarlo al suelo, reparo en algo y se me ponen los ojos como platos—.

¿«El Diario de Dublín» y no «El Diario de Dani»? La originalidad brilla por su ausencia, ¿no? Putos monos imitadores, ¡me han robado la entradilla! ¡Prácticamente no han cambiado nada!
Le echo un vistazo.

No te dejes engañar por periódicos de IMITACIÓN. *El Diario de Dublín* es el ÚNICO que necesitas.

¡PODEMOS AYUDARTE A CONECTAR LA ELECTRICIDAD Y EL AGUA!

¡Únete ahora!

A diferencia de los periódicos de IMITACIÓN, *NosIMPORTAS* te trae todas las noticias importantes a la puerta, sin importar cuán difícil sea llegar a ella.

¡NO te expongas a amenazas terribles en las calles para leer ALARDES JUVENILES SOBREDIMENSIONADOS que te aconsejan manipular peligrosos fuegos artificiales y librar batallas estúpidas!

NOSIMPORTAS VENDRÁ A TI.
NOSIMPORTAS PELEARÁ TUS BATALLAS POR TI.
NOSIMPORTAS TE MANTENDRÁ A SALVO Y EN LA LUZ.
¿QUIÉN SE PREOCUPA POR TI? NOSOTROS.
NOSIMPORTAS.

—¡Bah! —Es lo único que se me ocurre—. ¡Bah! —repito. No soporto seguir leyendo. Lo arrugo y lo aprieto hasta formar una bola dura y pequeña. Finalmente me las arreglo para balbucear—. ¿Imitación? —Estoy tan perturbada que no se me ocurre ninguna grosería; ni siquiera puedo hablar—. ¿Sobredimensionados? ¿Quién escribe esta mamarrachada?

¡Tengo Dublín segura e informada desde el pasado mes de octubre! Han sido meses de entregar alimentos y suministros a la gente que estaba demasiado asustada para salir de sus escondites. Meses de luchar contra los monstruos, de buscar y recoger a todos los niños pequeños que quedaron huérfanos en Halloween cuando sus padres estaban por ahí de fiesta y no regresaron a casa porque los devoraron las Sombras o algún otro *unseelie*. Meses de reunir a gente y llevarla ante el Inspector Jayne para que pudiera aprender a pelear.

Nadie más se ha molestado en dar un paso al frente y ayudar a la gente a sobrevivir.

¿Y ahora esto?

¿Me busca las cosquillas un periodicucho que finge que yo soy la que está fingiendo?

—Voy a empezar a repartir hostias —murmuro. En cuanto descubra quiénes mierda son los NosImportas de los huevos.

Me paso las siguientes horas desplazándome por la ciudad, arrancando las estúpidas cosas de mis postes y reemplazándolas con *El Diario de Dani*.

Han usado mis postes. Ni siquiera han conseguido encontrar sus propios lugares para ponerlos.

Han llegado a MI gente usando MIS postes. Putos imitadores. Estoy tan cabreada que echo humo. Si alguien estuviera mirando desde arriba, solo vería un borrón en movimiento que deja dos columnas de pura rabia saliéndole por las orejas.

Me imagino que mañana será un día mejor.

Últimamente, parece que todo lo que me imagino es erróneo.

DIEZ

«Cat scratch fever«»
('Arañazo de gato')

Él ha venido a mí cuatro noches, murmurando mi nombre.

«Kat», dice él, convirtiendo esa sola sílaba en una exquisita melodía con la que ni siquiera un coro de orquesta celestial con todos los ángeles podría competir.

Repite mi nombre en el idioma de los *unseelies* y hace que me zumben los oídos hasta que se me vacía la mente de todo pensamiento, hasta que mis ojos son incapaces de ver nada salvo a él. Es tan atractivo que solo mirarlo me hace llorar, y cuando me seco las lágrimas de las mejillas, las manos se me tiñen de rojo por la sangre.

Me despierta pero no me despierta del todo.

Me lleva a un lugar que es tan perfecto, sereno y libre de preocupaciones que quiero quedarme allí para siempre.

«Kat —dice—, me llamo Cruce, no V'lane. Estaba cansado de usar su brillante rostro dorado. Nunca fue la mitad de *fae* que yo. Te tengo en el Sueño, ¿no es bonito? ¿No te sientes divina aquí conmigo? No me tengas miedo. No soy lo que parezco.»

Estoy en peligro. En un peligro terrible.

Y no puedo contárselo a nadie porque todas me miran para que las guíe, para que sea fuerte y les muestre el camino.

Soy su esperanza.

Me temo que «su esperanza» pronto la habrá perdido.

¡Juzgaron a Rowena con mucha dureza! No se imaginan a qué tuvo que enfrentarse. ¡Dios sabe cuántos años resistió un tormento similar antes de sucumbir! Quién sabe qué clase de persona era antes de que el Sinsar Dubh manipulara su mente.

¿Le sucedía cada noche como me sucede a mí? ¿La oscuridad bajo nuestra fortaleza de piedra se le metía en la cabeza, en el corazón y en la cama en cuanto se acostaba e intentaba renunciar unas pocas horas al peso del mandato?

Me pregunto si esto lleva sucediendo miles de años. Si el rey *unseelie* sabía, cuando enterró a su mortal alter ego debajo de nuestro suelo sagrado y nos encargó cuidarlo y luego infundió nuestra sangre con la suya para hacernos más fuertes —aunque tal vez sea ese beso del mal en nuestras venas lo que nos hace débiles—, el caos que iba a provocar en la Tierra. Todas las vidas que arruinaría. Cuántos humanos morirían un día.

Me pregunto si miles de veces antes que yo alguna mujer estuvo en la posición que yo ocupo ahora, asumiendo el liderazgo de nuestra Orden, y se vio inmediatamente sometida a la prueba de voluntad más fuerte jamás imaginada: ser asediada por la insidiosa seducción del Sinsar Dubh.

«Tómame, libérame, sé invencible, salva al mundo.»

Ay, el canto de sirena del poder. Ni siquiera yo —a quien no le importa nada el poder— soy inmune.

No me creo que haya habido silencio allí abajo. ¡Ni por un momento!

No creo que se haya librado ninguna Gran Maestra.

¡Es increíble que lo hayamos tenido oculto tanto tiempo!

Vino a mí esa primera noche que el rey *unseelie* lo aprisionó bajo nuestro hogar. Estaba durmiendo y, en ese estado vulnerable, vino a mí en sueños. Ha venido a mí cada noche desde entonces.

Probé pastillas para dormir pero no me funcionaron porque solo me drogaban y me volvían más vulnerable a los placeres de la tentación.

Se muestra ante mí en toda su gloria. Me muestra lo guapo que es Cruce, lo apuesto que siempre fue. V'lane era una burda imitación de lo verdadero. Cruce es negro y blanco, brillante y duro, fuerte y perfecto. Me envuelve con alas de terciopelo y me hace sentir cosas que nunca he imaginado.

Estoy de acuerdo con Margery.

Quiero que llenen esa cámara de hormigón, acero, plomo o cualquier cosa que bloquee el camino entre él y yo.

No conozco ni una décima parte de los hechizos que Rowena sabía. Y aun así fracasó.

¡Ni siquiera puedo cerrar la puerta!

La noche en que aplacamos al Libro dejé la cámara contenta y con el corazón más ligero de lo que se había sentido en mucho tiempo. Por fin el Sinsar Dubh estaba fuera de circulación y aunque el método de confinamiento no era exactamente lo que esperaba, había imaginado una prórroga. Un tiempo para descansar y reconstruirse, un tiempo muy valioso y necesario para entender los muchos cambios en nuestras vidas, las incesantes muertes, para respetar el duelo por la pérdida de nuestras muchas hermanas.

No ha sido así.

Viene a mí con sus promesas y sus mentiras, con su belleza y deseos desencadenados, y me dice que yo soy lo único que necesita. Dice que yo y solo yo puedo gobernar a su lado y que el don especial que tengo de empatía emocional me hace una mujer capaz de comprenderlo verdaderamente; en ese raro e intransigente nivel de vínculo emocional que un Príncipe *unseelie* debe tener, o sin el cual se volvería loco. Dice que soy su única pareja posible y que ha esperado una eternidad para tenerme.

Afirma que se le está acusando erróneamente y que nos están engañando a todos. Me dice que no es el Sinsar Dubh y alega que en el momento en que lo contuvieron en un bloque de hielo, el rey se lo llevó todo otra vez.

Dice que nos engaña un gobernante inteligente, astuto y loco al que no le importan sus hijos, al que nunca le han importado, que solo ama a su concubina y que en cuanto la tuvo de nuevo entre sus brazos, también reclamó el poder del Sinsar Dubh. Dice que la concubina todavía no es completamente *fae* y que el rey recuperó sus hechizos para poder reanudar su trabajo, que aquella noche en la cámara fue todo prestidigitación.

Me dice que lo hicieron parecer el villano una vez más para que no tuviéramos que buscar demasiado al rey *unseelie*, para que en cambio nos preocupáramos por contener al único príncipe capaz de detenerlo cuando decida que nuestro mundo es prescindible, algo que Cruce me asegura que el rey hará algún día… y no muy lejos.

Me dice que debo ser la salvadora de la humanidad. Cuando esté lista, él me mostrará el camino para liberarlo. Me dice que solo yo soy lo suficientemente fuerte y sensata para ver la verdad cuando la tengo delante de las narices, y lo bastante inteligente para tomar decisiones difíciles.

¡Me habla con una lengua bífida y lo sé!

Aun así estoy perdiendo la batalla.

Por la mañana me despierto oliendo a él, con su sabor en la boca y notando su lengua en la piel. Me siento llena de él como ningún otro hombre me ha llenado jamás: en cuerpo, mente y alma. Me hace el amor y me resisto pero no del todo. En mis sueños digo que no pero lo hago de todos modos y me encanta hasta el último instante. Me despierto corriéndome una y otra vez gracias a mi amante invisible. Me estremezco del calor, de las ganas y de la vergüenza.

Mis hermanas cuentan conmigo. Soy su líder.

¿Cómo sobreviviré a esto? ¿Cómo evito que venga a mí? ¡Debe de haber hechizos para bloquearlo, conjuros o runas que pueda colocar alrededor de la cama! Quizás debería dejar la abadía ahora, antes de que sea demasiado tarde. ¿Puedo dejar a mis hermanas? ¿Me atrevo a abandonarlas? Si no me voy ahora mismo, ¿volveré a tener la fuerza de voluntad para irme o me encontraré allí abajo una noche, con las manos temblorosas en las barras, dispuesta a hacer lo que sea para liberar a Cruce?

¿Cuántos murieron la noche en que Rowena dejó salir al Sinsar Dubh, cuántos asesinatos pesaron en su conciencia? ¿Tenía siquiera una conciencia para ese momento o había sido corrompida completamente?

¿Quién gobernará si yo me voy?

Nadie me asegura que la próxima mujer sea más fuerte que yo o más capaz de resistir su seducción. ¿Cuánto duraría Margery ante tal tentación? ¿Cuán cruel podría volverse con el poder del Sinsar Dubh ennegreciéndole el corazón?

Que Dios me ayude; tengo que quedarme.

Tengo que ganar esta guerra silenciosa e invisible sin que nadie se entere.

Que Dios me asista.

ONCE

« Trouble ahead, trouble behind »
('Problemas por delante, problemas por detrás')

—Aquí estás —dice Jo mientras me abro paso con arrogancia por el subclub de inspiración infantil—. Son casi las ocho y media. Se suponía que debías estar aquí a las ocho. —Lleva maquillaje. Nunca llevaba maquillaje. Y se ha puesto purpurina o algo brillante en los párpados y en el escote. Me cabrea. No sé por qué ha tenido que cambiar. Estaba muy bien como estaba.

Eso de «se suponía que debías estar aquí» me saca de mis casillas. Es un agravio más. He tenido un día asqueroso y me estoy esforzando mucho por disimular lo mucho que me jode ver a Jo atendiendo mesas, con esa minifalda caqui, sirviendo a los *faes*. Pero me contengo porque si permito que se vea aunque sea un poco, ¿quién sabe qué podría hacer Ryodan? Ese tío es tan impredecible como un Agujero Fae Interdimensional, esas piezas de realidad *fae* fracturada que flotan por ahí, en los que nunca sabes que estás dentro hasta que te ves hasta el cuello de mierda entre caimanes.

—Mac te está buscando —dice.

Empiezo a mirar alrededor rápidamente, tratando de buscar en todos los subclubs del Chester's a la vez.

—¿Está aquí?

—¿Qué? —Jo me mira sin comprender y me doy cuenta de que debo de haber hablado a alta velocidad. Me suele pasar cuando estoy nerviosa. Empiezo a vibrar y tengo la impresión de que todos creen oír el zumbido de un mosquito.

—¿Está aquí? —Reduzco la velocidad un segundo para hablar y luego vuelvo a mirar frenéticamente por doquier.

—No. Se ha ido con Barrons hará una media hora. Acabarás con un traumatismo cervical si no dejas de mover así la cabeza, Dani. Verte hacer eso es escalofriante. De hecho, por poco no os habéis cruzado. Si hubieras llegado a tiempo, la hubieras visto. ¿Qué sucede? Te has puesto blanca como una sábana.

Si hubiera llegado a tiempo.

¿Mac ha venido a buscarme? ¿Venía a por mí? ¿Sabe que se supone que debo llegar a «trabajar» a las ocho?

Me noto un poco mareada. Necesito que la sangre vuelva a subirme a la cabeza. A veces creo que el corazón y las venas se me aceleran sin esperar al resto del cuerpo, preparándome para luchar o huir, para blandir la espada o salir corriendo. Es lo único que explica lo boba que me pongo cuando me cabreo o me preocupo. Claro que los hombres funcionan de la misma manera con los penes, y ellos no pueden desplazarse como yo, así que tal vez sea un error de diseño de los humanos.

¿Una sensación intensa? ¡Ja! Mejor dicho una muerte cerebral instantánea.

—¿Dónde coño está mi cubata, perra? ¿Quieres algo de mí o qué? —gruñe un *unseelie* en una mesa cercana. Y lo dice en serio, literalmente.

—Dime que no estás comiendo *unseelie* —digo.

—¡Puaj! ¡Nunca! —exclama ella como si no pudiera creer que se lo preguntara.

—¿Te has hecho reflejos en el pelo?

Lo toca y esboza una tímida sonrisa.

—Unos mechones, sí.

—Pero si nunca has llevado reflejos. Ni te pones maquillaje.

—A veces sí.

—¡Qué va! Ni una sola vez desde que nos conocemos. Y nunca te he visto con purpurina en los pechos.

Jo empieza a decir algo y luego sacude la cabeza.

—¿Te estás arreglando para estos raros?

—Perra, te acabo de preguntar que dónde está mi cubata.

Miro al *unseelie*, que está mirando a Jo de arriba abajo, relamiéndose con esos labios finos y desagradables como si fuera comida. Esto ya es personal.

Un *unseelie* acaba de llamar perra a Jo. Noto cada vez más

presión en el esternón. La mano se va sola a la empuñadora de la espada. Antes de que pueda tocarla con un dedo siquiera, me arrinconan una cordillera de tíos cuadrados. Estar en el medio de cuatro de los hombres de Ryodan es como estar de pie en un glaciar mientras te estás electrocutando. Nunca he sentido algo así, excepto con él mismo y Barrons.

—Ese *unseelie* ha llamado perra a Jo —les digo. Está claro que merece morir.

—El jefe dice que como mates a un *fae* en su área protegida, la camarera morirá delante de ti, lentamente —dice Lor—. Y luego te mataremos a ti. No volveremos a avisártelo. No intervendremos más. No lo olvides, niña. Controla tu temperamento o la matarás. Nosotros no seremos más que el arma con la que morirá. Y se nos da genial inventar nuevas formas de matar cuando se trata de muertes lentas.

Jo tiene los ojos como platos. Los mira a la cara; sabe muy bien lo temperamental que soy.

Suspiro y suelto la espada.

—Joder, colega, creo que nunca te he oído formar tantas oraciones completas. Estás realmente locuaz esta noche. —Lor suele enfrentarse a las cosas usando fuerza bruta. Su idea de seducción es capturar y secuestrar. Es mejor no atraer la atención del amigo porque acabarás en su cama lo quieras o no. Lo fulmino con la mirada. Con la suya me dice que me controle y la única forma en que pienso hacerlo dentro del Chester's es asestarme varios golpes con una porra un par de veces para dejarme inconsciente.

—Te lo repito, perra: ¿dónde coño está mi cubata?

La ira casi me hace estallar el cráneo. Se me vacía el cerebro y la mano de la espada se me hincha, llena de sangre e impaciencia.

Jo me mira y se va.

Luego se va a hacerle de criada a un *unseelie* que no la está respetando. Nunca sobreviviré a esto. Sin embargo, ella tiene que hacerlo y yo también.

Me alejo, me abro paso entre esos tipos, asegurándome de darle un buen codazo a Lor cuando paso.

Gruñe y yo le hago ojitos.

Me dice:

—Niña, tienes que hacer que te crezca el culo pronto.

—Vaya, pues tiene gracia. Creo que todos los demás quieren que les deje de crecer el culo.

—Como a un caballo, cariño, alguien te domará al final.

—Que te lo crees tú.

Estoy tan aburrida que me voy a volver loca aquí sentada en la oficina de Ryodan. Pensaba que saldríamos a investigar, a buscar pistas sobre lo que está congelando estos lugares. Hasta ahora lo único que veo en común es Ryodan. Los dos sitios que fueron congelados eran suyos, como si alguien lo tuviera en la mira tanto a él como a la escoria de la que yo protejo a la sociedad: *faes* y humanos que aman a los *faes*. Se me ocurre que si se congelan suficientes de sus lugares y se corre el rumor, la gente empezará a evitar el Chester's. El club podría morir por falta de clientes.

—La esperanza es lo último que se pierde —digo, cabreada. Ryodan ni siquiera me hace caso; es como si no hubiera hablado. Me muevo en la silla y le lanzo una mirada a la parte superior de su cabeza.

Está inmerso en el papeleo.

Lleva más de una hora haciendo papeleo. ¿Qué tipo de papeleo hay que hacer en este mundo que se ha ido a la mierda?

No ha dicho nada cuando he entrado, así que yo tampoco he mediado palabra.

Llevamos en un silencio absoluto una hora, siete minutos, y treinta y dos segundos.

Golpeo el borde de su escritorio con un bolígrafo.

No seré yo la que diga la primera palabra.

—Así que, refréscame la memoria, ¿por qué mierda estoy aquí? —pregunto.

—Porque te dije que vinieras —dice, sin levantar la cabeza de sea cual sea la estupidez en la que esté trabajando.

—¿Me pondrás a archivar después? ¿Soy el Robin de tu Batman o una estúpida asistente temporal para sacarte punta a los lápices? ¿No tenemos mejores cosas que hacer, como resolver un misterio? ¿Quieres que te congelen más sitios? ¿Estamos esperando que suceda sin más?

—Robin y una estúpida asistente, como tú dices, hubieran llegado a tiempo.

Enderezo la espalda y golpeteo la mesa más rápido.

—¿De eso se trata todo? ¿Me estás castigando porque he llegado tarde?

—Chica lista. Deja de dar golpecitos con el bolígrafo. Me estás volviendo loco.

Golpeteo más deprisa. Él sí que me está volviendo loca.

—¿Así que, si la próxima vez vengo a la hora, no tendré que quedarme aquí sentada y verte hacer cosas estúpidas que no puedo creer que hagas siquiera?

La mitad del bolígrafo —la parte que no está en mi puño—, de repente, se ha convertido en polvo plástico. Pestañeo, incrédula, y lo miro.

Ni lo he visto moverse de lo rápido que ha aplastado el bolígrafo. Ahora le veo pequeños fragmentos de plástico azul en el borde de la mano; la tinta está manchando el papel en el que trabaja. Me siento más derecha. Tengo mucho con qué competir si alguna vez quiero ser tan rápida como él.

—Hago lo que hago, Dani, porque lo mundano hace que el mundo siga en pie. Quien controla el funcionamiento diario controla la realidad de todos los demás.

—¿Es por eso que estás robando toda la comida?

—Ah, por eso te dio ese arrebato de romper cajas. No. Acumulo armas. Es otra persona la que hace acopio de comida. Eso es demasiado mundano incluso para mí. Yo armo a la multitud, alimento la codicia. Alguien más se está preparando para hacerles pasar hambre.

Le miro con admiración a pesar de todo.

—Entonces sabes qué está pasando. —Lo sabe desde hace más tiempo que yo.

—Alguien empezó a vaciar las tiendas hace un tiempo. ¿Dónde has estado?

—Encadenada en el calabozo de alguien, ¿te suena? ¿Podemos salir a hacer algo antes de que me muera de aburrimiento? ¡Tenemos un misterio que resolver!

Me mira. ¿Cómo pude alguna vez pensar que su rostro era imperturbable? Este se expresa en frases completas.

Pongo los ojos en blanco.

—Tienes que estar de coña.

Inclina la cabeza, esperando.

—¿En serio vas a hacer que lo diga?

Se cruza de brazos.

Casi me ahogo con la lengua al intentar decirlo, pero haré lo que sea para no tener que quedarme vegetando en su despacho toda la noche. Observar a los *unseelies* desde las zapatillas empieza a ser engorroso. Llevo mucho rato tomando notas mentales como loca. Mi joven cuerpo necesita un poco de acción, es como si hubiera un cable eléctrico dentro de mí, que me ardiera bajo la piel. Si no lo descargo, moriré. ¡Salgamos ya! ¡Hay cosas sucediendo allí afuera y yo estoy atrapada aquí!

—La próxima vez llegaré a tiempo.

—Bien. La próxima vez no tendrás que quedarte en mi despacho toda la noche.

Me levanto de la silla como si tuviera un resorte.

—Perfecto. ¡Vámonos!

Me empuja hacia abajo otra vez.

—Pero hoy lo has fastidiado todo, así que te quedas.

Siete horas después se me ocurre que Lor podría tener razón. Tal vez sí puedan amaestrarme. Siete horas de aburrimiento y me vuelvo mansa como un corderito, lista para hacer casi cualquier cosa que me garantice un cambio de escenario. Puedo lidiar con las cadenas pero no con el aburrimiento. Mi cerebro se adelanta a mis pies y no me gusta pensar adónde estoy yendo. Voy y ya está.

A las seis de la mañana en punto Ryodan levanta la vista y dice:

—Esta noche a las ocho, Dani.

Lo fulmino con la mirada y me acerco a la puerta. No se abre. Le echo una mirada asesina. Una noche entera desperdiciada. Siguen pasando más segundos mientras espero que mi carcelero me libere.

No hay muchos crímenes en mi libro. Tampoco muchos pecados.

Pero por encima de esas dos listas está matar el tiempo. Diviértete con él, haz algo genial, juega con videojuegos, trabaja mucho si quieres, pero haz algo. El tiempo muerto es un aborto, una vida que nunca llega a ser vivida, que desaparece sin más. Una jaula y un collar ya mataron mucho del mío.

Cuando estoy a punto de estallar, él hace algo y la puerta se retrae en la pared lisa de cristal.

Salgo rápidamente y le oigo decir:

—Desperdiciaste mi tiempo, Dani, así que yo he desperdiciado el tuyo.

Me vuelvo como un rayo, con los puños apretados.

—¡Y una mierda! ¡Ni siquiera ha sido proporcional!

—Rara vez lo será.

—¿Treinta putos minutos me han costado nueve horas y media?

—La forma en que me trates tú será la forma en la que te trate yo. Como soy más grande y mayor, imagino que siempre será peor.

—Vaya, ahora sí tienes en cuenta la proporción. Si vas a ser tan cabrón como eres de grande y viejo, es pasarse, colega. No es justo. No puedes ser tan desproporcionado un minuto y ceñirte luego al quid pro quo.

—Puedo ser lo que me dé la gana.

—Vaya, ¿y de quién coño es este puto cómic? —exploto—. Esa es mi frase.

Él ríe y su rostro cambia. De repente no parece tan viejo; parece feliz, libre. Totalmente diferente. Le veo unas finas líneas alrededor de los ojos que no le había notado antes. Mi mente retrocede directamente al nivel cuatro y lo veo detrás de esa mujer una vez más, gimiendo como lo hacía esa noche. Luego se ríe y casi me siento descompuesta al recordarlo. No sé qué me pasa. ¡Ojalá no hubiera bajado al nivel cuatro! Me quedo allí parada y lo miro boquiabierta.

La puerta se me cierra en la cara.

—Llegas pronto.

Le miro con un aire rebelde. Está claro que cree que llego temprano por él. No es así. Mac estaba en el Chester's anoche a las ocho. Creo que anda detrás de mí. Como no puedo llegar tarde para evitarla, tengo que llegar temprano.

—Se me ha roto el reloj. Creía que llegaba justo a tiempo.

—No llevas reloj.

—¿Ves? Ya sabía yo que tenía un problema. Saldré a buscar uno. Volveré mañana. A tiempo. —Las joyas se quedan atascadas en la batalla. La única concesión que hago es el brazalete que me dio Dancer y que llevo ajustado en el brazo. Además, sin él por ahí dando órdenes, quizás podría progresar con la investigación.

—Ni se te ocurra.

Me dejo caer en una butaca del despacho y dejo una pierna colgando a un lado.

—¿Qué haremos esta noche? —lo digo justo como él, sin inflexión al final.

—Ay, Dani, si en todo lo demás fueras tan obediente.

—Te aburrirías.

—También tú. Hay otros tres lugares congelados en Dublín.

—¡Tres! —Me enderezo—. ¿Todos son tuyos?

—No, no tienen ninguna relación conmigo.

Mierda, pues al traste la teoría de que él sea el blanco, junto con la esperanza de que el Chester's sufra una muerte lenta.

—¿Bajas?

—Unos cincuenta entre los tres sitios.

—¿Humanos o *faes*?

—Humanos.

—¿Todos humanos?

Asiente.

Suelto un silbido. Ya van otras cincuenta personas muertas. La raza humana sigue recibiendo un golpe tras otro.

—¿Entonces por qué te importa? No sucedió en tu territorio. No te han dañado o destruido nada tuyo.

—Tengo otras razones para querer que pare.

—¿Como qué? Te mueves rápido como yo. Puedes superar cualquier cosa. Puedes robar más cosas para reemplazar lo que se congeló. Así que, ¿cuál es el problema? —¿Qué motivos tiene un tipo como él?

—Los muros entre nuestros reinos fueron destruidos en Halloween. Desde entonces las cosas han cambiado. Las leyes humanas de la física ya no son leyes, son ilusiones solamente.

Es posible que partes de Faery se estén manifestando espontáneamente, filtrándose por nuestra realidad. Es posible que esté sucediendo de forma aleatoria, instantánea y sin aviso alguno. No vi sorpresa en el rostro de nadie en ninguna de mis propiedades. Contempla las cosas en su conjunto, incluso aunque haya gente que pueda moverse como tú o como yo.

Me enderezo y le presto toda mi atención, apoyo los pies en el suelo. Esto no me gusta nada.

—Quieres decir que si sucediera en el lugar en que yo estuviera, ¿estaría viva un segundo y muerta al siguiente? Ni siquiera lo sabría. ¡Solo me moriría! —Aprieto los puños. Estoy tan asustada que necesito pegarle a algo ahora mismo.

—Exactamente. Muerte instantánea. Sin advertencia. Sin conciencia. No sé qué te parecerá a ti, pero a mí me cabrea muchísimo.

¡Sin un final de película, sin una batalla épica, no poder morir con las botas puestas! Tendría una muerte completamente sin significado. Peor, ni siquiera lograría experimentarla. Menuda jodienda, pasarse la vida queriendo morir y no poder saber siquiera qué ha pasado. Creo que la muerte es como el último nivel de un videojuego. Y si lo que Ryodan está diciendo es verdad y acabo congelada, nunca llegaré al último nivel. Seré eliminada de la existencia en el penúltimo nivel. Quiero jugar ese último nivel cuando llegue el momento. Quiero saborearlo todo, incluso la muerte.

De repente me siento dedicada al ciento diez por ciento a resolver este misterio. Cincuenta personas más muertas así como la posibilidad de una muerte desprovista completamente de significado son una poderosa motivación. No figuras en los libros de historia a menos que mueras de una manera espectacular. Mastico todos esos pensamientos y los regurgito.

—Bueno, antes de nada, a los humanos en tu subclub no les importaba mucho que les torturaran y murieran, de modo que es comprensible que no notaran que estaban a punto de morir de otra manera sorprendente e inesperada. Por otro lado, no sé con certeza cómo se expresa la sorpresa en el rostro de un *unseelie*, pero tengo una idea genial: bajaré y mataré a unos pocos ahora mismo y recolectaremos unos datos empíricos.

No me molesto en comentarle que ya he cazado y matado a

media docena de diferentes tipos esta mañana después de irme, pero sigo sin saber qué significaban sus expresiones. Básicamente, sus rostros no funcionan como los nuestros.

Como no se molesta en honrarme con una respuesta, le pregunto:

—¿Tres nuevos lugares? —¿Y si esta «filtración» empieza a acelerarse? Muy pronto podría haber una docena de lugares congelados. Suponiendo que sea eso lo que está sucediendo, ¿cómo coño vamos a detenerlo?

—Todos quedaron congelados anoche con unas pocas horas de diferencia. Dos de ellos ya han explotado.

Me pongo de pie de un salto.

—¡Colega, tenemos que ir al tercero ya, antes de que explote también!

DOCE

«Life is a highway, I wanna ride it all night long»
('La vida es una carretera que quiero recorrer toda la noche')

Cruzo el puente Halfpenny a paso normal, como una persona cualquiera.

No averiguamos nada nuevo en la última escultura de hielo. Al igual que las otras, explotó poco después de llegar. Me desplacé para salir de allí entre la metralla de color carne fingiendo que no eran partes de dedos y rostros que no había logrado salvar.

Los nuevos lugares que fueron congelados no tienen nada en común, al menos que yo vea. Había dos que eran de esos pequeños pubs subterráneos que han ido apareciendo por toda la ciudad y un gimnasio donde tres personas quedaron congeladas haciendo yoga en medio de un montón de cuencos de cristal. Es superextraño, ¿verdad? ¡Gente haciendo yoga en tiempos como estos!

Hasta el momento tenemos un club subterráneo en el Chester's, un almacén a las afueras de la ciudad, dos pequeños pubs en el centro de la ciudad y un gimnasio. Humanos, *unseelies* y guardias imperiales en algunos sitios pero no en otros, así que lo que sea que esté sucediendo no apunta a una determinada persona como Ryodan o a un grupo de víctimas en concreto. Con cada escena que veo, más convencida estoy de que se trata de actos aleatorios y espontáneos.

Ando arrastrando los pies, algo que no suelo hacer, porque estoy pensativa y cuando me concentro mucho pensando al tiempo que me desplazo choco con un montón de cosas. Me están desapareciendo los moretones y me gusta tener un color normal durante un día entero. Estoy demasiado hiperactiva para dormir. Me pongo así algunas veces y no puedo hacer nada al respecto salvo soportarlo. Necesito hacer algo o me volveré loca.

Encuentro a Dancer en su ático favorito, el que hace esquina, al lado sur del río Liffey. Los dos muros exteriores son unas ventanas sólidas que van del suelo al techo y dan a la calle. Cuando llego allí, está tendido sobre una alfombra bajo la luz del sol, descamisado, con los ojos cerrados y las gafas en el suelo, a su lado.

Dancer será un hombre grande algún día, si alguna vez gana peso. La última vez que nos medimos, era treinta y cinco centímetros más alto que yo, larguirucho y delgado. Se le olvida comer. Tiene el pelo oscuro algo ondulado y nunca se lo corta hasta que le estorba, entonces me pide que se lo corte. Es suave. Me gusta que le llegue a la barbilla como ahora, y no le tape la cara. Cuando lleva gafas, que es casi cada momento que está despierto porque es muy corto de vista (las odia y antes de que los muros cayeran iba a operarse con cirugía láser), parece un *hipster* superguapo. ¡Nunca le diría eso! Me gustan sus manos. ¡Sus pies son gigantescos! Sus ojos no son verdes ni azules, son aguamarina, como si se los hubieran pintado los *faes*. Tiene mejores pestañas que yo.

Cuando lo veo no le digo: «Colega, ¿dónde has estado? Empezaba a preocuparme», porque Dancer y yo no nos hacemos eso. Él sobrevivió a la caída de los muros por su cuenta. Como yo, vaya. Y tampoco le digo: «¿Qué pasó la noche que Ryodan apareció y se me llevó? ¿Adónde te fuiste?». No importa. Estamos aquí ahora. Es como si de alguna manera supiéramos que nunca será demasiado tiempo; que el otro acabará por largarse un día.

Él se apoya sobre un codo cuando la puerta se cierra. Sabe que soy yo porque he tenido que desarmar diez trampas antes de llegar a la puerta. Nadie más podría atravesar una de sus ratoneras sin tropezar con alguna alarma. Bueno, salvo Ryodan, que parece ser la excepción a cada puta regla.

Se me encoge un poco el corazón cuando lo veo. No tengo hermanos, pero creo que él es como un hermano para mí. Siempre tengo muchísimas ganas de verle, de contarle todas las ideas que he estado pensando, las cosas que he visto y escuchar su opinión acerca de todo. A veces, cuando nos vemos, no podemos dejar de hablar durante horas y nos emocionamos tanto que no dejamos de pisarnos el uno al otro, tratando de decirlo todo muy deprisa. Estoy pensando en contarle lo de todos esos sitios congelados y el misterio que estoy investigando, pero no quiero que Dancer acabe en el punto de mira de Ryodan más de lo que ya está. Que Ryodan sepa que existe me vuelve loca. Quiero que Dancer esté a salvo. Y lo conozco. Si tuviera la más mínima pista de un misterio tan grande como este, empezaría a fisgonear en todo tipo de lugares que podrían conllevar su muerte. No importa lo mucho que me impresione lo inteligente que es. Ryodan es mucho peor que la caída de los muros o el colapso del mundo. No sobrevivirás a menos que él quiera que vivas.

—Mega, he estado pensando…

—¡Paren las rotativas! ¿Hace falta que saque una edición especial de *El Diario de Dani*?

—Es posible.

Él sonríe y yo le sonrío también. Los pensamientos de Dancer tienen unos resultados increíbles. No creeríais la de bombas que sabe construir. A veces hacemos estallar cosas simplemente por diversión. Por ejemplo, cosas que hay que explotar de todos modos, como lugares donde solían esconderse un montón de Sombras y a los que tal vez regresarían algún día como pájaros migratorios, si ese lugar siguiera en pie.

—Me has hecho reflexionar sobre los bebés de Papa Roach —dice.

—¿En serio? —Me tumbo al sol junto a él, también apoyada sobre un codo, y le miro. Me encanta poder ver sus ojos sin gafas de por medio. Es una delicia.

—¿Has averiguado cuánto tiempo pueden permanecer separados de un cuerpo, ya sea cucaracha o humano?

—Pues ni idea. Dancer, por fin he encontrado *Scream IV*. ¿Quieres verla esta noche?

—La vi anoche —dice distraídamente mientras se pasa una mano por el pelo, que se le queda de punta de una forma graciosa y atractiva a la vez. Por su mirada desenfocada, veo que está perdido en sus pensamientos y no es consciente de las cosas a su alrededor. Suele ponerse así.

—¿La viste sin mí? —Estoy dolida. A Dancer y a mí nos encantan las películas de terror. Nos pegamos unos atracones increíbles porque nos hacen reír. Tienen una manera curiosa de poner el mundo en perspectiva. Habíamos estado buscando *Scream IV* durante un tiempo, con ganas de verla. Dancer no suele ver películas solo, al menos que yo sepa.

—Pero volveré a verla. Está bien.

—Genial. —Sigo dolida, a pesar de que no hay razón para ello. La verá conmigo esta noche. ¿Y qué si la vio anoche, también? ¿Y qué si la vio con otra persona? No me importan esas cosas. Lo que pase cuando no estoy cerca no tiene nada que ver conmigo—. ¿Qué pasa con Papa Roach?

—Hacerlos estallar no funciona. Prenderles fuego tampoco. Pero ¿qué pasa si les impedimos regresar a un cuerpo? Cualquier cuerpo, ya sea humano o de los suyos. ¿Eso no resolvería el problema? Nuestro objetivo es evitar que entren en más personas. Son inmortales y tu tiempo es demasiado valioso para perderlo corriendo detrás de miles de ellos, espada en mano. Así que le he dado algunas vueltas y ¿qué me dices de un plástico resistente en aerosol del cual sea imposible escapar? Podemos recubrirlos e impedirles que se introduzcan en nada. He estado trabajando en una fórmula. Una vez esté terminada, podemos llenar esos pequeños depósitos de fertilizante que robamos de la ferretería y probarlo. Ya he adaptado un par de pulverizadores.

Así que es eso lo que ha estado haciendo. Y cuando terminó de trabajar anoche vio una película para relajarse. No pasa nada.

—He conseguido hacer algo que los endurece con unos seis milímetros de espesor. Todavía intento lograr que alcance un grado de solidez perfecto y se gelifique. Creo que he encontrado la manera de añadir hierro a la mezcla sin volverla demasiado sólida. ¿Cómo se unen los segmentos a Papa? ¿Con tentáculos? ¿Ventosas? ¿Cómo se meten bajo la piel humana? ¿Puedes conseguirme un par para probarlo con ellos?

—Eres la bomba, lo sabes, ¿verdad? —le digo.

—No, tú eres la bomba —dice y sonríe, y nos lo decimos el uno al otro un par de veces. Él cree que soy la bomba porque puedo atraparlos. Nací con mis dones. Dancer siempre está pensando, intentando encontrar formas de mejorar las cosas.

Sobrevivir a la caída sin poderes especiales y sin amigos me asombra un montón.

Nos relajamos tumbados en el suelo porque el sol en Dublín es poco común y hablamos de todo salvo de cosas como dónde estuve cuando él estuvo dondequiera que estuviera. No le digo que estuve en un calabozo durante casi cuatro días y él tampoco me lo pregunta. Eso me gusta. Los amigos no se construyen jaulas.

Contemplamos cómo el sol se mueve por el cielo y, a ratos, él se levanta para traerme comida. Me dice que ha estado explorando tiendas y que las han arrasado prácticamente todas. Tengo que contenerme unas tres veces para no contarle lo de los sitios congelados que he visitado.

Cuando son casi las siete, empiezo a ponerme nerviosa y eso me cabrea porque no quiero tener que irme, pero hay alguien dándome la lata y tengo que irme. Tengo que ir al Chester's lo bastante temprano para evitar a Mac pero no tanto como para que Ryodan se me ponga chulo.

Suspiro.

—¿Qué te preocupa, Mega? —me pregunta Dancer.

—Tengo que ir a encargarme de algunas cosas.

—Pensé que íbamos a ver una película. He encontrado una caja entera de caramelos de fruta en el aeropuerto. Y tiras de cecina. ¡Es lo más!

Me doy en la frente. Caramelos, cecina y una película. ¿En qué estaba pensando cuando le dije: «Oye, veamos una película esta noche»? Mis noches ya no me pertenecen, son de otra persona. Es más que un mal trago; para alguien como yo es un suicidio. Es irrelevante que quiera ir a trabajar en el misterio del hielo y evitar que muera más gente inocente. No soporto que Ryodan me ordene cuándo, cómo y dónde tengo que hacer las cosas. Casi hace que no quiera trabajar en eso en absoluto. Me jode mucho que me controlen.

Sin embargo, no puedo no ir al Chester's porque no sé lo que Ryodan le hará a Jo si no me presento, y no pienso correr el riesgo de averiguarlo. No sé si me vendría a buscar aquí, destrozaría el televisor y el reproductor de DVD y se llevaría a Dancer para meterlo en su calabozo. Nunca sé lo que este tío hará la próxima vez.

Pero tengo muy claro lo que está haciendo ahora: jodién-dome la vida.

Irrumpo en la oficina de Ryodan.

—Ya he estado en bastantes jaulas en mi vida —le digo. Me he alterado de camino aquí, pensando en la injusticia de todo esto.

Él levanta la vista del papeleo.

—¡Papeleo! ¡La montaña de papel no se acaba nunca! ¿Eso es lo único que haces? No me extraña que quieras que venga tanto por aquí. Quieres que el superentusiasmo de Mega anime tu aburrida vida. —Estoy tan cabreada que me estre-mezco y los papeles del escritorio se agitan con la brisa. Cuando me enfado mucho, causo una especie de desplaza-miento de aire que provoca a pequeña escala lo que los *faes* ha-cen a gran escala, salvo que no puedo modificar la temperatura. Lo hago a veces para asustar a la gente, desestabilizarla. Eso so-lía molestar mucho a Ro.

Atrapa un papel antes de que vuele del escritorio.

—Pasa algo.

¿Cómo hace eso? Formula preguntas sin que suenen como preguntas. He estado practicando y no es fácil. Las cuerdas vo-cales quieren subir al final de una interrogación. He estado tra-tando de reprogramarme, no porque tenga la intención de co-menzar a actuar como él —al menos no a su alrededor—, sino porque creo que es bueno ponerse a prueba, superar la compul-sión. Aprender a controlarse uno mismo.

El pelo vuela alrededor de mi cabeza como en una nube y me tapa los ojos. Lo empujo hacia atrás con ambas manos, pen-sando que me encantaría estar con Dancer comiendo cecina y pasándolo en grande.

—¡Sí! ¡Como si pudiera tener una vida! ¡Como si pudiera hacer planes para cosas que entran en conflicto con tu puta re-gla de presentarse a trabajar cada noche a las ocho! ¡Nadie más tiene que trabajar todas las noches! Tal vez podrías darme un par de noches libres para hacer algo que yo quiera hacer. ¿Es mucho pedir?

—Tienes una cita.

Otra no pregunta de las suyas, aunque la palabra «cita» en el mismo pensamiento que Dancer me hace decir:

—¿Eh?

Ryodan se pone de pie y me empequeñece. Vivo en un mundo de gente que es más alta que yo, aunque Jo me dice que cree que creceré más. Me mido mucho. No quiero quedarme estancada en un metro cincuenta y nueve para siempre.

—Has hablado de planes. No me has dicho cuáles eran.

—No es asunto tuyo.

—Todo es asunto mío.

—No mi vida personal. Es por eso que la llaman personal.

—Es por tu noviete.

—No hables de él. Ni siquiera pienses en él. Y no es ningún noviete, así en diminutivo. Deja de llamarlo así. Un día será más grande que tú. Solo espera y verás.

—No es momento de jugar a las casitas y hacer el tonto con un niñato que no sabe qué hacer con su propia polla.

Me hace pensar en el pene de Dancer. El pensamiento es tan incómodo que empiezo a saltar de un pie a otro.

—¿Quién ha dicho nada de penes? ¡Solo quiero ver una película esta noche!

—Cuál.

—¿Qué importa eso?

Me mira.

—*Scream IV*. ¿Contento?

—No era muy buena.

—Dancer dijo que sí lo era —digo, enfadada. ¿Todos la han visto excepto yo?

—Eso demuestra lo mucho que sabe.

—¿Tienes algún problema con Dancer?

—Sí. Él es la razón por la que tienes un humor de mierda esta noche y soy yo quien tiene que soportarlo. Ya puedes ir solucionando ese humor de mierda o yo mismo me ocuparé de Dancer.

Se me va la mano a la empuñadura de la espada.

—Ni siquiera pienses en tratar de quitarme algo que es mío.

—No me obligues a hacerlo.

Saca los colmillos. Sacudo la cabeza y silbo.

—Colega, ¿qué eres?

Él me mira fijamente y veo algo en sus ojos que no termino de entender. Es una mirada que siento como que debiera conocer pero simplemente no logro entender. Hay más brisa en la pequeña y cerrada oficina de la que generalmente genero y me doy cuenta que él también está vibrando... y que también genera viento. Estoy cabreadísima. ¿Hay algo que yo pueda hacer y que él no sepa? Cuando miro hacia abajo, a través del suelo de cristal, veo que todo el mundo debajo de nosotros se mueve a cámara lenta.

Los dos estamos desplazándonos. No me había dado cuenta de que lo estaba haciendo.

Él es el primero en desacelerar.

Tardo un segundo más en controlar mi temperamento. Cuando me las arreglo para reducir la marcha, me dejo caer en una silla. Expreso belicosidad en todos los idiomas conocidos por el hombre; el lenguaje corporal es mi lengua materna.

Ryodan es como el océano; es lo que es y no va a cambiar. No tiene sentido luchar contra la marea. Baja, fluye y te dejas llevar por ella. Me tiene bien agarrada y no está dispuesto a soltarme.

—Entonces, ¿qué vamos a hacer esta noche? Jefe. —Pongo toda la irritación posible en la última palabra.

Ahí está esa mirada de nuevo. Es un misterio para mí. A veces puedo leerlo como a un libro, otras veces lo único que veo en su rostro son dos ojos, una nariz y una boca.

Pongo los ojos en blanco.

—¿Qué?

—Ha surgido algo. Iba a decírtelo. —Vuelve a su papeleo, despachándome—. Puedes irte.

Me enderezo.

—¿En serio? ¿Lo dices en serio?

—Sal de mi oficina, niña. Ve a ver tu película.

Me falta tiempo para lanzarme hacia la puerta. La abro de un tirón.

—Pero ten cuidado con los lugares congelados. Tengo oído que son mortales.

Hago una pausa en el umbral, cabreada. Había tenido un sentimiento de felicidad durante un segundo antes de que él viniera y lo aplastara.

—Tenías que decirlo. No puedes evitarlo, ¿verdad? Crees que lo único que se puede hacer con un desfile es hacer que llueva. Algunas personas saben disfrutar el desfile porque la lluvia siempre vuelve, colega.

—El hombre sabio asegura su supervivencia antes de disfrutarla. El necio muere disfrutándola.

Los caramelos, la cecina y Dancer me llaman. Abro una barrita de chocolate y salto de un pie a otro.

—Pero ¿qué sucede si el hombre sabio nunca llega a la parte de disfrutar? —Tengo un montón de experiencias sin vivir, esperándome. A veces solo quiero ser lo que soy: una chica de catorce años, libre.

—Tal vez el hombre sabio sabe que estar vivo es la parte que se disfruta.

—¿Han congelado más lugares desde anoche? —Debería haber tenido la boca cerrada. No debería haber preguntado. Él asiente y la responsabilidad añade peso y años a mis hombros.

Él frota sal en mi herida.

—Pero quizás tengas suerte. Tal vez verás una película con tu noviete y no pasará nada. El lado positivo de esto es que, si pasa algo, nunca lo sabrás.

Porque estaría muerta al instante, claro. Lado positivo y una mierda. Ryodan sabe exactamente cómo provocarme.

Pongo los ojos en blanco, cierro la puerta y me vuelvo a sentar. Ya tendré catorce años en otro momento. Quizá el año que viene, cuando tenga quince.

Sin levantar la mirada, me dice:

—Te he dicho que salgas de aquí, niña.

—Cancela tus planes, colega. La gente está palmándola. Tenemos trabajo que hacer.

Esto es el colmo. Está a la salida al lado sur de Dublín, donde las cosas son más rurales, digamos.

Detrás de una choza que apenas aguanta en pie, con un porche y un techo inclinados que parecen la boca de un anciano sin dentadura, hay un hombre, una mujer y un niño pequeño congelados. Se quedaron a medio lavar la ropa a la antigua usanza, como Ro solía lavar sus túnicas de Gran

Maestra porque decía que eso la mantenía humilde. No había ni un hueso humilde en el cuerpo rechoncho de la vieja bruja; no tenía ni un pelo de buena.

Las manos del hombre están asidas a un lavadero antiguo y tiene una especie rara de metal congelado sobre los hombros como parte de una estructura como las que te inmovilizan la cabeza cuando te rompes el cuello. El niño está congelado mientras golpea con una cuchara el fondo de una olla abollada. No puedo mirar al niño mucho tiempo porque me hundo cada vez que muere un crío. Ni siquiera llegó a tener una vida como tal. La mujer se quedó congelada mientras levantaba una camisa de un balde de agua jabonosa. Estoy plantada en el jardín, temblando, absorbiendo tantos detalles como puedo desde la distancia, preparándome para entrar. Si esta escena sigue el mismo patrón que las demás, estallará pronto.

—¿Cómo te enteraste de esta? —Entiendo lo de los pubs, hasta lo del gimnasio, porque estaban en Dublín mismo y Ryodan está al tanto de todo lo que sucede en la ciudad. Pero estos son granjeros que se han quedado tiesos lavando ropa en el campo.

—Me entero de todo.

—Sí, pero ¿cómo?

—Se suponía que eso terminaría tu interrogatorio.

—Colega, noticia de última hora: «Se suponía que» nunca funciona conmigo.

—Observaciones.

—Sabían que iba a pasar, fuera lo que fuera. —Lo que me hace sentir mucho mejor. Puedo dejar de preocuparme por morir sin previo aviso. Aunque el niño estaba mirando la olla, las bocas de los adultos estaban abiertas, con los rostros contraídos—. Se dieron cuenta y gritaron. Pero ¿por qué no huyeron? ¿Por qué ella no tiró la camisa que estaba lavando? No tiene sentido. ¿Los congela un poco antes de congelarlos por completo? ¿Pueden manifestar una pequeña reacción pero no son capaces de moverse completamente? ¿Se acercó con sigilo y por detrás a la otra gente de las otras escenas?

—Necesito respuestas, niña, no preguntas.

Suelto una bocanada de aire que se vuelve nebulosa, pero no se congela.

—No hace tanto frío como en los otros sitios.

—Es más antigua. Está descongelándose.

—¿Cómo lo sabes?

—Hay una gota de condensación en la punta de la nariz del hombre que está a punto de caer.

Entrecierro los ojos.

—No veo ninguna gota. No puedes ver algo así de tan lejos y con tanta claridad. —Tengo una visión privilegiada y no puedo verlo.

—Celosa, niña —dice, a modo de pregunta, subiendo la entonación en la última palabra, como suele hacer cuando me sigue la corriente. Le noto una sonrisa en la voz. Eso me molesta todavía más.

—¡Que no puedes ver la puta gota de agua desde aquí, joder!

—Hay otra deslizándose entre los pechos de la mujer. Justo encima del lunar en el izquierdo.

—¡Colega, no puedes superarme en visión!

—Puedo superarte en todo. —Me lanza una mirada que normalmente veo en el espejo.

De repente me siento cabreadísima.

—Entonces supongo que no me necesitas y estoy perdiendo el tiempo. —Me doy la vuelta y regreso dando fuertes pisotones al Humvee. Pero antes de dar cinco pasos siquiera, me bloquea el camino, cerniéndose sobre mí con los brazos cruzados. Me mira raro—. No estoy de humor, Ryodan. ¡Aparta!

—Que te necesiten es tóxico.

—Que te necesiten es bueno. Significa que eres importante.

—Significa que hay un desequilibrio de poder. No había escasez de chupadores de vida antes de que cayeran los muros. No eres responsable del mundo solo porque seas más capaz que los demás.

—Pues claro que lo soy. Eso es lo que hace la gente más capaz.

—Podrías pedirme que te enseñe.

—¿Eh? —Esta noche es cada vez más rara—. ¿Enseñarme como si me estuvieras dando clase o algo así? ¿Cómo vas a llamarla: «Tú también puedes ser un sociópata. Nivel principiante»?

—Sería más bien una clase de posgrado.

Me echo a reír. Su sentido del humor me toma por sorpresa, pero entonces recuerdo quién está hablando y me reprimo.

—Quieres ser más rápida, más fuerte, más inteligente. Pídeme que te enseñe.

—No te voy a pedir nada. Y puedes ser más rápido y más fuerte. Por ahora. Pero no eres más inteligente, vamos, ni de coña.

—Tú eliges. Pero ya te estás dando la vuelta porque no te irás. Es de noche y ya sabes lo que significa.

—¿Que está oscuro?

—Que te quedas conmigo hasta el amanecer.

—¿Por qué hasta el amanecer? ¿Eres un vampiro, un zombi o algo que no puede soportar la luz?

Él se desplaza sin mediar palabra, acercándose a la escena.

—Me gusta el sexo para desayunar, niña. Como temprano y con frecuencia.

Aquí estoy yo con mis pensamientos normales sobre gente congelada y lo mucho que me molesta Ryodan, y va y tiene que hablarme de cosas sexuales para desayunar. En un abrir y cerrar de ojos se me vuelven locas las hormonas y empiezo a ver ciertas imágenes mentales, cada una más vergonzosa que la anterior. Y no puedo dejar de pensar, las hormonas se me disparan y se vuelven más impredecibles que yo misma.

Ojalá nunca hubiera visto películas pornográficas o a Ryodan «desayunando» porque entonces estas imágenes no serían tan gráficas y difíciles de olvidar.

Pero ahí está él, hasta el último detalle gráfico, porque sé exactamente cómo es desnudo, lo vi. Sé cómo mueve su cuerpo. Se le marcan los músculos y también las cicatrices. Sé que cuando folla, se ríe como si el mundo fuera un lugar perfecto. Y al hacerlo, apreté los puños porque pensé en tocarle la cara como si tal vez pudiera atrapar su alegría en las manos y retenerla. Tuve todo tipo de pensamientos extraños y estúpidos en esa cuarta planta. Ojalá pudiera darme una paliza a mí misma por haberlo visto. No entiendo mis hormonas. No entiendo por qué estos bichitos cachondos responden al ver a un viejo como él.

—¿Vienes?

Salgo de mi ensueño, acelero y me muevo lateralmente.

No ocurre nada.

—Tienes que estar bromeando —murmuro.

—Niña, ¿por qué sigues ahí aún? —Él se desplaza alrededor del trío congelado—. Podría estallar en cualquier momento.

No me muevo y pienso en lo mucho que deseo que así sea, para que no descubra que he perdido mis superpoderes una vez más.

—Tengo que… eh, ir al… eh… —Hago un ademán hacia el bosque detrás de mí—. Necesito un poco de intimidad. Vuelvo enseguida.

Tal como esperaba, mientras estoy tras los arbustos, fingiendo que orino, las estatuas heladas estallan.

El viaje de regreso a Dublín es largo y silencioso.

TRECE

« The very worst part of you is me »
('La peor parte de ti soy yo')

*E*stoy en el techo de un edificio, al otro lado de la calle donde se acumula el hormigón, el metal retorcido y los vidrios rotos que antaño fue el Chester's. El club está bajo tierra ahora. Por lo general, hay una cola que da la vuelta entera a la manzana, pero son las cuatro de la mañana y todo el que quería entrar lo ha hecho ya hace una hora. Supongo que eso significa que han muerto suficientes personas para tener ese espacio adicional ya que no he visto salir a nadie.

Se detiene un Hummer negro.

Es lo que he estado esperando.

Antes odiaba las alturas, lo que es irónico, teniendo en cuenta que soy de las Tierras Altas escocesas. O lo era.

Me estoy acostumbrando a las alturas. Las vistas son mejores. Ves más y casi eres invisible. La gente no mira mucho hacia arriba, ni siquiera en tiempos como estos, cuando deberían hacerlo, dado que nunca sabes qué hay en el cielo, dispuesto a alimentarse de ti, quizás un Cazador o una Sombra. O yo.

La veo salir del Hummer. Salta de un pie al otro mientras camina, se mueve hacia los lados y hacia delante al mismo tiempo, come una barrita de chocolate. Nunca he visto a nadie con tanta energía. Su pelo parece rojo fuego a la luz de la luna y su piel es luminosa. Sus curvas son dulces y sus piernas largas. Sus rasgos son de porcelana fina y las expresiones surcan su rostro apresuradas, como mis nuevos tatuajes *unseelies* lo hacen bajo mi piel.

Pero es el corazón de la chica lo que me conquista.

Ryodan es grande y se eleva sobre ella. Tiene un rostro curtido y un cuerpo fuerte. Pisa fuerte, incluso. No pegan nada juntos. Están hablando. Ella sigue mirándolo como si la sacara de sus casillas. Bien. Su mano no se aleja de la empuñadura de su espada y sé lo que está pensando. Desprecia el Chester's. No soporta estar en el mismo lugar que un *fae* sin matarlo. Los odia a todos.

Es una categoría que pronto me incluirá a mí.

El propietario de Chester's mira hacia arriba.

Me camuflo en las sombras del techo, envuelto en un ligero hechizo de glamour, un nuevo poder que he estado probando, tratando de conseguir que mi rostro sea más aceptable para ella.

Me concentro en proyectar un tupido velo de noche y vacío para que él no pueda verme.

Su mirada se detiene justo donde estoy y observo una expresión petulante en su rostro, aunque esa es su expresión la mayor parte del tiempo. Creo que aunque perciba una perturbación en la noche aquí arriba, no puede verme ni cuando inclina la cabeza de esa manera tan arrogante e imperial, tan característica del imbécil.

La ira se apodera de mí; espesa, intensa y sofocante. Durante unos segundos me siento a la deriva en un lugar donde todo está congelado, muerto, malvado… y me gusta. Me alegro de transformarme en un príncipe *unseelie*. ¡Venga a mí ese poder!

Y que se haga la guerra.

Echo la cabeza hacia atrás y me aparto la melena de los hombros. Cortarlo no vale de nada. Me quedo dormido y al despertarme vuelve a estar ahí. Miro la luna y aspiro con avidez. Quiero ponerme a cuatro patas y aullar como un animal salvaje, hambriento y fuerte; una bestia que podría follar durante días sin cesar si consiguiera encontrar algo que lo resistiera con tanta fuerza y durante tanto tiempo como yo. Quiero replicarle a la luna en *unseelie* y oírla replicar en respuesta. Huelo la muerte en la ciudad, por todas partes, y es embriagadora. Huelo el sexo y la necesidad, así como el hambre. Es tan suave… La humanidad está madura para la cosecha. ¡Está lista para comer y jugar! Muevo la polla en los vaqueros. Está tan dura que duele; tan dura como redonda es la Tierra.

Vuelvo a mirar hacia abajo con los ojos entrecerrados. Tengo las botas cubiertas de una costra de hielo. El techo se ha puesto blanco con un círculo blanco de nieve y hielo brillante, que llega a un radio de cinco metros. Camino a grandes zancadas por el borde del techo, haciendo crujir la nieve, los sigo mientras ellos van hacia la parte trasera. Esto será mucho más fácil cuando no tenga que usar los pies.

Él no es lo que está fingiendo ser con ella.

Le observo todo el tiempo. Estaré allí cuando deje de fingir. Seré el chaleco antibalas de la chica, su escudo, su ángel caído, tanto si quiere como si no. Él finge ser casi humano, pero no es más humano que yo. Finge ser amable, como si fuera seguro estar con él, como si no tuviera colmillos por un motivo. Finge que el término «efecto martillo» no fue acuñado para él, que estás seguro con él. Hasta que dejas de estarlo, claro.

Hasta que estás muerto.

Es el diablo con un traje de negocios; espera el momento correcto, reúne información, la procesa y cuando toma una decisión, el martillo cae y todos los que lo molestaron, lo ofendieron o simplemente respiraron de manera equivocada, mueren.

A ella no le concederán un aplazamiento de la ejecución. Nadie consigue uno. Las únicas cosas que le importan a él son los otros de su especie.

Ella cree que él no es un animal como Barrons. Piensa que es más civilizado. Tiene razón, es más pulido, pero eso solo lo hace más peligroso. Con Barrons esperas que te jodan al final, con Ryodan no lo ves venir.

Él la trata como si ella tuviera catorce años y él fuera un adulto normal que la ha acogido en su seno, bajo su ala. Como si necesitara de sus habilidades de detección, lo mismo que Barrons hizo con Mac, y ella se lo cree, igual que Mac. Él está moviendo las fichas para que caigan de una manera más fácil cuando quiera empujarlas; conserva energía, y así no tendrá que perseguirla cuando vaya a matarla.

Un cabronazo como él solo tiene un uso para las mujeres y ella no es lo bastante mayor. Todavía. No sé qué sería peor, que él la matara antes de que tenga la edad suficiente o que espere y la convierta en una más de su harén de mujeres.

Ella no es ese tipo de chica; no es mujer de harén. Solo tienes una oportunidad en la vida con alguien como ella. Y si metes la pata, hay un lugar especial en el infierno para ti.

Ella se separa de él de repente y se aleja con pasos fuertes. Está cabreada. Sonrío.

Saco el cuchillo, subo el brazo por encima del hombro y me rasco la espalda con él. Gotea algo de sangre. Suspiro, aliviado, pero esa mejoría no dura mucho. Dormir es una verdadera mierda. Me pica la espalda todo el tiempo y los medicamentos humanos no funcionan. Me giro para rascarme mejor.

El cuchillo llega al hueso y se oye un ruido sordo. Lo toco con la punta serrada de la hoja, pero no alcanzo el ángulo correcto. No tengo ningún amigo que se alegre de verme, ni nadie que me eche una mano. Intenté convencer a papá de que me las cortara de la espalda, pero me dijo que están unidas a la columna vertebral y que moriría. No lo creo. No hay nada que me mate. Pican mucho. Tengo casi tantas ganas de quitármelas como de quererlas.

Putas alas de mierda.

Es curioso cómo van las cosas. Dani mató a un príncipe *unseelie* para salvar a Mac, y yo he acabado convirtiéndome en el sustituto del príncipe que Dani mató. Pero no es culpa de la muchacha sino de Mac. Primero, por necesitar que la salvaran y después por obligarme a comer algo que nunca habría comido si hubiera estado en mis cabales.

Me pregunto si mis alas serán tan grandes como las de Cruce. Me pregunto cómo será volar en el cielo nocturno con él y los otros dos. A veces, nos veo mentalmente a los cuatro descender sobre la ciudad, batiendo las alas negras en el aire, llenando el cielo, sintiéndonos los dueños del mundo. Casi oigo el sonido que hacemos mientras los cuatro repiqueteamos desde lo profundo de nuestros cuerpos. Hay una canción especial, espeluznante, que cantan los príncipes *unseelies*; a veces, la oigo en la cabeza mientras duermo. La llamada a la Caza Salvaje arde en mi sangre.

Retrocedo hasta la esquina de un pequeño edificio de ladrillos en la azotea que alberga las bombas de calor, me apoyo contra él y restriego la espalda de lado a lado por el borde, para rascarme. Mientras, les observo a medida que avanzan hacia una trampilla de metal situada en el suelo.

Él la alcanza y caminan juntos de nuevo.

Ella se desliza. Él abre la trampilla con fuerza, como si llevara puesto un guante de boxeo con cuchillas de afeitar en los nudillos. Cuando ella pasa, el mundo es un lugar mejor. Él deja huellas sangrientas sobre un cementerio de huesos.

Levanta la trampilla y la luz resplandece desde el agujero del suelo. Ella desciende; es mi ángel en un infierno sórdido.

Él se pone en cuclillas en el borde y la mira mientras baja. Por un instante, veo en su rostro una expresión no controlada.

Una expresión que deja helada hasta a una criatura tan fría como yo.

Conozco esa mirada. La he visto en mi propio rostro.

Luego el hijo de puta me mira y esta vez no me cabe duda alguna de que me ve. Me mira directamente a los ojos e inclina la cabeza con una sonrisa burlona. Se la devuelvo con frialdad. Asiento como diciéndole: «Sí, sí, yo también te veo. Ten mucho cuidado».

No sé si lo que acaba de dejarme ver ha sido real... u otro de sus juegos. Por algo le llaman el maestro de la manipulación. Barrons rompe cabezas. Ryodan les da la vuelta. Barrons te jode. Ryodan hace que te jodas a ti mismo. Va tocando botones y reordena las cosas según su plan de sociópata.

Me gustaba más cuando pensaba que iba a matarla.

Dejo de rascarme. Quiero esas alas. Harán que la lucha que se avecina sea más fácil.

Este tío es un muerto andante.

Si lo que acaba de mostrarme no va en serio y está jugando conmigo, ha jugado con el príncipe *unseelie* equivocado. Lo mataré mucho antes de que llegue a matarla. Sé cómo trabajan los hombres como él; me estoy convirtiendo en uno.

Ahora bien, si lo que me ha mostrado es real, también se lo ha enseñado al príncipe *unseelie* incorrecto, porque significa que ve en ella lo mismo que yo.

Sabe que ella bien vale la espera y que cuando llegue el momento, tiene la intención de ser el primero, por eso la tiene cerca. Para los que vivimos para siempre, unos años no son mucho tiempo de espera.

No por algo por lo que vale la pena esperar. No por una chica de las de una vez en la vida.

Unos años son un mero parpadeo para hombres como nosotros, para quienes las mujeres se marchitan dulcemente como calabazas podridas después de Halloween. El sexo ya no es fácil para mí. Siempre tengo que contenerme. Las mujeres humanas son frágiles. Esta no.

Él la ve como yo: a los diecisiete años, a los veinte, a los treinta. Ve más allá de la niña de catorce años: ve a la mujer en la que se convertirá y está marcando el terreno.

Sobre mi cadáver. Y eso que no puedo morir.

Pero sí sé de uno de su especie que lo ha hecho hace poco y sé cómo. He oído que hay un Cazador allá arriba, en el cielo nocturno, al que le gusta la realeza *unseelie*.

Pronto tendré las alas para encontrarlo.

Recupero los superpoderes a tres manzanas del Chester's. Lo sé porque he estado todo el camino de vuelta intentando tamborilear con un dedo sobre el muslo a hipervelocidad. Al final lo he conseguido. Todavía no he logrado que se me muevan los ojos como los de Ryodan, pero he estado practicando y he conseguido que ciertas partes de mi cuerpo se aceleren durante cortos períodos de tiempo. El único problema es que el lugar donde esa parte se conecta a mi cuerpo acaba un poco dolorida, como si hubiera tensado demasiado los músculos.

Pero no podía estar en el Hummer con este tío —a quien le encantaría saber que a veces me quedo indefensa— y practicar el desplazamiento con todo mi cuerpo. Si diera un frenazo, saldría disparada a través del parabrisas y me pasaría días llena de cortes, además de mis moratones habituales.

Lo miro, enfadada.

—¿Por qué nunca te salen moratones? —¿Qué coño es? ¿Es la excepción de todas las reglas? Y si es así, ¿dónde hay que apuntarse?

—Participando y todas esas cosas —me suelta. En otras palabras, no lo sabré porque no estoy en su círculo más íntimo. Pues de acuerdo. Tampoco quiero estar allí de todos modos.

—¿Tienes algún tipo de ungüento mágico, colega? Porque sería justo que compartieras ese tipo de cosas.

Se detiene en la acera frente al Chester's. Salto del Hummer en cuanto se detiene y empiezo a saltar de un pie a otro, de lado a lado, entre pasos hacia delante, para asegurarme de que vuelvo a estar en plena forma. No pienso entrar al Chester's sin superpoderes bajo ningún concepto. Saco rápidamente una barrita de chocolate, que devoro al momento, y luego me como otras tres seguidas para hacer acopio de energía.

—¿No hemos terminado por esta noche? ¿Qué más quieres que haga? —Acabo de pasar una hora en una lata de sardinas con Ryodan después de perder mis poderes. Colma los espacios pequeños como si su cuerpo contuviera diez personas. Está cabreado conmigo por no haber inspeccionado la escena antes de estallar. Yo también estoy enfadada conmigo misma, pero no tenía otra opción. Sin superpoderes no pienso acercarme a ninguna de esas escenas. Ha sido un viaje de mierda. Quiero un poco de tiempo a solas o con Dancer. Él me recarga; estar con él es fácil, simple y casi perfecto.

No me contesta y lo miro. Él, a su vez, está mirando hacia el techo de un edificio al otro lado de la calle y tiene una expresión divertida y satisfecha. Busco en las sombras del tejado, pero no distingo qué es lo que está divisando. Allí no hay nada.

—Colega, ¿me oyes? ¿Hola? ¿Sabes que estoy aquí?

Él sigue mirando el tejado como si estuviera viendo algo que yo no alcanzo a ver. Como esa gota de condensación que todavía no estoy muy segura de creer que estuviera allí.

—Siempre sé que estás ahí, Dani. He probado tu sangre. Te noto todo el tiempo.

Ya, vale. Eso es preocupante.

—¿Te refieres a cuando estoy cerca? —quiero aclarar.

—¿Cómo crees que te encontré en casa de tu pequeño noviete?

—Tendrás que prestarle más atención si crees que es pequeño.

—Y tan frágil.

—Deja de hablar de él. No es de tu incumbencia. A ver, que

yo me entere, ¿qué quieres decir? ¿Que podrías encontrarme en cualquier lugar y en cualquier momento? —Para esta pregunta hay una respuesta correcta y otra incorrecta.

—Sí.

Esa es la respuesta incorrecta. Me cabreo tanto que me quedo sin aliento.

—Y una mierda. ¡Mentiroso!

Se ríe y me mira.

—¿Quieres jugar al escondite, niñita? —ronronea con una voz que nunca le he oído usar antes y que, de hecho, transforma en una pregunta.

Ha sacado los colmillos.

—Colega, eres un bicho raro... seas lo que seas. —Me faltan las palabras.

Se ríe otra vez y no soporto mirarlo, así que me largo hacia la trampilla del suelo que es la nueva entrada de Chester's.

Él sostiene la puertecilla para mí. Suspiro de manera ostensible mientras bajo por las escaleras. Odio a Ryodan.

Cruzo la pista de baile en línea recta y me dirijo directamente hacia las escaleras que llevan a la oficina de Ryodan para hacer sea lo que sea que quiere que haga, cuando la veo.

Se abre paso por la pista de baile principal con Jericho Barrons detrás y parece que se dirigen a uno de los subclubs, aunque no puedo imaginar por qué. A Mac le gusta estar aquí tanto como a mí.

Me quedo helada.

Odio verla. Odio no saber qué pasa en su vida. Odio lo que he hecho. Sin embargo, no puedo cambiarlo, así que no tiene sentido sentirlo.

Ryodan choca contra mi espalda y me lanza hacia delante entre la multitud.

—¿Qué? ¿De paseo? —digo con irritación mientras me aparto bruscamente de un Rhino-boy corpulento que me mira y rechina sus colmillos amarillentos.

Como de costumbre, no se le escapa ni un detalle. Sus ojos se mueven con esa especie de temblor y me examina.

—Pensé que Mac y tú erais amigas.

—Lo somos —miento.

—Pues ve a saludar.

Mierda, cómo me jode que note tantas cosas.

—Puede que hayamos tenido una pequeña pelea.

—Ya, pequeña y una mierda.

—Deja de meterte en mis asuntos.

—Aprende a no llevarlos escritos en la frente, niña. Excepto en privado, conmigo y con nadie más. Necesitas un entrenamiento de los buenos. Emitiendo estas señales, es solo cuestión de tiempo que alguien te desgarre las entrañas.

—Colega, ¿quién utiliza palabras como entrañas?

—Cuéntame qué sucedió.

Aprieto los puños.

—No es asunto tuyo. Punto final. En algunas cosas puedes entrometerte, en otras no. No te metas, leñe.

Él me mira raro.

—Has dicho «leñe». No «joder».

—¿Eso es todo lo que te ha quedado de lo que acabo de decir?

—Quieres privacidad en esto. Te la daré. ¿Ves qué fácil es? Si quieres algo, pídemelo. Verás que puedo ser un hombre generoso cuando me tratan bien. Si es que alguna vez averiguas qué es eso.

Pasa junto a mí y va directo a su despacho.

No puedo evitarlo y vuelvo la mirada hacia Mac. Sonrío y me pateo interiormente por hacerlo, pero hubo un momento en que me encantaba despertarme todos los días en Dublín, a diferencia de ahora, porque sabía que ella estaba allí, en Barrons, Libros y Curiosidades. Sabía que haríamos algo genial ese día, como cuando me hizo un pastel de cumpleaños y me daba regalos, y veíamos películas y luchábamos codo con codo. Nunca había tenido algo así antes. A veces, me siento como un perro sin hogar bajo la lluvia, embarrado y frío, que, a través de una ventana, ve a un bonito Collie durmiendo en una cama para perros cerca del fuego; hay un nombre escrito en el tazón que está a su lado y me pregunto cómo sería…

—¡Va! Supéralo, gallina. —Tengo dientes de perro grande, muerdo como un perro grande y conozco las reglas: si te quedas dentro, acabas con collar y esterilizado. Me levanto y comienzo a desplazarme tras Ryodan cuando un ruido enorme por donde está Mac me hace parar en seco, volver a cámara lenta y mirar hacia atrás.

Hay un nuevo tipo de *unseelie* esta noche en el Chester's y parecen salidos de una película de terror. Son como unos fantasmas anoréxicos que podrían vagar por los cementerios, rompiendo y abriendo ataúdes y alimentándose de cadáveres en descomposición. Van envueltos en capas negras con capuchas para que no puedas verles el rostro y no caminan, sino que están a cierta distancia del suelo y se deslizan sobre él. Vislumbro un destello de hueso en las mangas. Consigo echarle un vistazo al interior de las capuchas y veo piel pálida, exangüe y algo negro. Hay alrededor de veinte especímenes en el subclub en el que Mac y Barrons acaban de entrar. Me hacen pensar en los cuervos negros, esos que notan la llegada de una tormenta y se posan en la parte alta de los árboles, esperando que empiece la destrucción para poder abatirse sobre los moribundos y arrancarles la carne del hueso con sus picos afilados De repente, estoy segura de que no tienen bocas normales. E igualmente segura de que preferiría no tener que ver qué tienen en su lugar.

Se vuelven hacia Mac como si fueran una sola unidad o algo así, lo que resulta totalmente espeluznante, y empiezan a emitir un chillido que pone a todo el mundo nervioso y me tensa entera. No hay serpientes en Irlanda. No porque san Patricio las desterrase como le gusta decir a la gente, sino porque es una isla y por otras cuestiones climáticas. Cuando era niña me fascinaban las serpientes porque nunca había visto ninguna. Me fui de vacaciones después de que mamá muriera y Ro me liberara, antes de que ella también comenzara a controlarme, y visité un montón de museos y zoológicos. Vi una serpiente de cascabel. El movimiento de su cola me provocó lo mismo que estos *unseelies* encapuchados al chillar. Ese ruido seco y polvoriento provoca una especie de respuesta atávica en mí y me hace pensar que tal vez la memoria genética realmente existe y que ciertos sonidos simplemente hacen que quieras huir.

¿Qué son? ¿Cómo es que nunca los he visto antes? ¿Cuál es su presa favorita? ¿Cómo se alimentan? ¿Cómo pueden ser eliminados? Mejor aún, ¿por qué se alejan todos de Mac como si tuviese la versión *unseelie* de la peste bubónica?

Hay demasiada gente en las pistas de baile entre nosotras. No puedo ver bien. Me deslizo lateralmente a cámara rápida, paso corriendo junto a Lor y Fade, que están custodiando la parte inferior de las escaleras, me aseguro de darle a Lor un buen codazo y río cuando gruñe. Me detengo en la parte superior de las escaleras y miro hacia abajo. La vista desde aquí es mucho mejor.

Los fantasmas chillan aún más fuerte mientras se alejan de Mac y Barrons, aunque es hacia Mac hacia quien se vuelven todas esas capuchas oscuras.

—Interesante —me dice Ryodan al oído—. ¿Por qué parece que no pueden apartarse de ella lo bastante rápido? Nunca los he visto hacer eso antes. —A Ryodan no le gusta Mac. Nunca le ha gustado. Ella se interpuso entre él y su mejor amigo.

Le lanzo una mirada.

—Te contaré un secreto, Ryodan. Si te metes con ella, Barrons te matará. —Me paso un dedo por la garganta—. Así de fácil. No eres tan importante. Barrons te destrozará, sin mucho esfuerzo.

Él sonríe débilmente.

—No me jodas. Estás loca por Barrons.

—No estoy loca por...

—Sí lo estás. Te lo veo en la cara. Cualquiera te lo dirá.

—A veces te equivocas, jefe.

—Nunca me equivoco. Es como si estuviera escrito en una valla publicitaria: «Dani O'Malley cree que Jericho Barrons es atractivo». Mi oferta de enseñarte todavía sigue en pie. Ahórrate vergüenzas futuras. Si puedo vértelo en la cara, él también.

—Él nunca lo descubrió en el pasado —me quejo, luego me doy cuenta de que acabo de admitirlo. Ryodan tiene una manera muy enrevesada de decir las cosas porque consigue que digas cosas que no tenías intención de decir—. Quizás le pida a Barrons que me enseñe —murmuro y me alejo de las escaleras en dirección a su despacho. Tropiezo con su pecho—. Colega, apártate. Estoy intentando llegar a un lugar.

—No te va a enseñar nadie salvo yo, Dani.

Me toca antes de que lo vea venir, me pone la mano debajo de la barbilla y me levanta la cabeza. El escalofrío es instantáneo e incontrolable.

—Eso es innegociable. Firmaste un contrato conmigo que me garantiza exclusividad. No creo que te gusten las consecuencias si intentas romperlo.

Lo fulmino con la mirada, preguntándome qué coño he firmado en realidad. En cierta forma espero no averiguarlo nunca.

—¿Qué estamos haciendo aquí? ¿Hablamos como dos señoritingas o nos ponemos a trabajar? ¿Tienes algo más que hacer o no? —Vuelvo a echar un vistazo por encima del hombro mientras paso junto a él con un empujón. Barrons está de pie frente a Mac como un escudo y me permito esbozar una rápida sonrisa. Ryodan tiene razón, tengo que aprender a ocultar lo que siento. Ella está a salvo. Siempre estará a salvo con Barrons allí. No tengo que preocuparme por Mac, solo por lo que pueda hacerme algún día. Prefiero tener que preocuparme por eso que por Mac, así que, en realidad, todo va bien en mi mundo.

CATORCE

«Knock, knock, knockin' on heaven's door»
('Toc, toc; llamo a las puertas del cielo')

Resulta que Ryodan no tenía absolutamente nada para mí. No había más escenas congeladas, así que me hizo quedarme en el despacho con él.

Quería volver a salir y examinar los escombros de la escena del almacén que explotó la otra noche, buscar pistas con más esmero (pensando en cambiar los escondites al mismo tiempo), pero me dijo que estudiara a toda la gente y los *faes* a través del suelo de cristal, por si creía que alguno de ellos pudiera ser el responsable de lo que estaba sucediendo.

Primero me dijo que le parecía que esto sucedía espontáneamente, como si partes del mundo de los *faes* se estuvieran filtrando al nuestro. Ahora quiere que investigue a la gente como si hubiera alguien detrás de esto. Que se aclare ya. ¿Cuál de las dos opciones es?

Se lo pregunto y me dice que ambas, tras lo cual vuelve a su papeleo. No creo que sienta la misma urgencia que yo, ya que solo se han congelado humanos últimamente y ninguno de ellos en su territorio. Si no comienza a dar señales de acción investigativa, me veré obligada a trabajar en ello en mi tiempo libre, y no sé cómo hacerle un hueco a todo, además de dormir cada tantos días.

Mac se fue bastante rápido. Pareció ponerse realmente nerviosa por lo que sucedía con los ZCF, abreviatura de zombies comefantasmas, porque eso es lo que parecen. Tenían mugre y telarañas en las capas, pistas de los lugares donde se refugiaban. Me relajé cuando se hubo ido y me puse tensa de nuevo al tener que observar a Jo ahí en el subclub de temática infantil, enseñando pierna a los *unseelies*. Estaba claro que a ellos les gustaba. Me gustaría tener las piernas de Jo algún día; curvilíneas, suaves y bonitas. ¡Y sin moretones!

Jo no dejaba de mirar en dirección al despacho de Ryodan con una expresión extraña en el rostro, anhelante, como si tuviera que saber que yo estaba ahí arriba. ¡No sabía que me echaba tanto de menos! Me hizo sentir mal por no pasar más tiempo con ella. A veces, miraba las escaleras con mucha intensidad, como si esperara que yo bajara.

En todo ese tiempo que estuve observándolo todo, sentía mucha comezón en la mano de la espada por la cantidad de cosas en el club que acechaban a los humanos y que ardía en deseos de asesinar. Al amanecer, era un nudo de pensamientos *sidhe-seer* reprimidos y homicidas, y seguía sin tener idea de quién o qué estaba detrás de los congelamientos.

Sin embargo, de las horas que me senté ahí hasta que al final me dejó ir resultaron dos cosas positivas. Descubrí cuatro clases de *unseelie* nuevas y compuse mi próximo *Diario de Dani*. Tengo previsto limpiarlo un poco visualmente para hacerlo más profesional antes de imprimirlo.

Ahora, sentada en mi lugar favorito en la torre de agua, releo la copia escrita a mano para revisarla antes de enviarla a imprimir.

El Diario de Dani

MAYO 24, 1 TCM

Redactado en exclusiva por DANI MEGA O'MALLEY, más conocida como: «Me importa todo un pepino y, a diferencia de los IMITADORES recién llegados, siempre he sido ¡VUESTRA ÚNICA FUENTE FIABLE PARA LAS ÚLTIMAS NOTICIAS EN Y ALREDEDOR DE DUBLÍN!»

¿Quién os ha informado de los hechos que han estado sucediendo desde que los muros cayeron? Yo.

¿Quién os ha estado buscando y os ha dado tanto comida como noticias en vuestros escondites cuando teníais tanto miedo que no queríais salir? Yo. ¿Quién os ha llevado mensajes, ha buscado miembros perdidos de la familia y los ha traído a casa si estaban vivos? Dani Mega O'Malley.

¿Quién ha estado hurgando en los escombros en busca de carteras e identificaciones, y os ha devuelto las cosas para que podáis estar de duelo? Ha sido una organización irresponsable la que ha conseguido aumentar la tirada siendo mordaz conmigo y criticándome. Esas no son noticias sino calumnia pura y dura. Yo os doy hechos que podéis utilizar. ¿Quién ha estado matando a vuestros enemigos y os ha enseñado a luchar durante los últimos siete meses? ¿Quién ha estado reuniendo a los niños y los ha llevado a un lugar seguro? No olvidéis lo que sabéis que es verdad solo porque aparezca alguien más imitando mi periódico y exponiendo unas locuras retorcidas. Aún no he visto energía o agua corriente que no sea accionada mediante un generador y, tíos, yo puedo conectarlo por vosotros.

ME IMPORTÁIS.
SIEMPRE SERÁ ASÍ, DUBLÍN.
¡CORTO Y CAMBIO!

No hago refutaciones y no me van las cartas de amor, así que esto tendrá que servir. Cuando lo imprima y lo pegue, me esconderé y dormiré el sueño de los justos unas diez horas. Ya llevo despierta dos o tres días. Siempre se me olvida hasta que estoy a punto de caer redonda.

Desde la torre de agua contemplo la ciudad y observo la salida del sol. El aire está limpio como nunca lo estuvo antes de que cayeran los muros. Está neblinoso, pero no cubierto de humo y con niebla densa como solía estar. Adoro vivir en una ciudad con puerto. Una vez, cuando tenía nueve años, viajé de polizona en un bote de pescadores. No pudieron deshacerse de mí hasta el final del día porque necesitaban la pesca del día. Al final, me dejaron navegar al frente, con el viento que me revolvía el pelo y el rocío salado que me salpicaba en la cara. Los muelles siempre me han fascinado con sus grandes barcos que van y vienen, ¡cuántos emocionantes cuentos de aventuras atrapados en sus cascos como percebes! Ahora solo están ahí, flotando, muertos en el agua sin más. En uno de ellos tengo un buen escondite. Como hace tiempo que no voy, he decidido que iré a dormir allí.

El cielo es de color platino; el mar color pizarra y el río Liffey fluye a través de la ciudad en tonos metálicos. La niebla lo recubre todo como si fuera un encaje plateado. Me corta el aliento.

Podría pasarme horas admirándolo todo, pero tengo trabajo que hacer.

La gente tiene poca memoria. Les ciega el miedo y se deslumbran fácilmente, sobre todo en tiempos de guerra cuando el mundo empieza a oscurecerse y a recrudecerse tanto que las cosas brillantes lo son más que nunca. Tengo que seguir recordándoles las cosas que saben que son verdad.

Dublín y yo somos uña y carne, inseparables. Esta es mi ciudad y mi periódico, y no quiero renunciar a nada de lo que es mío sin luchar. Nunca he perdido una pelea.

Bueno, solo con Ryodan y no creo que esté detrás de NosImportas. Él es la antítesis de ese grupo y sus ideales. Más bien sería un NosImportasUnaMierda con una pizca de TeComeremosCuandoTeDespistes.

El humor salta por la ventana de nuevo. Solo hace falta algo así, un pequeño pensamiento sobre él. Tengo que volver a «trabajar» esta noche como un ciudadano de a pie de los que camina con dificultad entre las masas. Lo jodido del tema es que, ahora que el mundo se ha colapsado, nadie tiene que trabajar más. Salvo yo.

Me cabreo al darme cuenta de que no puedo dormir al publicar el periódico porque tengo que ponerme una alarma. Yo. ¡Tengo que levantarme a una hora precisa!

Jamás le he prestado atención alguna al tiempo. Dancer me dice que he disfrutado de un lujo que la mayoría de las personas jamás ha tenido. Él odia los relojes y las alarmas y todo lo que tenga que ver con el tiempo. Dice que la gente ya ha perdido demasiados días y que la mayor parte vive en el pasado o en el futuro, pero nunca en el presente. Que dicen cosas como «no soy feliz porque me pasó tal cosa ayer» o «volveré a ser feliz cuando me suceda esto mañana». Afirma que el tiempo es el villano más cruel de todos. En realidad no lo entiendo, pero eso tal vez se deba a que, hasta este puto momento, nunca he tenido que mirar un reloj para nada. Me levantaba cuando tenía ganas de hacerlo y me acostaba cuando me apetecía.

Con suerte podré tener cinco horas de sueño antes de volver a «trabajar».

Me aterra lo horrible que es todo eso. Las manecillas del reloj marcan los minutos de mi vida según las indicaciones de otra persona.

Esto no está bien.

Me despierto de una forma lenta y pausada; ni siquiera me estiro. Me quedo quieta, notando cómo se mece el bote en las olas. Me encanta dormir en mi barco. Lo cubrí de trampas hasta la saciedad. De hecho, hoy me ha atrapado una; ¡son muy buenas! No abro los ojos porque tardo un rato en comenzar a moverme. Algunas veces necesito una media hora, por eso puse la alarma a las siete en lugar de a las siete y media.

Mi alarma.

¿Es eso lo que acaba de despertarme?

No recuerdo haberla apagado.

Busco el móvil a tientas. Puede que no haya señal, pero todavía puedo escuchar música y jugar a juegos. Y tiene una alarma.

Encuentro un obstáculo entre el teléfono y yo que parece...

—¡Ayyy, ahhh! —Emito un sonido que ni sabía que podía hacer; en parte jadeo, en parte chillido, y me levanto de la cama de un salto, con los ojos como platos. Lo que acaba de salir de mi boca es tan femenino que me hace encogerme, así que cojo la espada y la blando.

Él me la quita de un golpe y cae estrepitosamente sobre el suelo.

Ni siquiera puedo articular palabra ante sexo. Quiero decir, ante eso.

¡Es la peor pesadilla del mundo! ¡Es peor que unos zombis comecerebros que me persigue, junto con el diablo y los príncipes *unseelies*!

¡Ryodan está en la cama a mi lado!

Está ahí sentado; ahí, ¡como en casa! ¡Estamos juntos en la cama! Esboza esa ligera sonrisa y me mira con una expresión burlona. Supongo que me miraba mientras dormía. ¿Roncaba? ¿Estaba desparramada de espaldas con la boca abierta? No tengo idea de cuánto tiempo lleva aquí. ¿Cómo ha entrado? ¿Cómo coño ha esquivado todas las trampas? ¡Está claro que tengo que pensar en trampas nuevas!

Intento sacarlo de la cama de un empujón, pero es como intentar mover una montaña. Le propino un golpe normal, ni siquiera con mis superpoderes. Suponiendo que los tenga en este momento, porque últimamente no hacen más que dejarme con el culo al aire. ¿De qué sirve ser una superheroína si solo lo eres parte del tiempo y nunca sabes cuándo?

Me coge un puño y lo sostiene en alto. No consigo zafarme de él.

—Colega, ¡dame espacio! ¡Necesito espacio al despertar! ¡No puedo respirar! ¡Apártate!

Se ríe y me entran ganas de arrastrarme bajo las sábanas, hasta el fondo, esconderme y fingir que no es más que una pesadilla que terminará pronto.

—¡Sal de mi cama!

Cuando me suelta y se pone de pie, el colchón se eleva unos diez centímetros por su lado. No puedo creer que no lo haya notado al sentarse. Sí, me lo creo. Duermo como un tronco.

—Llegas tarde al trabajo, niña.

—¿Qué hora es? —Nerviosa, miro alrededor en busca del teléfono. Estoy tan desorientada por el sueño que no carburo. Lo veo en el otro extremo de la mesa, junto a la cama. Está hecho trizas.

—¡Me has roto el móvil!

—Ya estaba destrozado cuando he llegado. Debes de haberlo hecho tú al sonar la alarma.

—No es culpa mía —digo airadamente mientras me aparto

el pelo de la cara con ambas manos—. Es la primera vez que tengo que ponerme una alarma.

—Te estoy dando problemas.

—¡Tú dirás! Estás aquí.

—Ya, pero porque llegas tarde al trabajo, niña. Vístete.

Me lanza la ropa al pecho.

Me doy cuenta de que llevo puesto mi pijama favorito. Es de franela y tiene patos. Quizá no se haya dado cuenta. No lo soporto. Esta es mi casa, mi sitio. Se supone que tiene que ser privado.

—La cabina del capitán. Bastante lujoso. Ve, date prisa. Tenemos cosas que hacer. —Sale por la puerta y se dirige a cubierta—. Bonito pijama, niña.

Me lleva a una iglesia.

Las iglesias me hacen gracia. Son como el dinero: una conspiración de la fe. Como si todos estuvieran de acuerdo en creer que no solo hay un Dios, sino que también baja a ver cómo está la gente, siempre y cuando pase el tiempo en ciertos lugares, construya altares, queme muchas velas e incienso, y juegue al «siéntate, levántate y arrodíllate» y otros rituales extravagantes en comparación con el cual, un aquelarre parecería una reunión de brujas sin TOC.

Luego, para complicarlo más, algunas personas hacen rituales, subconjunto A, y otras personas hacen otros rituales, subconjunto B, C o D, y así sucesivamente hasta una infinidad de denominaciones, y se llaman a sí mismos cosas diferentes, luego niegan el derecho de todos los demás al cielo si no realizan los mismos rituales. Es muy raro, joder. Me imagino que si hay un Dios, él o ella no le presta atención a lo que construimos o si seguimos algunas reglas elaboradas, sino que se sienta sobre nuestros hombros para ver qué hacemos cada día. Si nos hemos embarcado en esta gran aventura llamada vida y si hemos hecho algo interesante con ella. Me imagino que la gente más interesante es la que consigue ir al cielo. Quiero decir, si yo fuera Dios, querría a esa gente conmigo. También me imagino que ser eternamente feliz tiene que ser aburridísimo, así que intento no ser demasiado interesante, aunque me resulte complicado. Preferiría ser una superheroína en el infierno, dándole leches a toda clase de demonios, y no un ángel en el cielo, que flota por ahí con una beatífica sonrisa en el rostro y se pasa el día tocando el arpa. Tíos, ¡dadme tambores y platillos de los grandes! Me gusta el golpeteo y el ruido.

Lo dicho: Ryodan me lleva a una iglesia y me quedo fuera mirando, inmóvil.

Mentalmente reviso los lugares que he visto congelados hasta ahora: el subclub del Chester's, un almacén en las afueras de la ciudad, dos pequeños pubs subterráneos, un gimnasio, una familia rural que lavaba la ropa, y ahora, una pequeña congregación en una iglesia.

Me quedo un rato ante la entrada de grandes dobles puertas, absorbiendo todos los detalles porque no tengo prisa por entrar. El frío que emana del interior es brutal, peor que en cualquier escena hasta ahora. Me quema el aliento hasta en los pulmones, a pesar de que hay unos cuarenta y cinco metros entre la fachada de la iglesia y yo. La gente está reunida en el altar en una escena de Navidad helada. De pie hay ocho hombres, tres mujeres, un sacerdote, un perro y hay un anciano sentado al órgano. He oído que sobrevivieron más hombres que mujeres en Halloween, y en muchos sitios rurales las mujeres se han vuelto una tentadora mercancía; los hombres se pisan los unos a los otros para conseguir una. Los tubos del órgano detrás del altar están cubiertos de carámbanos y del techo caen unas estalactitas enormes. La niebla congelada está suspendida en el aire, por todo el interior. El sacerdote está de pie detrás del altar, mirando a los asistentes con los brazos levantados, como si estuviera en medio de un sermón.

—Hace mucho más frío que en el resto, lo que sugiere que ha pasado hace poco, teniendo en cuenta la temperatura ambiente y todo lo demás —digo, y al hablar, se me cristaliza el aliento, que forma pequeñas nubes que cuelgan en el aire. Me estremezco con una sacudida repentina e incontrolable—. ¡Joder, qué frío hace!

—Demasiado frío para ti.

Lo miro. Casi ha puesto un signo de interrogación al final de la frase.

—Colega, ¿estás preocupado por mí? Soy indestructible. ¿Cuándo has sabido lo de esta escena?

—Fade la ha encontrado hará unos cuarenta minutos. Había pasado por la iglesia diez minutos antes y no estaba congelada. Cuando estaba de regreso, se la encontró así.

—Pues entonces, sí, es la más reciente que hemos visto hasta ahora. —Me doy cuenta de que no entra en la iglesia a cámara lenta como lo ha hecho en escenas anteriores. Supongo que hace frío hasta para él.

Inhalo y exhalo, rápido y con fuerza, lleno los pulmones, preparo mi surtido de adrenalina.

—Vamos allá.

Me organizo mentalmente, cambio de velocidad y me desplazo hacia dentro.

Existe el frío y luego existe algo peor. Este frío me clava puñales y me los retuerce, atrapando cartílago y hueso. Me atraviesa músculos y tendones, y me corta los nervios como una navaja. Pero esta escena es la más reciente de todas y si hay algún sitio donde encontrar pruebas, es aquí, antes de que la temperatura empiece a elevarse y las cosas cambien. Si es que eso pasa, porque no sé lo suficiente.

Rodeo la pequeña reunión de gente, temblando. He tartamudeado de frío en otras escenas, pero nunca he temblado mientras me desplazaba. Creo que temblar es genial porque es la forma en que el cuerpo se desplaza a nivel molecular. Las células notan que la temperatura está demasiado fría para ti y el cerebro te hace vibrar a cada minuto para generar calor. Es como si estuviera desplazándome dos veces: a nivel celular y con los pies. El cuerpo es una máquina maravillosa.

Primero les miro los rostros.

Están congelados con las bocas abiertas, los rostros contraídos, gritando, al igual que la gente que lavaba la ropa al aire libre. Estas personas también lo vieron venir. Todos excepto el sacerdote, que parece sorprendido al ver las expresiones de los parroquianos, lo que me sugiere que, fuera lo que fuese, les asaltó por detrás del sacerdote, y llegó deprisa porque ni tan solo volvió la cabeza. Seguramente reaccionaba a las expresiones de sus rostros. Debe de haber aparecido y haberlos congelado a todos de golpe, o el párroco habría tenido tiempo de mirar hacia atrás.

Me siento algo mejor sobre lo que sea que esté pasando porque ya van dos ocasiones en las que la gente lo vio venir. Eso significa que tendría la oportunidad de apartarme de su camino si viniera hacia mí.

—Guárdate... las observaciones... y respira —me dice Ryodan al oído—. Reúne... información... y sal.

Lo miro por la forma en que acaba de hablar. En cuanto lo hago, entiendo por qué se quedaba a medias. Tiene el rostro de hielo sólido y se le agrieta al añadir:

—Date prisa... joder.

Yo no tengo la cara congelada. ¿Por qué la suya sí? Extiendo la mano sin pensarlo, como si fuera a tocarlo o algo así, y él me la aparta de un golpe.

—No... toques... nada... Ni siquiera... a mí. —El hielo se hace añicos y vuelve a formársele en la cara cuatro veces más antes de terminar la oración.

Avergonzada, me alejo rápidamente, me aclaro las ideas y me concentro en los detalles. No sé por qué he estado a punto de tocarle. No hay explicación para mi comportamiento. Creo que me hechizó de alguna manera con su solicitud de empleo.

¿Qué está pasando en estos sitios congelados y por qué? ¿De verdad hay alguna parte inhumanamente fría de Faery que se está filtrando hasta nuestro mundo? Entiendo por qué Ryodan piensa que es así. En cada escena, no parece que hayan robado nada. No veo denominadores comunes: no se han comido nada ni le han hecho daño a nadie. Así pues, ¿por qué pasa? Tomo cada una de estas escenas congeladas como un crimen. La gente está muerta. Los crímenes requieren un motivo. Me desplazo de un lado a otro, intento discernir algún indicio, algo que me señale un motivo, una pista que delate a una mente consciente detrás de esto. Lo examino todo de cerca en busca de pequeñas heridas, como de dientes finos como una aguja. ¿Les drenaron los fluidos corporales que ciertos *faes* consideran sabrosos? La idea me hace pensar en unos cuantos *faes* que debí haber matado. De haberlo hecho, todo iría bien entre Mac y yo. Ella jamás se hubiera enterado. Aún no sé por qué no lo hice. Nunca quise que me atraparan.

No veo señales de daño de ningún tipo.

Luego la veo y es como si me asestaran una puñalada en el corazón.

—¡Joder! —digo.

No me importa en exceso cuando asesinan a adultos porque sé que han tenido una vida, que han vivido, han tenido su oportunidad y que, con suerte, habrán muerto luchando. Pero los niños… bueno, que mueran los niños me destroza. ¡Ni siquiera han llegado a conocer lo loco, maravilloso y sorprendente que es el mundo! Ni siquiera han conseguido tener aventuras.

Esta no ha tenido ninguna. Ni siquiera ha pasado por la etapa de «Qué bien que haya leche».

Una de las mujeres sostiene a un bebé con un halo de cabello rizado y pelirrojo como el mío, acurrucado en la curva de su brazo. Tiene una manita enroscada en el dedo de su madre y está congelado mirando a su mamá como si fuera el ángel más hermoso y mágico del mundo, que es exactamente como me sentía con respecto a la mía antes de que todo se volviera tan… eso. Tan.

Me pasa algo rarísimo que no entiendo para nada, pero empezaré a hacer lo que el resto del mundo hace y culparé a mis hormonas de todo porque era la más genial de todos hasta que me vino la regla.

Me pongo sentimental, como la típica bobalicona que se cree todos esos anuncios de tarjetas de felicitaciones, y pienso en mamá. Aunque me hizo cosas que a otras personas se les antojarían horribles, entiendo por qué me tuvo encerrada en una jaula. No había muchas opciones, no tenía mucho dinero y no siempre fue mala conmigo. Lo hacía para mantenerme a salvo. Jamás la culpé por tenerme en una jaula con un collar.

Solo deseaba que dejara de olvidarse de mí. Era como si no quisiera recordarme o tal vez deseara no haberme tenido.

Pero no siempre fue así con nosotras. Recuerdo sentirme increíblemente querida. Recuerdo cuando todo era distinto; la lástima fue que nunca pude regresar a ese tiempo.

De repente, noto esta puta cosa fría en el rabillo de los ojos, por dentro, como si intentara llorar, ¡y yo no lloro! Sea lo que sea, se me congela en cuanto sale. Me duele la cabeza, extiendo la mano y toco la manita alrededor del dedo de su mamá y se me encoge el corazón. Noto una presión horrible en los oídos y luego algo dentro de las venas emite una especie de sonido de chapoteo. No puedo respirar y tengo tanto frío que es como supongo que sucede cuando te dejan desnuda en el espacio.

El frío me corta, me arranca la piel, me pincha y me convierte en un cubito de hielo.

El frío toma otro significado y justo cuando creo que lo entiendo, como si fuera algún complejo estado dentro del que podría existir, da un vuelco y empiezo a notar una quemazón intensa. Tengo calor. Tengo tanto calor que empiezo a arrancarme la ropa y no puedo hacerlo lo bastante deprisa porque me noto pesada, lenta y estúpida y me doy cuenta de que, de alguna manera, vuelvo a moverme a cámara lenta.

¿Ha sido por tocar a la niña? ¿Por eso me ha dicho él que no tocara nada? ¿Que tocar algo tan frío podría quitarme de un plumazo la alta velocidad? ¿Cómo sabe eso, si es verdad? ¿Lo ha debilitado alguna vez y por eso lo sabe? De ser así, ¿por qué no lo mató entonces?

Hace demasiado frío a cámara lenta; como el espacio exterior, seguro.

Intento volver a desplazarme, pero caigo de rodillas. Tal vez he esperado mucho; quizás el instante en que he bajado la velocidad se ha prolongado demasiado.

¡Dios, qué frío está el suelo! ¡Duele, duele, duele! Acabo de pensar «Dios». No uso esa palabra. ¿Acaso creo? ¿He encontrado la fe aquí, de rodillas, ahora, al final? Me parece un poco hipócrita de mi parte. No pienso morir como una hipócrita. Me echo a reír. No estoy temblando. Tengo calor, muchísimo calor.

A pesar de todo, trato de captar más detalles. Curiosidad. El gato está a punto de morir. Casi que es lo mejor. Hay una especie de vacío. Algo va mal, falta algo que no he podido notar a cámara rápida, pero no sé decir qué es. Las cosas que me rodean, la gente y todo parece… de alguna manera plano, desprovisto de un ingrediente esencial que le daría multidimensionalidad.

—Ry… —No consigo decir su nombre entero.

Lo oigo gritar, pero no entiendo las palabras y suena raro, como si estuviera hablando contra una almohada.

Intento quitarme los pantalones; necesito quitármelos. Están fríos, muy fríos. Tengo que quitármelo todo. Hace tanto frío que la piel me arde. Él lucha contra mí e intenta que no me los quite. «Déjame», intento decirle, pero no me sale nada. Necesito quitármelos. Si puedo quitármelos, puede que me sienta mejor.

Y lo único en que puedo pensar es...

«¡Ayúdame!», grito mentalmente.

Se me está apagando el corazón. Reúne toda la energía para un último y violento latido que diga «vete a la mierda», pero solo logra emitir un ruidito parecido al que se oye cuando aprietas un juguete de goma.

No puedo morir así. Tengo cosas que hacer. Mi aventura acaba de empezar. Todo se vuelvo negro. Veo la Muerte y no es tan fascinante. Es un mazo.

Mierda. Sé qué es el rigor mortis y sé que se me va a quedar el rostro fijo. Estoy escogiendo cómo quiero que quede.

Busco una risa desde lo más profundo de mi interior; siempre intento reír porque estar viva es la mayor aventura del mundo, tío. Ha sido un viaje increíble: corto pero estupendo. Nadie puede decir que Dani Mega O'Malley no vivió mientras estuvo aquí.

¡No me arrepiento de nada!

Corto y cambio.

QUINCE

«Hot child in the city»
('Una chica ardiente en la ciudad')

Les pierdo el rastro por un minuto, distraído por una mujer *unseelie* en las calles que tiene lo que el montañés de las Tierras Altas que llevo dentro considera partes repugnantes, pero que el príncipe en mí cree que son las adecuadas. El sexo se ha vuelto increíblemente raro. Increíble pero raro, vamos. Ella está a unas manzanas al sur de la iglesia y desprende feromonas que hacen que la polla se me ponga dura y me roce el vientre. Cuando me doy cuenta de lo que le ha sucedido a Dani, tengo una razón más para odiar a Ryodan y a todo el puto mundo, como si necesitara una.

—¡No! —rujo mientras me apresuro hacia el borde del tejado. Eso es lo malo de ser mestizo: el montañés en mí quiere bajar por las escaleras y el *unseelie* quiere usar las alas.

Lo malo es que no las tengo todavía.

Mi corazón toma la decisión sin mí e intenta llegar a ella de la manera más rápida posible.

Salto.

Maldigo mientras caigo en picado cuatro pisos y me preparo para el impacto. A diferencia de lo que ella cree, no puedo tamizarme todavía, así que no puedo ahorrarme la caída. ¿Qué clase de idiota se rompe la crisma en el preciso momento en que su damisela en apuros lo necesita más? Hasta ahora, no me ha importado no poder tamizarme. Creo que ese es el punto sin retorno. El día que pueda desaparecer de la existencia en un parpadeo y regresar con solo pensarlo ya no seré humano.

Giro en el aire e intento caer de pie.

Me quedo atónito al comprobar que funciona. Cada día descubro nuevas cosas sobre mí mismo, la mayoría me disgustan, pero este es un buen cambio. Mi centro de equilibrio ha cambiado. Giro y me recoloco de un modo impecable. Mis huesos parecen haber desarrollado una increíble resistencia gomosa. Se me doblan un poco las rodillas de una forma distintivamente inhumana con el fin de absorber el impacto. Aterrizo como un gato. Me miro los pies, que están intactos y funcionan a la perfección. Lo único en lo que puedo pensar es: «Joder, acabo de caer desde...».

—¡Sácala! ¡Ahora mismo, puto gilipollas!

Levanto la cabeza.

Hay un adolescente con gafas fuera de la iglesia que está mirando hacia dentro y le grita a Ryodan. No tengo ni idea de quién es o de dónde ha salido, pero acaba de decir mi frase, aunque yo lo habría hecho sin lo de «puto» y con un buen «cabronazo».

El chico aprieta los puños con fuerza y está pegado a la jamba de la puerta de la iglesia. Tiene el rostro y el pelo escarchados y está temblando.

Le doy un empujón para pasar, apartándolo con el hombro.

—No te necesita, humano inútil. Piérdete, anda.

Me gruñe.

Me echo a reír. Para mirarme a la cara y gruñirme se necesitan dos cojones bien puestos.

—Felicidades, niñato. Ahora vete a cagar y muérete antes de que decida meterte esos cojones que crees que tienes por la garganta.

Entro a la iglesia para rescatar a Dani y matar a Ryodan por llevar a una flor de invernadero a una zona ártica.

El frío me golpea como un muro de ladrillo y me detiene en seco. Se me forma una sólida capa de hielo en la piel. Al flexionar los músculos, el hielo se rompe y cae al suelo con un tintineo de mil cristales. Doy otro paso y me congelo; a medio paso esta vez, mientras todavía me estoy moviendo.

Pasé una pequeña eternidad en la prisión *unseelie* y nunca tuve este problema, y eso que ahí hacía un frío de mil demonios. Soy mitad príncipe *unseelie*. No creí que hubiera algún lugar demasiado frío para mí. ¿Cómo puede aguantarlo ese ca-bronazo de Ryodan si yo no puedo?

Doy otro paso, me congelo de nuevo, lo rompo y retrocedo. No me hará ningún bien congelarme como el hombre lata y no poder ayudarla. No entiendo cómo puede estar pasando. El frío en el reino del rey *unseelie* me congeló el alma y me hizo odiar estar vivo. Esto es peor. Nunca creí que hubiera nada peor. Hay algo familiar en este lugar, en esta escena, en este frío. Un *déjà vu*. Desprecio este frío. Me hace sentir malestar hasta en el tuétano, como vacío, hueco, de alguna manera... Imperfecto. Entrecierro los ojos y miro alrededor.

«¡Dani!»

Está tendida en el suelo y no es el frío lo que me corta la respiración. Tiene los vaqueros arrugados por las rodillas. Lleva un sostén y bragas de color negro con pequeñas calave-ras y tibias cruzadas. Sacude los brazos y las piernas, gritando incoherentemente.

Y no puedo llegar hasta ella. ¡Mi chica está medio desnuda, muriéndose, y no puedo acercarme siquiera!

Me empujo hacia delante. Me congelo. Rompo el hielo y retrocedo.

«¡Mierda!»

Ella está intentando quitarse el resto de los vaqueros y él lucha contra ella, intentando que no se los quite. Tiene que sa-carla de aquí. ¿Por qué desperdicia el tiempo tratando de que no se desnude?

—¡Tráela hasta mí! —le exijo.

—¡No te desplaces con ella! —brama el chico de las escale-ras. Tiene buenos pulmones—. ¡Si te mueves muy deprisa, la matarás!

—Qué coño sabes tú —dice Ryodan.

—¡Todo lo que hay que saber sobre hipotermia! Y apuesto a que ninguno de vosotros puede darle calor. ¡Tráe-mela si quieres que viva! Deja de intentar ponerle la ropa. ¡No va a funcionar!

—Vete a la mierda, niñato —dice Ryodan, pero deja de in-tentar vestirla y la toma en brazos. Se le caen los pantalones al suelo; está casi desnuda en sus brazos. No puedo ver más allá de la rabia que me nubla la mirada.

—¡No la muevas más de lo necesario! ¡Harás que le entre sangre fría al corazón y le bajará en picado la temperatura corporal! —grita el chico.

Ryodan camina con ella en brazos muy despacio.

Dani ha dejado de sacudirse.

Tampoco emite ningún sonido. Se ha quedado débil. Los brazos y las piernas caen pesadamente como una muñeca de trapo con cada paso que da. Como la haya matado, pienso darle una paliza y comérmelo a pedacitos con salsa barbacoa.

Casi no puedo contener mis pies; me entran ganas de atacarlo al pasar. Me vienen a la cabeza unas gloriosas y hermosas escenas de muerte y destrucción, campos de batalla y cámaras de tortura. Son unas imágenes tentadoras, rozando lo sexual, que me incitan a golpear, atropellar y arrasar con todo lo que encuentre a mi paso, sin importar las consecuencias, porque no hay consecuencias para lo que me estoy convirtiendo.

Cuando pasa junto a mí, los puños me chorrean sangre. Pero no peleo por ella. Si lo hago, podría matarla. Eso me convertiría en algo peor que un príncipe *unseelie*.

—¡Tú! —El chico me clava un dedo—. Necesito sacos de dormir, una manta isotérmica y compresas calientes. Lo encontrarás en la tienda de deportes que hay en la Novena con la Central. Tráeme azúcar, gelatina y agua, si es que la encuentras. No pierdas tiempo si no la localizas. Y tráete un generador también. ¡Ahora!

—¡No hago recados para los humanos!

Pero arrancaría la luna del cielo por ella.

Cuando regreso con las mantas y las compresas calientes, Dani está tumbada en la acera del lado opuesto de la calle de la iglesia.

El niño con gafas está en ropa interior. Al parecer, el cabronazo no lleva nada puesto.

La rabia me ciega aunque me esfuerzo por controlarme. La parte humana de mi cerebro sabe exactamente por qué se ha quitado la ropa: para taparla bien. Necesitaba todo lo que llevaran puesto. Está enroscada en posición fetal, envuelta en sus pantalones, su camisa y sus chaquetas. La parte *unseelie* de mi cerebro no comprende nada salvo que hay dos pollas demasiado cerca de algo que es mío.

El chico está encima de ella, tocándola con manos y rodillas, con su rostro rozando el de ella como si estuviera besándola.

Ryodan parece estar a punto de arrancarle la cabeza. Al acercarme, veo que el chico respira sobre su nariz y boca, dejando que la respiración le suba por las fosas nasales. Tiemblo de la rabia. Vuelvo a apretar los puños, que me sangran de la fuerza que ejerzo.

—Sigue enroscándose —dice Ryodan.

—Es el instinto. Las personas que están congelándose lo hacen cuando están a punto de morir.

—Como la dejes morir —le digo al chico—, te mataré de todas las maneras en que puede morir un humano, te reviviré y volveré a matarte.

—¿Has conseguido lo que necesito? —El niño extiende una mano y hace caso omiso de mi amenaza—. La manta isotérmica. Ya. Y cuidado cuando la mováis —dice por encima del hombro, como si ni siquiera supiera que dos maníacos homicidas observan cada uno de sus movimientos y lo quieren muerto solo por estar tan cerca de ella—. Nada brusco.

—¿Por qué isotérmica? —Quiero saber exactamente qué está haciendo para poder hacerlo yo mismo cuando haya una próxima vez. Diría que no volverá a pasar, pero desde que los muros cayeron siempre hay una próxima vez.

—Es muy, muy aislante. Conserva el calor y mantiene fuera todo lo demás.

Ryodan y yo la colocamos con sumo cuidado sobre la manta. El chico se estira sobre ella de nuevo. Dani sigue inmóvil. No veo que se le mueva el pecho al respirar. Está pálida y quieta como un cadáver. No obstante, me excita de una manera perturbadora. Nunca he visto a una princesa *unseelie*, pero sospecho que son así: blancas, frías y hermosas.

—¿Respira?

—A duras penas. Su cuerpo usa todo lo que tiene para que el cerebro y los órganos sigan funcionando. Necesita orinar.

—¿Cómo coño sabes tú eso? —dice Ryodan.

El chico no gira la cabeza ni lo mira siquiera; se limita a hablar por encima de la nariz de Dani.

—Come y bebe constantemente. Tiene la vejiga, por lo menos, medio llena. Su cuerpo está desperdiciando una energía muy valiosa intentando evitar que la orina se congele en la vejiga. Necesitamos que esa energía vaya al corazón. Por lo tanto, necesita orinar y cuanto antes, mejor. Queremos que esté consciente para poder hacerlo, a menos que tengáis un catéter a mano.

—Despiértala —gruñe Ryodan.

—No vas a ponerle un catéter —rezongo.

—Haré lo que tenga que hacer para salvarle la vida, imbéciles engreídos —espeta el chico.

Abre un paquete de compresas calientes y se las coloca bajo las axilas y en la ingle. Luego se tumba junto a ella.

—Envolvednos con los sacos de dormir.

Miro a Ryodan y él me devuelve la mirada; por un segundo creo que es posible que ambos matemos al chico. Ryodan tiene una expresión más pétrea de lo habitual, si es que eso es posible, y enseña los colmillos. Bajo la mirada. La polla de Ryodan es tan grande como la mía.

—¿Por qué coño no usas ropa interior? —Para un príncipe *unseelie*, exponer la polla es querer la guerra.

—Me irrita. Es demasiado pequeña y me aprieta.

—Vete a la mierda —digo.

—Tíos, superadlo ya —dice el chico—. Envolvednos. ¿Queréis que muera o qué?

—No deberías haberla traído. Pienso matarte por esto —le digo a Ryodan mientras ayudo a tapar a un chico casi desnudo junto a mi chica.

—Le he dicho que no tocara nada —argumenta Ryodan—. Sabía que le haría perder su velocidad. Se lo he estado recordando en cada escena que hemos visitado. Y hazlo ya, montañés, si es que te crees preparado.

—Ya sabemos lo bien que se le da prestar atención —dice el chico secamente.

Ryodan le echa una mirada que haría callar a hombres adultos, armados y psicópatas.

—No tenía motivos para tocar nada.

—Obviamente pensó lo contrario —dice el chico, completamente impávido.

—Estaba allí con ella. Creía que podría sacarla.

—Pues te has equivocado, cabronazo —digo.

—No pensé que la afectaría tan rápido si lo hacía. A mí no me hizo nada cuando lo intenté.

—Ella no es como tú. Y callaos ya —ordena el chico, que pone la cara sobre la suya otra vez, respirando y ahuecando las manos alrededor de ambos rostros para mantener el aire cálido ahí.

—¿Por qué estás haciendo eso? —digo.

—Aire cálido. Hipotálamo. Regula la temperatura interna y la ayudará a recuperar la consciencia. Necesito que esté consciente para que pueda orinar.

—Yo la habría frotado para calentarla, para restaurarle la circulación.

—Qué listo. Pues la habrías matado. Su sangre está demasiado fría y le habría detenido el corazón.

—No entiendo por qué se ha desnudado —dice Ryodan. Lo miro. Está haciendo lo mismo que yo: quiere aprender qué debe hacer por si esto volviera a suceder. Ambos habríamos salido corriendo con ella, en un intento de llevarla a algún lugar cálido. Y, según este chico, ambos la hubiéramos matado.

—Los vasos sanguíneos se dilatan. Pensó que tenía calor. A los excursionistas que mueren en las montañas se les suele encontrar desnudos y con la ropa doblada cerca. Se confunden. El cerebro intenta ordenarse en medio del caos.

—¿Cómo sabes todo esto? —Me jode que él lo sepa y yo no. Eso lo convierte en mejor hombre para ella en esta situación y yo quiero ser el mejor hombre para ella en todas las situaciones.

—Mi madre era doctora. Casi morí de hipotermia en los Andes una vez.

—Yo casi te maté —dice Ryodan.

—No puede oírte —apunta el chico.

—No hablaba con ella.

—Dame más compresas calientes —pide el chico—. ¡Mierda, está fría!

—Hace unas pocas semanas. Casi te maté.

El chico lo fulmina con la mirada. ¿Cómo puede ser que un chico tan joven tenga los cojones de gruñirme a mí y mirar así al cabronazo?

—Me escondía en las sombras de un callejón por el que caminabas. No me hubieras visto venir. Dani habría muerto esta noche si te hubiera matado —explica Ryodan.

—¿Eso es una disculpa? —me mofo.

—¿Ella jadea de horror cada vez que te ve, montañés?

Despliego unas alas que aún no están ahí y siseo.

—Habláis demasiado —dice el chico—. Callaos. No me obliguéis a decíroslo otra vez.

Nos callamos, lo que encuentro la mar de gracioso.

De repente, nos veo desde arriba. Últimamente lo hago mucho. Creo que es porque estoy perdiendo mi humanidad y es mi manera de marcar mi descenso al infierno. Observo que hay solo un hombre humano en esta escena y no soy yo.

Veo a una niña, casi mujer, radiante, que tiene más curvas bajo la ropa de lo que supuse, y por la manera en que Ryodan la mira, él tampoco se lo había imaginado. Le falta sangre, está azulada y enroscada con fuerza entre los brazos de un adolescente semidesnudo que podría haber sido... que debía haber sido yo. Hay dos monstruos de razas muy distintas que la vigilan, pero monstruos al fin y al cabo.

La muerte a su izquierda.

El diablo a su derecha.

El chico se parece a mí cuando tenía su edad, excepto por las gafas y unos cuantos centímetros más de altura. Tiene el pelo oscuro, una gran sonrisa y unos hombros anchos; este muchacho será guapo.

Si sobrevive a la próxima semana.

Ahora mismo, apostaría bastante en contra.

Está en un saco de dormir con ella, abrazándola. Ella lleva ropa interior de calaveras y tibias cruzadas. Me vuelve loco.

Como yo lo veo, si no es Ryodan quien acecha en ese callejón oscuro la próxima vez, seré yo.

DIECISÉIS

Lucho contra la autoridad y ~~la autoridad siempre gana~~ tal vez gane siempre.

*D*escubro algo nuevo que me toca las narices.

Morir es la parte fácil. Volver a la vida es lo jodido.

En un segundo me he ido; ni siquiera existo. Al siguiente, ardo de dolor.

Oigo voces que hablan, pero noto como si alguien me ejerciera presión sobre los ojos y ni siquiera intento abrirlos. Me duelen tanto que quiero perder la conciencia una vez más. Gimo, sintiéndome miserable.

—Has dicho que podíamos moverla, así que hagámoslo. Ahora. La llevaremos a mi casa.

Es Christian. Me pregunto qué está haciendo aquí.

—No se irá a ningún lado contigo. Vendrá conmigo. Si te equivocas y no es seguro ahora, niñato, estás muerto.

Ese es Ryodan. Pero ¿a quién ha llamado niñato? La única persona que conozco a la que llama «niña» es a mí...

—No pienso correr riesgos con ella. Es seguro.

—¿D... Da... Dancer? —balbuceo.

—Tranquila, Mega. Has estado a punto de morir. —Cierra la mano en torno a la mía y se la aprieto. Me gusta su mano: es grande y me aprieta con cuidado a la vez que me infunde seguridad. Es un gesto que dice: «te tengo si quieres, pero te soltaré si prefieres correr un rato»—. No se irá con ninguno de vosotros. Se vendrá conmigo —dice él.

—¡Y una mierda! —grita Christian y, de repente, veo luces que brillan detrás de mis párpados por la inmensidad de su voz y el dolor que siento.

Ryodan dice:

—Está débil y no tienes lo que hay que tener para protegerla.

—No... no estoy débil —murmuro—. Nun... nunca estoy débil. —Abro un poco los ojos y la ligera luz de la calle casi me parte la cabeza en dos. Los vuelvo a cerrar. Mierda. Sí, estoy débil.

—Y tanto que lo haré.

—Yo entré como quise a tu casa y te la quité.

—No estaba ahí en ese momento. Si no, no lo hubieras conseguido.

Ryodan se ríe.

—Insignificante humano.

—Se viene conmigo —sentencia Christian.

—Oíd, tíos, me siento muy mal —digo—. ¿Cuál está más cerca?

—Mi casa —dice Christian.

—Y una mierda —dice ahora Ryodan.

—Ni siquiera sabes dónde está —dice Christian.

—Yo lo sé todo.

Dancer tercia:

—El Chester's.

A él le digo:

—Llévame ahí y de... deprisa. Me muero de hambre y me estoy co... con... congelando.

Cuando entramos al Chester's, el ruido casi me hace estallar el cerebro. Estoy tan enferma que me tambaleo. Ryodan le dice a Lor que consiga mantas calientes y las lleve a una habitación en algún lugar de arriba. Espero que esté insonorizado. Conociendo a Ryodan, lo es. Al igual que Batman, el tío tiene todos los mejores juguetes. No me importa dónde ir; solo necesito tumbarme un rato. Quiero que dejen de hacerme caminar pero he insistido en que me dejaran hacerlo porque detesto que me lleven a cuestas, así que estoy fingiendo. Me duele hasta el último músculo y tengo calambres. No puedo pensar con claridad.

—Saquen al niñato de aquí —le dice Ryodan a otro de sus hombres.

Se acercan dos de sus secuaces; cada uno le coge de un brazo.

—¡Dejad a Dancer en paz! —digo.

—No pasa nada, Mega. Tengo cosas que hacer de todas maneras. Cuídate, ¿me oyes? —Me mira con intensidad y por un segundo quiero que todo el mundo se vaya y me deje a solas con él. La vida es muy fácil con Dancer. Quiero preguntarle cómo terminó en la calle conmigo. Quiero saber qué sucedió. Alguien me ha salvado la vida esta noche. Quiero saber quién ha sido y todos los detalles.

Pero no quiero que esté aquí. No en el Chester's. No quiero que este sitio le pervierta.

—¿Nos vemos esta noche? —pregunto.

Él sonríe.

—Eso espero, Mega. Tenemos una película por ver.

—Echadlo de aquí. Ahora —ladra Ryodan.

Dancer me impresiona muchísimo al zafarse de sus manos con una sacudida y decir, muy tranquilo:

—Puedo salir solo. —No se sacude la testosterona de encima como un perro mojado para secarse. No pierde la cabeza ni las formas. Se ocupa de sí mismo y punto.

Lo observo irse pero, de repente, Ryodan me hace girar, maniobrándome como si fuera un auto de choque. Pide que traigan agua caliente y gelatina, y le dice a Christian que se largue de su club.

Christian se echa a reír y se sienta tranquilamente en un taburete del subclub más cercano a las escaleras.

Mientras subo las escaleras cojeando, veo algo extraño. Ryodan se detiene un segundo y miro hacia atrás. Mira en dirección a la pista de baile, al subclub infantil y, como si ella pudiera sentirlo o algo, Jo levanta la mirada, directamente hacia él. Parece que haya estado esperando ese momento, como si entre ellos hubiera una especie de cinta elástica y lo notara tirando de ella. Creo que lleva los reflejos más marcados que hace unos días: se le ven dorados en el pelo oscuro. Se ha vuelto a poner purpurina entre los pechos —no lo hubiera notado, ¡pero es que el brillo te hace mirar allí!— y lleva unas pulseras muy bonitas en los brazos. Ella nunca lleva joyas. Hasta sintiéndome tan enferma como me siento, reparo en que Jo tiene muy buen aspecto. Ryodan asiente de un modo casi imperceptible y ella se queda quieta. Luego, se seca las manos en la falda y traga saliva con tanta fuerza que veo cómo se le mueve la garganta desde aquí. Se miran y ninguno aparta la mirada. Al cabo de un buen rato, Jo asiente también.

«Pero ¿qué coño?», pienso. ¿Es empática como Kat? ¿Cómo ha sabido lo que le estaba diciendo? Y, a todo esto, ¿qué le ha dicho? ¿Y por qué le está dando la bandeja a otra persona?

Entonces me flaquean las piernas porque llevo fingiendo que estoy bien bastante rato, y él me sujeta antes de caer al suelo. Me coge en brazos y yo ni siquiera lucho porque me siento demasiado abatida.

Me llevan a una habitación a unas pocas puertas del despacho de Ryodan y me tumban en una cama. Me acurruco sobre el suave colchón. Suspiro, aliviada, y pierdo el conocimiento. A los tres minutos, me cabreo porque Ryodan me despierta otra vez y me obliga a beber agua tibia con sabor a gelatina.

Al principio no quiero beber, pero sabe fenomenal.

—¿Qué ha pasado? —pregunto—. No sé, ¿he muerto y he resucitado? —¡Qué aventura! Me pregunto si eso constará en mi leyenda cuando muera de verdad. Me pregunto cuántas veces podré ganarle a la Muerte en vida. ¿No es genial?

—Bebe.

—¿De dónde ha salido Dancer? —Noto una punzada en el estómago—. Ay, me duele la barriga.

—Deja de tragar así. Bébetela a pequeños sorbos.

Vuelvo a ver algo extraño cuando vierte un segundo vaso de gelatina líquida tibia.

—Colega, estás tiritando.

—Me he enfriado demasiado.

Lor se ríe y le echa una mirada.

—O calentado, mejor dicho. Sal de aquí. Yo me ocupo.

Ryodan mira mi vaso. Ya he vaciado mi jarra y quiero más.

—Ya lo traigo yo —dice Lor—. Haz lo que tengas que hacer, jefe.

Me pregunto qué necesita hacer y por qué está temblando. Si esta es su debilidad, quiero saberlo todo. Qué pena que esté a punto de desmayarme otra vez.

Ryodan se incorpora.

—Cuídala. —Sale.

Lor dice:

—Duerme, niña. Volveré antes de que te enteres. Con barritas de chocolate.

Me desplomo sobre la almohada, me hago un ovillo y suspiro. Barritas de chocolate. La vida es dulce. Lo único que tengo que hacer es quedarme aquí tumbada, en esta cama cálida y acogedora, y esperarlas. Me han traído mantas calientes y alguien me traerá barritas de chocolate.

Pienso dormir varios días seguidos.

Me pregunto qué habrá pasado. Me muero por hablar con Dancer, pero eso tendrá que esperar.

Estoy a la deriva, justo a punto de desfallecer de nuevo cuando, de repente, me enervo. Acabo de caer en algo que me cabrea mucho.

¡Ya sé por qué Ryodan le ha echado esa mirada a Jo!

¡Porque están en su oficina ahora mismo y hablan de mí! Están conspirando y eso que Jo está muy preocupada por mí porque he estado a punto de morir.

Tratan de descifrar qué hacer conmigo, porque no me ciño a las reglas y he estado a punto de matarme esta noche. ¡Me fastidia muchísimo cuando los adultos se reúnen para hablar de mí! Al final, siempre acaban leyéndome la cartilla y dándome una lista completa de nuevas reglas que nadie en su sano juicio obedecería, la mayoría de las cuales no son ni siquiera lógicas ni inteligentes.

¿Cómo mierda iba a saber que si tocaba algo, aunque fuera diminuto, dejaría de desplazarme a supervelocidad? ¿Por qué no me lo dijo Ryodan sin más? En este caso, ¡no lo hubiera hecho nunca!

Pensando en cómo he estado a punto de morir esta noche, caigo en la cuenta de que ha sido culpa suya y me empiezo a cabrear. Me arrastro para salir del nido de mantas, cojo la espada, me acerco a trompicones a la puerta y salgo tambaleante al pasillo. Miro hacia un lado y hacia el otro, pero no veo a nadie, porque muy probablemente todo el mundo ya esté en su despacho, poniéndome a caldo.

Recorro el pasillo medio doblada, tropiezo y me apoyo en una pared y luego en la otra, usándolas para estabilizarme hasta que llego a su puerta. Estampo la palma donde siempre lo veo colocar la suya y la puerta se abre. Ni siquiera espero a que termine de abrirse antes de empezar a refunfuñar.

—No es culpa mía que casi haya muerto, colega. Es tu culpa y así es co... como... ¡Puaj! —Meneo la cabeza, horrorizada y... y... y...

Horrorizada.

Tengo la boca abierta, pero no logro articular palabra.

Ryodan me mira por encima del hombro.

Ahí está Jo, pero no están hablando. Está inclinada sobre su escritorio con la falda levantada y él le está haciendo eso que desearía no haberle visto hacer nunca. ¡Me cago en todo lo que se menea! ¿He pasado por un túnel del tiempo o algo? ¿Cuánto tiempo he tardado en llegar hasta aquí? ¿No hacen los adultos otras cosas antes de llegar a este punto? ¿Cómo, no sé, abrazarse, besarse, tocarse un ratito? Sé que me muevo rápido, pero ¡joder! Algunas cosas molan más si se hacen lentas, dándote la oportunidad de prepararte para lo que va a pasar.

Jo jadea y se vuelve con la cara como un tomate.

—¡Oh! ¡Dani! ¡Sal de aquí!

Veo más de Jo de lo que querría.

No están hablando de mí. Ni siquiera estaban pensando en mí.

¡Como si ni siquiera estuviera a unas pocas puertas de distancia, en mi lecho de muerte, sin que nadie se preocupe por mí en absoluto!

—¡Eres una traidora, acostándote con el enemigo! ¿Qué te pasa? ¡Esto es demasiado asqueroso!

—Vuelve a la cama, Dani —dice Ryodan, que me mira de una forma extraña.

Lo odio y la odio y odio esta estúpida puerta retráctil.

Ni siquiera puedo cerrarla de golpe al salir.

Me despierto y me siento increíble y es raro, porque suelo despertarme confundida y enfadada. De hecho, creo que debería estar al borde de la muerte más a menudo. No tengo ni idea de por qué me siento tan bien, pero me encanta, así que me estiro bien. Tengo los músculos descansados y relajados, y no siento ninguna contusión en ningún lugar, lo cual es imposible. Siempre tengo algún músculo tenso en alguna parte. Toda yo soy una contusión. ¡Estoy como si tuviera un cuerpo completamente nuevo! Me imagino que debo de estar en algún tipo de estado previo al despertar en el que nunca he estado antes, donde el cerebro se ha encendido, pero el cuerpo sigue adormecido. Noto que hay barritas de chocolate en la cama, ya derretidas por la calidez del nido. Tengo una aplastada entre la mejilla y la almohada y noto otra pegada en mi trasero. Despego las dos, abro una y me la como sin abrir los ojos, increíblemente feliz. Podría acostumbrarme a esto: sin dolor por los golpes y contusiones, y con el desayuno en la cama.

Entonces recuerdo dónde estoy, en el Chester's, y recuerdo lo que vi antes de dormirme: Ryodan haciéndolo con Jo. Sobre su escritorio.

¡Puaj!

¡No podré volver a ver ese escritorio en la vida! ¿Cómo voy a ir a su despacho ahora?

Estoy tan enfadada que me siento de golpe en la cama y me trago la última mitad de la barrita tan deprisa que se me queda atorada en la garganta.

Comienzo a asfixiarme y de pronto noto que un puño me golpea la espalda. Abro la boca y escupo la mitad de una barrita destrozada que va a dar contra la pared de cristal con un «plaf». Ver eso es demasiado desagradable a esas horas de la mañana. Me entran arcadas y me doblo intentando mantenerlo controlado.

Sí, este despertar es más parecido a mi rutina. Estoy jodida y confundida. Cuando vivía en la abadía, Ro me explicó que tenía los dolores típicos de crecer y que los superhéroes los notan de una forma más intensa que los demás. Me dijo que por eso necesitaba dormir tan intensa y profundamente, y despertar con lentitud, porque mi cuerpo tiene que trabajar más para repararme a nivel celular. Científicamente tiene sentido.

—No te iría mal masticar antes de tragar, niña —dice Lor a mi espalda.

—Nunca mastico más de una vez porque entonces no podría comer lo bastante deprisa. Tendría que pasarme el día masticando. Tendría los músculos de la mandíbula del tamaño de los bíceps de Popeye.

—Eres demasiado joven para saber quién es Popeye.

Cuando pasas la mayor parte de tu niñez en una jaula frente a un televisor, los conoces a todos. Me sé las canciones de *Green Acres* y de *La isla de Gilligan*. Hasta sé quién era la protagonista de *That Girl*. Aprendí todo lo que sé del mundo viendo televisión. Hay mucha psicología por ahí si prestas atención, y yo era un público la mar de entregado. Ro decía que crecer así me volvió así de melodramática, que creo que la gente tiene que ser tan impresionante como lo es en los programas. ¡Pues claro que sí! Pero no hizo falta que me lo contara la televisión. La vida es una elección: puedes vivir en blanco y negro o puedes hacerlo a todo color. ¡Me quedo con todos los tonos del arcoíris y los tropecientos que hay en el medio! Me levanto de la cama, cojo mi espada y voy hacia la puerta.

Lor está delante, con los brazos cruzados sobre el pecho.

—El jefe no ha dicho que puedas irte.

—Y yo tampoco he dicho que tu jefe pueda acostarse con Jo —le contesto muy tranquila, aunque dentro estoy hirviendo. No sé por qué me siento tan traicionada. ¿Por qué me importa? Son adultos y los adultos nunca tienen sentido. A Jo ni siquiera le gusta. Y sé que a él, ella, no le importa una mierda.

—Cariño, el jefe no le pregunta a nadie a quién puede follarse.

—Bueno, pues no volverá a hacerlo con Jo. Apártate de ahí. Largo. —Le diré a Jo que no pienso volver a dirigirle la palabra si vuelve a follar con él. La haré elegir y me elegirá a mí.

—¿Para que armes la gorda?

—Sí. —Ni siquiera intento negarlo. Estoy preparada para cortar cabezas y no me sentiré mejor hasta que consiga que alguien se sienta tan miserable como yo.

Me mira. Inclino la mandíbula con un aire desenfadado y juraría que se está aguantando la risa.

—¿Qué te pasa? ¿Te hago gracia? —Estoy hasta las narices de que la gente me sonría así. Dirijo la mano hacía la empuñadura de la espada pero, de repente, es su mano lo que toco. Todos son más rápidos que yo—. Pues no soy ningún chiste: soy peligrosa. Solo espera y verás. No he crecido del todo todavía, pero cuando lo haga, te daré tal patada que cruzarás el Chester's de una punta a otra. Espera y verás.

Me suelta y se aparta entre risas.

—Vete, niña. Crea problemas. Últimamente esto es aburridísimo.

De camino a la puerta, pienso que tal vez Lor llegue a caerme bien. Él también vive a todo color.

Cuando paso volando junto a la oficina de Ryodan, me parece notar una brisa y me giro deprisa, preparándome para pelear con él si es necesario, pero ahí no hay nadie. Sacudo la cabeza y bajo las escaleras saltando. Me desplazo de un lado al otro de los escalones porque tengo mucha energía esta mañana. Mientras me muevo, examino la pista de baile. Está llena; el lugar está en pleno apogeo. Parece que, o no he dormido mucho o me he pasado el día entero durmiendo y vuelve a ser de noche, porque ahí está Jo, sirviendo mesas en el subclub infantil, con sus piernas larguísimas luciendo y... ¡Joder! Entrecierro los ojos apoyada en la barandilla. Parece feliz. ¡Está resplandeciente! ¿Pero qué se ha creído? ¿Que está viviendo una especie de cuento de hadas? No lo es: estas hadas mutilan y matan, y el tipo con el que se acuesta se lo permite. ¿Cómo puede resplandecer por eso? Ni siquiera había amor ni nada. Solo... ¡Puaj! Ni siquiera puedo pensar en eso. ¡No consigo arrancarme esa imagen de la cabeza!

Me desplazo por el club, hiperrápido, empujo a la gente que se interpone en mi camino de izquierda a derecha. Oír gruñidos al pasar hace que me sienta mucho mejor en general.

Cuando me detengo frente a ella, parece sobresaltada y luego furiosa. ¿Qué motivos tiene para estar enfadada conmigo?

Coge la última copa de la bandeja, la coloca sobre una servilleta frente a un Rhino-boy y luego se lleva la bandeja al pecho con los brazos alrededor, como si fuera un escudo o algo.

—Traidora.

—Dani, no hagas esto. Aquí no. Ahora no.

—Hiciste eso ahí arriba —digo, señalando con el brazo el despacho de Ryodan—, sin preocuparte ni un segundo por mí. Mientras yo estaba en mi lecho de muerte, dos puertas más allá, tú te estabas tirando al tío del que viniste a rescatarme. De su calabozo, donde me tenía prisionera. ¿Te acuerdas?

—No es así.

—¿Qué? ¿Que no estaba en el calabozo? ¿O que tú no viniste a rescatarme de él? Y ahora no me vengas con que no estabais follando porque vi lo que vi.

—No creí que fuera a hacerte daño y no lo hizo. No nos hizo daño a ninguna de las dos.

—¡Nos tiene trabajando aquí para él como perras! ¡Tú estás sirviendo a los *faes,* y yo corro por ahí con su puta correa! Alimenta a los *faes* con personas, Jo. ¡Las mata!

—No lo hace. Dirige un club, no es su culpa que la gente quiera morir. ¿Qué se supone que tiene que hacer? ¿Convencerlos para que no lo hagan? ¿Empezar un servicio de asesoramiento en el Chester's? ¿Qué esperas de él, Dani?

La miro con incredulidad.

—¡Me tomas el pelo! ¿Ahora lo defiendes? ¿Tienes el síndrome de Estocolmo, Jo? —me burlo.

Ella se acerca a una mesa vacía y empieza a limpiarla, amontonando los platos sucios en la bandeja. Me pone más furiosa que limpie lo que ensucian estos monstruos y más aún que parezca contenta haciéndolo. Encima, cada vez está más guapa. No lo entiendo. Solía ser la mar de feliz con unos vaqueros y una camiseta, sin maquillar y, simplemente, pasando el rato con las demás chicas. Organizábamos fiestas de pijamas y veíamos películas. Ahora es superglamourosa y me jode.

—Pensaba que no sabías qué era.

—Lo busqué y, tía, eres un caso de manual. Le permites que te joda de todas las maneras. ¿Cuánto crees que va a durar? ¿Piensas que te regalará flores? ¿Crees que vas a tener una relación estable con el dueño del Chester's?

Deja una pequeña torre de vasos en la bandeja y me mira, exasperada.

—Oye, ¿podríamos dejar de hablar de esto ahora?

—Claro. Si me dices que nunca más te acostarás con él, me iré. Ahora mismo. Fin de la conversación.

Tensa la mandíbula. Mientras limpia la mesa con un trapo húmedo, levanta la mirada hacia el despacho. Me jode la expresión dulce que pone al mirar hacia arriba. La tensión se desvanece y parece una mujer enamorada. Me repatea. Lo odio.

Me mira.

—No, Dani. No lo haré. Y no te metas en esto porque no es asunto tuyo. Son cosas de adultos entre adultos. —Se da la vuelta y se va hacia la barra con la bandeja a rebosar. En la distancia oigo a varios *faes* pidiendo copas, tratando de llamar su atención, pero no me importa. Soy yo la que quiere su atención.

Me desplazo detrás de ella con fuerza, provocando una ráfaga de aire en el subclub y casi hago que se le caiga la bandeja de las manos. Tiene que esforzarse para atraparla; casi no lo consigue. Ryodan no es el único que puede joder a las personas y a las cosas.

—No me dejes hablando sola. No he terminado.

—Sí has terminado.

Le siseo al oído:

—¿No lo entiendes? Este tío no te querrá nunca. No está hecho de esa manera. Solo está usándote y después te dejará. Serás como un trozo de papel higiénico sucio que ya no quiere.

Inhala con fuerza y me mira por encima del hombro de una forma que me mata.

Me hundo en la miseria y me doy asco por lo que le acabo de decir. Y lo odio a él porque sé que es verdad. Jo nunca será capaz de mantener el interés de Ryodan. Es demasiado buena, limpia y agradable por dentro. No tiene ni una pizca de malicia ni habitan sentimientos crueles en ella. No es lo suficientemente complicada para él. Ryodan es así de retorcido. He escogido a la persona equivocada para regañar. Tendría que haberlo elegido a él. Le hará daño y no se lo perdonaré nunca. Así que, aquí estoy, hiriéndola yo primero. Joder, soy imbécil.

—¿En serio crees que no lo sé? —Si no estuviéramos en el Chester's, estoy bastante segura de que las lágrimas empezarían a brotar y a deslizarse por sus mejillas.

Me siento mezquina por haberle dicho algo así. Quiero abrazarla. Quiero huir. No quiero hacerle daño a Jo. Debería haber tenido la boca cerrada. No puedo tener la boca cerrada. Los adultos son muy raros. ¡Pero no lo entiendo!

—Entonces, ¿por qué? ¿Por qué harías algo que sabes que terminará mal? ¿Por qué hacer algo que sabes que te hará daño?

—Eres demasiado joven para hablar de este tipo de cosas.

—Ay, vamos, Jo, soy yo. Nunca he sido joven. La vida no discurrió de esa manera en mi mundo. Dímelo.

—Es complicado.

—Como si todo lo demás no lo fuera. Inténtalo.

No dice nada, así que me limito a esperar. Cuando se hace un largo silencio normalmente la gente lo llena con algo.

Este se extiende. Al final, aparta la mirada como si estuviera avergonzada y en un tono muy bajo, como si estuviera hablando consigo misma y no para mí, dice:

—Cada mañana sube a lo más alto de las escaleras, contempla el club desde arriba y se queda ahí. Parece tan grande, poderoso, apuesto y... —Traga con fuerza como si se le acabara de secar la boca— *sexy*. Joder, es muy *sexy*. —Sus ojos cobran una expresión rara e intensa, como si estuviera recordando algo, luego emite un sonido suave y no dice nada durante unos segundos—. Y es gracioso. ¿Sabías que es gracioso? Deberías saberlo porque pasas mucho tiempo con él.

Aprieto los puños. Pues claro que lo sé. Lo que no sabía era que lo supiera ella. ¿Qué es lo que hacen? ¿Se hacen bromas como Dancer y yo?

Su expresión parece lejana, como si observara un recuerdo.

—Cada mañana al terminar el turno de noche, elige a una mujer de entre la multitud y le hace un gesto con la cabeza. Ella sube y cuando por fin aparece en el club es como... —Tiembla como si tuviera la piel de gallina—. No sé, te preguntas qué le ha hecho para que tenga ese aspecto. La ves caminando por ahí, sonriendo, moviéndose de una forma distinta a como se movía antes de irse con él, y sabes que algo ha pasado allá arriba que la ha hecho sentir más viva que nunca. Sabes que la ha hecho ser de la manera en la que toda mujer espera ser con un hombre, aunque solo haya sido por una vez en la vida. Un hombre tiene que ver a las mujeres de cierta forma para que sea así. Intentas no pensar en él, pero no funciona. Juré que si alguna vez me hacía ese gesto, no iría.

—Colega, despierta. Has ido.

—Lo sé.

Resplandece otra vez como si hubiera ganado algún tipo de premio en lugar de haber sido elegida por un sociópata de primera para ser su lubricante desechable.

—¿Por qué él? —No lo entiendo y quiero hacerlo. No quiero pensar que Jo sea una traidora. Ya perdí a Mac y no quiero perderla a ella también—. ¡Sabes cómo es!

—No es un mal hombre, Dani.

—Y una mierda.

—No todo es blanco o negro como tú quieres que sea.

Algunas cosas lo son y Ryodan es más negro que el alquitrán. Es uno de los tipos malos. Punto. Fin de la discusión. Estoy cabreada. Jo tiene que despertar y bajar de las nubes antes de darse una buena hostia.

—¿Y cuando suba estas escaleras mañana y elija a otra? —pregunto—. Es solo cuestión de tiempo, Jo. Sabes que lo hará. Estarás aquí con esta cara embelesada y soñadora que tienes ahora y elegirá a otra camarera. Nunca volverás a subir porque un tío así no le da al botón de repetir. Cuando termina, termina. ¿Cómo te sentirás en ese momento?

Se aleja.

La sigo, le toco el codo y hago que se detenga.

—¿Y bien? ¿Qué crees, Jo? ¿Que eres especial? ¿Que serás la que lo cambiará? Eso no te lo crees ni tú. ¿Crees que iréis a comprar muebles juntos? ¿Crees que te preparará el desayuno todas las mañanas?

Inhala como si se hubiera olvidado de respirar y al recordarlo después no pudiera soltar el aire lo bastante deprisa.

—Sé lo que hago, Dani.

—Está bien, entonces puedes explicármelo, porque a mi modo de ver esto parece una soberana estupidez.

Vuelve a distanciarse y a hablar en voz baja, como si yo no estuviera aquí. Incluso con mi superaudición tengo que aguzar el oído para entenderla.

—Hay hombres con los que construyes un futuro, Dani. Y luego hay hombres con los que sabes, de entrada, que solo estás creando un recuerdo. Conozco la diferencia entre ambos.

A mí no me lo parece.

—Para según qué recuerdos vale la pena pagar el precio. Yo me ocuparé de eso.

Pero no lo hará; sé que no lo hará. Conozco a Jo. Es inteligente, amable y tiene el corazón de una guerrera, pero no tiene hielo y cuchillas donde se supone que está el alma. Ella ama. Y no sabe cómo dejar de hacerlo cuando se debe, porque hay veces que está claro que hay que hacerlo. Tienes que coger el alma con ambas manos y tirar de ella antes de que alguien la convierta en cuchillos y la use para cortarte en pedacitos. No será capaz de lidiar con eso. Y yo tendré que limpiar el estropicio que ha provocado Ryodan y matarlo. Inhalo con fuerza.

—Eres muy boba y paso de seguir hablando contigo. Tienes que abrir los ojos.

—Y tú tienes que dejar de juzgar a todo el mundo.

—No me conoces. Y prefiero juzgar a la gente antes que ser una imbécil que no puede decidirse sobre nadie ni nada y luego se ve metida en toda clase de mierdas.

—Dani, por favor no…

—Tengo los oídos llenos. ¡No oigo nada más! —Me doy media vuelta y comienzo a desplazarme. No tengo ni idea de qué es lo que me hace levantar la vista. Es una sensación extraña, como si llevara atada una banda elástica y alguien desde lo alto de las escaleras tirara de ella.

Ryodan está arriba, mirándome. Y pienso en lo que Jo ha dicho de que parece grande, poderoso y atractivo.

Nuestras miradas se cruzan.

La mía dice: «No vuelvas a elegirla más. Déjala en paz».

La suya dice algo que no entiendo. Luego le noto ese temblor ocular y recibo un claro: «Vete a casa, niña».

Mira más allá de mí, hacia Jo, y le hace un gesto con la cabeza.

DIECISIETE

«*These girls fall like dominoes*» ('*Estas chicas caen como fichas de dominó*')

«*T*ú y yo no somos tan diferentes», dice Cruce mientras se mueve dentro de mí. «Ambos nacimos para mandar.»

Trato de despertarme con todas mis fuerzas. Estoy en el Sueño y él me tiene en sus alas. Él apareció en cuanto me quedé dormida; me esperaba al final de un camino de mármol blanco en un jardín de exquisitas rosas de color sangre. Me tumba sobre ellas, aplastando los pétalos de terciopelo, y me preparo para las espinas.

«No debes arrepentirte, Kat. El sol no se arrepiente al salir.»

Me penetra hasta el fondo y me llena por completo, haciendo que todas las terminaciones nerviosas de mi cuerpo vibren con un éxtasis erótico. Arqueo la espalda y siseo de placer.

Gobernaremos el mundo y todos nos amarán. Los salvaremos.

—¿Sueñas conmigo, mi dulce Kat?

Como una bola de nieve que ha caído, mi mundo de ensueño se quiebra y recuerdo por qué le pedí a Sean que pasara la noche conmigo en la abadía, por qué lo hice entrar en mis habitaciones por la parte trasera a hurtadillas: para salvarme de Cruce y mantenerme conectada al mundo que conozco y amo.

Me cobijo en brazos de Sean y me acerco a su pecho, temblando por un miedo que finjo, es deseo. Hacemos el amor rápido, con fuerza y rudeza. No sabe que estoy intentando quitarme a otra persona de la cabeza.

Alguien que hace que me corra con más fuerza. Mejor. Más.

Sean, mi amor, mi amigo de la infancia, mi amor adolescente, mi compañero del alma. Nunca he conocido la vida sin él. Compartimos un parque infantil y fuimos a nuestro primer día de escuela juntos. Tuvimos el sarampión la misma semana, pasamos nuestra primera gripe acurrucados bajo las mismas mantas frente a la televisión. Tuvimos espinillas y nos deshicimos de ellas. Él estaba allí la noche en que me bajó la regla por primera vez, y yo le acompañaba el día en que le empezó a cambiar la voz. Lo sabemos todo el uno del otro. Nuestra historia es rica y extensa. Me encantan sus ojos oscuros, su pelo negro y su piel clara, típica irlandesa. Me encanta su forma de llevar un jersey de pescador con vaqueros gastados y siempre tiene una sonrisa en la recámara. Me gusta mucho lo fuertes que tiene los brazos tras años de tirar de las redes de pesca y la forma en que mueve su cuerpo de largos miembros, la expresión que tiene cuando está absorto en un buen libro y cómo le siento cuando se mueve dentro de mí.

—¿Estás bien, cariño? —Me aparta una maraña de pelo de la cara.

Apoyo la cabeza en su pecho y oigo el latido de su corazón, fuerte y seguro. A veces, creo que tiene un cierto toque de mi don *sidhe-seer*, porque sabe leerme. Sabe lo de mi empatía emocional desde que éramos niños. No le molesta nada de mí, que es un don muy raro en aquellos que entienden completamente lo que hago. Pocos pueden mentirme. Percibo sus conflictos internos, a menos que no sientan culpa ni escrúpulos ante nada, y he tenido la suerte de encontrarme con muy pocos así en mi vida… Últimamente, todos ellos en el Chester's o cerca del club, vaya. No conozco la verdad, solo sé que hay mentiras. Solo un hombre extraordinariamente sincero puede amarme. Ese es mi Sean. Aprendimos a confiar en el otro completamente antes de tener la edad suficiente para haber aprendido a sospechar.

—¿Qué pasa si no puedo hacerlo? —le pregunto. No entro en detalles. Con Sean no hacen falta muchas palabras. Terminamos las frases del otro desde que éramos jóvenes. Éramos vírgenes cuando hicimos el amor por primera vez y nunca ha habido nadie más para ninguno de los dos.

Ahora tengo un amante invisible que viola todo lo que aprecio y hace que lo desee a él y no a mi Sean.

Se ríe.

—Kat, cariño, puedes hacer lo que sea.

Noto como si en lugar de corazón tuviera una piedra en el pecho. Ardo de vergüenza por el engaño. He hecho el amor en mis sueños —con un detalle exquisito— con otro hombre; llevó haciéndolo una semana entera. Lo he tenido en la boca, lo he notado en la entrada del útero, lugares que solo son de Sean.

—Pero ¿qué pasa si no puedo? ¿Qué pasa si cometo errores que cuesten vidas?

Se coloca de costado y me atrae hacia él, me acoge en su seno. Encajamos a la perfección, como si nos hubieran tallado en la misma pieza de madera, procedente del mismo árbol.

—No digas nada, mi dulce Kat. Estoy aquí. Siempre lo estaré. Juntos podemos hacer lo que sea. Lo sabes. Recuerda nuestros votos.

Me coloco sus brazos alrededor con más fuerza. Éramos jóvenes, muy jóvenes. Todo era muy sencillo entonces. Teníamos quince años, estábamos locos y completamente enamorados. Nos encantaban nuestros cuerpos en continuo desarrollo y crecíamos al unísono. Nos escapamos a Paradise Point junto al faro, vestidos como si fuera nuestro día de boda y allí mismo pronunciamos los votos. Veníamos de familias rotas, familias temperamentales, y aprendimos solo de verlos. Demasiada pasión quema y la ternura se funde. Sabíamos qué hacía falta para permanecer juntos y no era nada excepcional: sentido común, de hecho.

«Si te debilitas, yo seré fuerte por ti. Si te pierdes, seré tu camino a casa. Si desesperas, te traeré alegría. Te amaré hasta el fin de los tiempos.»

—Te amo, Sean O'Bannion. No me abandones nunca.

—Ni una manada de caballos salvajes podrían alejarme de ti, Kat. Eres única para mí. Siempre. —Hay una sonrisa en su voz.

Hacemos el amor una vez más y, esta vez, cuando las alas oscuras tratan de ensombrecerme, fracasan. No hay nadie más en la cama conmigo, solo mi Sean.

Lo observo vestirse mientras el amanecer pinta unos rectángulos blanquecinos alrededor de las pesadas cortinas. Tengo pupilas jóvenes en la abadía y no estamos casados. Habíamos empezado a hacer planes para casarnos antes de que los muros cayeran, pero nuestras familias interfirieron. Los O'Bannion intentaron detener la boda. Cuando se dieron cuenta de que Sean no les haría caso, intentaron hacerse cargo y convertirlo en el espectáculo de la década.

¡Un O'Bannion se casa con una McLaughlin!

Hubiera sido un gran paso para mi familia. Éramos criminales de poca monta. Su familia controlaba casi todo el inframundo de la mafia de Dublín. Yo crecí con Sean porque mi madre era su niñera.

Llevábamos meses luchando encarnizadamente contra nuestros padres antes de que los muros cayeran y murieran millones de personas. Incluyendo nuestras familias. ¿Dónde más hubieran estado sino en los disturbios, observando el caos, intentando sacar provecho de la anarquía?

No puedo fingir que lamente sus muertes y no me avergonzaré al reconocer que no es así. Las únicas muertes que lamento son las de mis dos hermanastros que sobrevivieron a la caída, pero acabaron asesinados a manos de las Sombras. Rowena no nos enseñó a comer carne *unseelie* a tiempo para poder salvarlos. Mis padres y otros hermanos eran corruptos hasta la médula. A veces la gente nace en la familia equivocada. Sean y yo les habíamos dado la espalda hace años. Pero nuestras familias nunca dejaron de presionarnos y nunca quisieron soltarnos. Me preocupaba muchísimo que pudieran hacerle algo a Sean, que intentaran obligarlo a entrar en los negocios de la familia, pero ahora esas preocupaciones son cosa del pasado.

¡Estamos en el presente y somos libres!

En cuanto tengamos un momento de tranquilidad y un sacerdote, queremos casarnos. Algunas de las chicas esperan que decidamos celebrar una preciosa ceremonia aquí en la abadía. Una boda en tiempos como estos puede ser algo inspirador, pero no convertiré mi boda en algo para otros. Es entre Sean, Dios y yo.

Cuando sostiene mi rostro entre sus manos y me besa, siento su corazón, tanto con mi pecho como con mi don. Él es feliz. Es lo único que necesito.

Me pregunta si lo acogeré de nuevo esta noche y yo le sonrío y lo beso.

—Sí, y todas las noches después de esta y lo sabes muy bien. Si buscas cumplidos, mi querido Sean, tengo miles para ti.

Pero cuando se va, se me borra la sonrisa y miro la cama.

Debería contarle lo que está sucediendo. Si le pasara a él, yo querría saberlo. Lucharía por él cada noche, contra mi enemigo invisible. Permaneceríamos unidos como uno. Descubriría todos los secretos de su atormentadora súcubo para averiguar cómo derrotarla.

Pero no puedo. Simplemente no puedo. Sucedió antes de que pudiera detenerlo la primera vez. He tenido conocimiento carnal e íntimo de otro hombre. He sentido cosas con Cruce que nunca he sentido con Sean. Me odio a mí misma y no puedo decírselo. No puedo.

Ando hacia casa como una persona cualquiera, a cámara lenta. Estoy enfadada, pero me cuesta concentrarme en ese enfado porque me noto el cuerpo fenomenal. La mente está malhumorada, pero el cuerpo me dice: «¡Venga, tía, juguemos!».

Le doy una patada a una lata en un callejón y la meto en una pared, y sí, quiero decir, dentro de ella. Se aplasta y queda incrustada entre los ladrillos. Me echo a reír. Algún día alguien la verá y dirá: «Joder, ¿qué pasó aquí?». Voy dejando pistas por toda la ciudad, doblo esculturas y farolas para que formen una letra D retorcida que significa Dani, dejo así mi tarjeta de visita para que la gente la vea. Es mi Bati-señal, con la que hago saber al mundo que hay alguien ahí fuera que vigila y se preocupa.

Tengo todo un día por delante y no me lo puedo ni creer. Es como volver a los viejos tiempos. ¿Qué puedo hacer? Por muy estúpido que suene, me resisto a trabajar en el misterio del hielo durante el día porque Ryodan ocupa ya gran parte de mi tiempo cada noche. Pero no puedo permitirme el lujo de hacer el tonto cuando la vida de la gente está en juego. ¡Sería fantástico poder usar el supercerebro de Dancer para esto!

El problema es que también debería ir a la abadía para comprobar la situación. Hace mucho tiempo que no voy y las *sidhe-ovejas* se meten en líos más deprisa de lo que yo tardo en menear el culo y decir «beee». Tengo una sensación extraña sobre ellas que me preocupa y que no consigo quitarme de encima.

Luego está el Inspector Jayne. Estoy bastante segura de que vuelvo a ir con retraso para la sesión de limpieza.

Deambulo por Temple Bar; me tomo mi tiempo para contemplar la ciudad, intentando decidir cómo priorizar mi día. En cierto modo, me deleito con el mero hecho de saber que, para variar, la elección es mía. Me encantaba esta parte de la ciudad antes de que los muros cayeran porque todas las noches pasaban cosas geniales con los turistas y los pubs y *faes* nuevos a los que espiar y matar. Descubrí cómo era vivir en estas calles al morir mi madre. Sin collar, sin jaula. Solo había una vieja bruja loca a quien aprendí a asustar un poco.

Luego llegó Mac y las calles se volvieron más geniales todavía. No hay nada como tener a una compañera superheroína con quien andar por ahí. Sobre todo, una que era mitad hermana, mitad madre y mejor amiga al cien por cien.

Ahora, al igual que el resto de la ciudad, la zona de Temple Bar es un desastre. Hay vehículos abandonados, abollados y destartalados, que, encima de las aceras, abren un estrecho pasillo en medio de la calle en el que poder circular. Hay cristales rotos por todas partes procedentes de ventanas y farolas rotas; apenas puedes dar un paso sin que cruja. Periódicos, basura y restos de lo que antes era gente vuelan por las calles. En un día gris y lluvioso puede parecer realmente sombrío, si no le superpones un futuro brillante. La madre de Mac está al frente de una especie de programa de reforestación, y he oído que su padre trabaja en un programa de limpieza, además de ser mediador de conflictos y esas cosas. Un día Dublín volverá a estar lleno de vida y de fiesta una vez más.

Me paseo frente a la fachada rojo brillante del bar que se llama como la zona, Temple Bar, y lo noto antes siquiera de doblar la esquina. Me detengo al instante.

Es como una brisa que sopla en mi dirección desde un glaciar.

Pienso en no doblar la esquina. No he investigado ninguna de estas escenas sola. Podría traer a Ryodan de noche y fingir que acabamos de encontrarla. No es que haya grandes cambios entre la fase «recién congelado» y «congelado desde hace días». Además, si doblo la esquina y encuentro niños muertos, se me va a joder el día completamente.

Aún tengo la experiencia cercana a la muerte muy fresca. Si hubiera estado sola en la iglesia anoche... Es un pensamiento extraño. No me imagino muerta. Miro a mi alrededor y hacia arriba. Por lo que puedo ver, estoy sola. Christian no puede estar espiándome todo el tiempo. Así que, si me voy, nadie sabrá que no siempre soy una superheroína. Si me quedo y me pasa algo malo, bueno, se me podría parar el corazón y no habría nadie por aquí para salvarme.

—¡Gallina! ¡Tranquilízate! —Me acabo de dar asco a mí misma. Nunca huyo y no necesito refuerzos. Nunca lo he hecho. Un superhéroe no es un juego... es una identidad. A tiempo completo, todo el tiempo, todos los días.

Me aparto un poco el chaquetón, disfrutando del sonido de cuero que hace, saco la espada y doblo la esquina, preparada para entrar en acción. Se me escarcha la espada hasta ponerse blanca y se me endurecen los dedos con un frío instantáneo.

En medio de la calle hay uno de esos coches de lujo que tanto le gustan a Mac. Está completamente congelado y brilla como un diamante a la luz del sol. Un brazo congelado se asoma por la ventanilla abierta del lado del conductor. Hay un hombre colgando con medio cuerpo fuera del lado del pasajero, como si hubiera intentado salir, tiene la boca abierta como si hubiera gritado, los ojos cerrados y el puño en alto como si quisiera luchar contra algo. No hay niños; es un alivio. Parece que solo hay dos bajas esta vez, que también es otro alivio.

Estudio la escena del crimen y examino todos los detalles.

Esta escena no está tan fría. Es brutal, sí, pero nada comparada con la iglesia o el subclub del Chester's. Se parece más a la escena del lavadero. Me imagino que al estar fuera, las viñetas congeladas se calientan más rápido. ¡Es pan comido!

Respiro profundamente un par de veces, reteniéndolo todo mentalmente y preparándome para desplazarme.

Cuando la tengo casi perfecta, cuando lo tengo casi todo puesto en su preciso lugar y me dispongo a cambiar la velocidad, oigo a algunas personas gritar a mis espaldas. Incluso empiezan a disparar.

Las balas pueden hacerme daño. No soy una superheroína de esas inmunes a las balas. Me da miedo y me lanzo a desplazarme antes de lo esperado. ¡Eso es aún más peligroso que avanzar con la cabeza por delante!

Estallo de una forma salvaje, y aunque intento controlarme, es difícil hacerlo cuando ya me muevo así de deprisa. Empiezo a girar vertiginosamente como un demonio de Tasmania borracho y me estrello contra el lateral del coche congelado.

Eso me hace perder la supervelocidad, pero no me toma tan de sorpresa esta vez o el frío no es tan mortal como en la iglesia, o tal vez un poco de ambas cosas, porque me las arreglo para volver a desplazarme igual de rápido que me he desacelerado. Sin embargo, no puedo controlar los pies, porque no he empezado bien, y vuelvo a chocar contra el coche. Esta vez, las personas del interior explotan como si fueran granadas sobrecargadas que esparcen millones de astillas de hielo que acaban rociándome de metralla rosa congelada.

Unas astillas de hielo, duras como el diamante, me atraviesan allí donde la piel queda expuesta. Una gruesa daga de hielo tan grande como un perrito caliente me perfora los vaqueros y se me hunde en el muslo. Otra se me clava en el hombro.

Vuelvo a perder la supervelocidad y me incorporo otra vez para desplazarme. Al hacerlo, las astillas de hielo se me clavan aún más en el cuerpo por la presión y la rapidez con la que me muevo, y me duele tanto que reduzco la velocidad, casi sin pensar. Actúo por reflejo, trato de detener el dolor.

Empiezo a quedarme congelada.

Subo la velocidad de nuevo.

¡Ay! Mierda, mierda, mierda. ¡Cómo duele!

La bajo; moriré.

Acelero; no caerá esa breva.

Sigo desplazándome y tropiezo con el mismo coche, contra el que reboto, y acabo impactando contra otro vehículo. Lo doy todo en un último esfuerzo por salir de la zona fría. Ya no siento las manos. Tampoco me noto los pies. ¡Mierda, no puedo creer que haya hecho esto! ¿Quién estaba gritando y por qué disparaba?

¡Me impulso con todas mis fuerzas!

Caigo boca abajo en la calle. El hielo se me clava como puñales en la espalda. Ya no me importa porque he salido. He vuelto a doblar la esquina donde hay suficiente calidez para vivir. Lo he conseguido. Al menos, los cientos de astillas que se me han clavado se derretirán. Quizá ya han comenzado o estoy sangrando mucho, porque algo caliente y húmedo me corre por la piel.

Estoy fuera de peligro de una muerte inminente. No moriré congelada. Ahora solo tengo que preocuparme de no desangrarme.

Intento colocarme de espaldas y lo consigo a la tercera, jadeando aún más que cuando llevo desplazándome una hora, y tiemblo como una hoja. Tengo sangre en los ojos. Parpadeo para apartarla. ¡Joder, menudo desastre! ¡Qué vergüenza! ¡Me alegro de que nadie lo haya visto!

Evalúo la situación sin moverme. Tengo varios cortes graves y me arde la piel allí donde puedo sentirla. Lo que más amenaza mi supervivencia son los orificios del muslo y del hombro, o lo que serán agujeros cuando el hielo termine de derretirse. Tengo que vendarlos deprisa; el problema es que no me siento las manos. Cierro los ojos y trato de concentrarme en mover los dedos. No ocurre nada.

—Ah, Dani.

Levanto la vista y veo al inspector Jayne inclinado sobre mí. Nunca me he alegrado tanto de verlo en toda mi vida.

—Ya lo has conseguido, ¿eh?

—Ba… barrita de cho… chocolate —me las arreglo para balbucear.

Él sonríe, pero esa sonrisa no alcanza sus ojos.

—En el bo… bol… —Se me apaga la voz. Ni siquiera tengo energía para decir «bolsillo». Le lanzo una mirada anhelante y hambrienta, y sé que él me entiende.

Mira detrás de mí y me doy cuenta de que estoy rodeada de Guardianes. ¡Bien, pueden llevarme al Chester's y ayudar a curarme!

—¿La tienes? —dice Jayne.

—La tengo, capitán.

Me quedo helada, pero no tiene nada que ver con coches ni

gente congelada. Intento ponerme de pie, pero solo consigo agitarme en la calzada como un pez varado en la playa.

—N... no... te a... atre... atrevas.

—Han pasado seis días, Dani.

¿Seis días? ¿Cuánto tiempo estuve durmiendo en el Chester's?

—Tendrías que haber venido. Si hubieras mantenido tu palabra, tal vez seguiría creyéndote, pero no pienso permitir que el destino de nuestra ciudad descanse en manos caprichosas. Ahora la espada es nuestra, por el bien de Dublín. Sacamos a muchos más de las calles que tú. Con el tiempo entenderás que siempre tuvo que ser así.

—T... t... tú...

—No intentes recuperarla. Es la primera advertencia y la última. Como lo hagas, dejaré de tratarte como a una niña.

—¡Te... te ma... mataré! —vocifero. Sigo sin sentirme las manos o pies, pero sí me noto la cabeza y está a punto de explotar. No tiene derecho. ¡Es mi espada!

—No declares la guerra, Dani. No la ganarás.

Intento decirle que es mejor que me mate aquí mismo porque no conseguirán apartarme de mi espada. La recuperaré en cuanto vuelva a ponerme de pie. No hay lugar en la Tierra... No hay ningún lugar en todo el cielo o el infierno donde puedan esconderse de mí y estar a salvo. No obstante, estoy demasiado aturdida para hablar. Me noto mareada y se me está nublando la vista.

—Está sangrando demasiado, capitán. ¿Vivirá?

—Es fuerte —dice Jayne.

—Quizás deberíamos hacer algo.

—No podemos ayudarla, ni siquiera un poco, o será capaz de recuperarla.

Caigo de nuevo, incapaz de hacer nada para detenerlos. Me siento vulnerable y completamente a su merced. Una merced que él no tiene conmigo.

Yo tampoco la tendré con él cuando llegue el momento.

Me dejará aquí, para que viva o muera por mi cuenta. Nunca se lo perdonaré. Nunca lo olvidaré.

Se marchan. Y así me dejan, en medio de una calle sucia, como un perro atropellado, sangrando, indefensa y sola. Moriré como aparezca otro vehículo. Esto también lo recordaré cuando vuelva a verlo. Colega, al menos podría haberme dejado en la acera; podría haber hecho un ovillo con una camisa o lo que fuera, para ponérmela debajo de la cabeza a modo de almohada.

En ese momento, me pasa algo muy malo, peor aún que lo que me ha sucedido en los últimos días.

Me siento mareada y extraña. De repente, es como si estuviera fuera de mi cuerpo, mirándome. Pero mi yo tirado en la calle tiene el pelo largo y rubio y está mirando a mi yo pelirrojo con lágrimas en los ojos. Me dice que todavía no puede morir porque tiene gente a la que proteger. Tiene una hermana llamada Mac en su casa, en Georgia, y acaba de dejarle un mensaje. Si muere, Mac vendrá a cazar a su asesino porque es terca e idealista, y también morirá. Pero al parecer no soy capaz de sentir nada ante lo que está sucediendo y nada de esto parece real, así que me alejo como Jayne acaba de hacer.

Se me revuelve el estómago y lo vomito todo en medio de la calle. Ni siquiera puedo ponerme de rodillas para hacerlo. Tendida de espaldas, me pongo perdida. Y no hablo de mi yo rubia, que es el fantasma de Alina, sino de la verdadera, la Dani pelirroja que realmente yace en la calle preguntándose si morirá esta vez. Y si tengo algo húmedo en la cara que no sea sangre o vómi... No. No lo es.

Al cabo de un rato vuelvo a sentirme las manos y los pies. Supongo que se han descongelado. Busco a tientas una barrita de chocolate. Me hago un ovillo en la calle y me como todas las barritas que llevo encima mientras planifico mi venganza.

«No declares la guerra», me ha dicho él, y no pienso hacerlo.

No me hace falta. Ya lo ha hecho él solito.

DIECIOCHO

«I can be your hero, baby»
('Puedo ser tu héroe, nena')

*L*a encuentro tropezándose por las calles, desangrándose. Si no fuera por todo ese cabello, tal vez no la hubiera reconocido. Está llena de sangre: la tiene en la ropa, le enmaraña los rizos y hasta tiene restos secos en el rostro. Lleva el chaquetón roto y le cuelgan jirones por los hombros. Parece que le haya pasado un cortacésped por encima.

No veo su espada por ninguna parte. Miro alrededor; no hay nada brillante en la calle, solo está ella.

Rujo, ella se cubre la cabeza con los brazos y cae de rodillas. Entonces recuerdo cuánto ruido soy capaz de hacer y me doy una colleja a mí mismo. Dejé sorda a una humana con la que me acosté hace poco. También le rompí el brazo, pero no fue mi intención. No termino de acostumbrarme a lo que me está sucediendo. Intenta vivir toda tu vida de una manera y luego cámbiala de golpe. No es fácil recordar qué eres a cada puto segundo.

Enfurecerte, sí. De eso soy consciente todo el tiempo. Nunca disminuye, nunca se detiene. Las lagunas en las que pierdo trozos de tiempo son cada vez más frecuentes y duran más.

Ella se viene abajo en la calle. Me lanzo desde el techo, aterrizo de pie y la tomo en mis brazos. ¿Dónde estaba cuando ella me necesitaba? Me estaba follando a otra mujer sin rostro en un intento de aplacar una lujuria constante.

La noto muy ligera contra mi pecho.

No me sorprende sentir que estoy temblando. Estoy tocando a mi diosa.

—Ay, chiquilla, ¿qué te has hecho ahora? —Le aparto el cabello del rostro. Hay tanta sangre que no puedo ver bien de dónde sale. ¿Cómo puede siquiera caminar? Me enloquece y desespera que esté en esta ciudad, sin un guardián o un consorte, y se esté metiendo en líos constantemente. Quiero encerrarla en algún lugar donde pueda mantenerla a salvo para siempre. Algún lugar blanco, brillante y hermoso, donde nada salga mal.

Su cerebro tiene más músculos que su cuerpo y menos sentido común. Su pasión por la vida da energía a sus miembros y la empuja a ir más allá. Se va a quemar hasta convertirse en cenizas si no encuentra a alguien o algo que la controle y la recargue. Necesita caer con la misma fuerza o morirá joven. No soporto el pensamiento siquiera de que muera. Si supiera cómo hacerlo, la convertiría en *fae* para que no muriera nunca. Me da igual que deteste serlo yo mismo o que a ella también le disgustara. La inmortalidad es la inmortalidad.

Corro con ella en brazos, tratando de moverme lo más suavemente que puedo. La llevo adonde la he imaginado mil veces pero sabía que no podía llevarla. Todavía lo sé, pero voy a hacerlo de todas maneras.

Solo una vez antes de que me convierta en el villano de estos lares, solo una vez antes de que me convierta en el cuarto y último príncipe *unseelie*, quiero ser su montañés, su *highlander*, y su héroe.

Ella lo recordará, cuando no quede nada de mí que valga la pena recordar.

Tengo unas ganas enormes de crecer lo bastante para dejar de tener estos dolores de crecimiento de superheroína. Despertar confundida y cabreada todo el tiempo es una mierda. Tengo el pelo en el rostro y me jode tanto que por un segundo estoy a punto de arrancarme el cuero cabelludo, para apartármelo de los ojos. Lo tengo enmarañado; el brazalete se me enreda y noto algo crujiente…

—Puaj —digo asqueada. Entonces noto las manos de otra persona en mi pelo, que me ayuda a desenredar la joya y la muñeca con cuidado.

¿Quién? ¿Qué? ¿Dónde?

Siempre hago una comprobación mental al despertar, intento recordar qué sucedió antes de que me durmiera para saber dónde estoy y cómo llegué. La primera vez que hui de la abadía —colega, ¡era un millón de veces más grande que la jaula en la que me tenía mamá!—, me quedaba inconsciente cada dos por tres porque no me hacía a la idea de lo lejos y rápido que podía correr. Además, los mareos que me entraban al desplazarme me convertían en un desastre andante. Cuando despierto nunca estoy segura de si me fui a dormir o si solo me he quedado inconsciente. También me preocupa que ese puto Ryodan me haya noqueado, así que ahora tengo que añadirle eso a mis preocupaciones cuando despierto.

Me asaltan los recuerdos. Me cabreo tanto que me arranco el brazalete de la cabeza y un buen montón de pelo, y busco frenéticamente la espada aun cuando sé que no la llevo en la cadera ni en ninguna parte.

Oigo a un hombre maldecir. Me vibran los tímpanos de una forma muy dolorosa y me noto la cabeza a punto de estallar.

Abro los ojos.

—¡Christian, baja el volumen! —Me aparto el pelo de la cara y levanto la mirada. Estoy acostada en una cama y él está sentado junto a mí, mirándome. Está cambiado, ya no parece tan escalofriante. Retiro lo dicho. Sí, lo parece, pero o bien leo mejor sus expresiones o él está mejorando sus gestos, porque atisbo una pizca de remordimiento en sus ojos iridiscentes. Colega. ¡Sus ojos ahora son completamente *fae*! No lo eran la última vez que lo vi.

—Lo siento, muchacha. Pero ya casi había soltado el brazalete. Hasta te has arrancado pelo. Tendrías que haber esperado un segundo más. —Coge el mechón arrancado de raíz y lo alisa entre los dedos. Los rizos recuperan su forma al instante—. Son tan tercos como la cabeza de la que salieron —murmura. Entonces hace algo extrañísimo: se los guarda en el bolsillo. Quizás el tío colecciona pelo. Bueno, ahora mismo tengo otras preocupaciones mayores.

—¡Se ha llevado mi espada! ¡El cabronazo me la ha robado! —No puedo creerlo. No tengo forma de matar a mis enemigos. Me pasaría el día persiguiéndolos, pero no podría hacer absolutamente nada al atraparlos. Me da tanta rabia que no lo soporto. Trato de levantarme de la cama, pero mis piernas no me responden al ciento por ciento.

—¿Quién te ha quitado la espada?

—El inspector Jayne. Pienso matarlo.

—¿Él te ha hecho esto? —brama.

Me entra migraña al momento, me caigo hacia atrás, me cubro la cabeza con los brazos y me meto bajo las almohadas.

Suspira tan alto que todavía le oigo, incluso con mis oídos tapados.

—Lo siento, muchacha. ¿Ha sido él?

No me quitaré las manos de los oídos. Querría decirle que sí para que fuera tras Jayne por mí, pero no me gusta mentir a menos que la recompensa sea enorme. Las mentiras son unos bichitos cachondos que se multiplican como conejos y luego van brincando como locos. No hay modo de contenerlos.

—Me corté yo misma, pero fue su culpa. Me tomó por sorpresa y me desplacé demasiado pronto. —Hablando de cortes, no me siento tan mal como antes y parece que ya no sangro.

—¿Quieres que te ayude a matarlo?

Suena un poco demasiado entusiasta. Ansioso como un maniático homicida.

—No necesito tu mierda de ayuda —digo, enfadada. Me duelen los tímpanos—. No quiero decir que tu ayuda sea una mierda. Tu ayuda es genial, pero quiero hacerlo sola.

—¿Saldrás de ahí debajo, muchacha?

—¿Dejarás de gritar? Me estás matando. Tengo el oído muy desarrollado. —Asomo la cabeza—. ¿Dónde estoy? —Estoy en una nube de almohadas y plumones, en una cama alta, en la esquina de una habitación enorme.

—En mi casa.

Miro alrededor, este lugar es genial. Se ha refugiado en un almacén industrial remodelado, uno de esos con una sala de estar gigante sin paredes, excepto aquellas que tú creas con muebles y otros enseres. Hay un montón de ladrillos y suelos de madera y conductos de calefacción a la vista. Entra un montón de luz por las ventanas altas. Una enorme televisión con 3D de pantalla plana preside la estancia frente a un enorme sofá de aspecto cómodo. Hay una mesa de billar y algunas máquinas de videojuegos antiguas y hasta tiene una barra de bar. La cocina tiene electrodomésticos de acero inoxidable y no hay estantes ni instrumentos de tortura a la vista. Es el tipo de sitio por el que un universitario mataría… qué pena que él ya no lo sea, pero, oye, todos tenemos cosas que necesitamos para fingir. No tiene una colección de cuchillos de aspecto amenazante. No hay rastro de rojo ni negro, sus colores favoritos. El lugar no es para nada el de un príncipe *unseelie*.

Un rayo de luz rosada brilla por encima de mi cabeza y levanto la mirada. La cama está debajo de una claraboya; el sol se está poniendo ya y ha adquirido una de esas extrañas y nuevas tonalidades *fae*, un tono rosa anaranjado. Podría desparramarme en esta cama y contemplar las estrellas por la noche. Me gusta estar en la esquina, con la pared a la espalda y a la derecha, dejando solo dos flancos para defender. Parece cómodo. Eso me recuerda que debería remodelar algunos de mis cuartos. Me fascina la manera de vivir que tienen los demás y me encanta ver las casas de la gente.

—Joder, tío, si alguna vez te vas de aquí, ¡vendré a vivir yo!

—¿Te gusta, muchacha? —dice, y su voz suena rara. Espesa y extraña.

Lo miro y me sacudo.

—¿Tengo algo en la cara? —Me mira fijamente con unos ojos intensos; lo que busca no se encuentra en este lugar de ladrillo y madera iluminado por el sol. Está en algún lugar peligroso, oscuro, lleno de cuchillas, en el que algo realmente desagradable está a punto de pasar.

—No. Tu cara es adorable, muchacha. La luz del atardecer te sienta muy bien. —Alarga un brazo hacia mi rostro y me quedo inmóvil.

—Colega, me estás dando miedo.

Él me mira, pero es como si ni me viera, así que me quedo ahí con su mano a dos centímetros de mi rostro y la miro pensando en animales salvajes. Sobre cómo atacan si huelen el miedo; no es que lo sienta, pero cuando miras a un príncipe *unseelie*, aun cuando sabes que empezó siendo humano, es difícil predecir qué pasará. Este no es un escenario que pueda fijar en mi cuadrícula mental y desplazarme. Esta carrera de obstáculos tiene demasiadas variables desconocidas.

Deja caer la mano sin tocarme, se levanta de la cama y va hacia la cocina. Apoya los puños en la isla y se inclina allí dándome la espalda. Está más grande que cuando lo vi por primera vez en la torre de agua. Tiene la parte trasera de la camisa manchada de sangre y se le marca la columna de una manera extraña, como si tuviera nudos. Es espeluznante.

Me deslizo hacia un lado de la cama y pienso en salir a pasear por ahí, cuando me doy cuenta de que no llevo puesta bastante ropa para levantarme. Solo llevo el sostén y las braguitas. Me vuelvo a hundir en la cama y levanto las rodillas. No quiero atraer la atención a ese hecho, pero es que mirar alrededor tampoco ayuda.

—¿Dónde está mi ropa?

—Destruida.

¡Me ha desvestido él! También debe de haberme lavado, porque no voy cubierta de sangre. ¡Por todos los...! Un *fae unseelie* adicto al sexo que tiene problemas para controlar su temperamento me ha desnudado y limpiado.

—¿Tienes otra ropa que pueda usar?

—A mí no me hables con ese tono.

—¿Cuál?

—Así como si pensaras que soy una especie de monstruo depredador que abusa de los niños. No soy un monstruo y tú no eres una niña. Te he desnudado, sí. Te he limpiado y te he curado. Nunca te haría daño.

—¿Cómo me has curado?

—Te he hecho beber mi sangre.

Me entran unas arcadas incontrolables como acto reflejo. Son secas y ruidosas. A diferencia de muchas otras personas que conozco, beber sangre no me parece nada bueno. Me da asco. Lo mismo me ocurre con comer carne *unseelie*; nunca lo he hecho y nunca lo haré. Me mantendré virgen de carne *unseelie* toda la vida. Ni siquiera me tienta la posibilidad de hacerme más fuerte y más rápida de lo que ya soy. Colega, en algún punto tienes que marcarte unos límites. Es vital, sobre todo, cuando el mundo sigue cambiando.

—Es potente. Funciona mejor que la carne *unseelie*. Unas cuantas gotas en tu boca y... —Se vuelve y me sonríe. Creo. Los tatuajes pasan por debajo de la piel de su rostro, ensombreciendo las planicies y los valles; se me hace difícil saber qué significa esa mueca—. Solo hay una pregunta: ¿hubieras preferido morir?

Esa es fácil. No, nunca preferiría eso, bajo ninguna circunstancia. Escogeré la supervivencia a cualquier precio. Siempre.

—No. Gracias por la sangre, colega. Significa mucho. —Me jode admitir la siguiente parte, pero estoy bastante segura de que es verdad—. Me has salvado la vida. No lo olvidaré. —Le devuelvo la sonrisa y me quedó ahí, inmóvil, intentando no mirarle boquiabierta. Él cambia totalmente y veo al *highlander* que antaño fue. Sus ojos se vuelven marrones y juguetones, y vuelve a parecer el apuesto universitario que era; los tatuajes desaparecen de su rostro. Hasta los músculos cambian, se suavizan y, de repente, su cuerpo se vuelve más humano.

Me lanza una barrita de chocolate. La atrapo, la abro, le doy un bocado y empiezo a hacer planes para recuperar mi espada. Conozco a Jayne. Sabe que si sobrevivo iré tras ella, así que la llevará a algún lugar donde crea que no puedo entrar. No querrá desperdiciar a muchos de sus hombres custodiándola porque los quiere en las calles, peleando. Me paso unos segundos intentando descifrar dónde la llevaría, pero luego me doy cuenta de que no hace falta. Lo único que tengo que hacer es espiarlo y seguirlo hasta donde sea que lleve a los *faes* que atrapa para sacrificarlos. ¡Me alucina que sea tan estúpido para creer que será capaz de quedársela!

—Quédate aquí y te conseguiré algo de ropa —dice Christian.

Se va a grandes zancadas, moviéndose con sus piernas largas, no deslizándose de esa forma tan extraña como suelen hacer los príncipes. Al otro lado de la habitación busca en un armario y saca un par de pantalones de pijama de franela de los que se ajustan a la cintura y un jersey enorme de pescador de un color crema.

Me visto bajo las sábanas, me ato la cinturilla de los pantalones y doblo varias veces las perneras; luego me arremango también el jersey. Me lanza un par de calcetines hechos una bola y se va hacia la cocina. Como estoy distraída —sigo pensando en Jayne—, no me doy cuenta, los calcetines pasan junto a mí, chocan en la pared y caen en el hueco entre la pared y la cama. Me giro y alargo la mano, buscándolos a tientas.

Toco algo y tardo un segundo en darme cuenta de lo que es.

Es pelo y va unido a una cabeza. Hay una cabeza en el hueco. Me quedo inmóvil, horrorizada y enormemente asqueada.

Saco la mano de golpe y me quedo sentada allí, reprimiendo el grito de horror que intenta abrirse paso por mi garganta. Lo miro por encima del hombro: está tarareando una extraña canción por lo bajo que se parece mucho a la música que suena en el Chester's y desaparece en la despensa, en un lateral de la cocina.

Bajo la mano y busco a tientas, sin apartar la vista de la puerta de la despensa.

—Tengo hambre, Christian —exclamo. Cuando me contesta, puedo estimar la profundidad de la despensa; es decir, por dónde anda metido y cuánto tiempo tengo para averiguar qué cojones sucede aquí.

La cabeza tiene un cuello pegado y, efectivamente, también hay un cuerpo. Está desnudo, es una mujer y humana. Está helada y dura por el rigor de la muerte.

Apenas me permito respirar. Oigo cómo mueve cajas en los estantes de la despensa.

—Lo siento, muchacha, te buscaré algo más en un segundo. Pensaba que tenía unos Snickers aquí, pero solo encontré unos Almond Joy.

De un tirón, saco la mano del hueco y vuelvo al centro de la cama. Contesto relajada y juguetona.

—Vaya. Pues sigue buscando, ya sabes lo mucho que me gustan los Snickers.

Las cajas dejan de moverse.

—¿Pasa algo?

Hay una mujer muerta entre la cama de Christian y la pared. Normalmente diría que pasan muchas cosas y sería muy enfática al respecto, pero estoy en el apartamento de un asesino, con su pijama, sin zapatos y sin la puta espada para matar *faes* porque el cabronazo de Jayne me la robó, así que no tengo prisa por hacerlo ahora mismo.

No creo que me haya delatado. He usado un tono la mar de natural.

—No, nada. ¡Solo que me muero de hambre! —Otra mentira perfecta. Puede que no lo haga a menudo, pero se me da muy bien, como la mayoría de cosas.

Sale de la despensa y me mira. El *highlander* se ha ido. Ahora es todo un príncipe *unseelie*, con ojos iridiscentes teñidos de carmesí.

—Ay, muchacha, Mac nunca te lo dijo, ¿verdad?

—¿Decirme qué?

—Que soy un detector de mentiras andante, Dani, querida.

—Nadie lo es.

—Se hereda, como tus dones *sidhe-seer*.

—Los que usaré para darte una paliza.

—Ha sido una mentira de las grandes. La has encontrado, ¿verdad? Sabía que tendría que haberla sacado. Pero ya estabas aquí, sangrabas mucho y tenía que sacarla de la cama antes. Salvarte era lo único que importaba.

—¿Así que la empujaste por un lado de la cama y pensaste que no lo notaría? ¡La has metido en un hueco! —Aprieto los puños. Qué vergüenza, qué infame, qué sucio. La mata y luego la tira como un condón usado. Si no se me hubieran escapado los calcetines, no lo hubiera sabido nunca. Me habría ido pensando que Christian es genial por salvarme y no me habría enterado de que había estado en la cama junto a una mujer muerta, comiendo y vistiéndome sin siquiera verla a sesenta centímetros de distancia—. Colega, eres un puto enfermo.

—Dani, mi amor —dice, deslizándose hacia la cama—, no sabes cuánto.

DIECINUEVE

«*I stand alone*»
(*'Estoy sola'*)

$\mathcal{M}$e lanzo a desplazarme sin siquiera pensarlo. No fijo ni una sola cosa en mi cuadrícula mental. Espero causar estragos, romperlo todo a mi paso e intentar no perder la consciencia porque tengo la sensación de que, si lo hago, despertaré atada a un potro de tortura con este antiguo *highlander* loco a punto de hacerme de todo.

Como pueda tamizarse, soy carne muerta.

Llego a la puerta, pero me lo encuentro enfrente con los brazos extendidos, medio agachado, como si estuviera a punto de arremeter contra mí y tumbarme. Tiene el rostro contorsionado por la ira y los tatuajes caleidoscópicos corren bajo su piel. Tiene los ojos completamente negros. Lo único que falta para completar la imagen de príncipe *unseelie* es una torques radioactiva y unas enormes alas negras desplegadas, preparándose para aplastarme en un abrazo mortal. Retrocedo frenéticamente y él se lanza a por mí.

Me tira al suelo y se coloca sobre mí. En cuanto me golpea, soy consciente de que Christian es mucho más fuerte que yo, tanto, que no tengo ninguna oportunidad de vencerlo. ¡No puedo creer la fuerza que noto en su cuerpo! Su parte *unseelie* ha entrado en acción con mucho ímpetu. No solo rezuma poder sino que se está convirtiendo en sexo puro, al igual que los demás. Sacudo la cabeza en un intento de mantener la mente clara. Pienso en cosas horribles como el cadáver metido entre la cama y la pared, y que no quiero acabar como ella.

Me tumba de espaldas, me inmoviliza las muñecas y me estira las manos sobre mi cabeza. Le insulto, forcejeo y pataleo, pero es como luchar contra un muro de hormigón. Parece que nada —y cuando digo nada, quiero decir nada— tenga ningún impacto en él. Le doy un cabezazo. Él se ríe y me acerca la cara al hombro, ¡y me huele!

Le muerdo la oreja, intento arrancársela de la cabeza. La sangre me inunda la boca; me entran arcadas y se la suelto.

—Dani, Dani, Dani —dice como si ni siquiera lo sintiera—. No luches contra mí. No necesitas luchar contra mí, nunca te haré daño. A ti no. Tú eres mi resplandeciente estrella; la más brillante.

¡No soy la estrella resplandeciente ni brillante de nadie! ¡Es un maníaco depravado!

—¡Quítate de encima! —Su lado *fae* más sexual me está haciendo cosas muy perversas. Cosas que no me gusta sentir. Tengo la boca seca y veo esas imágenes en la cabeza, muy, muy gráficamente: Christian, desnudo y haciendo las cosas que vi hacer a Ryodan. ¡Quiero verlas pero al mismo tiempo las detesto! Tengo que salir de aquí ahora mismo—. ¿Sientes algo al menos? ¿O estás tan muerto por dentro como esa mujer? ¿Por qué te has molestado en salvarme? ¿Para poder matarme más lentamente?

—No es eso. ¿Te quedarás quieta y me escucharás un segundo?

—¡No hay nada que puedas decir que importe!

—Es difícil hablarte cuando estoy tocándote.

—¡Joder, deja de olerme! Es asqueroso. ¡Apártate!

—No puedo. Huirás.

—Si no la mataste de verdad, me soltarás. Confiarás en mí para que cambie de opinión. Dame espacio para respirar.

—Si te suelto, ¿te sentarás a escucharme, muchacha?

Está relajado porque en cierto modo estamos negociando, pero es un detector de mentiras y sé que no puedo responder a esa última pregunta, así que aprovecho la situación y le doy un rodillazo en las pelotas con todas mis fuerzas. No hay nada mejor que una pelea sucia cuando estás luchando por la victoria.

Él ruge tan fuerte que se me está a punto de partir la cabeza. Se quita de encima y se hace un ovillo sin dejar de aullar. He dado rodillazos antes —a veces, tengo que hacerlo en las calles— pero nunca me había topado con nadie que reaccionara tan mal. Me pregunto si es porque estaba duro como una piedra al golpearlo y he tenido que hacer contorsiones para llegar a sus pelotas, con lo que probablemente le he aplastado la... eh, sí, Mega, ahora es un buen momento para correr.

Salgo volando por la puerta con tanta fuerza que la despego de las bisagras.

Esta mañana cuando salí del Chester´s después de casi morir y resucitar —creo que ha sido esta mañana, paso tanto tiempo inconsciente últimamente que nunca estoy segura de si he estado fuera un par de horas o un par de días—, trataba de decidir qué hacer con mi día libre, toda una rareza para mí. Pero luego casi me vuelven a asesinar, esta vez gracias a unas personas congeladas que explotaron. Luego, Jayne me ha robado la espada y, después, tras desmayarme por la pérdida de sangre, me ha limpiado un príncipe *unseelie*, que me ha dado de beber su sangre. Por último, he encontrado una mujer muerta prácticamente en la cama conmigo y ahora estoy de nuevo en las calles, pero, joder, es hora de que me presente a trabajar.

No sabría decir cuál de esas cosas es la peor.

Vaya día de mierda. Tiempo libre, los cojones. Apenas he sobrevivido.

Salto de un pie descalzo al otro, desplazándome lo más rápido que puedo, despellejándome los talones, esperando a que Christian se tamice frente a mí. Sé que, si lo hace, me moveré tan rápido que me estamparé contra él y tal vez no me despierte. Sé también que no tengo la única arma que me protegería de él porque Jayne me la ha arrebatado.

Sin embargo, Mac tiene una. Seguro que puedo quitársela.

A mi modo de ver, tengo tres opciones. Puedo ir al Chester's, usar a Ryodan como escudo contra Christian mientras consigo que me ayude a recuperar la espada. Puedo perseguir a Jayne yo misma, sabiendo que Christian me está siguiendo. Y, por último, podría ir tras Mac y cogerle la lanza. Puede que Barrons esté en medio, claro. ¿A quién quiero engañar? Seguro que Barrons estará allí, e incluso si no lo estuviera y le cogiera la lanza, acabaría persiguiéndome también. Entonces tendría a Christian detrás de mí, a Ryodan cabreado conmigo por faltar al trabajo y a Barrons soplándome en la nuca.

Un día en mi vida. Las cosas que tengo que aguantar.

Siempre pienso que si las cosas pueden salir mal, saldrán mal e incluso peor. Casi me estrello contra algo en la calle, una de esas pitas variables que se salen de mi cuadrícula prevista, como las personas, los animales, y los *faes*.

—¡Apártate de mi camino, humana! —sisea.

Quiero detener el desplazamiento y darle una paliza de muerte a este monstruo. No la había visto desde la noche que Mac me salvó de ella y la obligó a devolverme mi buen aspecto. Casi morí esa noche también. Estoy al borde de la muerte muchas veces. Parece que es normal para los superhéroes.

—¡No te metas en el mío, cacho bruja! —le espeto a la Mujer Gris.

Desaparece por su lado y yo sigo mi camino. Se ha ido a cazar y a matar y empiezo a notar una comezón que no me puedo rascar. Me llevo la mano a la cintura, pero ahí no hay nada.

Necesito mi espada como respirar.

Me desvío hacia una tienda de artículos deportivos, me calzo unos zapatos, cojo un enorme jersey de lana y me lo pongo encima del suéter porque hace muchísimo frío para ser mayo, y salgo escopeteada, rumbo al éxito. O a intentarlo. Tratar de enfrentarme a Jayne y sus hombres al mismo tiempo que Christian quiere matarme es una verdadera hazaña. No tengo ni idea de adónde ha llevado mi espada. Hay momentos, como dijo Ryodan, en los que Batman necesita a Robin. Bueno, pues yo no necesito a Ryodan, pero seguro que me hará las cosas más fáciles. Puede cubrirme las espaldas como hacía Mac. No tengo tiempo para el orgullo. Quiero resultados y sé cómo obtenerlos. Siempre me dice que pida por esa boquita, pues esta noche se lo voy a pedir.

Me siento desnuda sin la espada. Me siento expuesta. Me hace perder el equilibrio de tal manera que ni siquiera sé quién soy sin ella.

Υ

Cuando irrumpo en el despacho de Ryodan, lo hago a millones de kilómetros por minuto, tanto con los pies como con la boca. Sus seguratas me fruncen el ceño al pasar, incluso Lor, y no tengo ni idea de por qué. Supongo que Ryodan les ha dicho que estuvieran enfadados conmigo o algo. Con él, nunca sabes qué te vas a encontrar.

Le cuento rápidamente lo que pasó con el coche congelado y Jayne, y le digo que tenemos que ir a recuperar mi espada ahora mismo, en este mismo instante.

—Cálmate, niña —dice sin levantar la cabeza de su estúpido papeleo—. Me estás poniendo el despacho patas arriba. —Los papeles vuelan alrededor de su cabeza.

Reduzco la supervelocidad y él levanta la mirada. Me mira de forma extraña y tardo un segundo en averiguar por qué. Es como si estuviera mirando a un extraño, uno que no le gusta y que está pensando en matar. ¿Por qué coño está enfadado conmigo?

—Apestas a *highlander*. Te lo huele todo el club. Llevas su ropa.

No creo que lo haya oído nunca hablar tan suavemente.

—Colega, ¿a quién le importa? ¿No has oído nada de lo que te acabo de decir? ¡El inspector Jayne me ha quitado la espada!

—Explícame por qué llevas su ropa.

Lo ha dicho más suave aún. Si tuviera tanto calor por el enfado, me hubiera dado un escalofrío. No lo entiendo. ¿Por qué lo que llevo puesto tiene algo que ver con nada? ¿Por qué es relevante? ¿Por qué importa? ¡No lo entiendo! Pero puedo decir por la expresión en su rostro que no cederá hasta que lo explique y si no recupero mi espada pronto, me volveré loca. También sé que si le digo que Christian mató a una mujer y yo era la siguiente, no prestará atención a la espada e irá tras él, cuando lo que necesito es que vaya tras Jayne. No estoy segura de que pueda atrapar a Christian —teniendo en cuenta en lo que se está convirtiendo—, pero con mi espada sé que yo sí puedo.

—La explosión me destrozó la ropa y él me dio un par de prendas suyas.

—Estabais juntos en la explosión.

—No, me encontró después.

—Y te cambiaste en la calle.

—¿Eh? —Estoy frustrada. No esperaba que la conversación tomara estos derroteros.

—Aclara dónde te cambiaste.

—¿Qué mierda tiene que ver eso con algo?

—Respóndeme.

—Me refugié en un colmado. Por eso le llaman así, porque estas tiendas están colmadas de cosas y no se me vio nada.

Le tiembla la mirada mientras me escudriña.

—Si las astillas de hielo te destrozaron tanto la ropa que tuviste que cambiarte, tus lesiones deberían ser más graves, ¿no?

Lo miro boquiabierta, desconcertada. Alguien me ha arrebatado la espada y el tío quiere hablar sobre lo que llevo y dónde me cambié, y que no cree que parezca tan herida.

—Él me curó porque sangraba mucho. Joder, ¿cómo puedes estar a mi lado tan deprisa? —Ryodan ya no está tras el escritorio; lo tengo prácticamente sobre los dedos de los pies. Ni siquiera lo he visto moverse. Ni siquiera he sentido la típica brisa—. ¡Dame un poco de espacio!

Él se inclina y me huele.

—¿Cómo te curó?

¿Por qué me huele todo el mundo? Como Dancer empiece a hacerlo también, me largo de aquí.

—Bebí su sangre. ¿Algún problema?

—Tres.

—¿Eh?

—Tengo tres problemas con eso.

—Era una pregunta retórica. Quizás no me oyes bien o algo, así que lo diré de nuevo: Jayne tiene mi espada, joder. Esto es una puta mierda sin ella y necesito recuperarla. ¿Vas a hacer algo o no?

Sin darme cuenta, ha vuelto a su escritorio y tiene la cabeza inclinada sobre el papeleo, ignorándome.

—No.

Estoy estupefacta.

—¿Qué? ¿Por qué? ¡Sabes que iré yo misma tras ella! ¿Es eso lo que quieres?

—Jayne pasó por aquí hace unas horas.

—¡Qué sangre fría tiene! Me dejó en la calle para que muriera. Ni siquiera me dio una barrita de chocolate. ¿Te dijo lo mal que estaba? ¿Por qué no viniste a ayudarme?

—A mí me parece que estás bien.

—¿De qué lado estás?

—Me dijo por qué cogió la espada y accedió a no matar ningún *fae* en un radio de cinco manzanas del club. Eso es más de lo que tú haces.

—¿Por qué accedería a eso? ¡Jayne odia a todos los *faes*!

—Sabía que acudirías a mí y me pedirías que te ayudara a recuperarla.

—¿Y estás de su lado? —¡Cómo se atreve Jayne a predecir mis movimientos e impedirlos mientras estoy a punto de morir y luego me persigue un maníaco homicida! ¡Fue su culpa, para empezar!

—La verdad es, niña, que prefiero que no la tengas.

—¿Por qué?

—No puedes matar a mis clientes. Y ahora tal vez tomarás más precauciones. O al menos aprenderás a deletrear esa palabra.

Lo fulmino con la mirada, aunque no me mire.

—Estoy pidiéndote ayuda, jefe. No dejas de repetirme que lo haga y ahora te lo estoy pidiendo.

—También te dije que tal como me trates es como te trataré yo.

—¿Qué estoy haciendo mal?

—La respuesta es no.

—¡Tienes que estar de coña! —Golpeteo el pie hiperrápido, esperando quizás que se hunda el suelo.

No dice nada y sigue trabajando en lo que sea que está trabajando.

—¿Sabes qué, colega? ¡Si no me ayudas a recuperar mi espada, tú y yo hemos terminado! Resuelve el misterio del hielo tú solito. —Finjo, no pienso renunciar a eso—. No trabajaré para ti. Tú no me ayudas, yo no te ayudo.

—Jo. —Ni siquiera levanta la cabeza, solo murmura su nombre.

—¡No me importa si sigues tirándotela! ¡Devuélveme la espada! ¡Y no hagas más tratos sobre mí con la gente a mis espaldas!

—Ese no es nuestro acuerdo. Firmaste un contrato. La vida de Jo es solo uno de los muchos precios que deberías saldar. Tus actos tienen repercusiones. No puedes huir de mí, Dani. No esta noche. Nunca. No eres tú la que toma las decisiones. Siéntate. —Vuelve a ponerse de pie y, una vez más, no lo he visto moverse. Empuja una silla con el pie—. Ahora.

A veces, pienso que todo el mundo sabe algo que yo no sé. Que todos conspiran de algún modo y que si supiera ese secreto, las cosas que hacen los adultos y me desconciertan tendrían sentido.

Otras veces, pienso que yo sé algo que el resto del mundo no sabe y por eso nada de lo que hacen tiene sentido, porque no lo saben y todos sus actos derivan de esa lógica defectuosa. A diferencia de la mía.

Se lo conté a Mac una vez y me dijo que no era algo que todos los demás supieran. El ingrediente que faltaba era que yo todavía no entendía mis propias emociones: eran nuevas y las experimentaba por primera vez. Me dijo que nunca tenía en cuenta los sentimientos de los demás, así que era normal que todo lo que hicieran los adultos me pareciera misterioso y raro.

Yo le dije: «Tía, acabas de decir que no los entiendo, entonces ¿cómo puedo tenerlos en cuenta?». Ella me dijo que no se puede, que debía aceptar que los años de adolescencia son un revoltijo de inseguridad, confusión y hambre. «Intenta sobrevivirlos sin que te maten», añadió.

Amén a eso, hermana. Excepto por la parte de la inseguridad. Bueno, sin mi espada, más la parte de la inseguridad.

En cuanto me siento, Ryodan dice:

—Sal de aquí.

—¿Estás bipolar o qué?

—Dúchate y cámbiate de ropa.

—No huelo tan mal —digo, cabreada.

Se pone a escribir algo, luego pasa la página que ha estado leyendo.

—Colega, ¿dónde quieres que vaya? No puedo ir a ningún lado sin mi espada. No puedo correr más rápido que los tamizadores. A todos los *faes* que hay en tu club se les pone dura de solo pensar en matarme. ¿Es que me quieres muerta? Hazlo tú mismo y terminemos con eso.

Aprieta un botón en su escritorio.

—Lor, ven aquí.

Lor entra volando como si hubiera estado pegado al otro lado de la puerta.

—Escolta a la niña para que se limpie de mierda y se saque ese hedor de encima.

—Claro, jefe. —Me frunce el ceño.

Le devuelvo el gesto.

Lor señala el suelo de cristal.

—¿Ves a esa rubia allí abajo con las tetas grandes? Estaba a punto de follármela.

—Uno, soy demasiado joven para oír ese tipo de cosas, y dos, no te veo cargando un garrote con el que golpearle la cabeza. ¿Cómo ibas a conseguirlo?

Detrás de mí oigo que Ryodan se ríe.

—Me estás jodiendo la noche, niña.

—Lo mismo digo. La vida en el Chester's es genial.

VEINTE

«I've got soul but I'm not a soldier»
('Tengo alma, pero no soy un soldado')

«No soy el Sinsar Dubh, Kat. Él os ha engañado a todos. Me necesitarás para salvarte.»

Cada noche Cruce me ha llevado dentro del Sueño y me ha afirmado lo mismo. Sus mentiras tienen el brillo y la consistencia de la verdad. Si mi empatía emocional funciona con los *faes* —una prueba que no he tenido todavía la oportunidad de realizar de forma satisfactoria—, recibo señales tan contradictorias de él que mi don es en vano.

Ahora, completamente despierta después de otra noche de pesadillas diabólicas, cruzo las puertas dobles de más de treinta metros de altura, varios centímetros de espesor y de insondable tonelaje, pero no las miro dos veces. Mis ojos son solo para él. No me parece extraño que no podamos cerrar dichas puertas. Lo extraño es que pudiéramos abrirlas: nosotros, unos diminutos mortales manipulando los carruajes de los dioses.

Me encuentro en la posición que tenían las gemelas Meehan cuando las sorprendieron hace poco, aferradas a los brillantes barrotes de la jaula de Cruce, embelesada ante esa visión congelada.

Él es Guerra. División, brutalidad y crímenes atroces contra la humanidad. Como un cúmulo de actos en el campo de batalla y la personificación de esta en una jaula, él es todo eso y más. ¿Cuántos humanos cayeron bajo los cascos asesinos de este astuto jinete del apocalipsis?

Casi la mitad de la población mundial, según el último recuento.

Cruce derribó los muros entre nuestras razas. Si no fuera por él, nunca habría sucedido. Él organizó las piezas clave, les dio un empujón donde y cuando fue necesario, puso el juego en movimiento y galopó sobre el tablero bajo la apariencia de un ángel vengador, agitando por aquí y revolviendo por allí, hasta que comenzó la Tercera Guerra Mundial.

No debería estar aquí con él. Sin embargo, aquí estoy.

Me he estado diciendo mentiras piadosas mientras recorría las profundidades de la abadía, en lo más recóndito de nuestra ciudad oculta, a través de un engañoso laberinto de pasillos y criptas e intrincados túneles sin salida. Me he dicho a mí misma que debía determinar que la jaula fuera segura y que él todavía estuviera dentro. Quería verle para darme cuenta de que no es más que una burda imitación de mis sueños; que lo miraría y me burlaría de lo esclava que me han vuelto sus sueños. Pensaba que, de alguna manera, venir a ver cómo estaba no lo liberaría a él, sino a mí.

Me tiemblan las rodillas. El deseo me reseca la boca y me hincha la lengua.

No hay libertad para mí aquí.

Tan cerca de él, deseo desnudarme aquí mismo, bailar como una posesa alrededor de la jaula y cantar las notas de una melodía inhumana que ni siquiera sé cómo conozco. Tan cerca de él debo morderme la lengua para evitar gemir de las ganas.

Tan cerca de él me siento como un animal.

Me miro las manos que se aferran a los barrotes: están pálidas y blancas, con unos dedos delgados que no sueltan las resplandecientes columnas, y en mi cabeza solo puedo verlas envueltas alrededor de esa parte de Cruce que me ha convertido en una adúltera. Enroscadas, como estaban anoche y la noche anterior y la anterior a esa. Veo la curva de mis labios al sonreír. Veo la suave redondez de mi boca mientras acojo su pene en ella.

Mis dedos bailan delicadamente sobre los botones perlados de mi blusa. Al darme cuenta, los aparto. Tengo una vergonzosa visión: mis chicas descubren a su nueva Gran Maestra retozando desnuda alrededor de la jaula de Cruce. Es erótico. Es horrible.

«La libertad te aterroriza porque nunca te permites ninguna —me dijo Cruce anoche en sueños—. No soy el único en una jaula. La vergüenza que sientes no es por mí, sino porque sabes que tú también estás en una jaula y te la has montado tú solita. Has sentido las emociones más oscuras de los demás desde que eras una niña, sabes qué monstruos acechan en su interior y confundes tus pasiones con sus monstruos. No son lo mismo, querida Kat. No son lo mismo para nada.»

Dice que reprimo la pasión, que no me permito sentirla. Me dice que mi amor por Sean es una mentira, que busco comodidad y seguridad y que no sé qué es el amor. Dice que elegí a Sean porque él tampoco siente pasión, que no corremos uno hacia el otro, enamorados, sino que huimos de las cosas con miedo. «Libérate —dice—. Ven a mí. Elígeme.»

«Dios, ayúdame. Me adentro en un valle de tinieblas y necesito tu luz para guiarme.»

Suelto los barrotes y retrocedo. No debo volver aquí nunca más.

Construiré un muro de bloqueo con trucos mentales, como ya hice cuando era joven y tenía que protegerme de las emociones intensas e hirientes de mi familia.

Mientras me vuelvo oigo un ruido tan leve que casi lo paso por alto. No quiero darme la vuelta. Me es casi imposible obligarme a salir de este lugar.

Sin embargo, lo hago. Soy la Gran Maestra aquí. La cavernosa sala, iluminada por varias antorchas en las paredes, parece vacía. No hay nada allí salvo una losa de piedra, la jaula de Cruce y yo. Si comparto esta sala con alguien más, o se esconde detrás de la losa o está al otro lado de la jaula. Oculto. Callado. Esperando que me vaya.

Consciente de mi posición en la abadía, aparto la mirada del príncipe de hielo y tranquilamente rodeo la jaula, con la cabeza en alto y los hombros erguidos.

Doy la vuelta a la esquina.

—Margery —digo. Está justo frente al lugar donde hace unos momentos me encontraba yo. Si no hubiera hecho ruido, me habría ido sin enterarme.

—Kat.

La hostilidad hierve en mi interior y burbujea entre ondas

calientes. Las emociones de los demás tienen temperatura y color, y cuando son intensas, hasta textura.

Las emociones de Margery son rojas, febriles y complejamente elaboradas, como un panal de abejas, con cientos de pequeños engaños, enfados y resentimientos escondidos en cada pequeño rincón. Conozco el resentimiento: es un veneno que bebes tú misma, esperando que los demás mueran.

He clasificado las emociones dentro de categorías toda mi vida. Navegar por los corazones de los que me rodean es un campo minado. Hay gente junto a la que me detengo una sola vez y que esquivo para siempre. Las emociones de Margery son increíblemente conflictivas y peligrosas.

Me pregunto si, de poder leer mis propias emociones, también serían calientes, rojas, en forma de un panal de mentiras y resentimientos. «¡Pero yo no quiero dirigir!», grita mi alma.

—Me preguntaba si pasamos por alto algo en la red —me dice—. Temo que no esté bien contenido.

—Ya. Yo también me lo preguntaba.

—Dios los cría... —replica con una sonrisa tensa. Se aferra a los barrotes y los nudillos se le ponen blancos.

No agrego la esperada «y ellos se juntan» porque yo paso de juntarme a ella. Está hambrienta de poder y yo anhelo la simplicidad. Habría sido feliz siendo la esposa de un pescador, en una cabaña junto al mar, con cinco hijos, gatos y perros. Margery sería un gran Napoleón.

Nos miramos la una a la otra con recelo.

¿Acaso él la visita? ¿Le hace el amor?

No puedo preguntarle si sueña con él y si eso es lo que la ha traído hasta aquí en esta mañana lluviosa y fría. Aunque así fuera, afirmará que no y luego le dirá a toda la abadía que yo sí, que me está corrompiendo y que deben reemplazarme.

Utilizará cualquier cosa en mi contra para tomar el control de la abadía. En el fondo mismo de mi prima Margery Annabelle Bean-McLaughlin hay una gran y absorbente necesidad. Ya era así de niña, cuando jugábamos juntas y ella les rompía las rodillas a mis muñecas y me robaba pequeños tesoros. Nunca lo he entendido. Me fijo en sus nudillos blancos. Aprieta los barrotes de la jaula como si estuviera exprimiendo algo.

—¿En qué piensas?

Se humedece su labio inferior, parece que esté a punto de hablar, pero luego se detiene. Espero y al cabo de un momento, dice:

—¿Y si el rey cogió el libro? Quiero decir, que se lo arrebatara a Cruce antes de congelarlo.

—¿Crees que es posible? —pregunto, como si fuera perfectamente razonable. Como si no supiera en este momento que a ambas nos están diciendo las mismas mentiras.

Mira a Cruce y luego a mí. Sus ojos son como vallas publicitarias que anuncian sus emociones. Observa a Cruce como si estuviera en una comunión tierna y privada. Y a mí, me mira como si no entendiera nada de ella, él, o del mundo en el que vivimos.

—Tú no tienes dones —me espetó cuando teníamos nueve años y oyó a sus padres alabándome por salvar a la familia de un traidor, en uno de esos laberintos de planes y traiciones que eran nuestras vidas. Mis padres solían llevarme a reuniones de «negocios» con lo más sórdido de Dublín y me observaban con cuidado para ver quién me ponía más incómoda—. ¡Estás maldita y tienes taras y nadie te querrá nunca!

Después de todos estos años, veo la misma burla en sus ojos. Ah, sí, él también la visita por las noches.

No solo soy adúltera, además soy de las baratas. Plasmo esa idea en un ladrillo alrededor de mi corazón y lo cubro con argamasa para colocar el siguiente. Estará en su camino cuando venga esta noche. Mi Sean estará en la cama junto a mí.

Ella se encoge de hombros.

—Quizás no sabemos lo que realmente sucedió aquí esa noche. ¿Y si el rey nos engañó a todos?

—¿Por qué iba a hacer algo así? —le digo.

—¿Cómo voy a adivinar sus motivos?

Necesito saber cómo está de corrupta.

—¿Estás pensando que quizás deberíamos liberar a Cruce?

Se lleva una mano al pecho como en señal de alarma.

—¿Crees que deberíamos? —Reparo en el brillo de sus ojos—. ¿Sabes cómo?

Ella siempre ha sido más débil que yo. Él no es más que una mancha más negra en su sangre ya corrupta.

—Creo que tenemos que encontrar la manera de conseguir que la red del rey *unseelie* vuelva a funcionar. Creo que deberíamos llenar la estancia de hormigón, reactivar la red, cerrar las puertas y cubrir de plomo la ciudad que hay bajo la abadía.

Casi me tambaleo ante la abrumadora furia de su respuesta, muy emocional, aunque sus labios acarician dulcemente la mentira:

—Tienes razón, Katarina. Como siempre, como todo el mundo sabe, tienes razón.

Le ofrezco mi mano y ella la toma, como lo hacía cuando éramos niñas, entrelazando los dedos. Cuando saltábamos la cuerda, ella siempre tiraba más fuerte. Tenía unos sentimientos tan encontrados en cuanto a mí cuando era joven que la hacían difícil de leer. Me rompí cuatro dientes hasta que desistí de que cambiara, de que la próxima vez sería distinto.

Salimos de la sala de la mano, como fortaleciéndonos la una a la otra con amor en lugar de mantener cerca al enemigo.

Veintiuno

«I'm a cowboy, on a steel horse I ride. I'm wanted...»
('Soy un vaquero, monto un caballo de acero. Me buscan...')

No le temo a nada. Nunca le he tenido miedo a nada, pero hay cosas que son una temeridad y eso no tiene nada que ver con el miedo. Se trata de aplicar la lógica y ser práctico. Miras al mundo, evalúas tus oportunidades de sobrevivir a la luz de las circunstancias actuales, y escoges el proceder que te ofrece la mejor oportunidad de lo que sea que quieras. Como, pongamos, continuar respirando.

Estoy de pie frente al Chester's, bajo una farola que apenas ilumina en la escasa luz del amanecer. El cielo es un gran banco de nubes de tormenta. Será un día húmedo y sombrío. Puto mes de mayo en Dublín. Y frío, también. Empiezo a preguntarme si va a llegar el verano alguna vez.

Por un lado de la farola, han pegado un póster. Al principio, cuando salí del club, pensé que los NosImportas de marras habían publicado otro periodicucho en las pocas horas que había pasado limpiándome y luego pudriéndome en el despacho de Ryodan, donde no hice nada salvo fulminarlo con la mirada mientras él trabajaba e intentaba no pensar en el propósito de su puto escritorio. ¿Lo desinfectará o algo? En todo el tiempo que estuve allí, ni siquiera me miró. Ni siquiera cuando me dijo que me podía ir. Sé que estoy rara con la ropa que Lor me dio después de ducharme, pero vamos, supéralo ya. No hacía falta que me ignorara todo el tiempo y me hiciera sentir más estúpida de lo que ya me siento.

Volviendo al póster... a pesar de lo que lleve puesto y aunque no tengo mi espada, estaba dispuesta a desplazarme por la ciudad y arrancarlos todos.

Lo malo era que los cabrones de NosImportas no habían colgado este póster. Había sido alguien peor.

El póster pegado a la farola tiene una calidad de póster profesional. El papel me devuelve un reflejo a color, tanto de frente como de lado.

Lo primero que pienso es: ¿cuándo me han hecho la foto? Lo examino y trato de recordar la última vez que llevé esa camisa. Creo que fue hace cuatro o cinco días. Es imposible que me tomen por otra; cualquiera me reconocería en un segundo. O se acercaron mucho a mí o tal vez no me enteré, que es inconcebible. Quizá fue otra persona quien hizo las fotos o tenía una lente increíble. Me veo bastante bien. Bueno, salvo por el ojo morado y el labio partido, pero ya casi ni me doy cuenta de estas cosas. Estoy acostumbrada al terreno; ¿quién repara en los árboles del bosque? Entrecierro los ojos.

—Joder. No puede ser verdad...

Tenía tripas en el pelo cuando me hicieron las fotos. Suspiro. Un día tendré el cabello limpio y ningún moretón. Y un día, Ryodan se disculpará por ser un completo gilipollas conmigo.

El mensaje es directo y al grano.

SE BUSCA

Viva.
Si eres humano, la inmortalidad es la recompensa.
Si eres *fae*, gobernarás junto a nosotros.
Ya no tiene la espada.
Está <u>indefensa</u>.

No hay información acerca de dónde llevarme cuando me encuentren.

A los príncipes *unseelies*, supongo. Los muy gilipollas la han tomado conmigo. ¡Siempre quise que todos reconocieran mi cara, pero no de esta manera!

—Indefensa, una mierda. —Sí, están cabreados conmigo y parece que ya no están demasiado ocupados peleándose entre ellos para darme caza. O vigilarme constantemente.

Miro por la calle.

Hasta donde me alcanza la vista, un póster se agita en cada farola que queda en pie. Imagino que han empapelado la ciudad entera.

—Me cago en todo.

Luego caigo en la cuenta. ¡Colega, valgo la inmortalidad y una participación en el gobierno! ¡Le han puesto un precio increíblemente alto a mi cabeza! ¡Porque, claro está, soy peligrosísima!

Quiero pasar el rato con Dancer y que me ayude a recuperar la espada. Tardé una hora en deshacerme de Lor. Ryodan le ha encargado que me siga, de modo que ahora es mi sombra protectora. Si tuviera la espada, Lor y yo no tendríamos que soportarnos. Al final me las apañé para distraerlo con lo que más le gusta: rubias con tetas.

Arranco el póster y hago una bola con él. Si no hubieran estado ahí, yo ya habría partido, con o sin espada, para correr los riesgos que sean necesarios. Esto ha sido una llamada de atención muy basta e indeseable.

«Ella ya no tiene la espada.»

¡Qué cabrones! Tenían que difundirlo, ¿verdad? Supongo que Jayne ya la está utilizando y el rumor ha llegado a los príncipes.

«Está indefensa.»

¿Tenían que subrayar esa palabra, hacerla más grande que el resto y ponerla en rojo también? A ver, ¿qué parte de indefensa necesita énfasis? ¡La palabra es mala de por sí! La puta ciudad estará buscándome muy pronto. Todos los malvados de ahí fuera a los que alguna vez he apaleado, a los que he amenazado o simplemente cabreado, están a punto de saber que ya no puedo matarlos. Ya saben que no puedo correr más rápido que los tamizadores, pero tener la espada siempre inclinó la balanza a mi favor y evitó que lo intentaran.

Me siento expuesta aquí en la calle. Cualquier cosa podría tamizarse detrás de mí para agarrarme y empezar la pelea. ¿Ganaría yo? ¿Y si hubiera una docena de ellos? ¿Y si los humanos vinieran a por mí con un ejército? ¿Y si acudieran los mismos príncipes?

¡Demasiados «y si»! ¡Yo no hago estas cosas! Preguntarse qué podría pasar es para los adultos. Tantas veces se lo preguntan que, al final, no hacen nada y mueren sin siquiera vivir.

Me doy la vuelta y miro el Chester's.

Luego me vuelvo otra vez y miro la calle.

Frente a mí, una probabilidad enorme de morir. Detrás de mí, una jaula.

Odio las jaulas. Para la mayoría de las personas, están construidas a partir del miedo y se las hacen ellas mismas. Yo no. La mía fue forjada con impotencia. Las de la mayoría de los niños están construidos de lo mismo.

Así pues, todo se resume en esto: muerte o jaula.

Sonrío. Colega, soy una superheroína. No tengo parangón.

Hago una seña obscena con los dedos dirigiéndola a ambos lados de la calle y me deslizo de lado para desplazarme y voy arrancando los pósteres al pasar.

Voy en busca de Dancer y lo encuentro buscándome a mí. Me hace gracia porque, ¿cuáles son las probabilidades de que nos busquemos el uno al otro en la inmensidad que es Dublín y que nos encontremos? Siempre nos encontramos. Somos como imanes.

Cuando lo veo, sonrío. Camina por la calle en el gris amanecer; brilla como una estrella que se transforma en una supernova. No puedo mirarlo directamente, solo puedo echarle rápidos vistazos por el rabillo del ojo. Tiene un halo de luz tan brillante alrededor que resulta cegadora. Lleva gafas de sol encima de las gafas y parece una especie de chico mutante con un superpoder propio: el supercerebro.

—¡Tío! —digo.

—¿Te gusta? Espera que lo apago. —Toquetea algo que lleva en la cintura y la luz disminuye a algo más parecido a lo que emite mi MacHalo.

Lo miro. Lleva ropa brillante: unos vaqueros brillantes, una camisa brillante y hasta una gorra brillante. La ropa se ciñe a su cuerpo alto y larguirucho como algo salido de esas revistas de moda con una perfección informal. Le está creciendo bastante el pelo; pronto me pedirá que se lo corte. Me gustan esos momentos. Nos cuidamos como dos monos que se sacan los piojos. Las personas subestiman ese acto.

—¿Una nueva tendencia? —bromeo.

—Pensaba en tu ropa, Mega —dice—, mientras trabajaba en el espray para Papa Roach cuando, de repente, se me ocurrió esta manera de protegernos de las Sombras. Tengo que rociarte la ropa con una base reflectante y luego he diseñado un arnés de luces que funciona con un sistema de pilas y no te lo pierdas: ¡se carga solo con el movimiento! —Juguetea con un aparatito que lleva a la cintura con la expresión atenta de un niño-genio que juega con sus cachivaches electrónicos. De repente, levanta la cabeza y sonríe. No puedo hacer más que devolverle la sonrisa, porque cuando Dancer sonríe así, desaparecen todas mis preocupaciones.

—Por cómo te mueves, no se apagará nunca. He estado probándolo y se mantiene cargado durante días con mis movimientos. Supongo que un buen desplazamiento de los tuyos lo cargará para una semana entera. Eso significa que cuando vayas a la ciudad de las Sombras, podrás dormir tranquila con esto puesto.

Me he quedado muda. Dancer ha estado pensando en mí, sopesando los pros y los contras de mi vida, para poder mejorarla. Ha pasado tiempo trabajando en algo que no salvará Dublín, como el espray de Papa Roach, sino solo a mí. Jugueteo con el brazalete que llevo en la muñeca. También me lo dio él. Me quedé flipando aquella vez porque temía que fuera a ponerse sentimental, pero eso fue cuando empezábamos a pasar tiempo juntos, cuando no sabía que Dancer nunca se pone sentimental. No dejamos que esas bobadas se interpongan entre nosotros. Emplear un poco de tu tiempo para mejorar la vida de otra persona es lo mejor que puedes hacer por alguien. Casi no quepo en mí de alegría; me hace muy feliz.

—Eres el mejor —le digo.

Sin embargo, esta vez no me lo devuelve.

—¿Ah, sí? ¿Eso crees? —Parece que quiere oírlo de nuevo, así que se lo repito y sonríe aún más.

Al cabo de unos segundos repara en el montón de pósteres que ya olvidaba que llevaba en la mano.

Hace un sonido de desaprobación.

—Mega, llevo horas arrancando esas cosas. He topado con uno de los grupos que los está colocando y los he seguido para ir arrancándolos. Había un montón de Rhino-boys pegándolos. ¿Es cierto? ¿Alguien te ha quitado la espada? —Me mira de arriba abajo, buscándola. Pestañea, incrédulo, como si acabara de verme por primera vez y me avergüenzo tanto que estoy a punto de desplazarme. ¡Me siento gilipollas!

¡Olvidaba lo que llevaba puesto!

Aprieto la mandíbula y le digo tensamente:

—Solo tenían estas prendas que me sirvieran. Ryodan me obligó a cambiarme. No he tenido nada que ver con este atuendo. ¡No lo escogería en la vida!

Dancer me mira como si fuera un extraterrestre del espacio exterior. Me entran ganas de esconder la cabeza como los avestruces. Me cruzo de brazos, cruzo las piernas por los tobillos y me giro un poco para hacerme más pequeña y que no vea tanto de mí.

—Ya sé que parezco imbécil, ¿vale? Ha sido un día malo de cojones y tengo mayores problemas que lo que llevo puesto así que deja de mirarme como si fuera una especie de friqui que se ha vestido así para Halloween. No he tenido opción porque Christian me dio su puto pijama y Ryodan me ha dicho que olía a…

—¿Christian te dio su pijama y olía? Espera un momento, ¿Christian usa pijama?

—Necesitaba su pijama porque me desperté en su cama y solo llevaba puesto el sostén y las bragas. Me había destruido la ropa. De lo contrario, nunca me lo hubiera puesto —aclaro al darme cuenta de lo extraña que ha sonado la primera parte.

—Bueno, eso explica las cosas.

Me encanta eso de Dancer. Siempre me entiende sin que yo tenga que hablar y hablar y decirle cómo A ha llegado a B.

—Solo digo que este no es mi rollo, así que no me lo tengas en cuenta.

—Está bien, Mega. Es muy guay.

—Parezco estúpida. —Es una situación tan violenta que tengo ganas de morirme.

—Pareces mayor, como si tuvieras dieciséis o diecisiete. Si llevaras maquillaje, probablemente dieciocho.

Estoy anonadada. Nunca he estado anonadada antes, pero conozco la definición e imagino que así debe ser como se siente uno. No es desconcertada o perpleja. Las palabras tienen unos matices muy sutiles. Hace un año o dos podría haberme quedado atónita, pero esta es una clase diferente de bloqueo. Sí, creo que estoy anonadada.

—Bueno —digo mientras me aliso la falda.

¡Joder! ¡Mierda! ¿Qué acaban de hacer mis manos? ¿Me acabo de alisar la falda? ¿Me estoy volviendo una moñas? ¡Ni siquiera suelo llevar faldas! Pero cuando Ryodan me hizo cambiar, lo único que encontraron que me quedara bien era el uniforme de camarera del subclub infantil. Además, estaba tan cabreada por los pósteres y después, tan feliz de ver a Dancer, que se me olvidó completamente que llevaba una falda corta, una blusa ceñida y los zapatos de colegiala con tacones que eran horribles para desplazarme, pero tenía cosas más importantes que hacer que entrar en una tienda y cambiarme de zapatos, como por ejemplo arrancar mi cara de cada puta farola de la ciudad. Los pies son pies; si funcionan y van bien, pues fantástico.

—¿Quién te robó la espada, Mega? ¿Y cómo lo consiguió?

Se me tuerce el ánimo de inmediato. Me enfado tanto que se me traba la lengua y no puedo hablar durante un segundo.

—Jayne —consigo balbucear al final. Me froto los músculos de la mandíbula para aflojar un poco la boca. La superfuerza puede ser un fastidio cuando afecta a todos los músculos de tu cuerpo. Cuando tienes un calambre muscular la cosa se vuelve grave. Puede durar más tiempo—. Ese cabrón de Jayne me la cogió y me dejó tirada en la calle para que muriera. Me hirió una de esas... —Lo único que sabe Dancer de las escenas heladas es lo que vio la otra noche y todavía no había explotado cuando me sacó de ahí. Al menos, creo que no presenció la explosión. Ahora no estoy segura. Tengo que preguntárselo a alguien después—. Resulté herida y Jayne me la robó cuando no podía hacer nada para detenerlo. Acudí a Ryodan y le dije que teníamos que recuperar la espada y él se negó. Me dijo que me prefería sin ella.

—¡Joder!

En una sola palabra, Dancer acaba de expresar toda la indignación que requiere y merece la situación.

—Ya te digo.

—¿Qué se ha creído? Eres la Mega. ¡No puedes arrancarle las garras a Lobezno!

—Exacto.

—¡Joder! —repite.

Nos miramos con compasión, porque los adultos están muy jodidos y no queremos acabar como ellos.

Entonces sonríe.

—¿A qué esperamos? Vamos a recuperarla ya mismo.

Desde que los muros cayeron, Dublín me recuerda al plató de una película.

Es por el silencio. La ciudad es un pueblo fantasma con ocupantes ilegales que se esconden en los escombros con los rifles amartillados. A veces, veo brillar el blanco de sus ojos a través de las ventanas tapiadas. Si son humanos, intento hablar con ellos. No todos ellos son receptivos. Hay algunos locos de remate por ahí que son tan espeluznantes como algunos *unseelies*.

Antes de que los muros cayeran, cuando pedaleaba por los distritos en la bicicleta de mensajería —cuando las *sidhe-seers* se hacían pasar por un servicio internacional de mensajería dirigido por Ro—, el ruido blanco impregnaba toda la ciudad. Hasta con mi superoído me costaba distinguir entre la congestión de automóviles y autobuses, el taconeo de la gente en los adoquines, los aviones que aterrizaban y despegaban, o los barcos que atracaban en la bahía. Los teléfonos móviles me volvían loca. Había días que solo oía esa extraña mezcla de alertas de los mensajes de texto, de correos electrónicos, de tonos de llamada, canciones y juegos.

Aun así, por muy molesto que fuera, era como música para mis oídos; eran los acordes complejos de la ciudad que amo. Ahora solo existen las notas planas de los soldados que desfilan, los monstruos que cazan y el ocasional trino lastimoso de algo que muere.

Dancer y yo corremos por las calles, contándonos chistes,

riéndonos como locos. El tiempo que paso con él es el único momento en el que puedo olvidarme totalmente de mí misma.

Doblamos una esquina y nos encontramos con un contingente de Rhino-boys. Cuando nos ven, uno de ellos le gruñe a la radio:

—La tengo, jefe, está en Dame y Trinity.

Miro por encima del hombro, lo memorizo todo en mi cuadrícula mental, cojo a Dancer, me deslizo de lado y me desplazo para salir de ahí.

Al cabo de un rato, merodeamos por los alrededores del Castillo de Dublín, sigilosos como dos ratones que se cuelan en una cocina en busca de queso.

Los ojos de Dancer brillan de la emoción. Nunca me había desplazado con él antes. Me dijo que era lo más alucinante que había hecho nunca y que quería volver a hacerlo. Cuando me movía con Mac, la pobre solía acabar con ganas de vomitar.

Después de pasar por una tienda y cambiarme la ropa por un atuendo mejor —vaqueros, zapatillas y un nuevo chaquetón de cuero—, paramos en uno de los refugios que ni siquiera sabía que tenía y cogemos algunos explosivos. A veces, los mejores planes son los más sencillos porque hay menos margen de error. Él los distraerá haciendo explotar algo mientras yo entro a buscar la espada. La recuperaré, iré a buscarlo a él y nos largaremos. Y esta noche a las ocho me pavonearé por el Chester's y todo el mundo verá que nadie se mete con la Mega. Ryodan verá que no lo necesito para nada.

—Tenías razón —dice Dancer—. Las jaulas están atestadas de *unseelies* esperando a que los asesinen.

Me echo a reír.

—Jayne no sabía en lo que se estaba metiendo cuando me robó la espada. Ya sabía que él no tenía el tiempo suficiente para matar lo que había capturado en seis días. La única manera de hacerlo es con mi supervelocidad.

Hay camiones cubiertos estacionados cerca de la zona de entrenamiento. Empezamos a rodearlos desde atrás. Hay cadáveres recientes de *unseelies* amontonados en la parte trasera de uno de los camiones, que todavía gotea. Eso significa que hay alguien blandiendo mi espada ahora mismo y que está cerca. Se me curvan los dedos, que arden en deseos de sostenerla. No sé dónde se deshace Jayne de los cadáveres. Los carga en camiones, en alguna parte. Conozco su rutina. Durante mucho tiempo fui parte de ella. Sus hombres patrullan las calles, capturan a todos los *unseelies* a los que pueden ponerles las manos encima y los encarcelan en celdas de hierro en los edificios que hay detrás del castillo de Dublín. Las instalaciones están vigiladas porque, en varias ocasiones, uno u otro bando *fae* ha contratado a humanos para intentar liberar a alguien, o a todos.

Cuando las jaulas empezaban a llenarse y yo tenía tiempo libre, me pasaba por ahí, rebanaba a los *unseelies*, cargaba los cuerpos en los camiones y me los llevaba. Era rápida y muy eficiente.

Pero solo porque mato a supervelocidad. Ninguna persona normal puede entrar a una jaula llena de *unseelies* a cámara lenta armada solo con un arma, ya sea la Espada de Luz o no. Acabaría hecha pedazos mientras apuñalara a su primer *fae*.

Ahora, Jayne está obligado a separar a cada *unseelie*, sacarlo de la jaula, matarlo, separar al siguiente, matarlo, y así sucesivamente durante varios días. Necesitará un contingente a tiempo completo para ejecutarlos a todos. Necesitará docenas de sus hombres para sustituirme. Y antes ya iba corto.

—Mega, sé dónde está la espada —dice Dancer.

—Yo también.

Cuando mato *unseelies*, lo hago tan deprisa que no hay tiempo para que los *unseelies* cercanos reaccionen. Mueren rápidamente. La mayoría de ellos incluso antes de saber qué pasa.

Pero por la forma en que lo hace Jayne, seguro que se pasan horas viendo cómo asesinan a los otros, viendo cómo se acerca la Muerte.

Odio a los *faes*, pero que estén ahí encerrados mientras ven morir a sus amigos a unos pocos metros de distancia, a la espera de que los asesinen, me hace sentir... no sé, me descompone. No es que les debamos misericordia —ellos no muestran ninguna hacia nosotros—, pero imagino que si vas a matar algo deberías hacerlo de una forma rápida y sin dolor. De lo contrario, estás tan enfermo como lo que sea que estás matando.

No necesito recuperar la espada solo por mí. Necesito recuperarla porque soy la mejor persona para desempeñar este trabajo. Jayne tiene que sacarse la cabeza del culo y darse cuenta. Es una puta masacre que se prolonga demasiado.

A Dancer ya no le brillan los ojos. Parece tan sombrío como me siento yo. Le haré una demostración de buena fe cuando recupere la espada.

Me quedaré, mataré y terminaré con la miseria de todo el mundo de una forma rápida y limpia.

Luego Jayne y yo nos sentaremos y tendremos una charla.

Miro a Dancer y él asiente.

Nos dirigimos hacia el lugar de donde proceden los gritos.

Las puertas de acero corrugado están abiertas de par en par en el almacén y dejan espacio suficiente para que dos semirremolques entren y descarguen si quieren. Ocuparse del edificio donde Jayne se carga a todos los *unseelies* no es lo difícil.

Lo complicado es que nadie te vea.

El muelle de carga de hormigón es de un metro y medio de alto. Me he acercado con sigilo hasta llegar prácticamente a la entrada. Solo se me asoman los ojos y el pelo por un costado mientras examino la zona y empiezo a memorizar la cuadrícula mental. Cualquier parte de mí que se vea me hace sentir demasiado expuesta. Ser pelirroja es como llevar encima un letrero de neón. Un rubio oscuro se mezclaría con el fondo y un castaño combinaría bien con la oscuridad del amanecer, pero mi pelo no se funde nunca con la oscuridad, a menos que tenga como telón de fondo un cielo carmesí.

Dancer está en algún lugar por ahí arriba, colocando explosivos. En momentos así, desearía tener un clon para poder hacer las cosas geniales que estoy haciendo y además estar con él. Me encanta hacer volar cosas, pero mi parte del trabajo consiste en entrar corriendo, recuperar la espada y largarnos rápidamente de aquí.

Tenía razón en cuanto a que necesitarían un contingente para controlar la matanza, aunque Jayne tendría probablemente a muchos más alrededor de la espada en todo momento solo para protegerla de mí.

¡Como si eso bastara para protegerla de mí!

Jayne tiene a dos docenas de hombres con él; portan armas automáticas y van envueltos de municiones. Están de pie en la parte interior de la entrada en alerta máxima, observan cada movimiento que se hace. Odio las pistolas. Las armas automáticas disparan ráfagas de balas que me es casi imposible evitar.

Por eso necesito la distracción. Necesito que no haya nadie antes de poder desplazarme, buscar a Jayne y salir en zigzag para dificultar que me disparen, en la medida de lo posible.

Levanto la mirada y exploro los techos de alrededor. No hay francotiradores apostados en ningún sitio. Si fuera Jayne, habría tenido al menos a seis hombres vigilando en las azoteas. Por eso yo soy la Mega y él no.

Echo un vistazo al interior y veo mi espada. Antaño, cuando era más joven, Ro me la quitaba a veces, pero cuando se armó la gorda con Mac, la cogí de nuevo y nunca dejé que nadie volviera a tocarla. Una vez, en plena batalla, vi a Mac lanzarle su lanza a Kat para que la usara. Colega, ella es mucho mejor que yo. Nunca compartiré mi arma porque es mi segunda piel. No soporto que la toque, la sostenga o la use nadie más. Es mía, Jayne me la arrebató y no tenía derecho a hacerlo. No me sentiré yo misma hasta que la recupere.

Los gritos no son tan fuertes ahora porque Jayne no está matando a ningún *fae*. Sin embargo, mientras observo, sus hombres traen a un Rhino-boy al frente del almacén cerca del muelle, lo empujan y este cae con sus rodillas rechonchas al suelo frente a él.

Jayne echa el brazo hacia atrás, gira la mano con la que sostiene la espada y lo decapita con un corte limpio.

No. Suelto una risilla.

Está flipando. Me doy cuenta de que saldrá mal incluso antes que él.

—Y una mierda. Se agachará —murmuro.

El Rhino-boy se retuerce, se agacha en el último segundo y la espada se le aloja en uno de los colmillos amarillos.

Suspiro. ¿Para qué cree Jayne que son los colmillos, además de para bloquear golpes en la cabeza? Bueno, también los usan para empalar, pero sobre todo para protegerse el cráneo y el cuello.

El Rhino-boy está cabreado. Chilla, gruñe y está a punto de liberarse. Alguien le dispara y los hombres de Jayne forcejean para empujarlo otra vez al suelo.

Él se saca la espada del colmillo y cuando lo consigue, tropieza. En alguna parte, un *unseelie* se ríe a carcajadas.

Jayne recupera el equilibrio, levanta el brazo y baja la espada una vez más.

Me estremezco.

Jayne es fuerte. Pero los *unseelies* están hechos de tendones y cartílago y una rara estructura ósea donde menos esperas encontrarla, de modo que cortarles la cabeza no es tan fácil como parece a primera vista.

La espada se le ha quedado a medio cuello y del Rhino-boy empieza a brotar una sustancia viscosa verde. Chilla como un cerdo, agita los brazos y las piernas rechonchas, y cientos de *unseelies* enjaulados se ponen a gritar, desesperados.

Jayne sigue cortándole el cuello como si fuera un serrucho y me entran ganas de vomitar. Sus hombres no parecen mucho más serenos. El ruido es ensordecedor. Los Rhino-boys emiten un chillido continuo y agudo; unos pequeños *faes* alados (¡los que te matan de la risa literalmente!) repican de la rabia y emiten deslumbrantes haces de luz en su intento de escapar de sus jaulas de hierro; unos *unseelies* con pinta de ciempiés se retuercen entre sus compañeros de jaula, y el sonido que hacen es como si varias toneladas de grava cayeran sobre hojas de metal y las arrastraran por encima. Unos fantasmas demacrados y delgados entran y salen de su estado sólido, emitiendo un gemido agudo. El sonido es tan estridente que noto su vibración en el suelo de la plataforma de hormigón bajo mis palmas.

Al final, Jayne consigue matar al Rhino-boy al que está cortando y se vuelve hacia uno de sus hombres, que le da una toalla para quitarse de encima la viscosidad y la sangre. Mira hacia las jaulas con expresión sombría. Río, pero no de alegría. Seguro que ahora aprecia la rapidez de mis servicios. No es fácil entrar en un almacén lleno de monstruos condenados y matarlos a todos. Pero cada uno que vuelva a las calles acabará matando a decenas, tal vez cientos o miles de seres humanos, a lo largo de su existencia inmortal. Es lo que hacen. Son ellos o nosotros.

Miro el móvil. He activado el temporizador: tengo siete minutos antes de que Dancer detone las cargas. Hubiera preferido una sola explosión, pero Dancer quería varios sitios para dividir mejor a los hombres de Jayne y aumentar nuestras probabilidades de entrar y salir sin problemas, y fácilmente, claro.

Miro la espada. Estoy obsesionada. Lo sé y no me importa. Hay cosas peores con las que estar obsesionada, como Jo con Ryodan. Puaj. Eso sí es una jodienda.

Los hombres de Jayne han vaciado una jaula y dejan a los pequeños *faes* que te matan de la risa para el final. Atrapan a las pequeñas y brillantes arpías con redes que luego lanzan al suelo frente a Jayne. Los *faes*, delicados y muy cucos, gritan y agitan los puños mientras Jayne baja la espada una y otra vez. La escena es incluso más macabra que antes porque los hombres que le rodean, incluso el buen inspector, no pueden contener la risa; muchos de ellos se ríen a carcajada limpia hasta que el último *fae* muere.

Los *unseelies* enjaulados rugen y aúllan.

Como soy *sidhe-seer*, puedo sentir a los *faes* en los huesos, en la médula, en ese extraño centro neurálgico especial que otras personas no tienen.

Antes de que los muros cayeran, cuando había menos monstruos en el mundo, mi percepción era como un faro de cristal transparente que me advertía si uno de ellos se me acercaba demasiado mucho antes de tenerle lo bastante cerca para que me supusiera una amenaza. Pero desde que los muros cayeron, hay tantos alrededor que mi alarma *fae* suena constantemente, las veinticuatro horas del día. Como cualquier otra *sidhe-seer* que quiere permanecer cuerda —o simplemente dormir un poco—, he aprendido a silenciarlo. Si no hallas la manera de bajar el volumen, te vuelves loco. No es solo una alarma interna que te dice: «Atención, un *fae* está cerca». Es una sensación que viene acompañada de un estallido de rabia pura y que te ordena matar, matar, matar, y hacerlo en ese mismo instante, incluso aunque tengas que hacerlo con tus propias manos. No puedes reprimirlo porque es demasiado fuerte. Las mujeres de más edad de la abadía dicen que es como tener el sofoco más violento y sanguinario imaginable; una oleada hormonal de pura furia homicida. No quiero vivir el tiempo suficiente para tener sofocos; la pubertad ya es bastante mala.

Ahora tengo el sensor de *fae* completamente silenciado y, a pesar de todo, lo noto: hay un *unseelie* muy poderoso cerca, demasiado para mi gusto.

Para haber penetrado la barricada de silencio que he construido a mi alrededor, su poder tiene que ser enorme. Subo el volumen un poco, intentando determinar quién, qué y dónde. Con tantos *unseelies* en el almacén, tardo unos segundos en aislar al recién llegado.

¡Ahí está!

Expando la conciencia para calcular su medida: es antiguo y mortal.

«Sexo. Hambre. Rabia. Hambre. Sexo. Hambre. Rabia. Hambre.»

Lo noto, pero no puedo verlo.

Se me eriza el vello de la nuca.

De repente, se mueve una sombra en el amanecer sombrío y húmedo, y ahí está, al otro lado del muelle, con el pelo y los ojos apenas visibles. Estamos justo enfrente, a no más de diez metros.

Esta vez no es Christian; es uno de los príncipes *unseelies* pura sangre. Por otra parte, después de encontrar a la mujer desnuda muerta entre su cama y la pared, tampoco estoy segura de que esto sea ya una distinción importante.

Me quedo tan inmóvil como la muerta en casa de Christian.

No me mira a mí sino a Jayne. Parece que no haya reparado en mí para nada. Pienso en la posibilidad de escabullirme y hacerme un ovillo, concentrarme con todas mis fuerzas para no ver todas esas imágenes sexuales tan gráficas en mi cabeza como las que estoy viendo ahora.

«Hambre. Necesidad. Sexo.»

Pero no puedo escabullirme hacia abajo porque no me atrevo a apartar la vista de él. ¡Soy demasiado peligrosa para dejar que el príncipe me capture, me convierta en una *pri-ya* adicta al sexo y me controle! ¡Ese es el argumento que debería haberle presentado a Ryodan! Sin mi espada, los príncipes pueden tomarme como rehén, convertirme en una de sus enloquecidas esclavas sexuales y usarme como un arma contra él. Seguro que si le hubiera dicho eso, me habría escuchado, pero no lo pensé porque estaba demasiado cabreada.

Exploro el borde de la plataforma de carga, pero solo veo a un príncipe. ¿Dónde está el otro? Con la cabeza perfectamente inmóvil, entrecierro los ojos, y le echo un vistazo al reloj. Me quedan más de cuatro minutos antes de la primera explosión.

¿Cómo me ha encontrado tan deprisa? Bueno, no me ha encontrado exactamente, pero al parecer sabía dónde buscar. ¿Pasamos junto a más Rhino-boys sin darnos cuenta y les informaron de mi paradero?

Me quedo mirando fijamente y contengo la respiración mientras trato de decidir si me muevo o sigo inmóvil y sin respirar. Veo cómo observa a Jayne, que está matando a otro *unseelie* y, de repente, tengo una epifanía total: ¡no ha venido aquí a buscarme!

Ha venido a por mi espada.

Ahora que ya no soy la guardiana de la espada, los príncipes tienen la ocasión de cogerla y destruirla. No pueden resistir la oportunidad de eliminar a una de las dos únicas armas que puede matar a los *faes*. No pudo quitármela a mí porque yo soy la Mega, pero cree que puede robársela a Jayne porque este no tiene ningún poder especial. No es más que un hombre.

Lo peor de todo es que probablemente sea cierto. Podrá tamizarse y cogerla antes de que Jayne siquiera sepa qué ha pasado. Es un *unseelie*, lo que significa que en realidad no será capaz de tocarla porque los *faes* oscuros no pueden tocar las Reliquias de Luz y viceversa, pero apuesto que tiene algún tipo de plan para eso.

Soy rápida, pero no puedo vencer a un tamizador. Esa es la razón por la que necesito tanto la espada. Con todos los tamizadores a los que he cabreado, sin ella, soy chica muerta.

Imagino todos los casos posibles, empezando por el peor. Me gusta hacerlo de esa manera, así puedo terminar con el pensamiento feliz y aspirar a eso.

Uno: el príncipe *unseelie* se tamiza y los mata a todos. Lleva a una de esas groupies *pri-ya* consigo, cuya cabeza no es visible porque está en algún lugar más abajo haciendo algo totalmente repugnante. La chica coge la espada, él se tamiza con ella y se llevan el botín.

Dos: el príncipe *unseelie* me ve, se tamiza y me mata.

Tres: el príncipe *unseelie* me ve, se tamiza, me captura y me convierte en *pri-ya*. Me niego a seguir ese pensamiento. En resumen: cualquier otra versión en la que el príncipe *unseelie* me encuentra termina mal.

Cuatro: me arrodillo y me escondo. Nunca sabrá que estoy aquí. Las bombas de Dancer explotan rápidamente una detrás de otra. Me desplazo y cojo la espada mientras todos flipan por el barullo. Mato al príncipe *unseelie* en un despliegue deslumbrante de destreza y gracia. Con el tiempo, componen sonetos en mi honor.

Sonrío. Este último caso me gusta.

Vuelvo a centrarme en lo que me ocupa y me doy cuenta de que la realidad, esa cabrona impaciente, ha tomado la decisión por mí. Suele pasar: tú estás la mar de tranquilo planificándote la vida, entonces aparece ella y se emperra en hacer lo que le da la gana antes de que estés listo. ¡Antes siquiera de tener la oportunidad de apuntar bien!

Es uno de los casos malos: el príncipe *unseelie* acaba de verme.

VEINTIDÓS

«Your mind's in disturbia, it's like the darkness is light»
('Tienes la mente alterada, como si la oscuridad fuera luz')

Cuanto más asustada estoy, más viva me siento.

Debería hundirme del terror, pero la adrenalina me hace espabilar.

Si el príncipe *unseelie* se acerca a unos pocos metros de mí, me derrumbaré de todos modos, con adrenalina o sin. Nadie es inmune a la realeza *fae*. Nadie tiene protección alguna contra ellos. La realeza *seelie* mantiene su erotismo letal apagado alrededor de los humanos a modo de cortesía. Los *unseelies* se deleitan en utilizarlo sobre nosotros con toda su fuerza. Los príncipes ya han convertido en *pri-ya* a cientos de mujeres. Nadie sabe qué hacer con ellas. La gente se debate entre encerrarlas o matarlas por misericordia. Lo último que oí es que las tenían encerradas en lo que solía ser un psiquiátrico.

Mis superpoderes no sirven contra los príncipes. Todo ese sexo, necesidad y hambre te vacían la mente de todo salvo de la lujuria, por la que estás dispuesta a morir. Vi a Mac en su peor momento cuando era *pri-ya*. Es la única persona que se conozca que se ha recuperado de esa enfermedad tan devastadora para la mente. Una cosa es que te enjaulen físicamente, pero no concibo nada peor que perder la cordura. Miro a Jayne, desesperada por recuperar mi espada. En este momento la está utilizando para rebanarle el cuello a otro *unseelie* entre los gritos, exabruptos y rugidos del público. Sin la distracción de Dancer, no hay manera de pasar entre todos esos guardianes y sus armas. Miro el reloj. ¡Todavía quedan tres minutos y medio!

—Oye, colega, ¿qué tal? —le digo con aire de indiferencia

al príncipe *unseelie*, mientras le saco el seguro a una de las granadas que Dancer modificó, hace meses, para provocar una explosión cegadora y retardada. Las uso como granadas-Sombras, metidas en una bola de carne inmortal. Cuando estábamos en uno de sus refugios antes, me llené los bolsillos de todo tipo de cosas. Me meto una barrita de chocolate en la boca con la otra mano y le digo—: Mira esto. Se salió de la espada antes de que Jayne me la robara. ¿Qué crees que es?

La lanzo directamente sobre la plataforma. El príncipe hace justo lo que estaba convencida de que haría: la atrapa. Un humano la reconocería, pero seguro que él no. Si lo hace o no, su reacción no es para nada lo que esperaba. Me imaginaba que, en el peor de los casos, la lanzaría por encima del hombro.

¡El muy imbécil me la lanza directamente a mí!

Como una idiota, yo también la atrapo. Creo que hay dos clases de personas en la vida: aquellas a las que puedes lanzarles algo y que instintivamente se agacharán, y las que lo cogerán sin pensar. Siempre he sido de las que lo cogen. Siempre a la ofensiva frente a la defensiva. Curioseo mientras me desplazo, congelo y evalúo la situación: Jayne no tiene ni idea de que estamos aquí porque no puede oírnos con el estruendo que hacen los monstruos enjaulados. En mi mano, la granada va a explotar en cinco, cuatro, tres...

—No, cógela tú —le digo mientras se la lanzo al príncipe.

Él la atrapa, cierra la mano alrededor, y le veo un destello de luz en el puño. Luego abre la mano y cae al suelo un polvo negro. No termino de descifrar su expresión, pero casi diría que acaba de esbozar una sonrisa de satisfacción.

Joder. ¿De qué está hecho? ¿De acero galvanizado?

De repente, sé dónde está el segundo príncipe porque, a mis espaldas, la temperatura ha bajado unos cuatro o cinco grados. Se me congela el vello de la nuca y me estremezco.

Me preparo para congelarme hacia el lado opuesto, pero me corta el paso y choco contra su frío y fuerte cuerpo.

¡Mierda, mierda, mierda! Me lanzo hacia delante, pero vuelve a impedírmelo. Me giro y me inclino, pero choco contra él de costado. Hacemos esto de avanzar y bloquear unas diez veces más mientras me atiborro de barritas de chocolate. Nos movemos como si estuviéramos bailando. Es como si leyera los pequeños indicios de mi cuerpo y anticipara mis movimientos. ¡Es endiabladamente rápido! Solo distingo una maraña de pelo largo y negro, y el brillante destello de sus tatuajes caleidoscópicos bajo su piel oscura.

Me lanzo al suelo y ruedo alejándome de él; me pongo de pie de un salto, pero me sorprende por detrás y me tira hacia sí otra vez. No puedo dejar de temblar. Tengo que zafarme de él. Me hace ese sonido al oído que he oído hacer a muchos de los hombres de Ryodan en el nivel cuatro cuando estaban todos follando; es un ruido bajo, áspero y tenso. Me oigo a mí misma emitiendo un sonido que ni siquiera sabía que era capaz de hacer.

Toda yo me vuelvo una granada, peleando con todas las extremidades. ¡No pienso hacer nada parecido a eso!

Golpeo, muerdo y doy patadas. Él no se defiende. Me envuelve con los brazos desde atrás y me tiene presionada contra su cuerpo con fuerza, esperando que mi furia se convierta en otra cosa.

Y lo hace.

¡Me estoy perdiendo a mí misma! ¡Noto cómo se me va la cabeza!

¡Me estoy convirtiendo en algo que no quiero ser y no puedo detenerlo! ¿Es esto por lo que pasó Mac? ¿Cómo lo soportó? ¡Tres príncipes a la vez y luego también Cruce!

¡No quiero esto! ¡No tenía que ser así! Se supone que perderé mi virginidad de algún modo impresionante, superespectacular y sensacional. ¡No así!

Pero todo en mi interior se deshace como una rica, cálida y aterciopelada *fondue* de chocolate que es tan espesa, dulce y deliciosa que quiero nadar en ella, dejar que me cubra la cabeza, me lleve a un lugar donde ya no tenga que pensar ni luchar y donde simplemente pueda ser yo sin tener que esforzarme siempre por ocuparme de todo, protegerme y ganar todo el tiempo.

Quiero desnudarme aquí en la calle. Quiero hacerlo en todas las formas: de pie y recostada, a cuatro patas y cabalgándole de espaldas. Su pelo negro se me enreda alrededor del cuello y se desliza sobre mi piel como seda cálida. Con sus brazos alrededor, se me antoja el mejor baile lento que jamás he imaginado y no es que imagine cosas como bailar lento con Dancer ni nada, pero me cuesta respirar bien y el aire se me queda atrapado en la garganta.

Hace un sonido como el de unas oscuras campanillas en una tormenta; hermoso y frágil. La inquietante melodía me toca la fibra como si convirtiera cada una de mis terminaciones nerviosas en tejido orgásmico.

Estoy perdida. Me presiono contra él. Está muy duro y es prácticamente perfecto en todos los sentidos.

—Ah, Dani, mi querida, no me das ni una sola razón para esperar a que crezcas. Me estás dando mil razones para no hacerlo.

¡Es Christian! ¡Me alegro tanto de que sea él y no uno de los otros príncipes! Me vuelvo en sus brazos y echo la cabeza hacia atrás.

—¡Hola, Christian! —Le sonrío. Es más apuesto que los demás príncipes. Estoy contenta de que me tocara él. También aceptaré a los otros, pero lo quiero a él primero—. Quiero crecer. Ahora. Date prisa.

—No. Así no.

Alargo el brazo y tiro de la cabeza de Christian hacia abajo para besarlo, pero él me aparta la mano de un golpe. Me cabrea. Lo agarro de nuevo. Me empuja y tropiezo.

Entonces me da una bofetada, con fuerza. Me pitan los oídos por la dureza del golpe. Me humedezco los labios y le miro. No es dolor lo que necesito: quiero que él me alivie ese dolor. Puede que sea virgen, pero mi cuerpo sabe cómo moverse y qué hacer. Es un poco vergonzoso, pero al mismo tiempo me gusta. El sexo es poderoso porque hace que todas tus células se sientan increíblemente vivas. ¿Cómo no sabía eso? Quiero explorarlo, quiero aprenderlo de una forma exhaustiva, como todo lo que hago. ¡Me siento increíble! Es como si estuviera a punto de aprender cosas de las que no tengo idea y que me cambiarán para siempre. Cuando esto haya acabado, seré una mujer. Ya no seré una niña. La idea me fascina.

¡No estoy preparada para eso! Y, sin embargo, allí que voy de cabeza y no veo el momento de hacerlo.

Me abofetea otra vez.

—Deja de mirarme así. Cabréate conmigo. Ódiame por lo que te haría. ¡Te mataré si me sigues mirando así! ¡Te follaré hasta que mueras! —me espeta.

De repente, el príncipe *unseelie* que estaba al otro lado de la plataforma aparece a su lado, hombro con hombro. Comienzan a discutir en *unseelie* y no entiendo ni una sola palabra de lo que dicen, aunque sí entiendo el tono. El otro príncipe está enfadado.

Un tercer príncipe se tamiza. O un segundo, si tenemos en cuenta que Christian no es un príncipe total aún. Son tan parecidos, que me pregunto si ya ha pasado por el cambio final, aunque haya pasado tan poco tiempo desde la última vez que lo vi. Ayer, estar tan cerca de él no me afectó de esta forma. ¿Le ha pasado algo durante la noche? ¿Es porque hay más de un príncipe aquí y se potencian los unos a los otros? ¿En serio acaba de decir algo extraño sobre que quiere esperarme? Tengo el cerebro hecho papilla. No me funcionan los circuitos.

No puedo hacer frente a los príncipes. A pesar de todos mis poderes de superhéroe, aquí no soy nada. Estoy tan débil, indefensa y condenada como cualquier otra persona. Soy una víctima dispuesta, lista, ansiosa, con ganas de que la destruyan. En parte, soy consciente de lo horroroso que es eso, pero hay otra parte dentro de mí, una más grande, a la que no le importa. Ser víctima del placer eterno me parece ahora el estado de existencia más perfecto que jamás pueda imaginar.

Los miro. Me noto las mejillas mojadas. Quiero apartar la mirada pero no puedo. Me seco el rostro y me veo las manos ensangrentadas por las lágrimas. Intento retroceder, pero es como si tuviera las botas pegadas al suelo con pegamento. El hechizo que Christian había empezado a deshacer, está tejiéndose a mi alrededor una vez más y no puedo hacer nada para impedirlo. Estoy a unos tres metros de distancia de tres *faes* orgásmico-letales y no veo modo alguno de escapar de esta. ¿Podría Christian protegerme de ellos de verdad, aunque no quisiera que lo hiciera? Porque como se me acerquen aunque sea un centímetro más, no querré que lo haga.

—Ponte detrás de mí, niña —gruñe Lor a mis espaldas. Parece que al pensar en Ryodan he invocado a sus hombres. Si pudiera moverme, me tiraría al suelo de alivio, pero como no puedo, me quedo ahí de pie.

Lor me agarra y me empuja detrás de él. Lo flanquean media docena de sus hombres, que me rodean a mí también.

Se enfrentan a los príncipes y justo cuando va a armarse una buena, uno de los hombres de Jayne grita porque nos ha visto y los guardianes nos apuntan inmediatamente con las armas.

Entonces los *unseelies* atrapados en las jaulas deben de ver a sus príncipes ahí afuera porque empiezan a rugir y a aullar con todas sus fuerzas, supongo que intentando hacer que los liberen.

En ese momento estalla la primera de las bombas de Dancer.

Veintitrés

«My pretty pretty thing. Do you want to freeze?...
The Iceman cometh»
('Mi cosita hermosa. ¿Quieres congelarte?
Aquí viene el hombre de hielo')

*D*ancer colocó las bombas en las plantas superiores porque intentamos no destrozar edificios enteros a menos que sean nidos y haya que demolerlos.

Cuando empiezan a detonar las cargas, los techos saltan por los aires, uno tras otro, y nos cae encima una lluvia de escombros.

Cristales, ladrillos y trozos de yeso rocían la calle. El aire está tan lleno de polvo que durante unos segundos no alcanzo a ver nada.

Todos echamos a correr para esquivar los trozos, cubriéndonos la cabeza, incluso los príncipes *unseelies*. Supongo que ser inmortal no implica que te guste que te aplaste una plancha de hormigón. Así pues, todos comenzamos a buscar refugio, salvo Jayne y sus hombres, que ya están dentro del almacén y no les hace falta.

La detonación de las bombas no funciona como yo tenía previsto. Se suponía que los guardianes saldrían a inspeccionar cuando estallaran y no verían a nadie porque yo estaría escondida. Luego se suponía que irían a buscar a quien fuera que estuviera poniendo las bombas en los edificios de los alrededores y yo me encargaría de Jayne y de quien quedara.

En cambio, nos miran desde dentro porque estamos esquivando escombros que caen y lo hacemos a cámara lenta porque no se puede hacer deprisa bajo esa impredecible lluvia de metralla.

Los guardianes tratan de alinearnos en sus miras y ladran órdenes para que nos quedemos quietos y soltemos las armas, algo ridículo, como si alguien fuera a hacerles caso, pero supongo que los malos hábitos no desaparecen tan fácilmente. Nadie se queda inmóvil ni suelta nada. Y me pregunto, ¿Jayne no entiende que los príncipes *unseelies* y yo queremos lo que lleva en la mano y que mataremos por eso? Colega, si fuera él, la soltaría ya mismo y me largaría.

Cuando estoy convencida de que los trozos más grandes de techo ya han caído, paso junto a Lor desplazándome lo más deprisa que puedo para recuperar mi espada, a manos de Jayne, pero choco contra Lor porque el cabrón es más rápido que yo.

Luego ambos chocamos con dos príncipes *unseelies* que no estaban allí dos segundos atrás y, de nuevo, se me empieza a llenar la cabeza de pensamientos sexuales. Lor me agarra y juntos nos alejamos con mi supervelocidad. Los príncipes ven a Lor y también desaparecen, lo que deja a Jayne como un blanco fácil para mí. Intento rodear a Lor desplazándome otra vez y me estampo contra su pecho. No obstante, tenemos que echar a correr y buscar refugio porque acaba de caer una chimenea que nos está rociando de ladrillos.

—¿Por qué todos te dejan solo? —le pregunto, cabreada, cuando nos agachamos detrás de la plataforma—. ¿Es que tienes una especie de espray que repele a los *faes*? ¡Compártelo, tío!

Él me fulmina con la mirada. Tiene la cara gris por la suciedad de los escombros. Noto el sabor del polvo de argamasa en la lengua. Las cosas siguen cayendo, pero la lluvia de escombros cada vez es más lenta. ¡Dancer prepara unas bombas excelentes!

—¿Por qué no me dejas recuperar la puta espada? —A él sí le expongo el argumento que debería haber empleado con Ryodan—. Si los príncipes me convierten en *pri-ya*, podrían utilizarme contra vosotros.

—Con más motivo aún para que te hubiera matado. Pero no, él va y te «contrata».

—Yo no pedí que me contratara. De hecho, le pedí que no lo hiciera.

—Y luego me hizo ser tu puto niñero.

—Tampoco le pedí un niñero. —Asomo la cabeza sobre la plataforma. ¡Los príncipes están intentando llegar a Jayne! Trato de esquivar a Lor desplazándome otra vez, pero no avanzo ni cincuenta centímetros. Choco con él. Este tío es un muro y no veo hueco por ningún lado. Me estoy hartando ya.

—Apártate…

—La recuperaré por ti.

—¿Y por qué harías eso? —digo, recelosa. Lo más probable es que se la lleve a Ryodan, que la usará para mangonearme después.

—El jefe dice que tengo que mantenerte sana y salva. Me ha obligado a seguirte constantemente.

—¿Ah, sí? Pues no lo había notado.

—Igual que tampoco lo has visto cuando te seguía. Y lleva haciéndolo mucho más tiempo del que crees.

—Mentira.

—Nunca podré follar tranquilo si tengo que mantenerte a salvo. Eres un imán para los desastres.

—¡Qué va! —Suelo ser más genial que genial, pero he tenido un par de días chungos—. Y si la recuperas, ¿me la devolverás ahora mismo?

—¿No te lo acabo de decir? Ve a esconderte por ahí y cállate, niña.

La Mega no se esconde.

—Y una mierda.

—No puede valer tanto como cree.

No tengo ni idea de qué está hablando, pero no tiene nada que ver conmigo así que paso.

Me desplazo para llegar hasta Jayne en cuanto me suelta el brazo. Esta vez no se lo espera porque cree que me esconderé como una cobarde para que otro recupere la espada. No. Me río cuando lo oigo maldecir a mi espalda.

Luego choco contra Christian a mitad de las escaleras que llevan al almacén y me corta el paso.

Lor me agarra una vez más y me apoyo en él porque las ondas orgásmico-letales que despide Christian me están haciendo sentir cosas raras. Por suerte se desvanecen en cuanto nos alejamos de él, así que muerdo a Lor porque me molesta mucho que me carguen como un saco de patatas. No sé si lo nota porque ni reacciona siquiera.

—No te acerques a los príncipes *unseelies*.

—Quiero recuperar mi espada y él me lo ha impedido.

—Te he dicho que yo la cogería.

—¡Quiero recuperarla yo misma! —Quiero mirar a Jayne a los ojos cuando se la quite. Me dejó en la calle para que muriera como un perro. Sin piedad. Ni gota.

Lor me deja caer y me empuja contra un muro.

—Fade, Kasteo, venid aquí y que no se me acerque.

Los dos matones me agarran, uno a cada lado, y me desplazo, o eso intento, pero pesan tanto que acabo trazando círculos como un insecto moribundo porque no puedo desplazarlos a todos a la vez. Si no es uno, es el otro, pero sigo clavando los talones y no hay manera. Chocamos contra el muro, luego tropezamos los unos con los otros y, mientras, trato de averiguar qué sucede con Jayne y la espada.

—¡Soltadme!

No lo hacen. De hecho, ni siquiera me prestan atención, como si no estuviera hablando con ellos, como si no estuviera. Cuelgan de mis brazos como pesos muertos y, al final, me tranquilizo lo suficiente para dejar de intentarlo. Los ejercicios de futilidad no son lo mío. Podrían sostenerme hasta que se me acaben las reservas de gasolina y ya está. Acabaría siendo una muñeca sin vida que alguien podría cargar sobre el hombro y pasearme por ahí en lugar de darme una barrita de chocolate.

Al cabo de unos minutos, termino de pie ahí, indignada como nunca, observando la escena.

Y así es como tengo asiento de primera fila cuando empieza el circo de verdad.

Los dos príncipes *unseelies* originales siguen tamizándose, intentando acercarse a Jayne. Cada vez que lo hacen, Lor o uno de sus hombres está allí y les cortan el paso.

Christian, por su lado, también sigue intentando llegar hasta Jayne y me doy cuenta de que aún no puede tamizarse. Se mueve deprisa, pero no consigue tamizarse. Aun así, es más rápido que yo. Mierda. Últimamente parece que todos lo son.

Jayne está girando en círculo con mi espada frente a él, intentando evitar que alguien se la arrebate.

Los guardianes también giran en círculos, apuntando con las armas, tratando de centrarse en algo. Que sigan intentándolo. Ni siquiera pueden ver nada de lo que sucede, solo notan la corriente de aire que levantan los que se desplazan a su alrededor.

Los cientos de *unseelies* enjaulados gruñen y aúllan, dan pisotones y agitan los barrotes, provocando un ruido ensordecedor. Hay algún tipo de *unseelie* allí que empieza a emitir un sonido que no he oído nunca. Es enorme y discordante y me pone la piel de gallina, como si se me metiera dentro. No soy la única a la que está molestando.

—¿Quién coño está haciendo ese sonido? —gruñe Fade.

—Ya te digo, cómo jode. —Quiero taparme los oídos, pero me tienen sujeta por los brazos, así que aprieto los dientes y empiezo a canturrear en alto.

Un príncipe *unseelie* se materializa en medio del caos, Lor aparece justo frente a él, chocan y echan a correr otra vez, luego se topan con media docena de guardianes, que a su vez colisionan con Jayne y, de pronto, todos caen por el borde de la plataforma.

Cuando Jayne cae, la espada sale volando por el aire, dando vueltas, como una columna de luz de alabastro. Cierro los ojos como si estuviera a punto de atraparla.

¡Está allí, a mi alcance! Casi puedo notar su peso perfecto en la palma.

—¡Soltadme! —Casi me desgarro los brazos, pero no me sueltan. Estoy obligada a permanecer allí y observar mientras los príncipes, Lor, una docena de guardianes y la última víctima *unseelie* intentan posicionarse para atrapar la espada al caer. Uno de los príncipes intenta desplegar las alas, pero los cuartos están demasiado cerca y él no puede levantarse. Los otros se tamizan en el aire y Lor se lanza de una forma totalmente inhumana, de modo que acaban chocando en el aire mientras mi espada sigue subiendo.

Como he dicho: es un circo.

Y ahí es cuando empieza el espectáculo de los fenómenos.

Estoy ahí, Kasteo y Fade me han esposado las muñecas y no puedo ir a ningún lado sin perder un brazo, y como no tengo nada con que cortar las manillas, estoy atrapada como una mosca en pegamento cuando, de repente, el aire del muelle comienza a brillar y tengo una sensación que no he sentido nunca. He estado preocupada alguna vez. Una vez o dos, como cuando la Mujer Gris me atrapó, en que estaba un poquitín asustada. Me succionaba la vida y podía sentirlo. No hay nada malo en admitirlo cuando estás en un lugar tenebroso, siempre y cuando no permitas que te líe la cabeza. Me mantuve calmada, incluso intenté convencer a Mac de que no hiciera ningún trato con esa cabrona porque, la mayor parte del tiempo, los tratos que se hacen bajo presión vuelven y te dan un bocado en el culo con dientes de sable de un tigre.

Pero esto es diferente. Siento un pánico con mayúsculas. Es un pánico irracional y ciego. Ahora, sin razón aparente, me escondo como un conejo en medio de un enorme campo abierto sin madriguera cerca, como si el cielo acabara de oscurecerse con miles de halcones que vuelan casi rozándose. La muerte parece segura. Un descenso, una agitación de alas y desaparezco. Todo por algún punto raro en el cielo. ¿Qué cojones? ¿Me está entrando el pánico porque he visto un brillo en el cielo? Colega, ¿qué me va a pasar? ¿Seré como los vampiros de *Crepúsculo* y me empezará a brillar la piel?

Me debato entre pelear para huir y quedarme quieta para poder ver qué está sucediendo porque no concibo que haya nada que pueda hacerme entrar en tal pánico y necesito verlo. Estoy cansada de que estos ojos se pierdan todas las cosas excitantes últimamente.

Me doy cuenta de que no soy la única asustada. Todos los que estaban intentando conseguir mi espada salen corriendo por piernas, lo que supongo que significa que todos estamos de acuerdo en que no nos gustan los puntos brillantes inexplicables en el aire. Sigo viendo la espada volando hacia arriba, pero cada vez se mueve más lentamente, como si estuviera a punto de bajar. Ojalá pudiera sacarme de encima a Fade y a Kasteo; echaría a correr y la atraparía... bueno, tal vez. No estoy realmente segura de eso porque los pies no obedecen nada de lo que les digo; no se mueven hacia delante. Para mi disgusto, van hacia atrás.

Los príncipes desaparecen.

Jayne y los guardianes echan a correr hacia nosotros.

Christian, Lor, y sus hombres se alejan desplazándose. Lor ha sustituido a los otros dos tíos, me ha cogido del brazo y me aleja de la plataforma.

Todos nos vamos y sonrío al darme cuenta de que estamos retrocediendo juntos, hombro con hombro, como una formación militar. Jayne está junto a Kasteo, que está junto a Christian, que a su vez está junto a un guardián, y al final están los príncipes pura sangre, lo que me da mucho miedo porque no imagino de qué pueden huir ellos. Hay más cojones en seis metros de calle que en el resto de Dublín y estoy orgullosa de estar con ellos. Podemos pelear entre nosotros, pero en momentos de peligro, pelearemos juntos. ¡Genial!

Aparece una hendidura oscura en el centro del punto brillante. El miedo se apodera de mí. Me volvería y huiría, pero estoy anclada por dos tipos que podrían sostener el Titanic en un *tsunami*.

La hendidura se ensancha y expulsa una espesa niebla. Me estremezco. La niebla congelada se convierte en una dura escarcha. Esa misma escarcha es la que cubrió a todas las víctimas que murieron congeladas.

Los *unseelies* enjaulados gritan como locos y el que está haciendo ese horrible ruido culmina en un crescendo infernal. Las ventanas que no se han roto con las bombas de Dancer estallan ahora, y no en astillas y trozos grandes, sino que terminan literalmente pulverizadas y rocían las calles con polvo de vidrio.

La hendidura se agranda y emana más niebla, lechosa y fría. La temperatura baja de una forma escandalosa.

—¡Esperad! —grita Jayne, y nos detenemos.

Fade dice:

—¿Qué mierda…?

El sonido cesa.

El mundo se queda en silencio.

Completamente.

Callado.

¿He perdido la audición? ¿El crescendo del *unseelie* me ha dejado sorda? Ni siquiera me oigo respirar, como cuando nado bajo el agua. Miro a Lor. Este me está mirando y me señala sus orejas. Le señalo las mías y asiento. Todos están haciendo lo mismo. Si me he quedado sorda, parece que no soy la única.

Vuelvo a mirar a la hendidura que se ensancha; el silencio opresivo crece.

Es peor que un vacío.

Es horrible. Juega con mi mente. Está...

Vacía.

Desconectada.

Es como si estuviera muerta.

Pero hay algo...

Entro en mi rincón *sidhe-seer* y extiendo unos tentáculos curiosos...

Recibo un revoltijo de impresiones, pero no encuentro palabras que las describan porque no alcanzo a comprender lo que siento. Como si eso fuera tridimensional y lo que estoy sintiendo tuviera seis o siete dimensiones. Es...

Complicado.

Antiguo.

Sensible.

Intento leer su... bueno, mente, a falta de una palabra mejor, y lo único que recibo es un raro destello de... ¿cálculo?

Algo falta. Hay que buscar algo.

Miro a Lor y veo una expresión en su rostro que nunca he visto antes y nunca pensé que vería: miedo. Me preocupa y mucho.

Mira a Fade y a Kasteo y ellos asienten. Me aprieta el brazo.

La hendidura se abre y eso sale.

¡Joder, está saliendo!

SEGUNDA PARTE

No puede haber sonido sin movimiento.
No puede haber movimiento sin sonido.
No hay éxtasis en la música, solo cambio.
Se podría haber llamado perfectamente
la Canción de la Destrucción,
pero parece que alguien se sentía optimista
el día en que se le puso el nombre.

El libro de Rain

Veinticuatro

«And the beat goes on»
('Y el ritmo continúa...')

Cruce ha venido esta noche, como siempre. Se adueña de mi sueño, me separa los labios y los muslos, y me abandona al amanecer entre sábanas enredadas, empapada con el sudor del sexo y de la vergüenza.

En los pocos momentos de descanso que arrebato antes de levantarme, tengo una pesadilla aterradora.

Me acerco a la entrada oculta de las catacumbas con los andares tambaleantes de una mujer muerta que acaba de resucitar en la tumba.

Margery me impide el acceso a la puerta de piedra que parece una pared normal y corriente a menos que estés al tanto de su secreto. Está desnuda, es voluptuosa, tiene el pelo alborotado y una mirada salvaje, huele a él... es un aroma que conozco demasiado bien. Una *banshee* me enseña sus dientes afilados y se ríe a carcajadas mientras me dice que él se ha ido. He llegado demasiado tarde.

Con una violencia de la que no me creía capaz, la empujo a un lado y cuando choca contra la pared, se desploma al suelo y se queda inmóvil. Por detrás de su cabeza empieza a salir la sangre, que mancha la pared con pétalos de margarita rojos.

Perpleja ante la hostilidad que alberga mi corazón, cruzo por la puerta y avanzo arrastrando los pies.

Los túneles están negros como la noche y me obligan a tantear a ciegas un pasaje siguiendo los húmedos muros de piedra. Este no es el subterráneo que conozco: seco y bien iluminado, con todo en su lugar. En este laberinto oscuro y húmedo, el musgo crece densamente en las paredes y los huesos crujen bajo mis pies. El olor de la descomposición se funde con algún hedor fecundo en la brisa. No hay nada aquí que genere viento salvo que se mueva algo que es imposible que se esté moviendo.

Me ciño la chaquetilla un poco más y sigo adelante, algo insegura, con pasos tambaleantes, a ciegas, pero con ganas de averiguar qué está pasando. Rezo, y con la fantasía de los sueños, la cruz de oro que llevo al cuello comienza a brillar. ¡No merezco tal consuelo en esta noche tan oscura para mi alma!

Sigo arrastrando los pies durante un tiempo que no logro calcular a través de la oscuridad, hasta que finalmente llego a la cámara donde el príncipe erótico y mortal está congelado.

Allí, no hay oscuridad que me aceche, no crece el musgo ni gotea el agua. No hay huesos en este lugar prohibido. Solo carne. Una carne extraordinaria y exquisita.

En mi ausencia, han recubierto las paredes de oro. La cámara irradia una luz esplendorosa.

¡Cruce todavía está enjaulado!

Desnudo, imponente, con las alas desplegadas, ruge con una rabia animal.

En un bloque de hielo sólido.

Lloro de alegría. ¡Mis temores han sido en vano!

Con piernas temblorosas me apresuro hacia su jaula, celebrando que siga ahí.

Falta uno de los barrotes.

—Deja de vibrar de una vez. —Ryodan coge un papel del aire y lo pone de nuevo sobre el escritorio de un golpe.

Me pregunto si lo limpia. ¿Cuántos culos han estado sobre esa cosa? No pienso volver a tocarlo.

—No puedo evitarlo —le digo con la boca llena de barrita de caramelo. Sé lo que parezco: soy una mancha de cuero negra con pelo—. Suele pasarme cuando estoy muy, muy emocionada. Cuanto más emocionada estoy, más vibro.

—Es una idea interesante —dice Lor.

—Si quieres decir lo que creo que quieres decir, mejor que te calles la puta boca y te la quites de la cabeza —dice Ryodan.

—Solo es un comentario, jefe —dice Lor—. No me digas que no lo has pensado.

Cinco de los tipos de Ryodan están en su despacho y hallarse ahí con ellos es como estar en medio de una tormenta eléctrica. Jayne también está, pero lo ignoro totalmente porque, de lo contrario, tendría que matarlo con mis propias manos y eso lo ensuciaría todo. Además, seguro que después Ryodan me haría fregar el puto despacho.

No entiendo la mitad de lo que hablan estos tíos y no me importa.

—Puedes tocarme si quieres —le digo a Lor magnánimamente. Estoy tan llena de adrenalina y excitación que me siento sociable. Alzo uno de los hombros hacia él—. Tócame. Mola mucho.

Todas las cabezas se giran hacia mí, luego vuelven a mirar a Ryodan.

—Él no es el dueño de mi hombro. ¿Por qué lo miráis?

Lor estalla en carcajadas, pero no se estira para tocarme.

No sé por qué. Me gusta tocarme cuando vibro de esta manera. Me hace vibrar el doble. Si tuviera mucho frío y comenzara a temblar, ¡vibraría el triple!

—Bueno, ¿qué coño vamos a hacer para detener a esta cosa? —Sonrío. Tenemos planes que hacer y poner en marcha. ¡Oportunidades así contribuyen a mi desarrollo! ¡Sacan lo mejor de mí! Me crezco siempre ante la adversidad. Estoy tan emocionada por vivir una aventura tan genial que me cuesta seguir cabreada con la gente en este momento. Tenemos un enemigo que es más grande y más malo que cualquier cosa que haya visto. Joder, ¡cómo mola estar viva! Porque durante un segundo allí en la plataforma de carga y descarga, no estaba muy convencida de sobrevivir. De hecho, no creía que pudiéramos sobrevivir ninguno de nosotros.

Hablando de lo que sucedió en ese almacén...

Me cambia el humor y frunzo el ceño. Sigo sin tener la espada. Se ha congelado. El almacén está lleno de *unseelies* congelados, con el techo cubierto de estalactitas y el suelo lleno de estalagmitas. Mi espada se quedó congelada en una estalactita en lo alto, y ahora hace un frío mortal, literalmente: como entres, te congelas vivo. Tuvimos que dejarla atascada allí, en un carámbano enorme. Lor ordenó a Kasteo y a Fade hacer guardia hasta que la escena se descongelara lo suficiente para recuperarla. La última vez que estuve allí, los dos príncipes *unseelies* todavía seguían rondando. Si Christian también estaba, no lo vi. Ninguna señal de Dancer. No quería irme pero Lor amenazó con cargarme como un saco de patatas sobre su hombro y como sé que puede hacerlo tan fácilmente como Ryodan, no valía la pena resistirme.

—Es culpa tuya —le digo a Ryodan—. Nunca debiste permitir que Jayne se quedara con mi espada. ¡Ahora quién sabe qué le va a pasar! Si la escena explota como las demás... —Se me apaga la voz porque no soporto la idea de que mi espada estalle en pedazos de alabastro.

—Ese es el menor de nuestros problemas —contesta Ryodan—. Cuéntame exactamente qué pasó.

—Lor te lo acaba de contar —digo, cabreada—. ¿Qué más quieres saber?

—Quiero escucharlo de ti.

Desgarro la envoltura de otra barrita y entre bocados repito prácticamente lo mismo que Lor le ha contado sobre la niebla y cómo se ensanchó la hendidura. La sensación de pánico que experimentamos todos y cómo, de repente, ninguno de nosotros podía oír nada, como si nos hubiéramos quedado sordos.

—Entonces salió esta... esta... cosa que era el doble de grande que tu despacho.

—Cosa.

—Colega, Lor tampoco te lo ha descrito mucho mejor. Te ha dicho: «Masa oscura del tamaño de dos semirremolques, uno al lado del otro».

—Inténtalo tú, a ver.

Frunzo el ceño, pienso, y luego me viene la inspiración.

—¿Alguna vez has visto la película *La masa devoradora*? Pues era como eso, solo que más alargado. Y no sé si era viscoso y si levitaba en lugar de rodar. Y no sé si era muy denso o qué, pero no parecía una Sombra. No. No se parecía en nada a una Sombra.

—*La masa devoradora.*

—Una película vieja, de la época del cine mudo.

—No es tan vieja —dice Jayne—. La vi cuando era niño.

—Pufff, entonces sería en la época del cine mudo, ¿no? Ni siquiera deberías hablarme. No me hables. Ni siquiera deberías estar aquí. Debería matarte. Tienes suerte de que no te esté matando en este momento. Me dejaste ahí tirada para que muriera. —Miro a Ryodan—. Y tú se lo permites. Cabrones. Sois todos unos cabrones.

—Vine directo al Chester's y le dije a Ryodan dónde estabas —dice el inspector—. No iba a dejarte morir. No me gustó dejarte ahí. Necesitaba la espada y no podía permitirme el lujo de dejar pasar la oportunidad.

¿Le dijo a Ryodan dónde estaba?

—Te he dicho que no me hables. Y eso te vino de perlas, ¿verdad? ¿Cuántos años crees que tardarías en matar a unos pocos cientos de *unseelies*? —Fulmino a Ryodan con la mirada—. Y tú no me dijiste que sabías dónde estaba. Tampoco viniste. —¿No le importaba que pudiera haber muerto?

—El jefe me envió a por ti en cuanto Jayne apareció —dijo Lor—. Pero te habías ido cuando llegué ahí. Seguí tu rastro de sangre, pero desapareció.

—Textura —me pide Ryodan.

—¿Quieres decir si tenía alguna? No que yo pudiera ver.

—Entonces qué sucedió.

—Entró en el almacén, enorme, y eructó niebla blanca por todas partes y no podíamos ver nada. Congeló todo el lugar, peor que cualquier lugar que hayamos visto hasta ahora. Joder, ¡del techo empezaron a brotar estalactitas y el suelo está cubierto de estalagmitas tan gruesas que ni siquiera puedes caminar por allí! Nunca hemos visto nada como eso en las otras escenas.

—Dime por qué crees que resultó más congelado.

Le estuve dando vueltas a eso al volver. Solo fui capaz de aislar una diferencia significativa.

—Había mucha más gente y *faes* en esta escena que en cualquier otra que hemos investigado. Había cientos de *unseelies* en jaulas y todos resultaron congelados. Es posible que se necesitara más hielo. O quizás la cosa tenía más potencia por alguna razón. Nosotros también resultamos congelados, pero fue solo una capa delgada, y en cuanto nos movimos, se resquebrajó. Volvíamos a congelarnos cuando dejábamos de movernos, así que comencé a saltar y, como ovejas que no pueden pensar por sí mismas, todos me imitaron. Allí estábamos todos en la calle, haciendo saltos de tijera. Me preocupaba que el ruido llamara la atención de la cosa y fuera a por nosotros, pero ni siquiera nos notó. Fue como si fuéramos pescaditos y la ameba esa quisiera patatas fritas. O quizás ni siquiera nos veía como comida. Luego se desvaneció. Se abrió otra hendidura en el interior del almacén, que absorbió toda la niebla blanca y por la que entró la cosa. En cuanto se cerró, pudimos volver a oír. Algo así.

—Aclara.

—No había ningún ruido. Nada. Sería de esperar que el hielo de todos esos *unseelies* estallara o se hubiera agrietado un poco como pasa con el hielo cuando se asienta, ya que estaban calientes antes de que se congelaran, pero no. Cuando caminamos, nuestros zapatos no sonaban como siempre. Cuando hablamos... era un sonido plano. Peor que plano, el silencio daba una sensación rara. Una sensación muy mala.

—Explícate —dice Ryodan.

—Acabo de hacerlo. Creo que quieres decir que especule.

Lor resopla. Ryodan me fulmina con la mirada. Ni siquiera sé por qué me molesto en responderle a veces. Quizás me gusta escucharme a mí misma hablar. Tengo un montón de cosas interesantes que decir.

—Sabes que el sonido es movimiento en realidad y que la vibración es lo que hace ruido, ¿no? De algún modo, es una contradicción total al efecto que tienen sobre las cosas, porque cuando el mundo se quedó en ese silencio mortal, seguía moviéndose sin hacer absolutamente ningún ruido. Pero lo que digo es que, aun después de marcharse, las cosas no volvieron a la normalidad. Es como si las cosas vibraran correctamente. O quizás las ondas sonoras no rebotaban en los objetos de la forma en que deberían. O quizás las cosas en las que las ondas rebotaban no estaban bien.

—Sé más precisa.

Me encojo de hombros.

—Tienes datos suficientes para formar deducciones concluyentes.

—Cuánto tiempo pasó desde el momento en que apareció hasta el momento en que desapareció.

—Eso fue lo raro. Parecía como si estuviera sucediendo a cámara lenta, pero me imagino que duró unos dos segundos de principio a fin. Llegó. Congeló. Desapareció. —A veces, mi noción del tiempo no es exacta porque me muevo entre a cámara rápida y a cámara lenta y ni siquiera me doy cuenta, así que las cosas alrededor parece que sucedan más lentamente. Estoy bastante segura de que cuando vino me estaba desplazando, porque estaba muy concentrada. Miro a Lor, que asiente.

—Dos o tres segundos como máximo, jefe. La niebla salió a borbotones por el agujero, llegó esa cosa, se abrió la otra hendidura, aspiró la niebla y ya está.

—Imagino que era *fae* —dice Ryodan.

—Inequívocamente —digo.

—Eres una *sidhe-seer*, lo que significa que deberías ser capaz de hacer una buena lectura de eso, como Mac hizo con el Sinsar Dubh.

—Pude hacerlo hasta cierto punto.

—Inteligencia.

—Conciencia y sensibilidad. Aturde. —Ojalá hubiera notado al rey *unseelie*, así hubiera tenido con qué compararlo.

—Emoción.

—Ninguna discernible. Sin malevolencia. Tuve la impresión de que la destrucción era una consecuencia, no un fin. —Noto que todos me miran raro—. Tíos —añado, y esbozo mi mejor sonrisa de pilluela—. Joder, ¡es genial! —Tengo que ir con cuidado y no ponerme tan friqui cuando me emociono.

—Piensas que tenía un objetivo.

—Había... no sé... cierto propósito en lo que hacía. Lo sentía. Noto que algunos *faes* son bastante simples cuando me concentro en ellos con mi sentido *sidhe-seer*. Son tontos, actúan por instinto, capaces de destruir al azar. Luego hay cosas como Papa Roach, el *fae* que se descompone en pequeñas partes. —Se lo recuerdo, por si se hubiera perdido esa edición especialmente brillante de *El Diario de Dani*—. A Papa lo noto... estructurado. Tiene planes. Lo mismo ocurre con el Monstruo de Hielo. Pero hay una gran diferencia entre Papa y el Monstruo de Hielo: Papa tiene una mente malvada y esta cosa es... vasta, enorme, tanto en construcción como en propósito.

—Motivo.

Suspiro.

—Ni idea. Solo sé que tenía uno.

—Alguna idea de por qué eligió ese lugar o por qué congela las cosas.

—Ninguna —digo—. Ni siquiera tocó nada, por lo que pude ver. Simplemente flotaba por encima de todo. A menos que la niebla haga las veces de sus dedos o algo así, aspire la fuerza vital de la gente con ella y, sin querer, los congele a la vez. No hay más remedio, necesito pasar más tiempo con esa cosa. Tengo que sentirla durante más tiempo.

Jayne empieza a decir palabrotas, añade que nadie pasará más tiempo con eso porque es demasiado peligroso. Hasta a Lor parece perturbarle la idea de otro encuentro con el Hombre de Hielo. Lo que me recuerda...

—¿Por qué tenías miedo tú? —le pregunto—. Pensaba que no os asustaba nada.

Lor me echa una mirada fría, como si no hubiera visto lo que vi y contesta:

—¿De qué hablas, niña? Lo único que me preocupaba era lo cabreado que estaría el jefe si esa cosa te mataba.

Mentira. Conozco a estos tíos. No les importa otra cosa que ellos mismos, y él estaba asustado, lo que significa que eso suponía una amenaza de alguna forma. Quiero saber cómo. Quiero saber cuál es el punto débil de Ryodan. Conozco algunas verdades universales como que «aquel que puede destruir una cosa, la controla». No es que encuentre placer en destruir cosas, pero cuando te arrinconan contra la pared, salir al paso con ambas armas y abrir fuego es prácticamente tu única opción. Quiero tener el poder suficiente para anular un contrato, suficiente para renunciar a mi trabajo de forma permanente. Estoy lista para jubilarme. Quiero ejercer suficiente influencia para sacar a Jo del subclub infantil, suponiendo que quiera irse, claro.

Lo hará el día que él escoja a otra persona.

Calculo que no pasará mucho tiempo.

Media hora después ya he salido del Chester's y me desplazo por la calle sorteando socavones en el pavimento resbaladizo por la lluvia mientras como barritas energéticas para cargarme de energía. Espero a que Ryodan termine con el puto negocio del que dijo que tenía que encargarse y que no podía aplazar, para que podamos continuar con nuestra investigación. Me dijo que me quedara ahí sentada en el club, pero me niego a pasar tiempo en el Chester's sin la espada y él debería saberlo ya.

Por otra parte, sin mi espada tampoco puedo alejarme mucho. No me gusta esperar refuerzos, pero lo necesito. Los príncipes *unseelies* me asustaron. Hay algo que me carcome, una idea que detesto, pero que debo tener en cuenta para el resultado final. Ahora mismo, la tengo en segundo plano para no agobiarme demasiado.

Tengo tantos pensamientos en la cabeza, que no me extrañaría que algunos me salieran por las orejas. A veces, me siento tan emocionada por estar viviendo en estos tiempos que casi no puedo soportarlo y al segundo siguiente soy un manojo de nervios porque mi gente está aquí en estas calles y no tienen ni idea de que nos acecha un gran Monstruo de Hielo aterrador que convierte partes de nuestro mundo en un congelador. Tengo que correr la voz rápidamente, pero ¿qué digo? ¿Si veis una mancha resplandeciente en el aire, corred? Y eso suponiendo que noten el punto reluciente antes de congelarse.

El problema es que conozco a las personas. Ya les puedes decir que corran, ya, pero no muchos lo harán, al menos no hasta que crean que están en grave peligro; cuando es demasiado tarde. Se quedan boquiabiertos como las vacas y, por si no lo sabes, las vacas pasan boquiabiertas mucho tiempo. Antaño había una gran manada fuera de la abadía, por la zona donde probaba mi velocidad y practicaba mis habilidades de navegación cuando Ro me acogió y me encantaba mi nueva libertad. El pasto de las vacas era un lugar perfecto para practicar los desplazamientos, porque (a) las vacas se mueven y son impredecibles, por lo tanto difíciles de trazar, igual que el mundo real; y (b) si golpeo una vaca, yo acabo más herida que ella. Tenía al público bovino embelesado todo el tiempo. Masticaban la hierba y giraban sus cabezones a un lado y a otro, mirándome como si yo fuera su televisión vacuna. Si lo único que yo tuviera que hacer fuera pasarme el día masticando comida regurgitada y mirando otras vacas, también estaría fascinada por mí. Joder, si estuviera tan aburrida, me embobaría hasta una pelea de moscas en un pastel de excremento de vaca.

Pero volviendo a las personas, las manchas resplandecientes no son suficientemente aterradoras para hacerlas huir. Y hay algunas, como las chicas de «nos vemos en Faery» que se pasan la vida en el Chester's, fardando de cinturillas de avispa gracias a Papa Roach, comerciando con sexo, compitiendo entre ellas para ver quién puede comer suficiente *unseelie* para hacerse inmortal y conseguir estar primero con los *faes,* que se quedarían intencionadamente si vieran una mancha resplandeciente, porque les resultaría bonita. *Grrr,* a algunas chicas habría que fusilarlas. Eliminarlas de las opciones de reproducción de todos los demás.

Necesito un par de fotografías para poner en mi diario, para enseñarle a la gente lo que hace el Monstruo de Hielo. Tengo que ir al castillo de Dublín y tomar algunas imágenes. Luego tengo que acercarme al cuartel general de EDD y encender las rotativas. Disfruto muchísimo imprimiendo mis diarios y ahora tengo más motivos aún para sacar uno rápido. Después de ver los carteles de SE BUSCA de los príncipes *unseelies,* ¡la gente estará preocupada por mí! Necesito tranquilizarla, hacerle saber que sigo en la brecha.

—¡Tú debes de ser Dani!

Me doy media vuelta.

E hincando los talones, doy otra más. Daría vueltas hasta la China si pudiera. Giro en una rotación completa hasta que la tengo a mis espaldas una vez más y me quedo así, tratando de tranquilizarme. No quiero mirarla. No quiero que me vea la cara. Esto sí que no me lo esperaba. No estaba preparada. Mierda, nunca estaré preparada para esto. Una cosa es saber que ella está ahí, en algún lugar, con Mac. Otra cosa es tener que enfrentarme a ella.

Mierda, mierda, mierda.

Me pongo una máscara, me doy la vuelta y empiezo a fingir.

—Y usted es Rainey Lane —digo. La misma hermosa melena rubia de sus hijas, a pesar de que ambas fueron adoptadas. Mismo porte elegante: la refinada mujer del sur profundo. Recorre las calles de Dublín en una fría y sombría tarde, vestida como si a alguien fuera a importarle si ha combinado los colores y si lleva accesorios o no. Supongo que a Jack Lane sí le importa. A diferencia de la mayoría de la gente casada que he visto —y tampoco es que haya visto a tantos—, parecen estar locos el uno por el otro. Los vi en los álbumes de fotos de Alina. Los vi en los de Mac. He visto fotos de esta mujer abrazando a sus hijas de pequeñas. He examinado minuciosamente las fotos de ella en las que sonríe junto a ellas.

De la misma manera que me está sonriendo ahora.

Como si no supiera que maté a su hija. Supongo que no lo sabe. Supongo que la última vez que Mac habló con ella fue antes de que se enterara de que fui yo la que llevó a Alina a ese callejón para morir.

Durante un segundo tengo una visión y me imagino cómo me miraría en este momento si lo supiera; se me corta la respiración y me quedo muda. Tengo que recobrar la compostura para no vomitar. Me odiaría, me despreciaría, me miraría como si fuera la cosa más asquerosa y horrible sobre la faz de la tierra. Probablemente intentaría arrancarme la cara.

Pero, en lugar de eso, me mira con una especie de odioso amor maternal, como si yo fuera la mejor amiga de su hija y no la asesina de su otra hija. Y yo que creía que Mac era lo peor a lo que tendría que enfrentarme un día en estas calles.

Me asfixia con un abrazo antes de poder esquivarlo, lo que demuestra lo trastornada que estoy. ¡En un buen día puedo esquivar hasta las gotas de lluvia! Me olvido de mí misma por un segundo, porque tiene unos suaves brazos de madre, un pelo que querrías acariciar y un cuello al que te aferrarías sin pensártelo dos veces. Las preocupaciones se derriten en los pechos de las madres. Huele bien. Me envuelve una nube que es parte perfume, parte algo que horneó y que ha impregnado su ropa, y parte de algo indefinible que creo que son las hormonas maternas a las que la piel de una mujer no huele hasta que ha tenido bebés. Todo se combina para hacer uno de los mejores perfumes del mundo.

Después de que muriera mi madre y Ro me llevara a la abadía, solía pasarme por casa cada dos días o así. Iba a la habitación de mamá para olerla en la almohada. Tenía una funda amarilla bordada con patitos en los bordes, igual que mi pijama favorito. Un día el olor desapareció sin más. Desapareció hasta el último vestigio sin dejar rastro. Ese fue el día en que supe que ella nunca volvería.

—¡Suélteme! —Me zafo de su abrazo con malas formas y retrocedo, frunciéndole el ceño.

Ella sonríe, resplandece como una de las linternas de Ryodan.

—¡Y deje de sonreírme! ¡Ni siquiera me conoce!

—Mac me ha contado tantas cosas de ti que siento que sí.

—Bueno, pues es una estupidez por su parte.

—Leí el último *Diario de Dani*. Jack y yo no habíamos oído hablar de esos bichos. Has estado haciendo un trabajo maravilloso manteniéndonos a todos informados. Seguro que te supone muchísimo trabajo.

—¿Y? —digo con recelo. Se avecina un «pero».

—Pero ahora ya no hace falta, cariño. Puedes relajarte y dejar que los adultos te releven.

—Sí, claro. ¿No estaban los adultos a cargo cuando cayeron los muros? ¿Y no han estado a cargo desde entonces? Menudo trabajo habéis hecho todos, ¿eh?

Ella se ríe y el sonido es como música para mis oídos. Es la típica risa de madre. Me derrito. Supongo que se debe a que lo oí muy poco en la mía. Creo que hice reír a mi madre unas tres veces. Antes de que me «transportara» por primera vez. Quizás sucedió una o dos veces después de eso. Lo intenté. Memorizaba cosas graciosas que veía en la tele mientras ella no estaba. Veía musicales y me aprendía canciones alegres. Nada de lo que hacía estaba bien. Rainey Lane me mira con más aprobación de la que mi madre mostró nunca.

—Váyase. No, espere. No lo haga. No puede quedarse aquí fuera sola. Encontraré a alguien que la escolte donde quiera que vaya. ¿Qué hace caminando sola por Dublín? ¿No sabe nada? ¡Hay todo tipo de monstruos en las calles! ¡Pronto oscurecerá! —Alguien tiene que meterle algo de sentido común.

—Qué dulce eres, preocupándote por mí... Pero no es necesario. Jack está justo a la vuelta de la esquina, aparcando, cariño. Hay demasiados escombros en las calles para aparcar más cerca. No dejo de insistir al señor Ryodan que limpie por delante del club, pero no lo ha hecho aún. Supongo que tal vez tengamos que echarle una mano con eso. Es un hombre ocupado, ya sabes. Tiene tanto de qué encargarse...

—El crimen consume mucho tiempo, ¿verdad?

Ella se ríe y empiezo a sospechar que la buena mujer no se entera de nada.

—¡Qué graciosa eres! El señor Ryodan, ¿criminal? Ese buen hombre... —Sacude la cabeza y sonríe como si yo fuera la alegría de la huerta. Sí, no se entera de nada—. Dani, cariño, hace tiempo que quiero verte. Y Mac también. ¿Por qué no vienes a cenar con nosotros mañana por la noche?

Sí, claro. Brocheta de Dani en el menú con una guarnición de verduras. No. ¿Se turnarían los tres para darme una paliza de muerte cuando Mac me delatara?

—Hay personas que me encantaría que conozcieras. Hay una maravillosa organización nueva en la ciudad que ha estado haciendo cosas fabulosas y obrando cambios reales.

Hastiada, miro al cielo en plan melodramático, y luego la miro otra vez.

—¿No se referirá a NosImportas? Por favor, dígame que no habla de NosImportas.

—Sí, claro. ¡Has oído hablar de nosotros! —Está radiante una vez más.

—¿Nosotros? ¡Puaj! ¡Por favor, dígame que no es parte de ellos! ¡No puede ser parte de ellos! ¿Sabe que me odian?

—Nosotros no te odiamos. NosImportas no odia a nadie. Nos interesa reconstruir y ayudar. ¿Qué te ha hecho pensar eso?

—¿Nosotros? —Estoy flipando. ¿Mac también es parte de ellos?—. Joder, pues tal vez sea por la forma en que copiaron mi diario, se apoderaron de mis puestos e imprimieron todo tipo de mentiras sobre mí.

—De hecho, sé que en realidad gente en las altas esferas de NosImportas están deseosos de conocerte. Te tienen en tanta estima como Mac.

Vaya, genial, así que ellos también me quieren muerta. Gente en las altas esferas. Fantástico. Pues pueden ponerse en la cola detrás de Christian, que a su vez está detrás de los príncipes *unseelies*.

—Piensan que podrías ser un valioso recurso y yo también lo creo.

La miro, incrédula.

—Quizá desee repasar algunos datos, creo que faltan algunos. Las personas a cargo de organizaciones no me consideran ni un valor ni un recurso. Nunca lo han hecho y nunca lo harán. —Odio las organizaciones. Las personas tienen que ser libres, capaces de respirar y tomar sus propias decisiones, no ser alimento de la política partidaria. La rutina adormece el cerebro. La repetición es pasto para las ovejas.

—Señora Lane, me alegro de volver a verla —dice Ryodan, y casi me caigo de culo. No solo no le he oído acercarse, sino que está siendo educado. Ryodan nunca es educado con nadie.

Contraigo el rostro y lo observo con detenimiento.

—Colega, ¿te encuentras bien?

—Nunca he estado mejor.

—¿Por qué finges ser amable?

—El señor Ryodan siempre es amable. Fue un anfitrión adorable mientras nos alojamos en el Chester's.

—No se alojaron en el Chester's, fueron rehenes. —¿Qué les sucede a todos, que no pueden ver las cosas por lo que son?

—Él y sus hombres nos mantuvieron a salvo, Dani. El Sinsar Dubh iba contra las personas que Mac amaba.

—¿La puerta de su habitación tenía la llave echada? Colega, eso la convierte en un rehén —le digo.

—Nunca nos cerraron con llave.

¿Eh?

—Vale, pero ¿sabía cómo salir? Esas puertas tienen unos paneles complicados.

—El señor Ryodan nos enseñó a Jack y a mí a manejar las puertas.

¿Eh?

—Ya, pero había guardias afuera para vigilar que no salieran.

—Para nuestra protección, pero teníamos libertad para entrar y salir. Optamos por quedarnos. La ciudad era peligrosa cuando el Libro andaba suelto. Jack y yo le estamos muy agradecidos al señor Ryodan por su ayuda durante esos tiempos difíciles.

Frunzo el ceño hacia Ryodan, que esboza una sonrisa arrogante. Probablemente les lanzó algún tipo de hechizo, como el que me hizo en el Hummer cuando me obligó a coger la barrita murmurando palabras extrañas. Convierte a la gente en marionetas. En esclavos de cabeza hueca. A mí no.

—¿Sabe que está obligándome a trabajar para él manteniendo a Jo como rehén? —le pregunto a Rainey. Tiene que abrir los ojos de una vez.

—¿Te refieres a esa hermosa camarera? He visto la manera en que lo mira. Está loca por él —contesta Rainey.

Y eso me cabrea aún más. ¿La madre de Mac afirma que Jo está locamente enamorada de este psicópata solo con mirarla? ¡Ya! ¡Y encima el puto psicópata tiene a Rainey tan engañada que no tiene sentido seguir hablando con ella! Aunque eso me hace callar.

—¿Sabe que tiene clubs privados en las profundidades del Chester's donde…?

—Acabo de hablar con Barrons —me interrumpe Ryodan—. Mac viene de camino para reunirse con usted, señora Lane. Debe de estar a punto de llegar.

Lo miro, recelosa. Seguramente esté mintiendo, pero sabe que no me arriesgaré a averiguarlo.

Rainey me dedica una cálida sonrisa.

—¡Dani, se alegrará muchísimo de verte! Lleva semanas buscándote.

Ya me lo supongo, ya.

Trazo la cuadrícula mental para desplazarme y hago como en las películas del oeste: salgo galopando sin mirar atrás.

Veinticinco

«I don't know who he is behind that mask»
('No sé quién está detrás de esa máscara')

—¿Qué estás haciendo?

—¿Y a ti qué te importa? —La agresividad me hace un nudo en la garganta y ni siquiera sé por qué. A veces solo el hecho de estar junto a Ryodan me hace sentir de esa manera.

—Porque si lo que estás haciendo no tiene sentido, me estás haciendo perder el tiempo.

—Colega, ¿estás ciego o qué? Estoy recogiendo pruebas.
—¡Por fin! Llevo una eternidad queriendo ir a dar un segundo vistazo a las escenas que explotaron, pero siempre surge algo, como estar al borde de la muerte. Ah, y estar a punto de palmarla otra vez. Nunca hay un solo momento aburrido en el Megaverso. El Monstruo de Hielo me asustaría mucho más si mi mundo no estuviera repleto de monstruos de todo tipo desde que nací: grandes, pequeños, humanos, no humanos.

—En bolsas resellables.

—¿Con cremallera?

—Exacto, como si tuviera braeta.

Comienzo a reír disimuladamente y al segundo, paro. Es Ryodan. Odio a Ryodan. Es un puto imbécil mentiroso. Engaña a la gente para que piense que es agradable de verdad y yo parezca estúpida.

—¿Crees que se habrá descongelado ya la espada?

—No.

Me inclino y recojo pruebas. Sé un par de cosas sobre mí. Veo mucho y bien, pero a veces hay cosas pequeñas que me pierdo. De ahí lo de las bolsas. Llenaré una en cada escena. Me adentraré en las profundidades de los escombros de la explosión, recogeré puñados de detritos congelados, los embolsaré y lo etiquetaré todo de una forma minuciosa y ordenada. Después, Dancer y yo examinaremos cuidadosamente las bolsas resellables y buscaremos pistas. Me saco un rotulador negro del bolsillo y escribo en la franja blanca: «Almacén, norte de Dublín». Luego la guardo con cuidado en la mochila que llevo colgada al hombro. Ir coleccionando estas bolsas es lo más lógico.

—Tampoco es muy lógico, porque podrías examinar minuciosamente los restos aquí mismo.

—Colega, ¿yo te pido explicaciones a ti?

—Niña, habrá algún día que no estés irritable.

Revuelvo entre los escombros, asegurándome de tener un poco de todo y dándole la espalda porque a veces no soporto mirarlo siquiera.

—Claro, cuando no me irrita gente como tú. ¿Estamos investigando o estamos de cháchara? Tengo asuntos de los que encargarme hoy y tú me estás haciendo perder el tiempo. Pronto oscurecerá.

—Observaciones.

—Tengo dos. La escena estalló en pedacitos y todo sigue frío.

—Dame algo que pueda usar.

—Ojalá pudiera, jefe, pero esto es… bueno, es un desastre. —Me muevo hacia delante y hacia atrás sobre los talones, me aparto el pelo de la cara y lo miro. El sol ya casi está al nivel del horizonte, justo detrás de su cabeza y hace este extraño efecto, como si tuviera un halo alrededor de la cara, ¡cómo no! Me sorprende que no huela a azufre. Seguro que tiene un tridente rojo y esconde los cuernos debajo del pelo. Como si no fuera ya bastante extraño, el sol tiene unos matices dorados (gracias, seres de Faery, por cambiarlo todo en nuestro mundo), y parece… Bueno, ¿a quién le importa lo que parece? ¿Por qué reparo en eso siquiera?

Aparto la mirada y me concentro en la investigación. Tenemos un *fae* que sale de una hendidura y nos inunda con toneladas de niebla. Lo congela todo a su paso y luego vuelve a desaparecer por otra hendidura. Al cabo de un tiempo, la escena explota. Pero ¿por qué? Esa es la gran pregunta. ¿Por qué congela lo que congela y por qué la escena explota después? ¿Y por qué hacen falta varios lapsos de tiempo para que los diferentes lugares exploten?

Toco el suelo con la palma. Está congelado. Hace un frío que no se ha disipado aún. Me pregunto si alguna vez lo hará. Sería en cierta forma genial si no lo hiciera. Podrías limpiar el terreno, construir una casa y no necesitar aire acondicionado. Aunque en invierno sería horrible.

Contemplo la escena. Donde solía estar el almacén hay montones de ladrillos derrumbados, cemento y marcos astillados, con vigas retorcidas, estanterías de acero por todas partes, algunas dobladas, otras apuntando directo hacia el cielo. Hay trozos de carne *unseelie* pegados a casi todas...

Me doy en la frente.

—¡Por todas las bufandas etruscas! ¡No se mueven! —exclamo.

Oigo un sonido ahogado por encima de la cabeza.

—¿Bufandas etruscas?

Me siento exultante de felicidad. Algunos logros significan más que otros. Oficialmente soy la mejor, la repera. Ahora y siempre.

—Colega, vigila los signos de interrogación. Acabo de sacarte un par.

—No tengo ni idea de lo que estás hablando.

—Admítelo, has perdido tu eterna compostura.

—Estás obsesionada con cómo termino las frases. ¿Qué mierda son las bufandas etruscas?

—No sé. Es solo una de las réplicas de Robin, como: «¡Santas fresas, Batman, estamos atascados!».

—Fresas.

—O «¡Por todos los clínex, Batman, lo teníamos delante de las narices y hemos metido la pata!»

Hay otro sonido ahogado sobre mi cabeza. Podría seguir horas y horas.

—Espera, espera. Escucha este, ¡es uno de mis favoritos! «¡Hierro santo, Batman! El suelo. Es todo metal. Está lleno de agujeros». ¿Sabes? Porque el hierro es un metal y lo dice en lugar de «cielo». —Suelto una risita. Qué ingeniosos eran los que escribían Batman. Seguro que se pasaban el día entero partiéndose de la risa—. O: «Santa bola de cristal, Batman, ¿cómo sabía que iba a pasar eso?» —Lo miro.

Me mira como si tuviera tres cabezas.

Entonces me doy cuenta de la verdad.

—Por todas las alfombras persas, ¡me mentiste! Nunca has leído a Batman, ¿verdad? Ni un solo cómic. ¡Ni siquiera has visto un episodio de la serie de televisión! Era tu única cualidad redentora y ni siquiera era cierta. Has estado fingiendo que somos socios superhéroes ¡y no sabes nada de Robin! —No me extraña que no sea divertido pasar el rato con Ryodan. ¡Estoy tan disgustada que no lo soporto!

Intento pasar por alto la rabia que siento ahora mismo y vuelvo a las cosas importantes.

—Los trozos de *unseelie* están inmóviles. Están muertos como los humanos. Míralos. Los *unseelies* no mueren. Solo mi espada y la lanza de Mac pueden matarlos bien muertos. Los *unseelies* son inmortales. Puedes cortarlos en rodajas y dados con armas humanas y los pedazos seguirán moviéndose. Estos no se mueven. Esta cosa los mata y no nos habíamos dado cuenta. —Las ideas preconcebidas son engañosas. Cuando algo estalla, esperas ver cosas muertas. Quizás tengo razón al pensar que la cosa esta se alimenta de la fuerza vital de la gente. En cierta forma es como las Sombras, los vacía, pero en lugar de dejar los cadáveres, congela todo su exterior—. Y fíjate en otra cosa más: ninguno de los trozos, ya sean humanos o *unseelies*, se está pudriendo. ¿Por qué será eso?

—No tengo ni idea.

—Ya imagino.

—Y no lo notaste antes.

Lo fulmino con la mirada.

—Tú tampoco. Yo quería revisar las escenas dos veces pero me obligaste a quedarme en tu despacho mientras te ocupabas del papeleo. La tercera vez que estaba pensando en volver a comprobar una escena, me topé con una demasiado reciente y casi exploté yo. —Me pongo de pie y me alejo para echarle un buen vistazo a la magnitud de la destrucción. Saco el teléfono nuevo que me agencié para reemplazar al que se rompió y hago un par de fotos—. Entonces —digo, enfadada—, ¿adónde vamos ahora?

Mientras nos dirigimos hacia la iglesia en la que casi me muero, me doy cuenta de que Ryodan me ha tenido tan ocupada con sus preguntas que no he tenido ocasión de preguntarle sobre cosas que importan.

—Entonces, ¿qué me pasó cuando me congelé esa noche? Cuando recuperé el conocimiento, Dancer estaba allí contigo y también Christian. Hablando de cosas inesperadas: ¿cómo llegó Dancer ahí? ¿Quién me salvó?

—Yo te saqué de la iglesia o hubieras muerto allí mismo en el suelo.

—Para empezar tú eres el que me llevó a la iglesia y no me advirtió de lo que sucedería si tocaba algo. Tú eres el motivo por el cual estuve a punto de morir, colega. Entonces, ¿quién me salvó?

—Tuve que sacarte despacio o te hubiera bajado demasiado la temperatura.

—Sí, pero ¿Dancer te informó de eso? Porque eso suena a algo que él sabría.

—¿Por qué te reíste justo antes de perder el conocimiento?

—La muerte es una aventura. He vivido a lo grande. La rigidez de la muerte hace que el rostro se te quede tieso. Y dime, ¿quién sabía cómo descongelarme?

—La muerte es un insulto.

—Por lo menos una afrenta, sí —convine—. ¿Crees que se habrá descongelado ya mi espada? Quizás deberíamos ir a ver.

—Eres demasiado joven para reír cuando estás muriendo. Y no. No creo que tu espada se haya descongelado. Concéntrate.

—No soy demasiado joven para nada.

—En algunas sociedades eso sería verdad. Diferentes lugares. Momentos diferentes. Serías lo bastante mayor para ser esposa y madre.

—Ese es un pensamiento horrible. Así que Dancer me salvó.

—Yo no he dicho eso.

—Pero lo sé. Quizás podríamos usar secadores de pelo para derretir el hielo de alrededor de la espada.

—Tienes que deshacerte de él. Es un lastre. Olvídate de la puta espada ya. Yo me ocupo de ella.

Me vuelvo rápidamente hacia él con los puños apretados y los brazos en jarra.

—¡No es ningún lastre! ¡Es mi mejor amigo! ¡No sabes nada de Dancer!

—«Nada» es la palabra clave. Porque eso es lo que es: nada. Es solo humano.

—Mentira, ¡Dancer es el mejor!

—Lleva gafas. Seguro que eso le va genial en la batalla. No, espera, que él no pelea. Nunca lo hará porque es demasiado frágil. Como le pinchen con un palo afilado, se le derramarán las entrañas por toda la calle. Sayonara, humano.

—No se le derramarán las entrañas en ningún lugar. Es superinteligente y... y... es superinteligente...

—Y qué clase de nombre es Dancer.

—... y puede construir cualquier cosa. Él hizo las granadas que usé contra las Sombras y me fabricó esta red de luces que se carga con el movimiento, ¡y que le da mil patadas al MacHalo! Además, lo único que Batman tenía era un disfraz muy chulo, los mejores juguetes y las ideas más geniales, y ¡todo el mundo sabe que es el superhéroe más grande de todos los tiempos! Además, yo también soy una mera humana.

De repente tengo a Ryodan a dos centímetros de mí, me toca el mentón y me acerca el rostro hacia el suyo.

—Nunca vas a ser una «mera» de nada, igual que un *tsunami* nunca será una mera ola.

—No me toques.

—Me gusta eso de ti. Las olas son banales pero los *tsunamis* remodelan la Tierra. En las circunstancias adecuadas, incluso civilizaciones enteras. —Parpadeo—. Algún día serás una mujer tremenda, Dani.

No sabía que tenía una mandíbula tan flexible que podría llegarme al suelo cuando me quedara tan boquiabierta como ahora. No tengo los brazos tan largos para volver a recogerla. Ahora mismo, no solo podría entrarme una mosca sino un camión entero. ¿Ryodan acaba de hacerme un cumplido? ¿El infierno se ha congelado al fin? ¿Las aves vuelan hacia atrás? Me hace sentir tan incómoda que siento deseos de despellejarme. La luna creciente está detrás de su cabeza y su rostro es todo una sombra.

—Ya lo sé, colega. Todo el mundo lo sabe. Soy Mega, como la abreviatura de «alfa y omega». —Me encojo de hombros y lo empujo para pasar.

Se ríe.

—Puede que tengas que luchar contra alguien más para obtener ese título.

—Apártate —le digo, cabreada. Llevo el trabajo muy atrasado y no lo soporto—. Esta noche me tienes durante un tiempo limitado. Necesito sacar un diario. La gente necesita saber del Hombre de Hielo. —Fijo la cuadrícula y me desplazo.

—A este paso conseguirás que maten al muchacho, Dani —me dice Ryodan detrás.

—Púdrete en el purgatorio, colega. Batman nunca muere y Dancer tampoco lo hará.

Cuando llegamos a la iglesia, pongo los ojos en blanco.

Hay cinco *seelies* de pie frente a la catedral demolida, en medio de los escombros, entre trozos de libros de himnos destrozados y páginas por todos lados como si llovieran del cielo, trozos del órgano y otros deshechos diversos.

—¿Crees que se habrá descongelado ya la espada? —le pregunto, con la mano en el espacio vacío donde debería estar la empuñadura de la espada. Veo a los *faes* que pueden tamizarse y lo único en lo que puedo pensar es que no tengo mi espada. Por supuesto, eso lo pienso más o menos cada dos segundos.

—Niña, eres un disco rayado.

—Puede.

Los *seelies* están hablando y aunque saben que estamos aquí, nos ignoran por completo. Yo también paso de ellos. Aunque sean tan hermosos que tenga que arrancar la vista de sus rostros casi a regañadientes. No pienso cometer el mismo error que cometí con V'lane y dejarme absorber por lo hermosos que son. Pensar que son diferentes a los *unseelies* solo porque son dorados y aterciopelados, con ojos iridiscentes y muy guapos. Christian también es guapo, pero tiene mujeres muertas junto a la cama.

Noto que uno de ellos emana un gran poder, pero intentan atenuarlo. Eso me preocupa. Los *faes* no atenúan este efecto a menos que planeen algo malo, que intenten fingir ser algo que no son para que nos preocupemos menos cuando deberíamos estar muy, muy preocupados.

—Putos *faes*. Me gustaría que desaparecieran todos.

—Entonces qué haríamos para divertirnos.

Me río. Tiene algo de razón. Saco el teléfono y le hago una foto a la escena, con la idea de sacar la bolsita resellable después, esquivar a los *fairies* y ponerme a trabajar.

De repente noto una perturbación en el aire frente a mí. Tardo un segundo en procesarlo. Uno de los *faes* acaba de intentar tamizarse hacia mí para hacer quién sabe qué, pero Ryodan ha llegado antes y han chocado. El *fae* parece un gato enfurecido con el lomo erizado y unos ojos entornados cuyas pupilas echan fuego. Este ya lo tengo visto del Chester's. Le gustan las mujeres humanas y las putas ovejas están locas por él, con esos apretados pantalones de cuero y camisas abiertas; además de su melena lisa rubia y su piel dorada.

Ryodan se interpone entre esa cosa y yo, con las piernas extendidas y los brazos cruzados. Es como una montaña: nada le pasará por encima si él no quiere. Me jode necesitarle. Si tuviera la espada, ningún *fae* se atrevería a atacarme. Estoy acostumbrada a que me tengan más respeto y esto me molesta.

El *fae* me dice, todo tieso:

—Su alteza no permite que capturen su imagen en pequeñas cajitas. La enana tiene que darme la caja.

¿Enana? ¿Yo? ¡Si mido al menos un metro sesenta con las zapatillas de deporte!

—No soy ninguna enana. Soy joven y sigo creciendo. Y las llamamos cámaras, imbécil.

—Qué alteza —dice Ryodan.

—El nuestro. El tuyo. Todo lo que él sufre para vivir. Dame la cajita o la enana morirá.

—Inténtalo y verás —le desafío—. Mejores *faes* que tú lo han intentado. Y peores también. Todos estaban deliciosos. Con kétchup y mostaza. Y hasta con aritos de cebolla de guarnición.

—Deberías haberlo dejado en lo del kétchup —dice Ryodan—. A veces menos es más, niña. —Al *fae* le dice—: La Reina Aoibheal.

—Nunca fue nuestra verdadera reina. Se ha ido. Y ahora tenemos un nuevo líder. Nuestra luz sagrada, el rey R'jan.

—Los *faes* son matriarcales —dice Ryodan.

—Éramos. Hemos decidido que es hora de un nuevo reinado. Si no fuera por los defectos de una mujer, muchos de nuestra raza no habrían muerto, ni seguirían muriendo. Si no fuera por su idiotez, las abominaciones no habrían sido liberadas. Ella ni siquiera era *fae* —dice con desdén—. ¡Empezó su vida como uno de vosotros! Es indignante que nos haya gobernado una mortal disfrazada de...

—Ya basta, Velvet —dice R'jan—. No tenemos que darles explicaciones a los seres humanos. Mata a la enana y tráeme la caja.

—Que no soy ninguna enana. —Mi mano se cierra donde solía estar la empuñadura de la espada.

—¿Te falta algo, enana? —pregunta uno de los cortesanos que acompaña al nuevo «rey» y todos se echan a reír. Supongo que todos han visto los cartelitos en los que se me busca. Hago una fotografía mental de su cara y lo pongo en mi lista de futuras víctimas. Algún día, en algún lugar, monstruo.

Velvet acaba de comenzar a exponer sus quejas.

—Ella nos obligó a conceder derechos a los humanos; unos derechos que no merecían. Nunca más. Ahora hay un nuevo reinado. Empieza una nueva era. Ya no nos debilita una reina frágil.

—Te acabo de decir que ya basta —dice R'jan—. Como tenga que decírtelo una vez más, será lo último que oigas en diez mil años y no disfrutarás del sitio donde los pasarás.

Le dedico a R'jan un guiño de complicidad.

—¿Le darás un «tiempo muerto», colega?

Velvet parece horrorizado.

—Si eres lo bastante tonta para dirigirte al rey R'jan, tienes que hacerlo así y no de otra manera: «Mi Rey, Señor, Amo y Maestro, tu sierva te suplica le concedas permiso para hablar».

—Ya. Pues no te lo crees ni tú.

—Pues buena suerte —le dice Ryodan—. Dani no suplica nunca para hablar ni para hacer ninguna otra cosa. Puedes atarla o encerrarla, pero no lo conseguirás.

Le sonrío. No tenía ni idea de que me tuviera en tanta consideración.

Luego se va, igual que Velvet.

Me quedo algo insegura porque Ryodan no ha dado indicios antes de irse. Ni él ni el otro *fae*. Ni siquiera estoy segura de quién se ha llevado a quién. O si uno ha escapado y el otro lo ha perseguido. Lo único que sé es que ambos se han ido.

Me muevo de un pie a otro, mirando a R'jan y los tres cortesanos que quedan, y él me mira y yo intento pensar en algo que decir. Lo mejor que se me ocurre es:

—Bueno, ¿y por qué estáis aquí?

—Matad a la enana —dice R'jan.

Saco dos barritas de chocolate y me las meto en la boca con envoltorio y todo; les doy un bocado con fuerza para abrir el plástico y tragar un poco de chocolate que me dé un subidón rápido, porque no tengo espada y quién mierda sabe dónde ha ido Ryodan. Mastico, trago, escupo el envoltorio y trazo la cuadrícula mental de la escena cuando, de repente, veo que Ryodan ha regresado.

Está de pie justo frente a R'jan.

—En estas calles —le espeta tan fríamente que casi muero congelada— yo soy el Rey, Señor, Amo y Maestro. Tú eres el «eso».

Luego deja caer el cuerpo muerto de Velvet a sus pies.

Veintiséis

«It's the hard-knock life»
('La vida es dura')

—Me has hecho un favor. Velvet era una molestia —dice R'jan—. Hablaba demasiado y muy a menudo, siempre cosas de poca importancia.

Ryodan mira a los otros cortesanos del rey y dice:

—Te haré tres «favores» más. Solo di una palabra. Correcta o incorrecta, me da igual.

Los cortesanos lo miran con desprecio, incómodos. Podríamos habernos pasado horas fingiendo y nunca habríamos llegado a la posición de fuerza que Ryodan estableció con un solo acto. Estoy aprendiendo mucho de él, aunque nunca se lo confesaré, claro.

R'jan abre la boca y luego la cierra. Parece no estar seguro del todo de que Ryodan acaba de decirle que matará a los otros tres cortesanos si dice una sola palabra más. Un tío inteligente. Tampoco me extrañaría que Ryodan lo dijera en serio. ¿Cómo coño mató a Velvet? Le echo un vistazo al cadáver *fae* pero no veo ninguna herida. No hay cortes o... espera, ¿eso de su camisa son gotas de sangre? Me deslizo furtivamente hacia la izquierda para ver mejor, pero Ryodan se mueve como si nos atara algo y me lo tapa. Estoy convencida de que ha desaparecido para que no viera cómo lo mataba. ¡Joder, qué reservado es!

¿Tiene mi espada en alguna parte? ¿Mac le ha prestado la lanza? ¡No puede ser! Está claro que debe de haber otra arma que mate a los *faes* y la quiero. Será cabrón. Me ha estado ocultando algo mucho tiempo. Cuando perdí mi espada podría haberme dado lo que fuera que acaba de usar. Estoy tan cabreada que tengo ganas de escupirle. Sabe cómo matar *faes*, no es de extrañar que sea tan intrépido. Es más rápido que yo, más fuerte y tiene un arma que mata *faes*. ¿Dónde han quedado esos días en los que yo era la mejor y la más grande de los superhéroes de la ciudad?

De pronto veo unas imágenes mentales sexuales muy, muy gráficas. Me noto cachonda y muy incómoda. ¡Joder! R'jan es un príncipe, un *fae* orgásmico-letal. Es a él a quien noté amortiguando su poder para no atraer la atención sobre su pequeño séquito, pero ahora que se ha armado la gorda, empleará cualquier arma a su alcance. Supongo que quiere hacerme esto para llegar a Ryodan.

Pero R'jan mira a Ryodan como si esperara que esto funcionara con él. ¿Eh? Pensaba que eran heterosexuales y que su erotismo asesino solo funcionaba con el sexo opuesto. Me doy cuenta de que fue una suposición estúpida. Nunca he visto a los príncipes *unseelies* cerca de otros hombres y V'lane siempre lo mantenía silenciado cuando estaba con seres humanos. No hay razón, sea cual sea el mecanismo, para que no funcione en ambos sexos.

—Arrodíllate, humano. —R'jan ondea su melena dorada imperiosamente—. Te arrastrarás ante tu rey.

Ryodan se ríe.

—Ajá. Eso es lo único que tienes.

Me quedo ahí atrás, escuchando; no tengo la intención de acercarme. Tengo que esforzarme mucho para no empezar a desnudarme. ¡Ah, mierda, lo estoy haciendo! Veo mi chaquetón en el suelo y ya me estoy quitando la camisa. Mascullo en señal de protesta, pero no suena así en absoluto.

—¡Apágalo! —dice Ryodan sin siquiera mirarme—. Estás haciendo sufrir a Dani. Y nadie la hace sufrir salvo yo.

—He dicho que te arrodilles —dice R'jan, como si no pudiera creer que Ryodan siguiera ahí de pie.

—Y yo te he dicho que te vayas a la mierda. Apágalo o muere.

R'jan lo corta tan de repente que me pongo a temblar; tengo frío y estoy incómoda, como si estuviera tomando sol junto a una piscina y me hubieran echado un iceberg encima.

—Por qué estás aquí —dice Ryodan.

R'jan le responde con firmeza:

—¿Qué coño eres tú?

Muy buena pregunta. Eso mismo me pregunto yo.

—Si me das la respuesta equivocada una vez más, morirás. —Le da una patada al cuerpo sin vida de Velvet.

R'jan hace una mueca. Al contrario que los *unseelies*, las expresiones de los *seelies* sí tienen sentido para mí. Son similares a las nuestras, supongo que porque han pasado mucho tiempo observándonos, al acecho.

—Algo está matando a nuestra gente.

—No sabía que contaban a los *unseelies* como de los suyos.

—Ha visitado otros lugares... además de Dublín. También ha matado a *seelies*.

—Ha estado en Faery.

—Dos veces. ¿Cómo se atreve una abominación a entrar en nuestro reino? ¡Nunca se ha sufrido la presencia de un *unseelie* en Faery!

La temperatura cae y me pongo tensa; busco un brillo en el aire. Hacía más frío cerca de la iglesia que en el resto de Dublín, pero ahora las páginas de los himnarios dispersos por toda la calle brillan con una fina capa de hielo. También veo a Ryodan mirando alrededor. Empiezan a caer copos de nieve. Me doy cuenta de que lo está provocando la furia de R'jan al mismo tiempo que la de Ryodan. Me sacudo la nieve de los hombros desnudos, luego doy un respingo, avergonzada. Estoy tan fascinada por las cosas que están pasando que no me he dado cuenta de que solo llevaba puesto el sostén. Recojo la ropa y me pongo la camisa por la cabeza. Odio a los *faes*.

A R'jan le digo:

—Cruce vivió en Faery cientos de miles de años y nunca os disteis cuenta. Había un *unseelie* en Faery sentado junto a vuestra reina. ¡Espera! —Me río por lo bajo—. Se me olvidaba. Ella tampoco era vuestra reina. Era humana. Colega, ¿tan estúpidos sois?

—Hablaré contigo —le dice R'jan a Ryodan—, cuando consigas que se calle la enana.

Pongo la espalda recta, esperando la defensa de Ryodan.

—Calladita, niña.

Me deshincho como un globo.

—Estás seguro de que es *unseelie* —le pregunta Ryodan a R'jan.

—Yo ya te lo he dicho —digo, indignada.

—Sin lugar a dudas.

—¡Yo he dicho lo mismo!

—¿Qué es esta «abominación»? —dice Ryodan.

—No lo sé. Nunca nos ha hecho falta saber nada de nuestros viles hermanos.

—Sin embargo, te preocupa lo suficiente para estar aquí. En una oscura calle de Dublín. El nuevo rey de los *seelies* en persona.

Que le llamen «el nuevo rey *seelie*» parece apaciguar a R'jan. Aparta la mirada y no dice nada durante un segundo. Luego se estremece.

—Eso trae la muerte final a nuestra especie.

—Como la lanza y la espada —digo.

—Te dije que la callaras.

—Respóndele.

—Ella no puede entender lo que es ser *fae*.

Ryodan no dice ni una palabra. Da un paso hacia delante y R'jan inmediatamente da un elegante paso atrás, como si estuvieran haciendo un baile coreografiado.

—Un día, humano…

—Puede que quieras reconsiderar la forma en que te diriges a mí.

—… te aplastaré y…

—Hasta que llegue ese día ficticio, me responderás cuando te hable. —Da un paso sobre el cuerpo de Velvet, para acortar la distancia que los separa.

R'jan retrocede.

—En qué difiere la «muerte final» de lo que hace la espada —dice Ryodan.

—Sus endebles cerebros no se prepararon para comprender la grandeza de ser D'Anu.

Ryodan se cruza de brazos, a la espera. Tiene una presencia impresionante. De mayor quiero ser como él.

—No tendrás cerebro en absoluto en tres segundos. Dos.

A regañadientes, R'jan dice:

—La lanza y la espada acaban con la vida inmortal. Cortan la conexión que mantiene unida nuestra materia y la dispersa en el aire.

—Dime algo que no sepa.

—Incluso aunque muramos, aquello de lo que estamos hechos aún está por ahí, flotando. Sentimos a todos nuestros semejantes todo el tiempo, impresiones en el tejido del universo. Somos individuos y aun así formamos una madeja, vasta y gloriosa. No sabes lo que es pertenecer a una entidad tan enorme y divina. Esta... esta cosa... sea lo que sea, está podando nuestro árbol. No se limita a separar nuestra materia, encima no dispersa nada en el viento. Nada. Es como si aquellos a los que mata nunca hubieran existido. Sus víctimas son... eliminadas, borradas. No sabéis lo doloroso que eso es para nosotros. La muerte, incluso con la espada y la lanza, nos deja conectados. ¡Esta abominación está amputando a nuestra raza, miembro por miembro!

El Monstruo de Hielo le está quitando la existencia a los *faes* al nivel más profundo de todos. ¡Tenía algo de razón con mi teoría de la «fuerza vital»!

—Tienes un buen incentivo para querer que le paren los pies.

Interpreto la expresión de R'jan como un «Ya, claro».

—Eso lo convierte en algo muy valioso para ti.

R'jan le lanza una mirada incrédula.

—No podrías eliminarlo. Además, tampoco negocio con cerdos y tontos.

—Lo eliminaré. Y me pagarás generosamente por los servicios prestados, cuándo y cómo yo decida pasarte la factura. Y, un día, te arrodillarás ante mí y me jurarás lealtad. En el Chester's. Ante un público de *faes*.

—Podríamos preparar fuegos artificiales —digo con entusiasmo.

—Nunca —dice R'jan.

—Soy un hombre paciente —dice Ryodan.

Pienso en eso más tarde, mientras escarbamos entre los escombros, lleno la bolsa resellable y me la guardo en la mochila. Mastico una barrita de chocolate para dejar más espacio en mi mochila.

—Tú no eres nada paciente. Te fijas en algo y apuntas como si fuera un misil. Eres la persona más prepotente y manipuladora que conozco. Y mira que también conocí a Rowena.

—La paciencia y la perseverancia no son mutuamente excluyentes. No tienes ni idea de lo paciente que soy. Cuando quiero algo.

—¿Qué quiere alguien como tú? ¿Más poder? ¿Más juguetes? ¿Más sexo?

—Todo lo anterior. Todo el tiempo.

—Puto codicioso.

—Niña, deja que te diga una cosa. La mayoría de la gente pasa su tiempo en este mundo viviendo a medias. Vagan en una nube de responsabilidades y resentimiento. Algo les sucede no mucho después de nacer, entran en conflicto con lo que quieren y empiezan a adorar a los dioses equivocados: el deber, la piedad, la igualdad, el altruismo. No hay nada que se deba hacer: haz lo que quieras. La piedad no es la forma en que obra la naturaleza porque asesina la igualdad de oportunidades. No nacemos iguales. Algunos son más fuertes, más listos, más rápidos. Nunca pidas perdón por ello. El altruismo es un concepto imposible porque no hay acto que puedas hacer que no surja de cómo quieres sentirte. No soy codicioso, Dani. Estoy vivo y me alegro de eso todos los putos días.

—¿Ya hemos acabado? Tengo que publicar un diario. —Pongo los ojos en blanco al decirlo para que no vea lo mucho que me afecta lo que acaba de decir. Creo que podría ser lo más inteligente que le he oído decir a nadie—. Oye, crees que la espada...

—Por el amor de Dios, no.

—Vale, tío. Solo preguntaba.

Nos detenemos en dos escenas más de Dublín que fueron congeladas, primero el gimnasio, luego uno de los pequeños pubs subterráneos. Es un enorme agujero en el suelo, con trozos de hormigón quebrados y retorcidos en ángulos peligrosos. No hay nadie para acordonar la zona y asegurarse de que los niños que deambulan por ahí no caigan en él. Por suerte, no hay tantos niños vagando como había justo después de Halloween. Hemos sacado a la mayoría de las calles. Algunos se negaron a entrar y optaron por quedarse bajo tierra. Hay que respetar esa opción también. No mola que la familia de otra persona se apiade de ti y te acoja por pena, sabiendo que realmente no eres parte de ella. Me pregunto lo salvajes que serán dentro de unos pocos años. Tengo ganas de ver en qué se convertirán. Creo que en unos pocos años formarán un ejército tremendo. Crecer solo te hace muy duro.

Hasta que los muros cayeron no sabía que había tantos lugares debajo de Dublín. Antes pensaba que había solo unos pocos ríos subterráneos, un par de criptas como las de la iglesia de Christ Church y la de Saint Patrick's, y quizás alguna bodega que otra. Dublín guarda muchos secretos. Desde que los muros cayeron, he descubierto todo tipo de lugares subterráneos. Nosotros, los irlandeses, somos muy astutos, nos gusta tener varias formas de salir de una situación difícil. ¿Y por qué no? ¡Mira cuánta gente ha intentado mandarnos y durante cuánto tiempo!

Le echo un vistazo al agujero lleno de escombros.

—Colega, ¿cómo voy a llenar una bolsita así?

—Jefe, tenemos un problema.

Miro por encima del hombro. Uno de los hombres de Ryodan está allí de pie y parece cabreado. Es un tío al que no veo muy a menudo. Nunca he oído a nadie llamarle por su nombre. Pienso en él como Sombra porque entra dentro de una habitación sigilosamente y el aire ni se mueve. Casi ni lo ves, algo que sorprende teniendo en cuenta que es cuarenta y cinco centímetros más alto que yo y debe de pesar unos ciento treinta y ocho kilos. Lo observa todo, como yo. No habla mucho, no como yo. Es alto y musculoso, y va cubierto de cicatrices como los demás; tiene el pelo oscuro como la noche y los ojos del color del whisky.

—Te escucho.

—El maldito *highlander* mestizo se ha llevado la espada.

—¿Qué? —exploto—. ¿Que Christian se ha llevado la espada? ¡Te lo dije y te dije también que probablemente ya estaría descongelada! ¡Te dije que teníamos que ir a comprobarlo!

¿Qué coño os pasa, tíos? ¿No podéis proteger una mísera espada de un mísero medio humano?

Sombra me mira.

—Casi se ha convertido completamente en un príncipe *unseelie* y tenía un lanzallamas, niña. —Para Ryodan, añade—: Lor y Kasteo han sufrido quemaduras graves.

¡Un puto lanzallamas! ¿Por qué no se me ocurrió eso a mí? Lo mejor que se me ocurrió fue un miserable secador de pelo. ¡Tengo que empezar a pensar a una escala más grande! Le fulmino con la mirada. Estoy tan cabreada que tengo la cabeza llena de ideas.

—No lo entiendes, cuando estuve en su cama, ¡encontré a una mujer muerta metida entre la cama y la pared! ¡Ahora quiere verme muerta a mí y le permitís que se lleve mi espada! ¿Qué se supone que debo hacer ahora? ¡Ryodan no compartirá el arma que tiene, sea cual sea! ¿Cómo se supone que voy a protegerme ahora? ¿No podéis hacer nada bien? ¡Una insignificante espada! ¡Eso era lo único que teníais que vigilar! ¿Y por qué no pensamos nosotros en un lanzallamas? ¿Alguien tiene un cerebro de entre todos vosotros, tío? ¡Un lanzallamas! ¡Brillante! ¿Le ha causado desperfectos a mi espada?

—Cuándo estuviste en la cama de Christian —pregunta Ryodan en voz baja.

Me quedo boquiabierta.

—¡Colega, tienes un caso grave de audición selectiva: ignoras todas las cosas importantes! ¿A quién le importa cuándo estuve en su estúpida cama? ¿Cómo mierda mataste a Velvet? ¡Me has estado ocultando cosas! ¡Tienes que aprender a compartir tus armas!

—Cuándo.

Hay algo en la forma en que pronuncia esa única palabra que me hace temblar y eso que yo soy difícil de apabullar.

—¡No me cambié en una tienda! ¡Venga, va, dispárame! Necesito la espada. ¿Qué vas a hacer para recuperarla?

Nunca he visto la cara de Ryodan ponerse tan lisa; es como si se hubiera congelado hasta vaciarse de toda expresión. Tampoco le he oído nunca hablar en un tono tan suave y sedoso.

—Llévala de vuelta al Chester's y enciérrala. Yo recuperaré la espada.

Sombra me mira serio. Como si fuera mi propia Parca. No.

Me meto una mano en el bolsillo sin llamar la atención y tiro del seguro de una granada. Empiezo a contar porque tengo que calcular el tiempo perfectamente. No pienso permitir que me encierren en ningún lado. No más jaulas para Dani Mega O'Malley. Una fracción de segundo antes de que estalle, lanzo la granada a la acera que hay frente a ellos. Detona con el brillante fogonazo mata-Sombras que Dancer ha fabricado para mí.

—Y una mierda.

Salgo de allí desplazándome con todas mis fuerzas.

Veintisiete

«Cause I'm one step closer to the edge
and I'm about to break»
('Estoy un paso más cerca del borde
y estoy a punto de romperme')

Creo que acabo de conseguir una nueva marca personal.

Tenía muchos incentivos. La expresión en el rostro de Ryo-dan era diferente a todas las que había visto antes. Peor que cuando maté a todos esos *faes* en el Chester's y me encerró en su calabozo. Mucho peor.

Mientras me desplazo, pienso en cómo me ha estado jo-diendo la vida desde el segundo en que puso un pie en mi torre de agua y me dijo que tenía un trabajo para mí. Creo que ya sé qué le pasa. Creo que la razón por la que está tan molesto con Christian y Dancer es porque le preocupa que tenga un novio superhéroe que le dará una paliza bárbara y le obligará a romper ese asqueroso contrato que me hizo firmar. No quiere que se me acerque demasiado ningún otro tío porque interferiría con su habilidad de usarme para sus propios propósitos. Christian es un competidor físico y Dancer podría matarlo usando su cerebro.

No entiende que no estoy interesada en tener un novio su-perhéroe.

Yo seré la superheroína que le mande de un lado de Dublín al otro de una patada.

—Ah, qué día más bonito —digo, embelesada, con la boca llena de chocolate, adelantándome al sabor. Los cacahuetes y el chocolate se me quedan atorados en la garganta y casi no puedo tragar. Últimamente he estado comiendo muchas barri-tas de chocolate porque estoy muy ajetreada y eso es lo único que tengo a mano. Tengo un gran antojo de sal ahora mismo. Algunas veces, cuando como demasiada azúcar, me obsesiono con la carne en conserva y el repollo de mi madre, con su pan de romero fresco y patatas y cebollinos y... ¡Por las cascadas de Ashleagh, se me hace la boca agua!

Entro en una tienda de comestibles. Vacía. Me dirijo tres manzanas al norte a Paddy's Stop&Go. También vacía. Corro unas diez manzanas al sur para acercarme a Porter's. También está completamente arrasada. ¡Lo que daría por una bolsa de patatas fritas! ¡No dan mucho chute de energía pero son como un alegre desfile del día de san Patricio para mi lengua! Estoy prácticamente babeando del hambre que tengo y de lo mucho que me apetece algo que no sea chocolate. Una lata de judías, aunque sea. ¡Joder, hasta una de atún me haría feliz!

Me lo quito de la cabeza porque pensar en eso es desperdiciar energía. Ahora no hay otro tipo de comida y lo que aprendí en una jaula es que o bien finges tener lo que quieres o dejas de pensar en eso. Y si finges, hazlo real, exprímelo con cada matiz, con cada suculento sabor, aroma y tacto. Ahora mismo no tengo tiempo para ese tipo de indulgencias. Hay un príncipe *unseelie* loco que me persigue con mi propia espada. Tengo al dueño de un club nocturno, también loco, ahí afuera que cree que tiene que demostrarme algo y quiere encerrarme para hacerlo. Tengo una antigua mejor amiga sanguinaria que me quiere matar. Y también hay un Monstruo de Hielo que va matando a todo tipo de inocentes.

Puedo lidiar con los tres primeros. ¡Dublín tiene que saber lo de este último!

Tengo varios lugares en la ciudad donde puedo imprimir un diario. Ryodan no tardará en encontrarlos todos, así que sé que no dispongo de mucho tiempo. Si puedo imprimir aunque sea solo mil y repartirlos, la noticia se extenderá rápidamente. Luego me dedicaré al asunto de averiguar cómo recuperar la espada que ahora tiene Christian.

Me dirijo al viejo edificio Bartlett al sur del río Liffey y cruzo el puente Ha'Penny desplazándome en paralelo al agua. Las estrellas brillan sobre ella como cristales de hielo en un mar de plata. Todo lleva la pátina lavanda metálica que los *faes* trajeron consigo.

Unos segundos después abro con ímpetu las puertas dobles, tiro la mochila sobre una mesa y enciendo las impresoras mientras caliento las manos con mi aliento. Instalo mi pequeña impresora y la conecto al teléfono para imprimir las fotos que he estado tomando todo el día. Tengo las manos torpes por el frío. Creo que el Hombre de Hielo está empezando a fastidiar el clima. Normalmente, en mayo tenemos una mínima de cuatro grados y una máxima de quince. Aunque yo suelo tener más calor porque voy corriendo a todas partes. Sin embargo, llevo con frío todo el día. Es como si afuera no hiciera más de tres o un grado bajo cero. Ojalá este lugar tuviera una chimenea como Mac tiene en Barrons Libros y Curiosidades. Hace semanas que evito esa parte de la ciudad. No soporto la idea de verla por ahí, sabiendo que estoy muerta para ella. Sabiendo que nunca volveré a poner un pie en su tienda, a reírme con ella ni a sentir que encajo en alguna parte. Desearía tener un lugar como Mac lo tiene en Barrons Libros y Curiosidades.

—Deseos. Pues vaya pérdida de tiempo. —Pasaba mucho tiempo sola de niña, y de noche a veces no echaban nada en la televisión y el silencio se hacía diez veces más grande que nuestra casa. Solía hablar conmigo misma para llenarlo. Era ingeniosa porque al estar atrapada en una jaula viendo la tele todo el tiempo, siempre estaba al día con las últimas noticias. Quizás de ahí salió mi amor por divulgar. Tenía mucho por decir y nadie a quien decírselo. ¡Ahora tengo a toda la ciudad! Mantengo un monólogo mientras trabajo en el diario, en el que, sobre todo, expreso mi irritación por las circunstancias actuales.

No tengo tiempo para escribir algo realmente entretenido, algo que trato de hacer siempre que saco un *Diario de Dani* porque cualquier escritor que se precie de serlo sabe que tiene que darle a la gente pan y circo, además de la información que necesitan para salvarse el culo. De lo contrario, no lo leerán. Había una serie en la televisión cuando tenía nueve años acerca de cómo escribir y mantener a la gente leyendo y a mí me fascinaba porque sabía que algún día escribiría mis memorias.

¡No tenía ni idea de que comenzaría a tener un periódico cuando tenía solo trece años y que publicaría un libro a los catorce!

El Diario de Dani

¡NUEVO MONSTRUO SUELTO EN DUBLÍN! ¡El HOMBRE DE HIELO ASESINA A CIENTOS DE PERSONAS! ¡LEEDLO TODO!

Y, POR CIERTO, NO ESTOY INDEFENSA. SI CREÉIS QUE LO ESTOY, INTENTADLO. ¡VENGA, TENGO TODA CLASE DE ARMAS SECRETAS EN LA MANGA!

¡Lo habéis oído de mí, antes que de nadie más!

Hay un *unseelie* supermalvado suelto en Dublín que mata a la gente congelándola. Casi nunca se sabe que va a aparecer o que anda cerca. Ha atacado en iglesias, pubs, gimnasios, almacenes, jardines y en plena calle. ¡Ningún lugar está fuera de su mira! Debéis extremar el cuidado. Si prestáis atención, veréis una especie de punto brillante en el aire, luego se abre una hendidura que derrama una especie de niebla y por la que sale después el monstruo. En un par de segundos congela todo a su paso, MATA EN EL ACTO y luego desaparece.

¡Pasad desapercibidos y no os prodiguéis mucho por la calle!

Te mantendré al día, Dublín.

Ah, y si descubrís por casualidad una de sus escenas congeladas, salid pitando... ¡Explotan!

—No valen la pena.

Casi me salgo de la piel cual pasta de dientes que sale del tubo cuando lo aprietan demasiado fuerte. Esperaba que Ryodan me encontrara primero.

Me desplazo y choco contra Christian.

—Ahora ya puedo tamizarme por completo, muchacha. Ya no serás más rápida que yo. Me enloquecía pensar que pudieras huir de mí, pero ya no más. —Sus manos me agarran por la cintura, pero por mucho que trato de zafarme de él, es como tener unos tornos de hierro alrededor del cuerpo, cerrándose sobre el hueso. Lo miro. Reparo en el ligero contorno luminoso de la torques que lleva al cuello. Sus ojos son como fuego iridiscente. Si la locura tuviera un color, seguro que estaría en su mirada.

—Humanos —me dice fríamente y con un rostro de hielo cincelado. Su piel pálida en contraste con su pelo oscuro como la medianoche. Los brillantes tatuajes le recorren el cuerpo empezando por el cuello, rodeándole la mandíbula y bajando por el torso. Es como si hubiera una tormenta caleidoscópica bajo su piel—. Enclenques. Estúpidos. Temerosos hasta de su sombra. ¿Por qué te molestas con ellos? ¿Por qué pierdes tu tiempo? Vales mucho más que eso.

—Tío, yo soy humana. Devuélveme la espada, joder. No es tuya.

—No, no lo eres. Eres más que una simple humana, eres lo que la raza debería aspirar a ser. —Se inclina, me huele el pelo y suspira—. No te acerques a Ryodan. Detesto que huelas como él. Me revuelve el estómago.

Busco en mi cerebro la forma de salir de esta. Con mi espada. ¿La tiene en alguna parte? Miro la parte inferior de su cuerpo. No la veo por ninguna parte. Ni en los vaqueros, ni en las botas ni bajo el suéter de color crema que se le ajusta por los hombros, que ahora son mucho más anchos que antes. ¿Será para darle una base más sólida a las alas que está desarrollando? ¿Echa de menos ser quien era? ¿Por eso se viste así? No hay señal visible de ningún arma, pero está claro que tampoco la necesita. Él es un arma. Lleva el suéter manchado de sangre. No quiero saber por qué.

—Tú también eres humano, ¿recuerdas? —Seguro que lo recuerda, aunque sea en algún rinconcito de su cerebro, porque los príncipes *unseelies* rara vez usan ropa.

—Ya no, Dani, mi dulce niña. ¿Sabes cómo estoy tan seguro? Soy un detector de mentiras. He dicho: «Soy humano» y he detectado mi propia mentira. —Se ríe y su risa tiene un deje de locura.

—Eres lo que tú eliges ser —digo. De repente no puedo respirar porque sus manos se han posado sobre mis costillas y empieza a apretar con tanta fuerza que creo que se me van a romper.

—¡Nunca hubiera elegido ser esta mierda!

—¡Ay! ¡Controla el volumen, Christian! ¡Me estás haciendo daño!

Él me suelta al instante.

—¿Estás bien, muchacha? ¿Te sangran los oídos? La última vez hice que le sangraran los oídos a una mujer. Y también la nariz. Y su… bueno, esto ahora no viene a cuento.

—Deja que me vaya. Tengo cosas que hacer.

—No.

—Mira, si vas a intentar matarme, termina con esto de una vez. —Levanto los brazos y coloco los puños a la altura de la cara—. ¡Levanta los tuyos!

Él me mira.

—¿Por qué haría eso?

—¡Hola, señor «tengo a mujeres muertas escondidas junto a la cama»!

—Intenté explicarte eso y no quisiste escucharme. Huiste. ¿Por qué huiste de mí? ¿No te digo siempre que nunca te haré daño?

—¿La mataste?

—No.

Le fulmino con la mirada. No me hace falta un detector de mentiras para darme cuenta. Lo vi en el movimiento furtivo de sus ojos.

—Inténtalo de nuevo.

—Bien. De acuerdo. La maté, pero no era mi intención. Y no la maté del todo.

—Ah, ya veo. Mientras no la hayas matado del todo, no pasa nada.

—Sabía que lo entenderías —replica, como si no se diera cuenta de que lo digo con sarcasmo y frivolidad. No estoy segura de que entienda los matices humanos. Creo que ha perdido toda su humanidad.

—Soy toda oídos.

Se encoge de hombros.

—No hay mucho que decir. Estábamos follando y, de repente, murió.

—¿Así sin más?

—Así sin más. Fue una cosa extrañísima. Ni siquiera sé qué hice.

—¿No tenías las manos, no sé, alrededor de su garganta o sostenías un cuchillo o algo así?

—No. Por eso la dejé allí: quería examinarla para averiguar qué hice para no volverlo a hacer. No puedo renunciar al sexo el resto de mi vida. Apenas puedo sobrevivir sin él unas pocas horas. Se lo estaba pasando genial, igual que yo, gimiendo de la excitación mientras yo... lo siento, tal vez no quieras oír eso. No quiero ponerte celosa, muchacha. Y, nada, al momento dejó de moverse y no tienes ni idea de lo inquietante que fue. Bueno, en gran parte, porque tampoco fue raro del todo. Creo que el *unseelie* en el que me estoy convirtiendo estaba excitado porque una vez que ella dejó de moverse era como...

—¡Demasiada información! ¡Paso de oírte! —Comienzo a tararear para cubrir el sonido de su voz. ¿Celosa? ¿De qué está hablando?

—Me distraje y la dejé en la cama para averiguarlo después. Entonces te encontré desangrándote y te traje a casa. No quería que la vieras y te disgustaras. Pensaba averiguar qué le había hecho cuando te fueras.

—¿Lo hiciste?

—Todavía no tengo ni idea. No hay ni una marca en ella en ninguna parte. Pensé que quizás había sido demasiado bruto y la había lesionado por dentro, pero de haber sido así, tendría que haber magulladuras externas por alguna parte y no hay ninguna. Quizás la puedas ver. He estado pensando en hacerle una autopsia pero no conozco a ningún encargado de funeraria. ¿Tú sí?

Lo dice como si fuera una pregunta normal. Como si él fuera la persona que investigara un homicidio y no quien lo cometió.

—No. —Me pregunto cómo de loco está—. ¿Te fastidia haberla matado?

Parece horrorizado.

—¡Por supuesto que sí! No quiero matar a nadie. Bueno... en realidad eso no es del todo cierto. Sí quiero matar cosas, muchas cosas. Principalmente a Ryodan. Puedo pasarme horas con pensamientos asesinos sobre ese idiota.

—Eso no te lo discutiré —le digo, con cierta lástima.

—Pero no sé qué ha pasado. Al menos no lo he descubierto hasta ahora. Y si no puedo averiguar qué he hecho esta vez, no podré evitarlo en el futuro.

—Dónde está mi espada —lo digo como Ryodan, sin signos de interrogación. Empiezo a entender por qué lo hace. Es una petición sutil en lugar de una pregunta. La gente responde instintivamente, sin pensárselo mucho. Ese es Ryodan; siempre juega con las posibilidades y las usa a su favor.

Christian sonríe y durante un segundo veo un atisbo de quién era. Ahora que su rostro ha completado la transición a príncipe *unseelie*, sus expresiones son más legibles. Supongo que los músculos no siempre están en contradicción, tratando de formar una expresión. Tiene una sonrisa deslumbrante, casi matadora, pero no del todo. Es la sonrisa de un hombre que podría tener a cualquier mujer que quisiera en la cama, pero que, a la vez, podría matarla mientras está allí.

—Tienes que reconocerlo, el lanzallamas fue una idea brillante, ¿verdad? Desprendí la espada de la estalagmita y freí a los hombres de Ryodan. Ni siquiera se les ocurrió, ¡serán idiotas! Si quieres algo, cógelo.

—¿Le ha pasado algo a mi espada? ¡Espera un momento! —Me doy cuenta de algo que no puedo creer que haya tardado tanto en notar—. ¡No me haces sentir como si me convirtiera en *pri-ya*!

—Descubrí la forma de silenciarlo y es tan fácil como volver a encenderlo. Lo único que tengo que hacer es esto.

La excitación sexual me azota de golpe y me oigo emitir un gemido tan embarazoso que podría morir de vergüenza.

Él evita que me caiga al suelo y me sostiene con las manos en la cintura.

—Muchacha, no me mires de esa manera. Pero por otro lado, hazlo. Sí. Sí. Exactamente así. Princesa, me matas.

—¡Apágalo, Christian! ¡Quiero elegir mi primera vez!

Me caigo al suelo, parpadeando, aturdida.

Christian se ha ido.

Sin sus manos sujetándome, he caído como una caja de

cartón mojado. Me quedo allí sentada, mirando alrededor pero sin ver nada, tratando de aclararme. O se ha ido completamente o está silenciando su poder una vez más. Pero las secuelas persisten.

Su voz flota desde algún lugar del techo, encima de mi cabeza.

—La primera vez, ¿eh? Estaba bastante seguro, muchacha, pero me gusta oírlo de ti. Esperaré. Yo también quiero que elijas tu primera vez. Será con chocolate y rosas. Con música y dulces besos. Todo con lo que sueña una muchacha. Quiero que sea perfecto para ti.

Me pongo roja como un tomate. ¡Nadie, pero nadie, habla de mi virginidad excepto yo!

—¡No te metas en mis planes para perder la virginidad! No es asunto tuyo.

—Es asunto mío y solo mío. Pero no vamos a hablar de ello. Todavía.

Siento como si me acabaran de asestar un golpe en la cabeza con una sartén. ¿Está de coña? ¿Christian ha decidido en su depravada mente de príncipe *unseelie* que será mi novio… y que será el primero? ¡Colega, yo tengo catorce años y él es un príncipe *unseelie*! ¡Y es diez años mayor que yo! Abro la boca para darle una reprimenda y dejar claras las cosas entre nosotros cuando se me ocurre que tener un príncipe *unseelie* enamorado de mí no es tan mala idea, así que vuelvo a cerrar la boca. Podría ser difícil de manejar, pero todas las armas son buenas y Christian con una correa sería el arma definitiva. Sobre todo contra Ryodan.

La pregunta es: ¿puedo ponerle una correa? Y si lo consigo, ¿seré capaz de agarrarlo del collar cuando realmente importe?

Elijo mis palabras con cuidado. Es príncipe y, por si fuera poco, detector de mentiras. Si puedo ponerle un collar a este tipo, ¡puedo hacer cualquier cosa! Será como bailar en un campo minado. Me fascina la idea. ¡Qué manera de ponerme a prueba!

—Gracias por comprenderlo, Christian —digo.

—No hay problema. Bueno, sí lo hay, pero ya me está bien. Por ahora.

—Los otros príncipes *unseelies* me asustan.

—Normal. ¡Son pesadillas andantes! No te creerías algunas de las cosas enfermizas que hacen.

No paso por alto la ironía que a él se le escapa. Es consciente de sí mismo como príncipe *unseelie*, pero un segundo después actúa como si no lo fuera. No le digo «Sí, lo creería porque tú también haces cosas enfermizas» porque calumniarle no me dará más puntos.

—Me siento muy insegura sin la espada. —Miro el techo con los ojos entornados. El edificio Bartlett solía ser un antiguo almacén antes de que lo reconvirtieran. Dejaron las vigas de acero expuestas cuando se mudaron. No lo veo ahí arriba por ninguna parte.

Al momento, lo tengo enfrente, inclinado en una reverencia formal.

—Su espada, mi señora. Hubiera removido cielo y tierra para recuperarla para usted. —La sostiene sobre ambas manos a modo de ofrenda. Me mira y le miro para medir la locura en sus ojos. Siento una especie de humedad en los lagrimales, como si fueran a comenzar a sangrar. Me presiono el puente de la nariz con fuerza. No puedo dejar de mirarlo. Es como si sus ojos estuvieran hechos de plata líquida sobre arcoíris, como si los tatuajes caleidoscópicos bajo su piel fluyeran como un río en el fondo de los mismos, como si yo fuera a tropezarme y a sumergirme en lo más profundo. Me noto un poco mareada.

—No me mires directamente a los ojos, muchacha. ¡Para! —Me da un golpecito suave bajo el mentón para romper el contacto visual. Arrastra los dedos sobre mi mejilla y al ver que se le mancha la mano de sangre, se la lame—. Nunca me mires a los ojos demasiado tiempo. Le hace daño a la gente. —Luego sonríe—. Notarás que puedo tocar la reliquia. Me preocupaba no ser capaz.

Bajo la mirada a la reliquia *seelie* en sus manos, uno de los cuatro talismanes *fae* que solo los humanos y aquellos de la Corte de la Luz pueden tocar. Podría cogérsela ahora, hundirle la hoja en el corazón y librarme de él para siempre.

Extiendo la mano para cogerla.

Él la aleja.

—Un pequeño gracias no estaría de más.

—Christian, eres el mejor —digo—. Primero me salvaste la vida y ahora me devuelves mi espada cuando nadie me ayudaría.

—El imbécil seguro que no.

—Seguro que no —coincido, y una vez más intento coger la espada—. Nadie se preocupa por mí como tú.

—Oh, muchacha, no tienes ni idea —añade casi en un susurro—. Te veo desde el interior.

—¿Puedes dármela ya? —La quiero tanto que noto un hormigueo en las palmas.

Él inclina la cabeza y me mira, luego gira como un príncipe *unseelie*, como si su cabeza y su cuello no estuvieran conectados correctamente. Me da escalofríos.

—No estarás pensando en matarme con ella, ¿verdad, muchacha?

—Podría hacerlo, pero no lo haré. —Ahora mismo no, en cualquier caso.

Su sonrisa es cegadora.

—Bien, porque tengo otro regalo para ti esta noche. Sé que te gusta salvar humanos, así que voy a ayudarte. Considéralo uno de mis muchos regalos de boda anticipados.

Parpadeo. ¿Qué? O bien me las arreglo para enmascarar la sorpresa o ni siquiera ha notado la expresión de mi cara, porque el tío sigue hablando.

—Los príncipes *unseelies* conocen esa cosa que salió por la hendidura en el almacén. Lo llaman Gh'luk-ra d'J'hai.

—¿Qué leches significa eso? —¿Y ha hablado de regalos de boda? ¿Ha perdido completamente la chaveta?

—Es difícil de traducir. Los *unseelies* tienen cuarenta y nueve palabras para hielo y hay un matiz en *d'J'hai* que no termino de entender. A grandes rasgos lo llamaría el rey Escarcha.

—El rey Escarcha —repito—. ¿Qué es? ¿Cómo lo matas? ¿Funcionará la espada? —Eso suponiendo que alguien pudiera acercarse sin congelarse.

—No lo sé. Pero conozco un lugar donde podríamos averiguarlo. Si hay respuestas en alguna parte, estarán ahí. Toma la espada, muchacha. No me gusta que andes desprotegida. Y sé que no me quieres cerca todo el tiempo. No te culpo, viendo el monstruo en el que me estoy convirtiendo.

Extiendo ambas manos para recibirla. Casi no puedo contenerme. Estoy temblando de emoción.

Él se inclina y me pone la espada sobre las palmas.

Cierro los ojos y suspiro con éxtasis. El peso del frío acero en mis manos es... bueno, ¡mejor de lo que creo que debe de ser el sexo! Es como que te amputen ambos brazos y creas que tendrás que aprender a vivir sin ellos, para luego recuperarlos completa y perfectamente. Amo mi espada. Soy invencible con ella. Cuando la tengo en las manos no siento ni una pizca de miedo. En lo profundo de mi ser, donde la sangre me fluye de una forma más extraña que la de los demás, las velocidades cambian y los engranajes se alinean de nuevo. La espada y yo somos una. Estoy completa.

—Ah, la mujer que serás algún día... —murmura Christian—. Tienes pasión suficiente para dirigir un ejército entero. Aunque no lo tenga... todavía.

Puede que quiera un príncipe *unseelie* con correa, pero tenemos que dejar las cosas muy claras.

—No pienso casarme nunca.

—¿Quién ha dicho nada de casarse?

—Joder, tío. Eso de los regalos de boda anticipados...

Me mira como si yo estuviera loca.

—¿Quién ha dicho nada sobre regalos de boda?

—Y no quiero dirigir ningún ejército *unseelie*.

—¿Ejército? Dani, mi hermoso fuego fatuo, ¿de qué estás hablando? Te estaba contando cosas del rey Escarcha. ¿Vienes o no? Es una noche perfecta para estar vivos. Tenemos un monstruo que atrapar. —Me guiña un ojo—. Y esta noche no soy yo.

Colega. A veces eso es lo único que puedes decir.

VEINTIOCHO

«I walk up on high and I step to the edge
to see my world below»
('Subo a lo alto y camino hasta el borde
para ver mi mundo debajo')

*U*na buena líder conoce su mundo.

Yo no sé nada de mi mundo.

Bueno, eso no es completamente cierto.

Sé que a ciento cincuenta y dos pasos desde donde estoy —mirando por la ventana del vestidor de Rowena— hay una pérgola con árboles podados artísticamente y con un pabellón embaldosado, bancos de piedra y un estanque que la Gran Maestra Deborah Siobhan O'Connor, que lleva siglos muerta, construyó para meditar en tiempos de crisis. Lo bastante lejos de la abadía para darle privacidad y lo bastante cerca para visitarlo con frecuencia, el estanque plateado hace tiempo fue usurpado por ranas gordas en hojas de nenúfares, y en las plácidas noches de verano, en mi antigua habitación tres plantas por encima de la de Rowena y dos al sur, siempre me arrullaban con sus perezosos sonidos barítonos.

También sé que hay cuatrocientas treinta y siete habitaciones en la abadía, eso según el recuento oficial. Sé de veintitrés adicionales solamente en la primera planta, con más en las otras tres y sin duda muchísimas más de las que no sé nada en absoluto. La fortaleza laberíntica es un hervidero de pasadizos ocultos y paneles escondidos, piedras y tablones y chimeneas que se mueven, si conoces el secreto de su funcionamiento. Luego está el subsuelo. Así es como siempre he concebido la abadía: la planta principal, donde el sol brilla en los paneles de las venta-

nas, nosotras cocinamos y limpiamos y somos mujeres normales; y el subsuelo, donde gira y se retuerce una ciudad oscura
con sus pasillos, catacumbas y bóvedas, y solo Dios sabe qué
más. Allí, aquellas de nosotras en el Refugio nos convertimos
en algo más a veces, algo antiguo que llevamos en la sangre.

Sé que a cuatrocientos metros detrás de la abadía hay un
granero con doscientos ochenta y dos establos donde antaño
había vacas, caballos y cerdos. Sé que a una enérgica caminata
de distancia hay una lechería que albergaba alrededor de cuarenta vacas lecheras, con una despensa refrigerada donde ha-
cíamos mantequilla y crema. Sé que detrás de la lechería hay
diecisiete hileras con cinco lechos que conforman un huerto de
ochenta y cinco niveles, y que creció lo suficiente para mantener a los miles de ocupantes de la abadía y para vender el exce-
dente en el pueblo por una buena suma.

Todas estas cosas que conozco pertenecían a un mundo
diferente.

Ya no conozco el mundo en el que vivo ahora.

Son las cuatro y media de la mañana. Me ciño la chaquetilla y miro los nudosos robles que proyectan sombras alargadas
y los rayos de luna que entrecruzan el césped como ramificaciones enrejadas. Las reconfortantes vistas al jardín ornamen-
tal me las impide una de esas peligrosas aberraciones de la física que Mac llama Agujero Fae Interdimensional; AFI para
abreviar, por suerte, porque es un término larguísimo. Este
tiene la forma de embudo de un tornado cristalino, brilla en un
tono lila claro y su exterior opaco y facetado refleja la luz de la
luna. A la luz del día esas diáfanas facetas son difíciles de distinguir desde los alrededores porque su forma, textura y tamaño varían enormemente. He visto AFI más grandes que
nuestro campo trasero y más pequeños que mi mano. Este es
más alto que un edificio de cuatro pisos y más ancho.

La primera vez que ella me dijo el nombre que les había
puesto, me eché a reír. Eso fue cuando acababa de morir mi familia y yo estaba ebria de libertad. Por primera vez en mi vida,
cuando todos estaban preocupados por los muchos nuevos
monstruos que andaban sueltos, yo me sentía gloriosa y deli-
rantemente segura. Mis monstruos habían desaparecido. Habían estado intentando sacarme de la abadía otra vez; en la úl-

tima cena de domingo mi madre tenía un evidente destello triunfal en los ojos y yo estaba segura de que ella y mi padre finalmente habían dado con algo que Rowena quería lo suficiente para renunciar a mí. Durante años, la diminuta Gran Maestra había dominado mi ciega devoción simplemente porque era un baluarte entre ellos y yo.

Los AFI ya no son motivo de risa. Nunca lo fueron. Este en concreto lo descubrieron hace una semana dirigiéndose directamente hacia nuestra abadía. Nos pasamos varios días rastreando su trayectoria y su avance, intentando concebir la forma de desviarlo. Nada funcionó. No podemos desviar el AFI de su curso con un ventilador gigante. ¡Soy la líder de este enclave y aun así soy incapaz de hacer algo tan simple como protegerlo de que se lo trague una pieza fracturada de Faery! El AFI no es ni siquiera un enemigo inteligente, sino simplemente un accidente circunstancial.

Luego están los enemigos inteligentes de los que tengo que preocuparme. Los pensantes, los codiciosos cuya planta superior nunca coincide con el subsuelo, quienes sin duda están hablando del depósito de infinito conocimiento y poder que el mundo ahora sabe que tenemos encerrado bajo nuestra fortaleza, custodiado por doscientas ochenta y nueve mujeres increíblemente ineptas con edades comprendidas desde los siete años hasta Tanty Anna, de ciento dos.

Están a mi cargo. Me las han confiado para que cuide de ellas.

¡No veo fin para ellas que no implique su sacrificio desventurado!

Necesito más *sidhe-seers*. Necesito fortalecer nuestros números.

Anoche reuní a mis chicas alrededor del AFI cuando estaba a un mero kilómetro y medio de la abadía. Habíamos trazado su curso con noventa y nueve por ciento de certeza: entraría en nuestro hogar. Las únicas preguntas fueron cuánto de la capilla sur junto a las cámaras de Rowena engulliría en un instante, y si arrasaría cada centímetro cuadrado de nuestra abadía o dejaría un ocasional montón de escombros… Tal vez una brillante pared al rojo vivo de pie por aquí y por allá.

Dado lo rápido que se movía, tardaría casi una hora en

completar su paso de un extremo al otro. Pudimos trazar el tiempo y la trayectoria de su destrucción tan exactamente porque ya había dejado cientos de kilómetros de fina ceniza negruzca en su estela. Los campos de tierra estaban adornados ahora con profundos surcos de tierra quemada. Los grandes edificios quedaron reducidos a pequeñas montañas de brasas posapocalípticas.

Cual crematorio a la deriva, el AFI a punto de colisionar con nuestra abadía contenía un fragmento de mundo de fuego, un infierno arrollador capaz de reducir el hormigón a cenizas en un instante. Si llegaba hasta nuestras paredes, nos dejaría sin hogar, por no hablar de lo que semejante calor podría hacerle a cierto bloque de hielo bajo nuestra fortaleza.

Tratamos de hechizarlo, desviarlo, destruirlo, atarlo a un lugar. Me había pasado todo el día revisando los antiguos libros que Rowena guardaba en la biblioteca de su alcoba, aunque estaba bastante segura de que sería en vano. Todavía tengo que encontrar su verdadera «biblioteca». Esta es otra cosa que sé porque la vi acarreando libros en momentos de crisis que no encuentro por ninguna parte. Todavía.

Mis chicas terminaron llorando. Estábamos cansadas y acaloradas y pronto nos quedaríamos sin hogar. Habíamos intentado todo lo que sabíamos.

En ese momento llegó un Hummer negro y salieron tres de los hombres de Ryodan.

Con Margery.

Los hombres nos ordenaron que nos retiráramos a una zona segura. Por medio de una magia oscura que nos desconcertó, anclaron el AFI a la tierra a solo dieciocho metros de nuestros muros, donde ha permanecido inmóvil desde entonces. Donde, me aseguraron, permanecerá inmóvil para siempre.

—Pero no lo quiero ahí —les dije—. ¿Qué debo hacer con eso? ¿No podemos moverlo?

Me miraron como si tuviera cinco cabezas.

—Mujer, os hemos salvado de una destrucción segura, ¿y ahora criticas nuestros métodos? Usa la puta cosa como un compactador de basura. Incinera a tus muertos y enemigos, yo que sé. Al jefe le encantaría tener algo así cerca del Chester's. Es un fuego que nunca se apagará.

—¡Llévatelo, entonces!

—La única forma de hacerlo es cortar la soga. Hazlo y atravesará la abadía. Alégrate de que no haya decidido que la quiere, de lo contrario este lugar estaría perdido. Dublín está al otro lado de vuestros muros. Mantened la puerta abierta. Ryodan estará aquí en unos días para decirte qué le debes.

Después de irse, Margery levantó el puño en el aire y llamó a la celebración por haber evitado el peligro y poder vivir para luchar otro día. Mis chicas se congregaron a su alrededor, jubilosas y entre aplausos. A mí me empujaron y me olvidaron en el tumulto.

Ryodan vendrá dentro de unos días para decirme qué le debo.

Llevo años escondida detrás de estos muros, tratando de ser lo más insignificante posible. Sin pretensiones. Pasada por alto. Me contentaba con caminar por los campos, soñar despierta con Sean y el futuro que tendríamos, estudiar la magia *sidhe-seer* y, en ocasiones, guiar a las chicas con mi gentil sabiduría, siempre dándole gracias a Dios por mis bendiciones.

Amo esta abadía. Amo a estas chicas.

Me doy la vuelta y hago caso omiso a la visión transparente de Cruce, que lleva sentado en el diván de mi vestidor, observándome, desde que las campanas repicaron a la hora de las brujas, hace cuatro horas y media, alado y desnudo como solo él sabe. Me seco la frente con un pañuelo para apagar ese brillo de sudor que es constante últimamente. Como Sean no pudo venir anoche, no he dormido en dos días. Resuelto, Cruce encontró una manera de atormentarme despierta. Por suerte, de lo único que es capaz en este momento es de emitir una débil transmisión de su aspecto. No puede hablarme ni tocarme o ya lo habría hecho. Paseo la mirada sobre él con la respiración algo entrecortada.

Empiezo a vestirme.

Anoche mi prima fue mejor líder que yo porque no conozco mi mundo. Ha llegado el momento de cambiarlo.

El viaje a Dublín es largo y silencioso. Ya no hay estaciones de radio para escuchar y no llevo ni teléfono ni iPod.

El día fue arduo; Margery —en la cresta de la ola por habernos salvado en el último minuto— presidió la abadía como si estuviera ella a cargo, salpimentando su charla con comentarios sobre mis muchos fallos y con frases incendiarias calculadas para incitar a las chicas y hacerlas sentir como si yo las estuviera restringiendo, les cortara las alas, igual que Rowena solía hacer. La observé y pensé: ¿puedo llevar a casi trescientas niñas, jóvenes y mujeres de edad avanzada a la guerra? Más tarde, se lo dije. Debemos pelear con inteligencia y dureza, no de forma intrépida.

«Con inteligencia y dureza nos quedamos sin hogar —replicó ella—. Es gracias a la intrepidez que la abadía todavía se mantiene en pie.»

En ese punto tiene razón, pero aquí, entre nosotras y por el destino de mis chicas, hay un problema más profundo. A ella no le importa. Para obtener el control, Margery llevaría a las *sidhe-seers* a su muerte, porque para ella, el liderazgo no se basa en el bienestar de ellas, sino solo en el suyo. Irónicamente, su narcisismo la hace carismática y yo no lo soy. De camino a la ciudad reflexiono sobre la necesidad de ser más encantadora a la hora de gestionar, en relación a las chicas. Está claro que debo tomar una decisión: tengo que abdicar el liderazgo o cambiar de muchas formas, y no sé si voy a poder sobrevivir a eso.

Llego al Chester's justo después de las diez y me sorprende encontrar una cola de gente que abarca tres manzanas demolidas de la ciudad. No tenía ni idea de que tanta gente joven estuviera viva en Dublín o de que pudiera encontrarla haciendo cola como si fuera una noche común de martes, como si este fuera el nuevo Temple Bar. ¿No saben que el mundo está infectado y se muere? ¿No oyen los cascos retumbantes de los Jinetes del Apocalipsis? Uno ha estado sin montura por ahora, aunque me sonrió seductoramente desde el diván antes de que me fuera. Hay otro en proceso. Pronto volverán a ser cuatro.

Dejo el coche en un callejón y camino hacia el final de la cola, resignada a convertir lo que inevitablemente será una noche entera de espera en una lección sobre mi nuevo mundo.

Apenas he comenzado a saludar a mis nuevos compañeros cuando noto que una mano me agarra el antebrazo por atrás.

—Ryodan te verá ahora.

Es uno de sus hombres, alto, musculoso y con cicatrices como el resto. Me escolta hacia el inicio de la cola entre protestas y promesas, desde lo coqueto hasta lo más grotesco. Mientras bajamos al club, alzo barreras para escudar mi empático corazón.

La música me golpea de una forma vibrante y visceral. Las emociones me muerden con fuerza a pesar de mis esfuerzos por desviarlas. ¡Qué hambre más descarnada, qué deseo atormentado de conexión y relevancia! Pero los están tratando de la manera equivocada. Reparo en la definición misma de la locura: acudir al Chester's en busca de amor es como ir al desierto esperando encontrar agua.

Casi sería mejor que saquearan una ferretería con la esperanza de conocer a otro saqueador en el proceso; al menos si es un hombre responsable y capaz con la intención de reconstruir algo. ¡O robar una biblioteca! Cualquier hombre que lee es bueno. También podrían buscar en un grupo de oración de estos que han aparecido por toda la ciudad.

En la superficie, cada persona que pasamos parece más feliz que la anterior, pero yo lo siento todo: dolor, inseguridad, aislamiento y miedo. La mayoría no tiene idea de cómo sobrevivirá después de esta noche. Algunas personas han perdido a tantos seres queridos que ya no les importa. Viven en zonas aisladas de casas y edificios abandonados sin televisores y no hay manera de mantenerse al día con las amenazas en el mundo, que no dejan de evolucionar. Su principal directriz es simple: no dormir solo esta noche. Son personas que han descubierto hace poco algo de lo que querían saber con el simple toque de una pantalla. Ahora, desprovistos de sus capas externas, sin defensas, están a la deriva y se están escorando seriamente.

Y no puedo evitar preguntarme…

¿Podría llegar a ellos? ¿Podría reunirlos en un solo lugar y formarlos para un propósito? Me marea la simple idea. No son *sidhe-seers*, pero son jóvenes y fuertes, e impresionables.

Una mujer baila con la cabeza hacia atrás en un éxtasis si-mulado y sonríe, rodeada de hombres y *unseelies*. Noto un atisbo de su corazón cuando pasamos y sé que ella cree que un hombre nunca la amará a menos que ella lo haga sentir bien en todo momento. Ha renunciado a su derecho a ser una persona con necesidades y deseos, y se ha convertido en un re-ceptáculo para llenar las necesidades de un amante. Si es avis-pada y sexual como una leona en celo, la apreciarán.

—Eso no es amor —le digo mientras pasamos—. Es un ne-gocio. Deberías cobrar por eso. Deberías obtener algo a cambio.

Cuando era joven, comencé a clasificar a la gente con un sistema numérico: del uno al diez, ¿cómo de rotos están? Ella es un siete. Su corazón podría sanar pero debería encontrar a un hombre muy comprometido y durante mucho tiempo. Po-cos tienen tanta suerte y menos frecuentes aún son las almas gemelas como mi Sean y yo.

Mientras subimos a la segunda planta, miro los subclubs y veo a Jo, vestida como una niña católica en edad escolar. No me gusta que se burlen de mi fe y todavía me inquieta que deci-diera venir a trabajar aquí, pero ella me lo argumentó con pa-sión y vehemencia: estaba muy comprometida con su misión de recopilar información desde la fuente más rica. Todavía tiene que contarme algo que me haga sentir que vale la pena someterla a este pozo negro. Sé una cosa sobre la gente: de quién y con qué nos rodeamos es quién y en qué nos converti-mos. En medio de la gente buena, es fácil ser bueno. Pero en medio de gente mala, es fácil ser malo.

Cuando llegamos a la parte superior de las escaleras, noto que la mirada se me va al subclub donde los camareros van ata-viados solamente con unos pantalones de cuero negro ajustados y una pajarita, enseñando grandes extensiones de piel bronceada y musculosa en el caso de los hombres o bien generosos pechos desnudos si son mujeres. Aquí solo contratan a los más hermo-sos. Se me corta la respiración. Uno de los camareros tiene una espalda bonita y una forma adorable de mover sus largas ex-tremidades. Podría pasarme horas viéndolo caminar. Soy una mujer y me gustan los hombres con una buena espalda. Me alivia que no sea Cruce. Parece que no me ha pervertido tanto como para no encontrar atractivos a los demás humanos.

Mi escolta me guía por un pasillo de paredes de cristal liso a izquierda y derecha que no tiene fin ni separaciones, salvo por unas juntas casi inexistentes. Las habitaciones aquí arriba están hechas de cristal polarizado. Dependiendo de cómo se ajuste la iluminación en cada habitación, puedes ver hacia dentro desde fuera, pero no al revés o hacia fuera desde adentro, pero no a la inversa. Dani me había hecho una descripción de las plantas superiores del Chester's, así que sabía que debía esperar una planta de cristal transparente, pero saberlo y caminar sobre ese suelo son dos cosas muy diferentes. A la gente no le gusta ver qué hay debajo. Sin embargo, aquí en el Chester's el dueño te obliga a verlo con cada paso que das en su propiedad. Es un hombre calculador y peligroso. Y he venido aquí esta noche a determinar mi deuda, saldarla y seguir adelante.

Mi escolta se detiene frente a una pared que no parece tener juntas a primera vista y apoya la mano sobre ella. Un panel de cristal se mueve a un lado con un leve ruido hidráulico. El peso de su palma en la nuca me guía al interior de una habitación oscura.

—El jefe estará contigo dentro de un minuto.

Puedo ver el exterior desde todos los lados, por arriba y también por abajo. Desde la atalaya de cristal de Ryodan, este estudia su mundo tanto con los ojos como con sus cámaras. En el techo, y por todo el perímetro de la habitación, hay cientos de pequeños monitores, con tres filas de profundidad. Los examino. Hay cámaras enfocadas en cada habitación, casi desde todos los ángulos. Hay habitaciones que son tan sórdidas que ni siquiera logro comprender qué sucede. Este es el mundo que debo conocer si quiero dirigir a mis chicas.

La puerta sisea al abrirse detrás de mí y no digo nada, espero a que él hable. Como no lo hace, aumento mi capacidad de empatía para percibirlo. No hay nadie más conmigo en la habitación. Me doy cuenta de que alguien debe de haber abierto la puerta y al ver que era yo y no él, se ha ido. Sigo mirando lo que ocurre en los monitores, girando lentamente mientras examino los rostros, los actos, los ofrecimientos. Tengo que conocer a la gente como si nunca la hubiera conocido.

Una mano se posa en mi hombro y, sin querer, doy un grito.

Me vuelvo rápidamente, asustada, y me noto contra el pecho de Ryodan, que me rodea delicadamente con sus brazos. Hablaría pero sé que solo tartamudearía. No había nadie en esta habitación conmigo. No he oído que se abriera la puerta otra vez. Entonces, ¿cómo puede ser que esté en la habitación?

—Tranquila, Katarina. No te salvé del daño de anoche para hacerte daño esta noche.

Miro un rostro que es ilegible. De este hombre se dice que tiene tres expresiones, solo tres: burla, distancia o enfado. Se dice que si le ves enfadado, estás muerto.

Aumento aún más mi don de la empatía.

Estoy sola en esta habitación.

No encuentro las palabras, así que decido usar las que ya tengo.

—Estoy sola en esta habitación.

—No del todo.

—No existes.

—Tócame, Katarina. Dime que no existo. —Él me roza la mejilla con un beso y tiemblo—. Gira tu cabeza hacia mí y te besaré como deberían besar a una mujer. —Aguarda con la boca rozándome la mejilla para que me gire aunque sea muy poco, separe los labios y acepte su lengua. Me estremezco. Este hombre no me besaría como me gustaría que me besaran, sino de la manera que le gusta a él: demasiado dura, exigente, peligrosa. No es amor, es una pasión que quema e incinera y solamente deja ascuas, como seguramente lo hace el AFI que sus hombres dejaron atado en mi abadía la noche anterior.

Cuando me aparto, él se ríe y deja caer el abrazo. Le dedico una mirada penetrante.

—Gracias por enviar a tus hombres a atar el fragmento de Faery. Me comentaron que había un pago. No tenemos gran cosa. ¿Qué puede ofrecer nuestra abadía en contraprestación por tan generosa ayuda?

Él esboza una sonrisa.

—Ah, entonces así es como negociaremos. Hablas muy elocuentemente para ser alguien que no dijo ni una palabra hasta que tuvo casi cinco años.

No pienso dejar que me ponga nerviosa. Así que sabe que no tuve voz unos años después de haber nacido. Muchos conocen la historia ya. El dolor de las emociones del mundo me abrumó al nacer. Fui un bebé terrible y una niña aún peor. Lloraba sin cesar, nunca hablaba y me hacía un ovillo tratando de escapar del dolor del mundo. Llegaron a decir que era autista.

—Gracias.

—Hasta que llegó Rowena y le ofreció un trato a tu familia.

—No he venido a hablar de mí misma, sino de cómo puedo pagarte.

—Ella te sacaría de tu concha autista, pero a los dieciocho años serías suya. Irías a vivir a la abadía. Tus padres aprovecharon la oportunidad porque estaban desesperados de tener que acallar siempre tu llanto.

A veces, incluso entonces, Sean había estado allí. En ocasiones, en el delirio de mi dolor, se acurrucaba junto a mí y decía: «Niña, ¿por qué lloras?». Recuerdo momentos de silencio entonces. Me abrazaba con sus brazos regordetes y, durante un corto período de tiempo, el dolor desaparecía.

—¿Cómo iban a formar una gran alianza con los criminales más grandes y más desagradables si su única hija casadera era defectuosa? —le espeto, secamente.

Él se ríe.

—Ahí estás, detrás de esa eterna serenidad. La mujer que siente. Lo curioso es que yo también pensaba que estaba solo en este cuarto. Hasta que has dicho eso. La carencia de emoción aquí no es solo mía. —Su sonrisa se desvanece y me mira directamente a los ojos con una mirada tan penetrante, directa e incómoda que me hace sentir como un insecto clavado en un tablero, a punto de ser diseccionado—. No me debes nada más.

Parpadeo.

—Pero aún no te he pagado.

—Ya lo has hecho.

—No, no lo he hecho. No te he dado nada.

—A ti no se te requería nada.

Me da un escalofrío y casi no puedo respirar. Este hombre es peligroso, inteligente y me resulta demasiado aterrador.

—¿Y a quién se le ha requerido? Yo soy la responsable. Soy yo la que falló. ¡Soy yo quien debería haberlas llevado a un lugar seguro, por lo tanto debería ser yo y solo yo la que pague un precio!

—Lo curioso respecto al pago es que no es el comprador de los bienes o los servicios el que pone el precio sino el vendedor. Y ese soy yo. —Ahora su rostro es duro y frío.

—¿Qué precio estableciste? —Domino la respiración para que sea lenta y regular y espero su respuesta.

Él se acerca a mi lado, me guía hacia el cristal y dirige mi atención hacia abajo.

—He tenido dificultades a la hora de encontrar al personal últimamente. Mis camareros se mueren cada dos por tres.

Se me eriza el vello de la espalda.

—Hay un club en particular cuyo personal es difícil de mantener. El Club del Esmoquin requiere sustituciones constantes.

Es el subclub donde los camareros visten pantalones de cuero negro ajustados, pajarita y sirven con el torso desnudo.

—Tu Sean fue lo bastante bueno para cubrir un puesto durante un tiempo.

Me noto bilis en la parte posterior de la garganta.

—Este no es sitio para mi Sean.

—Tal vez. Pero incluso tú tienes que reconocer que el uniforme le sienta fenomenal.

Miro hacia donde me señala. La espalda que admiré al subir conoce las caricias de mis manos sobre sus hombros mientras se mueve dentro de mí. Le he hecho cosquillas muchas noches mientras se quedaba dormido. La he masajeado cuando él trabajaba demasiado con las redes. He besado cada músculo y cada curva. Es, sin lugar a dudas, una espalda muy bonita.

—¿Cuánto tiempo?

—No lo he decidido.

—No me hagas esto.

—¿Por qué?

—Él es... —Me detengo y suspiro. Este hombre no entenderá nada de lo que diga.

—Dime.

—Sean es mi alma gemela.

—Alma gemela.

Se burla de mí. Se burla de Dios.

—Tales cosas son sagradas.

—¿Para quién? Puede que tu Dios ame a las almas gemelas, pero el hombre no. Tal pareja es vulnerable, sobre todo, si son tan tontos para permitir que el mundo vea lo radiantes y felices que están, y los riesgos aumentan diez veces más en tiempos de guerra. Hay dos cursos que puede tomar una pareja en tales circunstancias: adentrarse en lo profundo del país y esconderse lo más lejos de la humanidad como les sea posible, esperando que nadie los encuentre. Porque el mundo sí los separará.

Se equivoca. No sabe nada de almas gemelas. Aun así, no puedo dejar de preguntar.

—¿Y la otra?

—Hundirse hasta el cuello en el hedor, la inmundicia y la corrupción de su existencia devastada por la guerra...

—Quieres decir comportarse como delincuentes comunes. ¿Nos preferirías como animales despiadados? ¿Por qué haces esto?

—Quiero decir que mires, Katarina. Que veas las cosas como son. Quítate esas anteojeras y mira por las alcantarillas; reconoce de una vez que estás nadando en la mierda. Si no reconoces la mierda que se dirige a toda velocidad por el desagüe hacia ti, no podrás esquivarla. Tenéis que afrontar todos los retos juntos, porque el mundo sí os separará.

—Eres manipulador, cínico y vil.

—Culpable de todos los cargos.

—La vida no es como tú la ves. No sabes nada del amor.

—Estoy íntimamente familiarizado con los caprichos del destino en tiempos de guerra. Han sido mis mejores y peores siglos.

—Eso no es amor.

—No he dicho que lo sea. —Esboza una sonrisa y sus dientes blancos resplandecen en las sombras—. Prefiero la guerra. Los colores son más brillantes; la comida y la bebida son menos usuales, y por ello mucho más dulces. La gente es mucho más interesante. Está más viva.

—Y más muerta —le espeto con brusquedad—. ¿Perdimos casi la mitad del mundo y tú lo encuentras interesante? Eres un cerdo. Bárbaro y cruel. —Me aparto. Ya he tenido suficiente. Si este es su precio, entonces puedo irme sin más. No le debo nada más. Ya lo ha tomado todo.

Me voy hacia la puerta.

—Debes contárselo, Katarina, si quieres tener alguna espe-ranza.

Me detengo. No es posible que lo sepa. No hay manera.

—¿Contarle qué a quién?

—Contarle a Sean lo de Cruce. Debes contárselo.

Me vuelvo rápidamente, con la mano a medio camino de la garganta.

—En el nombre de Dios, ¿de qué estás hablando?

Busco en sus ojos y veo que, de alguna manera, sí conoce mi más profunda vergüenza. Tiene una sonrisa secreta y siente una especie de resignación divertida, como si hubiera visto las estupideces de la humanidad desplegarse frente a él tantas ve-ces que han comenzado a... no dolerle, pero quizá sí a pertur-barle. Como si se cansara de ver a las ratas del laberinto gol-pearse contra las mismas paredes una y otra vez. Amplío mi don empático y me esfuerzo al máximo, pero aun así no puedo siquiera sentir que él está en la habitación conmigo. No hay nada donde él está de pie.

—Si no le dices a Sean que Cruce está follándote mientras duermes, eso destruirá lo que tienes con él mucho más que cualquier trabajo en mi club. Eso, ahí abajo... —Señala a Sean, que le está sirviendo un trago a una *seelie* hermosa y casi des-nuda—. Eso es un bache en el camino, una prueba de tentación y fidelidad. Si Sean te ama, la pasará con gran éxito. Cruce es una prueba para tu alma.

No me molesto en discutir con él. Lo sabe. De alguna ma-nera, lo sabe. Quizás pueda leer los pensamientos como yo leo las emociones. Es una idea aterradora.

—¿Por qué no te puedo sentir?

—Quizás la carencia no sea mía. Quizás esté dentro de ti.

—No. —De eso estoy segura—. Hay algo malo en ti.

Otra vez esboza esa sonrisa.

—O algo bueno.

Quizá tomo el atajo del cobarde o tal vez sea el camino más noble. No me decido. Tengo la cabeza hecha un lío. Sin em-bargo, me mantengo alejada del Club del Esmoquin y me subo la capucha de la capa. No me enfrento a Sean antes de irme. Si él me lo cuenta, hablaremos del tema. Si no lo hace, no lo haremos. Me digo a mí misma que así respeto sus límites y que preservo su dignidad. Aquí es donde estará en lugar de compartir mi cama en las próximas noches.

El precio de salvar mi abadía es una parte de mi corazón y la mayor parte de mi coraje. Eso es lo que Ryodan me ha pedido.

Mi Sean se enfrentará a la tentación, solo, todas las noches en el Chester's, y yo me enfrentaré a ella, sola, en la abadía, en mi cama.

Yo no quería conocer este mundo.

VEINTINUEVE

«In the white room»
('En la habitación blanca')

*U*na noche cuando Mac y yo estábamos matando *unseelies* codo con codo, ella tuvo una especie de crisis y comenzó a llorar y gritar mientras rebanaba y cortaba monstruos. Me dijo que los enviaría a todos directamente al infierno porque le habían robado todo lo que le importaba. Me explicó que solía conocer a su hermana, que lo sabía todo de ella y que allí residía el amor, en conocer y compartir. Sin embargo, resultó que Alina tenía un novio que nunca había mencionado y otra vida completa de la que ella no sabía nada, y no solo Alina no la amaba, sino que toda su existencia hasta la fecha había sido una gran mentira. Sus padres no eran sus padres, su hermana probablemente no era su hermana. Nadie era lo que parecía, ni siquiera ella.

En los diarios de Rowena, que eran crónica de su repugnante y malvado reinado, encontré el diario de la hermana de Mac. Tengo cerca de cuatrocientos diarios escondidos con el emblema de las Grandes Maestras como blasón encuadernados en cuero de color verde oscuro. Tenía ochenta y ocho cuando murió, a pesar de que no aparentaba más de sesenta. Tenía un *fae* al que había estado mordisqueando durante décadas encerrado en una bóveda bajo la abadía. Lo maté cuando me enteré.

Cuando descubrí el diario de Alina, arranqué algunas páginas y se las di a Mac a escondidas, intentando compensarla por silenciar la voz de su hermana y enseñarle que ella había sido el mundo entero de Alina.

—¿Por qué mierda estamos aquí? —pregunto, cabreada. Ni siquiera estaría pensando en Mac si no estuviéramos aquí. Christian ha estado tamizándome alrededor de la ciudad para ayudarme a pegar mis diarios en las farolas. Le he permitido que me toque el dedo meñique para hacerlo. Él sigue intentando abrazarme. Durante el último tamizado, aterrizamos en diagonal a Barrons Libros y Curiosidades, en la acera de enfrente.

Me entran ganas de vomitar.

No he estado aquí desde la noche en que Mac descubrió la verdad sobre mí. La noche en que me horneó un pastel, me pintó las uñas y me salvó de la Mujer Gris, solo para querer matarme con sus propias manos unos minutos después.

En medio de la ciudad en ruinas, Barrons Libros y Curiosidades se mantiene intacta. Pienso en una bendición silenciosa: ojalá siempre sea así. Este lugar tiene algo especial. Es como si su mera existencia significara que siempre habrá esperanza en el mundo. No puedo explicar por qué me siento de esta forma, pero toda la gente que conozco que alguna vez la ha visitado, todas las otras *sidhe-seers*, sienten lo mismo. Hay algo diferente, algo extraordinario en esta isla, en esta ciudad, en esta calle, en este preciso punto. Es casi como si alguna vez, hace mucho tiempo, algo terrible hubiera estado a punto de pasar en estas coordenadas y alguien pusiera Barrons Libros y Curiosidades sobre la brecha para evitar que volviera a ocurrir otra vez. Mientras los muros se mantengan en pie y el lugar esté bien tripulado, por decirlo de algún modo, estaremos bien. Me río por lo bajo, imaginándolo tal como está aquí y ahora pero en tiempos prehistóricos. No parece tan improbable.

A la izquierda y a la derecha, la calle adoquinada está bien barrida y limpia. No hay restos de disturbios fuera del establecimiento de Barrons. No hay raspas ni cadáveres que hayan dejado las Sombras tras su festín. No hay basura. Los maceteros se alinean en la calle adoquinada y hay pequeñas plantas tratando de crecer en su interior, luchando valientemente contra el frío descomunal que hace. La entrada al edificio alto de ladrillo está barnizada en un tono cerezo oscuro y las aplicaciones de bronce están pulidas y muy brillantes. El lugar es el Viejo Mundo y tan urbano como el colega en sí, con pilares y enrejado de hierro forjado, una puerta grande y pesada con luces lujosas a ambos lados y un travesaño que solía cruzar corriendo. Bueno, algunas veces también entraba y salía solo para oír tintinear la campanilla sobre la puerta. Era fantástico oírla a cámara rápida; me hacía reír.

Una tablilla pintada a mano cuelga perpendicular a la acera; está suspendida por una elaborada vara de bronce atornillada al ladrillo sobre el hueco de la puerta y se balancea en la ligera brisa.

Unas luces ambarinas brillan detrás de los paneles de cristal tintado con destellos verdes.

Me entran ganas de acercarme, aporrear la puerta, y decir: «¿Qué tal, colega?». No obstante, nunca volveré a llamar a esa puerta.

—Sácanos de aquí —digo, enfadada.

—No puedo. Es aquí donde necesitamos estar. ¿Y qué demonios es eso?

Lo miro. Está mirando el techo de Barrons Libros y Curiosidades, donde hay docenas de enormes reflectores encendidos que iluminan la calle. Tengo que retroceder unos pasos para ver más allá de ellos y distinguir lo que él está viendo, porque soy mucho más pequeña. Me quedo boquiabierta.

—¿Qué demonios están haciendo los ZCF aquí? —Todo el techo está cubierto de zombis comefantasmas. Esos buitres anoréxicos enormes con cuerpos encorvados de forma espeluznante y aspecto tan demacrado que dan asco, están ahí inmóviles, apiñados con sus voluminosas túnicas negras, llenas de polvo y telarañas. Los muy carroñeros, pegados los unos a los otros, están tan quietos que parece que estén velando a un muerto. Creo que ni los hubiera visto si Christian no los hubiera señalado. No están chillando y, de alguna forma, es peor que estén en silencio—. ¿Por qué están en el techo de Mac de esa forma?

—¿Cómo coño quieres que lo sepa? Perdona, muchacha. Quise decir, ¿cómo quieres que lo sepa?

—Puedes decir «coño» conmigo delante. Todos lo hacen. Y deberías saberlo porque eres *unseelie*.

—No del todo, no todavía, y no de origen. Vaya colección de negaciones. Y solo porque el resto de los hombres en esta ciudad sean unos cerdos, no significa que yo lo sea. Ahí va otro «no». Parece que solo sepa decir «no» esta noche. Tampoco soy el monstruo al que quieren dar caza.

Le miro: tiene unos ojos salvajes. El tío está supernervioso, no deja de moverse y dar vueltas.

—Entonces, ¿qué hacemos aquí? —Intento volver un poco a la conversación.

No me responde. Se limita a alejarse a grandes pasos y a acercarse a la librería. Justo cuando estoy a punto de desplazarme para salir de allí porque paso de entrar aunque no haya nadie en casa, él gira y entra en el callejón que hay entre Barrons Libros y Curiosidades y la Zona Oscura de al lado.

—Si quieres detener al rey Escarcha, tendrás que venir conmigo, muchacha. Te llevaré a la biblioteca del rey *unseelie*. Si hay respuestas, estarán allí.

¡La biblioteca del rey *unseelie*!

—Por todos los bibliófilos, ¡hagámoslo! —Le echo una última mirada a los ZCF y me desplazo para alcanzarlo. Si Mac está en la librería, no notará el borrón que acaba de pasar por delante de su puerta. Tiemblo mientras lo sigo. Esta noche hace un frío del carajo. Quiero detener al rey Escarcha por encima de todas las cosas. Tengo que hacerlo. En Dublín cada vez hace más frío y tengo la terrible sensación de que se va a poner mucho peor.

Cuando Christian atraviesa la pared de ladrillos del edificio en diagonal a la parte trasera de Barrons Libros y Curiosidades —el primero a la izquierda de la Zona Oscura— y desaparece, me entra un ataque de risa. Lanzo una piedra hacia el punto donde acaba de desaparecer. Rebota en el ladrillo y cae en el adoquinado. Me siento como en la estación de trenes de Harry Potter, sobre todo cuando él asoma la cabeza por fuera de la pared y me dice, impaciente:

—Vamos, muchacha. No me apasiona este sitio, que digamos.

Me acerco a la pared y la examino, intentando decidir si sería capaz de encontrar el punto otra vez sin saber exactamente dónde estaba. Su cabeza desaparece. No, no lo sabría. Quiero escribir una gran X con tiza por si vuelvo a necesitarla, pero también revelaría su ubicación para todos los demás, ya que la X siempre marca sitios clave, así que retrocedo hasta la mitad de la calle y fijo la escena en mi cuadrícula mental de forma permanente. Tengo ese tipo de memoria. Si archivo algo a consciencia, luego suelo encontrarlo sin problemas. Lo difícil es acordarse de archivarlo bien. Normalmente estoy tan excitada por la vida que llevo que se me olvida tomar ese tipo de fotos mentales.

Y lo sigo. ¡Joder! ¡Entro en una pared de ladrillo! Es la cosa más rara que he sentido jamás. Como si fuera una esponja y yo fuera una esponja también y durante un segundo todas nuestras partes de esponja son una solo y no solo tengo pantalones cuadrados a lo Bob Esponja, sino que todo en mí es cuadrado porque soy parte de la pared. En cuestión de segundos vuelvo a ser yo y la pared en cierta forma me expulsa al otro lado, en una habitación completamente blanca.

Suelo, techo y paredes, todo es blanco. Dentro de la habitación blanca hay diez espejos. Están suspendidos en el aire. Puedes rodearlos completamente. No veo nada que los sostenga. Todos son de diferentes tamaños y formas, y llevan diferentes marcos. Algunas de las superficies de cristal son negras como el alquitrán y no se puede ver nada. Otros tienen una especie de remolino de niebla plateada, pero las cosas que se mueven en sus nebulosas sombras son demasiado rápidas y extrañas para poderlas definir.

—Bien —dice—. Están donde los dejé la última vez.

—¿Dónde podrían estar, si no?

—Antes estaban colgados en la pared. Los mezclé para que si hubiera alguien más que supiera adónde iba, se perdiera. El que tomamos solía ser el cuarto desde la izquierda y ahora es el segundo de la derecha.

Miro alrededor una vez más, quizás en busca de estorninos cansados, pero no hay ninguno y le sigo a través del espejo. Me vuelvo de esponja otra vez y en esta ocasión es como si atravesara un montón de cosas y justo cuando estoy comenzando a ponerme un poco tensa, preguntándome si mis partes volverán a unirse bien, el espejo me expulsa y choco contra la espalda de Christian.

—¡Uf! ¿Qué haces aquí parado y bloqueando la salida?

—Calla, creo que he oído algo.

Aguzo mi superoído.

—No oigo nada y eso que yo puedo oírlo todo.

—Aquí hay cosas —dice—. Nunca sabes lo que puedes encontrar.

—¿Cosas malas?

—Depende de cómo las definas y quién seas. Ser un príncipe tiene sus ventajas.

Miro alrededor.

—¿Dónde estamos?

—En la Mansión Blanca.

—Ya, creo que lo hubiera adivinado —digo, porque estamos en otra habitación blanca—. ¿Todo este sitio es así de aburrido? ¿Los *faes* nunca usan otra pintura o un poco de papel pintado, tal vez?

Él emite un leve tintineo.

—Colega, tintineas como una campana.

Se detiene de repente y me doy cuenta de que estaba riendo. Empiezo a entender cómo interactuar socialmente con un príncipe *unseelie*.

—La Mansión Blanca no es aburrida, muchacha. Nunca es aburrida. Es la gran propiedad que el rey *unseelie* construyó para su concubina. Es una historia de amor que vive y respira, testamento de la pasión más fogosa que una vez ardió entre nuestras razas. Puedes seguir las escenas si tienes el tiempo suficiente y estás dispuesta a arriesgarte a perderte durante unos cuantos siglos.

He oído hablar de la Mansión Blanca porque siempre ando escuchando a hurtadillas, pero nunca presté mucha atención a la conversación en sí. Siempre me interesó más el Sinsar Dubh.

—¿A qué te refieres con que puedes seguir las escenas?

—Sus residuos aún están aquí. Se amaron tan intensamente que algunos momentos de sus vidas se quedaron grabados en la estructura de la mansión. Algunos dicen que el rey la diseñó así para, en caso de perderla un día, poder venir a vivir aquí con el residuo de su amada. Algunos dicen que la mansión se construyó con tejidos de memoria y es una criatura viviente, con un cerebro y un corazón enormes, ocultos en algún lugar de la casa. No quiero creérmelo porque significaría que la Mansión Blanca puede ser asesinada, y nunca debería morir. El testamento del amor más grande en la historia de la Historia se perdería, junto con innumerables artefactos de miríadas de universos que nunca más podrían reunirse otra vez. Este lugar es un hogar, una historia de amor y un museo, todo en uno.

—Bueno, ¿y dónde está la biblioteca?

—Verás, muchacha —me dice con ternura, como si yo ni siquiera hubiera abierto la boca, como si estuviera buscando una lección de amor y no es así—. El rey *unseelie* se enamoró de una mujer mortal. Ella era su razón de ser. Cada momento decisivo del monarca ocurrió por ella y solo en su presencia él conocía la paz. Era su estrella más brillante. Ella lo convirtió en un hombre mejor, y para los hombres que saben las muchas imperfecciones que poseen, ese tipo de mujer es irresistible. No soportaba la idea de que ella viviera menos de un siglo, así que decidió convertirla en *fae* como él para que pudieran vivir juntos para siempre. Mientras él trabajaba en su laboratorio, intentando perfeccionar el Canto de la Creación, necesitaba mantenerla sana y salva. Sabía que podría tardar eones en aprender a esgrimir el poder de la creación.

Si él fuera humano, podría pensar que ese destello divertido en los ojos iridiscentes de Christian al mirarme es especulativo. No puedo pasar mucho rato mirándole a los ojos porque ha sido solo un momento y ya estoy llorando sangre. Su poder se está volviendo más intenso y más raro. Es como si pensara que él y yo somos como el rey *unseelie* y la concubina, una especie de amantes desventurados.

—¿Y dónde has dicho que estaba la biblioteca?

—Le construyó a su amada un parque de juegos de proporciones infinitas, escondido en una zona segura de la realidad donde ella pudiera estar para siempre, sin cambiar ni envejecer. Un sitio donde poder estar a salvo y nada ni nadie pudiera lastimarla siquiera. De este modo, él no tendría que preocuparse por perderla. —Su voz desciende a un susurro, como si hubiera olvidado que estoy aquí—. Siempre estarían juntos. Como almas gemelas, nunca estaría solo. Nunca se perdería en la locura, porque ella podría encontrarlo siempre y traerlo de vuelta.

—Tío, tu historia es fascinante, pero ¿dónde está la biblioteca? Se nos acaba el tiempo y tenemos que pararle los pies al rey Escarcha.

—Si te quedaras aquí, Dani, mi luz de amor, no morirías. No tendría que preocuparme por si alguien te hace daño. Nunca.

—Sí, claro, y yo me quedaría en los catorce años para siempre. Me gustaría crecer unos centímetros más —digo, algo irritada. Me gustaría que esos centímetros me crecieran en varios sitios, además. Si intenta mantenerme aquí con la disparatada creencia de que soy su reina, teñiremos este lugar con una especie nueva de residuo: se armaría la gorda en la Mansión Blanca.

—Ya se me había olvidado. —Suspira—. Venga, muchacha. ¿Vamos a buscar la biblioteca?

—Tío, pensaba que nunca me lo preguntarías.

Salimos de la habitación blanca sobre suelos de mármol blanco y accedemos a un pasillo con ventanas que ocupan toda la pared, del suelo al techo abovedado, a doce metros de altura. Allí veo mi primer residuo. Más allá de las altas ventanas hay una hermosa mujer en un jardín nevado con un vestido de seda color carmesí cuyos pliegues se derraman sobre un banco de mármol blanco. Llora con el rostro escondido entre las manos.

—Es la concubina del rey —dice.

—Pensaba que habías dicho que estaban locamente enamorados. ¿Por qué está llorando?

—Se cansó de estar sola mientras el rey trabajaba en sus experimentos. Se pasó cientos de miles de años esperándolo a solas salvo por aquellas pocas criaturas en las que él confiaba, y sus visitas ocasionales.

Christian me cuenta el resto de la historia mientras recorremos pasillos y galerías. Me fascina el edificio muy a mi pesar. ¿Quién hubiera pensado que existieran lugares tan fantásticos al lado de nuestro mundo y que eran accesibles a través de portales ocultos y espejos? ¡Mi vida es tan sumamente interesante que casi no me lo creo!

Pasamos sobre unos suelos de mármol color limón en alas soleadas de altos ventanales que enmarcan unos días de verano preciosos; por suelos de cuarzo rosa que reflejan tonos violeta por las puestas de sol que hay más allá; pisamos azulejos de bronce que serpentean a través de habitaciones que no tienen ventanas, solo sillas, camas y sofás majestuosos, enormes y dignos de reyes. Aquí hay chimeneas tan altas como una pequeña casa y los techos son más altos que los capiteles de muchas catedrales.

—¿Qué extensión tiene este lugar?

—Algunos dicen que no tiene fin, que el rey creó una casa que crece constantemente.

—¿Y cómo encuentras algo?

—Ah, ahí está el problema, muchacha. Es difícil. Las cosas se mueven. Y encima no ayuda que el rey colocara señuelos. Para proteger mejor sus peligrosos diarios, sembró múltiples bibliotecas dentro de la casa. Barrons cree que encontró el verdadero repositorio, pero no es verdad. Vi los libros que robó: eran del estudio verde del rey.

—¿Cómo sabes tú dónde está la verdadera biblioteca?

Duda.

—Hay algo en este lugar que me llama —dice al final—. Estuve atrapado un tiempo en el tocador del rey y noté la atracción de la casa más allá de ese lugar. El residuo en sus estancias era tan fuerte que la realidad y la ilusión se fundieron durante un tiempo. Algunas veces oía susurros mientras dormía y entonces soñaba que era el rey y que iba caminando por esos pasillos. Sabía dónde estaba todo, como si fuera yo quien creó la casa. Incluso entendí cómo se movían las cosas. Algunos de esos recuerdos aún se mantienen; otros no son tan fiables. Aun así, sé que por un pasillo carmesí que está al final de un corredor de color bronce, hay una sala de música con miles de instrumentos que se tocan solos cuando giras la llave en la cerradura, como si fuera una caja de música gigante. Sé que hay un espacio enorme en el ala cobalto con estrellas alrededor y sin gravedad al que a veces llevaba a su amada, y creó universos en el aire para su diversión. Y eso lo sé porque el rey temía que otros *faes* pudieran encontrar los diarios que escribía, llenos de anotaciones sobre sus experimentos, así que los trajo a la Mansión Blanca. Se dice que encerró la receta para cada *unseelie* que creó alguna vez, amén de los incontables que no nacieron, y que cinceló una advertencia sobre la entrada cuando se fue. Es por esa inscripción que puedes saber que es la verdadera biblioteca.

—¿Y qué dice?

Se detiene

—Descúbrelo por ti misma, muchacha.

Levanto la mirada, y un poco más. Estamos parados afuera de unas puertas que son casi idénticas a aquellas de nuestra abadía, en la entrada de la cámara donde Cruce está atrapado. Símbolos extraños brillan con un inquietante fuego negro azulado, cincelado en la piedra alrededor de las puertas, con símbolos mucho más grandes tallados sobre el arco.

—No puedo leerlo. No está en mi idioma.

Christian se mueve de un lado al otro del arco, presionando varios símbolos y al cabo de un momento, las puertas se abren en silencio.

—Dice: «Leedlos y llorad». Ven, muchacha. Tenemos que encontrar una aguja en un pajar.

La biblioteca del rey es la cosa más disparatada que he visto nunca.

Christian desaparece en cuanto entra por la puerta. Yo me quedo inmóvil en el umbral, boquiabierta. La vista parece no acabar nunca, entre estantes irregulares y zigzagueantes colmados de libros que van disminuyendo hasta un diminuto punto negro que parece estar a kilómetros de distancia. Entro, fascinada.

A pesar de lo descomunales que son las puertas, extiendo los brazos tanto como me es posible y con las puntas de los dedos rozo las paredes de libros a ambos lados. Al mismo nivel que los estantes, cubículos y escritorios empotrados con bisagras invisibles y que están cubiertos por más libros, frascos y bagatelas, todas las superficies horizontales forman ángulos desiguales y absurdos que desafían la física. No me cuadra que las cosas en estas repisas no se caigan. Los estantes de libros se inclinan y se ciernen sobre mí en varios sitios, lo que significa que los libros deberían de estar cayéndome ya encima de la cabeza. Las paredes se elevan hacia un techo más allá de mi línea de visión. Es como estar en el fondo de un abismo irregular de libros y hay millones de ellos de todos los colores, formas y tamaños.

Por un lado el pasillo entre los estantes se amplía hasta seis metros y por otro, se estrecha lo suficiente para que pueda pasar. Mastico una barrita de chocolate tras otra mientras me adentro más en este fantástico lugar.

Hay repisas de libros que se ramifican y discurren perpendiculares al pasaje principal con solo dos centímetros de espacio entre ellas.

—¡Pero si ni siquiera se puede sacar un libro de aquí! —digo enfadada—. ¿Cómo se supone que vamos a buscar?

—Un *fae* podría. —Su voz flota desde algún lugar por encima de mí. Supongo que está tamizándose de arriba abajo por los estantes.

Paso por una puerta baja, la parte superior de la cual es una repisa de libros invertidos. Deberían caerme encima justo al pasar, pero no. Hay una placa de bronce en el techo junto a ellos, supongo que dice qué sección es, pero no sé leer en ese idioma. Alargo el brazo y saco uno del estante. Tengo que tirar porque es como si el libro estuviera fijado con pegamento o algo así, y sale casi como quien descorcha una botella de champán. La cubierta verde pálido es suave, está forrada con musgo y el libro huele a madera después de una lluvia de primavera. Lo abro y me doy cuenta de que no tiene sentido que me haya traído aquí. No puedo leer ni una palabra. Está todo en algún otro idioma y no tengo ni idea de cuál es. Ni siquiera Jo podría traducir esto.

Estoy a punto de cerrarlo cuando la oración en la parte superior de la página se levanta y comienza a arrastrarse por la página como un ciempiés. Río por lo bajo hasta que se detiene en el borde de la página, como si se armara de valor para algo, luego salta del libro de un gran brinco y comienza a serpentearme hacia arriba por el brazo. Aparto la mano bruscamente para sacármela de encima, pero se hunde en él con letras puntiagudas y se me agarra con fuerza. Pellizco el culo de la oración con la otra mano y la tiro de la piel como a una sanguijuela; vuelvo a ponerla sobre la página bruscamente y cierro el libro de un golpe. La mitad de la frase cuelga hacia afuera y ondea nerviosamente hacia mí con lo que parece ser una hostilidad manifiesta. Devuelvo el libro al estante invertido sobre mi cabeza, con la oración cabreada por delante, y con la esperanza de que la base pegajosa mantenga el volumen en su lugar. Ya solo me faltaba una oración deformada e iracunda persiguiéndome.

Abro el siguiente libro que saco con más cautela. Pasa lo mismo, solo que esta vez es un párrafo completo el que salta de la página en cuanto lo abro y me aterriza en la barriga. Le arreo varios golpes pero las palabras son pegajosas como telarañas y solo consigo desparramarlas sobre mi camisa. Entonces todas comienzan a separarse y me paso los siguientes minutos tratando de atraparlas a todas y ponerlas otra vez en el libro, pero cada vez que lo abro, sale algo más.

—No te estarás metiendo con los libros Boora-Boora, ¿no, Dani? —dice Christian desde algún lugar muy lejano—. Hay mucho silencio por ahí abajo.

—¿Qué son los libros Boora-Boora?

—Aquellos cuyas palabras se salen de las páginas. Se los llama así por su mundo de origen. Allí nada funciona como se supone que tiene que ser. —Emite un sonido que se parece sospechosamente a una risa ahogada—. Tienes que llevar cuidado porque pican como las hormigas rojas cuando se enfadan.

—¡Ay! ¡Podrías habérmelo dicho antes! —En cuanto ha dicho que pican, han empezado a hacerlo. Les pego con el libro en el que se supone que deben estar. Se escabullen bajo un montón de manuscritos inestables y desaparecen. Suspiro, esperando que no fueran una parte crítica de algo que alguien venga a buscar dentro de algunos cientos de años, y devuelvo el tomo a su estante invertido—. Entonces, ¿no todas las palabras salen de esa manera?

—Algunos de los libros son solo libros. Muy pocos, sin embargo.

—¿Has encontrado algo allí arriba?

—Aún no.

—Tío, no puedo leer nada. Aquí soy inservible.

Espero, pero no hay respuesta. Entrecierro los ojos hacia el techo. Podría estar en cualquier parte, tamizándose de estante en estante. Cuando dijo que me iba a llevar a la biblioteca del rey *unseelie*, la esperaba parecida a la que tenemos en la abadía. Incluso si pudiera leer cualquiera de los idiomas en el que están escritos los libros del rey *unseelie*, tardaría una eternidad en buscar en este lugar, sin mencionar las tropecientas escaleras. Ha sido una estupidez venir aquí. Sin embargo, no me arrepiento porque ahora sé cómo entrar en la Mansión Blanca. ¡Tío! Qué lugar más perfecto para esconderme durante un tiempo si me hace falta. Y hay tanto que explorar. ¡Quién sabe qué clase de cosas útiles podría encontrar aquí!

Vago por el pasaje entre los estantes, llamando a Christian de vez en cuando. No me contesta. Los libros están colocados en montones al azar a lo largo de los lados y tengo que tener cuidado para no tropezar con ellos. Tengo el presentimiento de que si derribo un montón y se me abren de repente media docena, ni siquiera desplazándome podría seguirles el ritmo. Abro algunos libros más de camino, la curiosidad me puede, tengo que reconocerlo. Uno despide un humo acre en cuanto levanto la cubierta y me hace estornudar, así que lo vuelvo a cerrar de golpe. ¡A otro le brotan de las páginas unas arañas marrones y gordas de patas peludas! Aplasto las que logran salir. Otro tiene vídeos en lugar de palabras, pero las imágenes son tan extrañas que no les veo ningún sentido.

Encuentro un mini laboratorio en medio de los montones, atestado de placas similares a las de Petri y botellas y recipientes tapados.

—¡Christian! —grito otra vez mientras estudio los contenidos visibles a través del grueso vidrio ondulado.

Esta vez obtengo una respuesta, pero es tan lejana que no la entiendo.

—Tío, a menos que estés buscando algo, ¡esto es una pérdida de tiempo total! Preferiría estar en Dublín, investigando.

—Aguanta, muchacha —repite a lo lejos—. Creo que tengo algo.

Una de las botellas tapadas tiene una gota carmesí en el fondo. La cojo, la giro y veo cómo se ondula el líquido carmesí. Los colores del arcoíris pasan rozando la superficie en diseños caleidoscópicos. Es tan hermoso que casi no puedo dejar de mirarlo. Le doy la vuelta a la botella y examino la etiqueta en la base. No tengo ni idea de qué significan los símbolos jeroglíficos. Al devolver la botella a su posición original, tal vez se ha movido un poco la tapa porque capto un toque de la esencia de su contenido y es como meter la nariz en el cielo. Son jazmines nocturnos y pan recién horneado, pescado hecho en casa y patatas y aire salado, es el olor del cuello de mi madre, pijamas recién lavados y el sol cuando brilla en la piel de Dancer. Es la esencia de todas mis cosas favoritas envueltas en una sola. Juro que se me mueve el pelo como si me lo meciera la brisa. Gimo y saco una barrita de chocolate; de repente tengo un hambre que me muero.

Está la curiosidad y luego está el gato. Debería de haber aprendido la lección hace tiempo.

Destapo la botella mientras mastico.

TREINTA

En la corte del rey carmesí de la bruja

—¿Qué diablos es ese olor? —dice Christian.

—Es impresionante, ¿a que sí? —digo con aire soñador. El humo carmesí se arremolina dentro de la botella de cristal y asoma unos ligeros tentáculos por el borde. El increíble aroma llena la biblioteca y me mareo un poco. Quiero tumbarme, doblar los brazos detrás de la cabeza y no hacer nada más salvo disfrutar de la fragancia. Quiero compartirla con Dancer. Nunca he olido algo tan delicioso.

—Eso es la mar de nocivo —dice desde mucho más cerca de lo que ha estado en un tiempo.

—¿Cómo puedes decir eso?

—Porque lo es.

Los tentáculos carmesí salen de la botella y se arremolinan sobre ella.

Al cabo de un rato empiezan a lanzarse el uno contra el otro, giran en círculo y se echan hacia atrás entretejiendo unos delgados hilos rojos en forma de humo.

—¡Colega, es un olor celestial! Debes de tener el olfato atrofiado. A lo mejor es que ahora solo te gustan los olores *unseelies*. —¡Qué ganas tengo de ver qué maravillosa sorpresa sale de esto!

—Huele —me dice, casi encima de mí—. Son como intestinos putrefactos ¿Qué has abierto? ¿Un libro? —Se deja caer a mi lado, cargando un montón de libros bajo el brazo. Me alegro de que haya encontrado algo—. ¿Una botella? ¡Joder, muchacha, aquí no puedes ir abriendo botellas al azar! Dame eso. Vamos a ver qué has hecho.

La insinuación de un rostro se está formando en el humo carmesí; tiene un mentón delicado y puntiagudo, unos enormes ojos rasgados por los rabillos. Intento volver la cabeza para mirar a Christian pero mi cabeza no acata órdenes. Está atascada, enfrascada mirando el rostro que se materializa. No puedo mirar hacia otro lado por mucho que lo intento. Me tiene hipnotizada. Nunca he visto un rostro tan hermoso ni olido algo tan delicioso. Quiero estar aquí, en medio de esto, y llenarme los pulmones.

Cuando me arranca la botella de la mano, el hechizo se rompe. Cuando le da la vuelta para leer la etiqueta en la base, sale a borbotones una nube de humo carmesí que oscurece el pasillo entre los estantes. Los tentáculos me lamen, ásperos como pequeñas lenguas de gato.

De repente, todo cambia.

Ahora que ya no sostengo la botella, huelo lo que olía él. La saliva me inunda la boca, se me revuelve el estómago y estoy a punto de vomitar las barritas de chocolate que acabo de comer. El rostro en el humo ya no es tan hermoso. Se está transformando en algo monstruoso ante mis ojos. Le salen unos colmillos largos de los labios y su pelo ensangrentado se retuerce como si fueran serpientes.

—Tío, ¿qué mierda he abierto? —digo horrorizada.

La botella cae al suelo con un estruendo.

Se me congela la sangre cuando Christian pronuncia una sola palabra.

—Corre.

Hay pocas reglas absolutas en mi mundo que no hace falta procesar. Muy cerca del primer lugar de la lista está: «Si un príncipe *unseelie* huye de eso, yo también me voy por piernas». Ni siquiera haré preguntas. Me largaré sin más, tan deprisa como pueda.

Aun así… no puedo evitar intentar echar un vistazo atrás. Al fin y al cabo soy yo la que lo ha sacado. Tengo que saber qué es para poder perseguirlo y matarlo.

—No mires hacia atrás —ruge Christian.

Me sujeto la cabeza con ambos brazos, tratando de conservar el cráneo de una pieza, hasta que se me pase el dolor de cabeza que me ha entrado de repente.

—¡Deja de gritarme y tamízanos ya!

Me estoy desplazado en un intento de seguirle el ritmo, pero no conozco estos pasillos. Son un laberinto que no consta en ninguno de mis mapas. Tengo que desacelerar constantemente, fijar la cuadrícula en su lugar y volver a arrancar. El hedor a carne putrefacta detrás de mí es cada vez más fuerte. Me pica la piel de la nuca. Sigo esperando que cualquier cosa que nos esté persiguiendo cierre sus heladas garras en mi nuca, me arranque la cabeza y me mate. Todas esas películas de terror que he visto con Dancer no me hacen reír ahora. Me llenan la cabeza con un millón de muertes espantosas, cada una más horrible que la anterior. Me ayudaría saber qué es lo que nos está persiguiendo porque lo desconocido es siempre lo más aterrador. Tengo una imaginación muy desarrollada que a veces me juega malas pasadas.

—Tamizarse no funciona dentro de la Mansión Blanca. Cógeme la mano. Conozco estos pasillos.

Le cojo la mano haciendo caso omiso del gemido que emite. Entrelaza sus dedos con los míos y me envuelve una ola de excitación.

—Siléncialo, Christian. No es momento de ponerse orgásmico-letal.

—Lo siento, muchacha. Pero es tu mano y hay peligro, y el peligro siempre…

—¡Apágalo ya!

Puedo volver a respirar, aunque no es que quiera hacerlo. El hedor es sofocante y se nos está acercando muy deprisa.

—¿Qué nos está persiguiendo?

—Traducido a grandes rasgos, la Bruja Carmesí.

—¿Cómo mata?

—Espero que nunca lo averigües.

—¿Podría matarte incluso a ti, un príncipe *unseelie*?

—Nos prefiere vivos. Una vez mantuvo a dos príncipes cautivos durante casi cien mil años antes que el rey la detuviera. Entre otras cosas asquerosas, trató de procrear con nosotros. No tenía ni idea de que él la había guardado en la biblioteca. Todo el mundo creía que había destruido a la zorra esta.

—¿Por qué quiere apresaros?

—Porque somos inmortales y cuando ella ya ha cogido lo que quiere de nosotros, nuestros cuerpos lo vuelven a generar. Entonces ella lo coge de nuevo. La abastecemos de forma continua, siempre tenemos reservas. Puede tenernos encadenados mientras ella se sienta a tejer.

¿Tejer? La idea de un monstruo *unseelie* tejiendo no me entra en la cabeza.

—¿Qué quiere de ti? —Una nube de humo rojo se desliza sobre mi hombro—. ¡Date prisa, Christian! ¡Tenemos que ir más rápido! ¡Sácanos de aquí!

Corremos por los pasillos de bronce, giramos por las zonas color limón, hasta que finalmente llegamos patinando al mármol blanco. Juraría que noto a la bruja respirándome en el cuello.

Hemos llegado a la habitación blanca, corremos hacia el espejo y no puedo evitarlo: me doy la vuelta a la vez que me vuelvo esponjosa.

La Bruja Carmesí es la criatura más repugnante que he visto jamás. Peor que la Mujer Gris, peor que los príncipes *unseelies*, incluso peor que Papa Roach, y eso que siento un odio especial por las cucarachas. Las cucarachas pasan demasiado tiempo en el suelo. Mi jaula estaba en el suelo.

Una melena ensangrentada y enredada enmarca un rostro blanco como el hielo con cuencas negras en lugar de ojos. Se lame los colmillos carmesí cuando me ve mirándola. Pero lo verdaderamente perturbador en ella es lo que lleva puesto. La parte superior de su cuerpo es voluptuosa y está encerrada en un corsé de huesos y tendones. No tiene cuerpo inferior, al menos que yo pueda ver. La sigue un rasgado e incompleto vestido carmesí.

Y ahora sé por qué huele a carne podrida.

Su vestido sin terminar está hecho de intestinos.

Se me revuelve el estómago de nuevo.

—¿Colecciona intestinos de príncipes *unseelies*?

—Entre otros. También te arrancaría los tuyos, aunque seguramente se pudrirían antes.

—¿Puedes correr más deprisa? —Me gustan mis intestinos. Quiero conservarlos por mucho tiempo.

Salimos del espejo en una explosión, llegamos al segundo salón blanco y saltamos de cabeza al espejo siguiente. Pasamos a través de múltiples espejos, perseguidos por el olor a carne podrida.

—Eh, Christian, va a salir.

—Bien. Más presas en Dublín. Irá a por otros.

—¡No podemos dejarla suelta en mi ciudad!

—Fuiste tú quien abrió la botella.

Cometí un error muy grande, pero lo arreglaré. La atraparé y la mataré y haré que mi ciudad vuelva a ser segura antes de que le haga daño a alguien. No soporto la idea de que muera gente inocente por mi estúpida curiosidad.

—¡Debiste haberme advertido que no abriera cosas!

—Lo hice. Además, había un «Leedlos y llorad» grabado sobre la puerta. ¿Qué advertencia no has entendido?

—¡Eso era sobre los libros, no las botellas!

—Algunas advertencias son universales.

Ya estamos afuera y el frío me golpea como si me hubiera empotrado contra la pared de ladrillos de la que acabamos de salir. Me quedo sin respiración y cuando la recupero, sale en bocanadas heladas en el aire. Me resbalo por el callejón sobre la nieve y el hielo y me golpeo contra el edificio de enfrente. Christian se estrella contra mí. Nos sostenemos el uno al otro para recuperar el equilibrio y miro alrededor con incredulidad. ¡El suelo está cubierto de unos quince centímetros de nieve!

¿Habrá congelado algo en este callejón el rey Escarcha durante las pocas horas que no estábamos? No puede hacer más de doce grados bajo cero y la sensación térmica es asesina. ¡Nunca hace tanto frío por la noche! Y nunca en el espacio de unas pocas horas. Miro alrededor buscando una escultura de hielo.

—Ah, mierda —digo, porque parece que no hagamos otra cosa que pisarla. La nieve no es lo único en el callejón.

Ryodan y Barrons están detrás de Barrons Libros y Curiosidades, salen del Bugatti Veyron de Barrons. Ambos me miran un segundo, como si no pudieran creer lo que están viendo, y luego la mirada de Ryodan se fija en mi mano, que sostiene la de Christian. Lo suelto como si fuera una patata caliente, pero la expresión en su rostro no mejora.

—¡No es lo que piensas! No será mi novio superhéroe ni te dará una...

—Sí, sí lo soy —dice Christian.

—No, no lo eres —dice Ryodan—. Y dónde coño has estado. Sabes los problemas que me has causado.

—Tío, solo he estado fuera un par de horas. Además, tenemos problemas más graves en este momento —explico.

—No me digas. Toda la ciudad se está convirtiendo en hielo.

—¿Qué diablos estabas haciendo en la Mansión Blanca? —pregunta Barrons—. ¿Quién te dijo cómo entrar?

—No volverás a ir a ninguna parte sin mí —me dice Ryodan—. Si lo haces, te encerraré en mi calabozo hasta que te pudras.

—Hablando de pudrirse, pienso que...

—Basta. A partir de ahora, yo pensaré por ti.

Me cabreo muchísimo.

—Y una polla.

—Sella la pared —le dice a Barrons—. Y sácala de aquí. Es hora de que el *highlander* muera.

—Tú inténtalo —le desafía Christian.

—No pienso irme a ningún lado. Bueno —corrijo—, de hecho sí y tú también deberías marcharte. Tenemos que largarnos todos de aquí. —Empiezo a desplazarme pero me estrello contra Barrons y reboto. Lo que sucede después pasa tan rápido que no puedo procesarlo siquiera.

El hedor a carne podrida llena el aire. Christian y yo nos agachamos y echamos a correr en direcciones opuestas porque sabemos lo que viene. La Bruja Carmesí sale de la pared con una explosión y sostiene lo que parecen agujas de tejer de dos metros de largo hechas de hueso, como lanzas.

Traspasa a Barrons y Ryodan con ellas y se eleva en el aire, arrastrando sus intestinos consigo.

TREINTA Y UNO

«I'm swimming in the smoke of bridges I have burned»
('Nado entre el humo de los puentes que he quemado')

$\mathcal{M}$e quedo ahí de pie como una idiota.

Debería huir antes de que se vuelva contra mí también, pero a mis pies parecen haberles brotado unas raíces congeladas.

Barrons y Ryodan yacen en el callejón de espaldas; su sangre tiñe la nieve en círculos cada vez más amplios a su alrededor, y yo me quedo boquiabierta, pensando que no pueden morir. ¡Los superhéroes no mueren!

Creencias erróneas aparte, tienen toda la pinta de estar muriéndose. Nadie puede acabar así de mutilado y sobrevivir.

La Bruja Carmesí no solo los ha perforado, sino que los ha despellejado desde la ingle hasta el cuello y les ha partido los huesos. De un rápido tirón les ha arrancado todos los intestinos y demás órganos internos. Es un movimiento que ha tenido cientos de miles de años para perfeccionar. Perforar, despellejar, arrancar. Sus pechos y cavidades abdominales están abiertos y vacíos. La única forma en que la zorra traicionera podría haberles hecho esto era cogiéndolos por sorpresa.

¿En qué demonios estaba pensando, parada ahí diciendo otra cosa que no fuera: «¡Corred!»? ¡Peleándonos como siempre, como si tuviéramos todo el tiempo del mundo!

—Pensé que os agacharíais en el último momento —murmuro a sus cadáveres. O que tal vez se alejarían desplazándose porque son más rápidos que yo. O que quizás Ryodan usaría contra ella esa misma arma secreta que usó contra Velvet.

¡Nunca en tropecientos años pensé que algo podría matarlos de verdad!

Pero ella ha salido de la pared como una explosión y los ha atravesado con sus lanzas antes de que cualquiera de nosotros pudiera reaccionar siquiera. Sus cuerpos siguen moviéndose un poco, pero creo que son las últimas contracciones que hace un cuerpo cuando lo azotan de esa forma tan abrupta y repentina.

Oigo un extraño chasquido que me afecta del mismo modo que los chillidos de los ZCF: me aterroriza a un nivel primitivo. ¿Viene a por mí ahora? Cojo la espada y me giro rápidamente. Tardo un segundo en encontrarla. Sigo el camino de sangre.

Hacia arriba.

La Bruja Carmesí está encaramada al techo del edificio detrás de la librería de Barrons, con cuerdas de entrañas que le cuelgan del costado en largas hebras brillantes que gotean en la acera. Las agujas de hueso que ha usado para despellejar a Barrons y a Ryodan son en realidad sus piernas, que se doblan de una forma extraña, casi como las piernas delanteras de una mantis religiosa, y tiene ganchos curvados en las puntas.

Con apéndices similares a los de un insecto, está tejiendo sus tripas al dobladillo de su vestido. Mientras sus piernas de huesos repiquetean, las tripas se balancean sobre el borde y se van acortando, centímetro a centímetro, manchando de sangre los ladrillos.

Es tan perturbador que mi estómago se rebela y mi cuerpo intenta romper a llorar y vomitar al mismo tiempo. Me lo trago todo y me atraganto.

Oigo un sonido gutural seguido de un débil suspiro y miro los cuerpos.

—Voy a matar a la niña —dice Barrons débilmente.

Ryodan hace un sonido burbujeante, como una risa sangrienta. No creo que ni siquiera le queden los órganos necesarios para reír.

—Ponte a la cola.

Ambos se deshinchan y se quedan quietos.

Me los quedo mirando como una boba.

Mueren como superhéroes, haciendo bromas. Como si fueran a levantarse mañana y vivir otro día. Sin miedo y con todas sus fuerzas hasta el puto final.

Siento como si alguien me hubiera arrancado las entrañas a mí también. Ya no soporto mirarlos, así que agacho la cabeza y cierro los ojos con fuerza. Tengo la cabeza hecha un lío. ¿Cómo he llegado hasta aquí? ¿Cómo puede ser que ir a la biblioteca del rey *unseelie* haya acabado con Ryodan y Barrons muertos? No lo entiendo. Quiero decir, algo entiendo porque puedo seguir la cadena de los acontecimientos, pero ¿quién mierda podría haber previsto un desenlace tan extraño y absurdo? ¿Cómo se supone que debo tomar decisiones cuando pueden tener unos resultados tan grandes e imprevisibles?

—Bueno, eso ha sido fortuito. —Christian rodea sus cuerpos y se acerca a mí, riendo—. Dos muertos, faltan siete. Me pregunto si le podemos indicar a la zorra esta dónde están. Mac, también.

Levanto la cabeza. Se está riendo. Acaban de morir y él se está partiendo de la risa. Empiezo a temblar.

—No te me acerques.

—¿Qué he hecho, muchacha?

—¡Me has llevado allí, eso es lo que has hecho! No me has advertido lo suficiente. ¡Solo tengo catorce años! ¡No lo sé todo! ¡No puedo saberlo todo! ¡Eres mayor y se supone que debes advertirme sobre las cosas! ¡Y ahora actúas como si fuera bueno que estén muertos!

—Pensé que no querías meter a Ryodan en esto.

—¡Solo quería que me dejara en paz! ¡Y nunca quise que Barrons muriera! ¡Joder, Mac! —me lamento. Miro la parte trasera de la librería, ahora incluso más miserable que antes. Mac está ahí adentro. ¿Cuánto tiempo tardará en salir y encontrarse a Barrons en el callejón desangrándose en la nieve? ¿Cuánto pasará hasta que descubra mi implicación en esto? Me la imagino encontrándoselo, arrojándose sobre su cadáver, llorando. Otra trágica pérdida en su vida.

Porque he abierto una puta botella. Porque soy demasiado curiosa.

La noche en que Alina murió, sentí como si no estuviera... realmente ahí. Nunca fui capaz de quitarme la sensación de que me pasaba algo malo. Busqué en los diarios de Ro de principio a fin pero nunca escribió ni una sola palabra sobre mí. Nunca. Eso me hace pensar que quizás tenía otros diarios que todavía no he encontrado.

Pero hoy estoy aquí al ciento por ciento.

Sufro ese desagradable cambio que ya sentí una vez, la noche en que conseguí que Jo se quedara trabajando en el club. El cambio en el que me traslado a una forma de ser distinta; me veo diferente y no me gusta. Es el cambio en el que soy como un barco y dejo a todo tipo de personas volcadas en mi estela. No, no soy un barco. ¿Qué dijo Ryodan que era? Un *tsunami*. Eso es. Voy impactando en cosas y las arraso al pasar. Cuando lo dijo, no tenía ni idea de que él sería una de las cosas que yo arrasaría. O de que no viviría para ver la tremenda mujer en la que me voy a convertir.

Sobre mi cabeza repiquetean las agujas de hueso. Oigo el húmedo golpeteo de los intestinos contra la pared mientras los arrastra hacia arriba. Tendría que estar aterrorizada. Debería huir para que no me haga lo que les ha hecho a ellos. ¿Debería esconder los cuerpos para que Mac no los encuentre y descubra lo que he hecho?

—Vamos, muchacha. Tenemos que largarnos mientras está ocupada. La bruja se obsesiona con su tejido, pero terminará pronto —dice Christian.

Me noto las piernas de cemento y tengo bloques de hormigón en lugar de pies. No puedo hacer otra cosa que mirar de Barrons y Ryodan a la librería y viceversa. Primero Alina. Ahora Barrons. No habrá ni un lugar en la faz de este planeta en el que Mac no me persiga cuando descubra lo que ha pasado esta noche.

Miro a Ryodan. ¿Cómo puede estar muerto? ¿Quién va a dirigir el Chester's ahora? ¿Quién controlará a esos *faes* y humanos perdedores? Con Barrons y él muertos, ¿hay algún lugar seguro en Dublín? ¿La librería y el Chester's acabarán abandonados?

Una mano se cierra sobre mi hombro y estoy a punto de dar un brinco.

—Tenemos que salir de aquí, Dani. Está terminando.

Me lo saco de encima violentamente.

—¡No vuelvas a tocarme, Christian MacKeltar!

Él exhala brusca y repentinamente como si le hubiera dado un puñetazo en el estómago.

—No lo dices en serio.

—Ponme a prueba. —Acaricio la empuñadura de la espada.

—Fui yo quien te la devolvió, muchacha. Soy yo quien te cuida.

—Tú eres el que me ha llevado a un lugar que no sabía que era tan peligroso. Ha habido dos muertes por eso. ¿Al menos has sacado los libros que has encontrado?

—Tenía otras cosas en la cabeza. Estabas en peligro.

Todo ha sido por nada. Los libros se han quedado ahí tirados y olvidados. Miro a la pared. Podría volver a entrar, claro, pero no puedo leer nada de las cosas de la biblioteca, así que ¿de qué sirve? ¿Y quién sabe qué otra cosa podría liberar al abrir algo más?

Levanto la vista. La sangre gotea por un lateral del edificio. Mientras la espantosa bruja teje, arranca un pequeño hueso del ovillo de tripas y órganos y se lo mete en el corsé, tomándose un momento para reacomodar sus pechos de aspecto tan humano que resulta obsceno. Luego se detiene y me mira como si, de repente, se hubiera dado cuenta de que hay más presas en el callejón y que la están mirando. Al cabo de unos segundos me descarta y vuelve a sus puntadas, pero me siento... marcada de algún modo, como si me hubiera archivado en su cerebro de insecto *unseelie*.

—¿Cómo la mato? ¿Servirá la espada?

—Quizás. Pero nunca te acercarías lo suficiente. Sus agujas son más largas que tu espada. Tendría tus tripas en su vestido antes de que lograras desenvainarla siquiera.

—Me acabas de decir que se obsesiona cuando teje.

—No tanto.

El ambiente en el callejón trasero cambia bruscamente y tardo un minuto en darme cuenta de por qué. Se acaba de encender una luz en la parte trasera de la librería de Barrons que se derrama por las ventanas y sobre la nieve manchada de sangre.

Sé lo que significa eso. Mac se está moviendo en el interior, buscando a Barrons. Me imagino que no pasará mucho antes de que mire por la parte trasera para comprobar si está ahí su coche.

Si Mac saliera por esa puerta e intentara matarme en este momento, no estoy muy segura de lo bien que podría defenderme.

Miro a Barrons y Ryodan una última vez. Tengo que arreglar esto de alguna manera. Tengo que equilibrar la balanza y hay mucho en mi contra.

—Acércate a mí otra vez y te mataré —digo, suave como Ryodan solía hablar.

Me desplazo y me fundo con la noche.

TREINTA Y DOS

«If I stay lucky then my tongue will stay tied»
('Si sigo teniendo suerte, me morderé la lengua')

$\mathcal{M}$e paso los dos días siguientes pegando *Diarios de Dani* muy precisos que describen a la Bruja Carmesí y su modus operandi, buscando a Dancer, recogiendo el resto de bolsas resellables que necesito de las otras escenas congeladas —excepto del club debajo del Chester's, al que no tengo ninguna prisa por acercarme—, y llenando la mochila de muestras. Son algunos de los días más tristes de mi vida. Subo y bajo de ánimo como un puto ascensor psicótico que debe de controlar algún puto niño, psicótico también, que va pulsando los botones al azar. Un segundo estoy pavoneándome y al siguiente, me siento totalmente abatida.

Primero estoy eufórica porque no tendré que volver a trabajar. Mi vida es mía. Jo puede renunciar al subclub y dejará de ponerse cosas brillantes entre las tetas y de acostarse con Ryodan. Un minuto después recuerdo que, como los hombres de Ryodan se enteren de que he tenido una mínima parte de culpa en la muerte de su jefe, estoy más muerta que todos los muertos de Dublín. Además, la Bruja Carmesí anda suelta, el rey Escarcha todavía está ahí afuera, Dublín se está convirtiendo lentamente en la Antártida, Christian y yo no nos llevamos bien y ahora Mac tiene el doble de razones para matarme, eso suponiendo que lo sepa.

No sé si lo sabe o no. Primero pienso que sí, pero al minuto siguiente creo que no.

Los cuerpos desaparecieron. Volví en plena noche para esconderlos. Debería haberlos ocultado de inmediato, pero no pensaba con claridad. Aparte de la sangre en el callejón y en la pared de ladrillo, no quedaba ni rastro de ellos.

Al principio pensé que Mac los había encontrado y llevado a algún lugar para enterrarlos dignamente, pero luego pensé que no, porque la vi corriendo por la calle ayer hacia el Chester's, toda abrigada y temblando de frío, y no parecía triste. He visto triste a Mac y sé cómo es. Parecía algo tensa, pero bastante normal por lo demás. La perseguían varios ZCF chillando. Me pregunto si, igual que los cuervos, los ZCF presagian la muerte, por eso me preocupa que la estén siguiendo. Su tensión se debe probablemente a lo que le está sucediendo a Dublín. Todos los que veo están tensos. Y tiemblan. Durante el día hace doce grados bajo cero en Dublín y las noches son aún más frías. La nieve ha estado cayendo sin cesar y se ha acumulado. La ciudad no está preparada para soportar este tipo de clima. Mucha gente no dispone de electricidad allí donde se aloja. No sobrevivirá a estas condiciones mucho tiempo.

Me pregunto también si la Bruja Carmesí se comió los cuerpos de Barrons y Ryodan. Si se cosió sus tripas y luego se zampó el resto. Pensé que habría escupido unos cuantos huesos, pero lo más seguro es que los necesitara para arreglarse el corsé. Luego supuse que Christian había vuelto para poner orden y ocultar las pruebas. Tal vez quería ganarse mi simpatía o algo.

¡Me pregunto dónde cojones está Dancer! Necesito su supercerebro para que me ayude a entender bien los hechos y evitar así que mi ciudad se convierta en un iceberg. De este modo también podré evitar que esa perra mate a más gente para tejérsela en el vestido.

Solo conozco dos lugares más donde puede estar. Si no está allí, ya no sé dónde más buscar.

Me desplazo por O'Connell, arrancando carteles de NosImportas de las farolas mientras avanzo. Esos putos idiotas intentan aprovecharse de que la gente no dispone de electricidad, animándola a unirse a sus reuniones de oración, a entrar en calor y «tomar el blanco». No sabía lo que significaba hasta que vi un par de personas saliendo de una de las iglesias que la gente de NosImportas se ha agenciado, con unas túnicas blancas largas sobre la ropa.

Llevaban bolsas de comida enlatada y sonreían. En mi experiencia, cualquier otra persona aparte de tu madre que te dé de comer es porque quiere algo a cambio.

Voy corriendo al ático de Dancer, donde nos gusta tumbarnos bajo el sol, desactivo sus trampas explosivas, asomo la cabeza por la puerta y lo llamo. Reina el silencio; el sitio parece vacío. Quiero echarle un vistazo a la despensa por si tiene algo de comida; me muero de hambre. Cuando llego allí, me parto de la risa. Hay una nota pegada a un montón de latas colocadas en el medio del suelo. Es un criptograma. Es como nos dejamos mensajes el uno al otro.

Abro una lata de salchichas tras otra y me atiborro mientras resuelvo el rompecabezas que me dice dónde está.

Hay muchas cosas escondidas en Dublín, al igual que en la abadía. Cuando empecé a vagar por la ciudad, conseguí uno de esos libros de turismo y visité todos los lugares de moda, como cualquier turista. Me avergonzaba ser una extraña en mi propia ciudad ya que no había salido mucho de mi jaula. Quería conocer todo lo que todos los demás conocían, verlo todo con mis propios ojos en lugar de verlo en la televisión o leer sobre el tema en un libro.

Fui al Trinity College y recorrí todas las cosas geniales que hay allí. Nunca llegué a ir a la escuela, así que me encantó ver las aulas, los laboratorios, las bibliotecas y a la gente socializando en lugar de mostrarse reservada todo el tiempo, como yo. Me resultaba extrañísimo crecer de esa forma. Mamá me enseñó a leer y lo demás me lo enseñé yo misma.

Visité los museos, descubrí la fábrica de cerveza, salí por Temple Bar, exploré las catacumbas debajo de la catedral de Christ Church y la iglesia de Saint Michan y finalmente recorrí el curso de los ríos subterráneos. Ponía la oreja cuando los universitarios hablaban entusiasmados de sus lugares favoritos y también los visité. Prestaba atención cuando la gente mayor hablaba en las calles acerca de cosas que había antaño.

Así es como descubrí el Dublín subterráneo. Un par de viejos arrugados que jugaban a las damas junto al río Liffey habían trabajado para una familia mafiosa y sabían algunas cosas interesantes. Y debajo de un restaurante regentado por un tipo llamado Rocky O'Bannion, un mafioso de gran fama que desapareció el año pasado durante el caos de la caída de los muros, lo encontré. Era un panal de túneles y criptas escondidas tras un montón de escombros y una serie de entradas enrejadas tan enrevesadas que solo podría entrar alguien tan curioso como yo o un criminal que tratara de esconder cadáveres y algún botín. Dancer y yo trazamos los mapas de algunas partes, pero aún tenemos mucho que explorar.

Ahí es donde lo encuentro ahora, en una de las catacumbas subterráneas, pasando por un túnel derruido —a menos que supieras cómo encontrar el desvío oculto—, al otro lado de unas puertas de acero cerradas, con bisagras en la piedra y lleno de trampas explosivas.

La sala en la que está es larga, estrecha y es toda de piedra, con viejos techos abovedados y enormes columnas, como solo he visto en criptas antiguas y en la biblioteca de la abadía. Hay algunas luces instaladas, que imagino tienen que ir a pilas porque no oigo el ruido de ningún generador e instalar uno aquí abajo sería una tarea titánica. Está de pie detrás de una losa de piedra que solía mantener un cadáver pero que ahora está llena de cuadernos y sobres, portátiles, botellas, vasos y quemadores. Sí, es típico de Dancer, solo le falta un televisor para ver películas, una nevera y una ducha, y conociéndolo, tal vez tenga un escondite improvisado cerca con todas las comodidades. Hay otra losa repleta de botellas de agua y comida. Tiene la cabeza agachada y trabaja en algo; está totalmente sumido en sus pensamientos.

—¡Tío, esto es increíble! —exclamo al entrar.

Dancer levanta la mirada y la sonrisa que me dedica es cegadora. Todo su cuerpo cambia, como si colgara de unos cables que pendieran del techo y acabaran de cortarlos. Relaja los hombros, sus extremidades se aflojan y la dura expresión de su rostro se suaviza hasta formar el Dancer que conozco.

—¡Mega! —dice. Y entonces repite—: ¡Mega!

—Sí, así me llamo, colega. No me gastes el nombre. —Entro pavoneándome a la sala y veo que él también ha estado recogiendo cosas de las escenas. A su espalda está su *pièce de ré-*

sistance: ¡un tablero misterioso! Amplió los mapas y recons-
truyó un enorme estudio topográfico de Dublín, con sus zonas
periféricas, y tiene chinchetas y notas pegadas por todos lados.
Sonrío. Yo no podría haberlo hecho mejor—. Este lugar es la
bomba —digo.

—Pensé que te gustaría. —Coge las gafas que estaban sobre la piedra, se las empuja sobre la nariz y me sonríe. Tiene
los ojos rojos como si se hubiera pasado demasiado tiempo
estudiando. Es alto, delgado y casi perfecto. Le devuelvo la
sonrisa y solo nos sonreímos el uno al otro unos segundos,
porque estamos muy contentos de volver a vernos. Es una
gran ciudad y a veces me siento sola. Pero entonces voy a ver
a Dancer.

Tiro la mochila sobre una mesa plegable y saco las bolsas
resellables y las fotos para agregar a su tablero. Él se acerca
y las clasificamos en un silencio feliz, codo con codo, son-
riéndonos. Sigue mirándome como si no pudiera creer que
esté allí. El tío actúa como si realmente me hubiera echado
de menos. Siempre nos alegramos de vernos, pero hoy es
algo diferente.

Comienza a clavar mis fotos de las escenas en el tablero y
lo miro; hay algo que no tiene sentido, además de lo extraño
que está hoy.

—¡No hay tantos lugares congelados en Dublín! —Señalo
las chinchetas en el tablero.

—No hace unas semanas, pero han ido en aumento.

—Colega, solo había diez. ¡Hay veinticinco chinchetas en
este tablero! ¿Me estás diciendo que se han congelado quince
lugares más en los últimos días?

—Mega, la última vez que te vi fue hace casi un mes. El día
que intentamos recuperar tu espada de Jayne.

Me quedo boquiabierta.

—Eso no fue hace un mes. ¡Eso fue hace un par de días!

—No. No te he visto durante tres semanas, cuatro días y…
—Mira su reloj—… diecisiete horas.

Dejo escapar un silbido bajo. Sabía que el tiempo transcu-
rría de un modo diferente en Faery pero no se me ocurrió que
la Mansión Blanca formara parte del reino. ¡No me extraña
que Ryodan estuviera tan cabreado conmigo! Falté al trabajo

varias semanas. Me río. Debió de volverse loco. Dejo de reír. Por un segundo he olvidado que está muerto. Me siento descompuesta de repente, así que abro una barrita de chocolate y me la como.

—Estaba preocupado.

Lo miro. Me mira directamente a los ojos, más serio de lo que jamás lo he visto, y me incomoda. Es como si se supusiera que tengo que decir algo pero no sé qué.

Le devuelvo la mirada y simplemente nos miramos unos segundos más. Rebusco en mi repertorio y le digo:

—Tío, supéralo. Soy Mega, no tienes que preocuparte por mí. He estado sola siempre. Me gusta así. —Le dedico mi sonrisa característica.

A cambio consigo una breve sonrisa.

—He entendido el mensaje, Mega. Alto y claro. —Se da la vuelta y se acerca a la losa. Ya no se mueve como antes. Han vuelto a prenderle algunos cables. No me gustan; me parecen como... no sé, muy de adulto.

—Solo digo que no hace falta que te preocupes por mí. Es una bobada que lo hagas. Sé cuidar de mí misma.

—Ahora soy bobo.

—No he dicho que lo fueras. He dicho que es una bobada que te preocupes por mí.

—Y el acto de preocuparse, no debe confundirse con la persona que lo hace, ¿no?

—Exactamente. Soy Mega, ¿recuerdas? ¡Voy dando palizas por Dublín! —No sé qué le pasa. No responde bien a nada de lo que le digo.

—La capacidad de defenderse uno mismo no tiene absolutamente ninguna relación o relevancia al porte o comportamiento emocional de los demás.

—¿Eh?

—No me digas qué puedo y qué no puedo sentir. Si tengo ganas de preocuparme por ti, lo haré.

—Vale, tío, no hace falta que me des estos cortes.

—No lo digo en plan cortante. Estoy ofendido. Estuviste un mes desaparecida. Entre esquivar al imbécil psicótico que te acosa día y noche, analizar las pruebas y tratar de salvar esta ciudad, he estado frecuentando todas las escenas congeladas que han aparecido. Las he visitado dos y hasta tres veces al día. ¿Sabes por qué?

—¿Para recoger más pruebas?

—Esperaba que se derritieran lo suficiente para comprobar si estabas allí. Muerta. Que no pudieras hablar conmigo nunca más.

Me quedo mirándolo. Nunca hablamos de cosas así. Esto me huele a jaula, como si ahora hubiera otra persona a quien tuviera que pasarle el informe. Como si mi vida no fuera ya propiedad de demasiadas otras personas.

—Recuperé mi espada —digo, escueta—. No me van a congelar.

—Error. Esas dos declaraciones no tienen relevancia entre ellas. Ninguna. Cero. Nada de nada. Nada. La espada no evitará que te congelen. Te dejé notas en la despensa de cada escondite que tengo y todos los tuyos que pude encontrar. ¿Sabes qué oí? Nada. Durante casi un mes.

—Vale, ya lo entiendo. No te gustó no poder encontrarme. Una pena que no puedas ponerme una correa, ¿eh? O encerrarme en una jaula en alguna parte. —Me está poniendo de los nervios. Creo que es nuestra primera pelea y me estoy empezando a notar el estómago revuelto.

—Discúlpame por preocuparme por ti.

—Oye, tío, ¿qué te pasa? Nosotros no somos así. ¿Por qué lo estás echando todo al traste?

—¿Preocuparme por ti es echarlo todo al traste?

—Preocuparse es una cosa. Querer encerrarme es otra.

Me echa una mirada que simplemente no entiendo. Como si estuviera siendo obtusa cuando él es el único obtuso en todo esto. Creía que nuestra forma de pasar el rato estaba clara y bien definida. Somos superhéroes. Pero él no se atiene al guion ahora y si sigue desviándose, pasaré de los cómics.

—Culpa mía. No volveré a hacerlo. —Y acto seguido, vuelve a ser Dancer y se pone manos a la obra—. Ese día en el castillo fue la primera vez que conseguí echar un vistazo a lo que ha estado congelando las cosas. Ha pasado mucho desde entonces. Congela un nuevo lugar casi todos los días. Ryodan y sus hombres han estado desmontando la ciudad entera buscándote. Arrasó la mitad de mis escondites. Me mudé aquí abajo para alejarme de él. Te matará cuando te encuentre.

—No si yo lo mato primero —murmuro, dándole un bocado a la barrita de chocolate y fingiendo que no lo he hecho ya. Cuando tienes un secreto por el que la gente te mataría, es mejor callarse. Con todos. Por supuesto, ya que estoy aprendiendo de mis errores, debería matar a Christian como no maté a esos estúpidos monstruos ceceantes que se comieron a Alina y me delataron con Mac. Me cabrea que Dancer vuelva a hablar de las cosas como si no acabáramos de tener nuestra primera discusión, porque es un hecho importante para mí. Tardaré horas en dejar de sentirme asqueada y confundida por dentro. Como cuando estoy confundida, así que me meto otra barrita en la boca.

—Hasta Barrons se unió a la búsqueda. También lo hicieron esas chicas de la abadía con las que a veces te juntas. La ciudad sigue volviéndose más fría con cada nuevo lugar que se congela. La gente se desmorona, nadie sabe qué hacer, cómo detenerlo, ni siquiera dónde es más seguro quedarse. —Da un paso atrás y mira el mapa—. Hasta ahora no he sido capaz de discernir el patrón. Tenemos que averiguar qué está buscando.

—¿Qué quieres decir con «buscando»? —Esa fue exactamente la sensación que tuve gracias a mis sentidos *sidhe-seer*, pero Dancer no los tiene. Comienzo a sentirme un poco menos asqueada. No sé si es por las barritas que me he comido o por pensar en el trabajo.

—A menos que se comporte de una manera aleatoria e ilógica y no se vea impulsado por ningún imperativo biológico, algo que se me antoja antitético para cualquier forma de vida inteligente, tiene un propósito.

Sonrío, triunfante; he olvidado la pelea. Un tío que dice cosas como «se me antoja» y «antitético» ¡se hace querer a la fuerza!

—¡Me encanta estar contigo! —le digo.

Me lanza una mirada que es del antiguo Dancer pero con un aire ligeramente cauteloso, así que aumento el voltaje de mi sonrisa hasta que él me la devuelve.

—Ese objetivo puede ser lo bastante alienígena —prosigue— para que no podamos detectarlo, pero ahí está. Son nuestros métodos los que no bastan. Tenemos que empezar a pensar de otra forma y procesar los hechos sin prejuicios. Esta cosa no es de nuestro mundo, no sigue nuestras reglas ni ninguna ley de la física. Parece capaz de abrir un portal donde sea que quiera hacerlo. Ya lo he visto hacerlo dos veces.

—¿Lo has visto dos veces? —Estoy tan celosa que podría escupirle ahora mismo.

—He estado vigilando a NosImportas, intentando averiguar quién es el mandamás. Al parecer, nadie sabe quién creó la organización. Hace unas noches fui a ver una de sus reuniones de oración. La iglesia donde la habían organizado se congeló cuando estaba a media manzana de distancia. Estaban cantando y al minuto siguiente ya no se oía nada. Parecía que todo el mundo se hubiera quedado en silencio o yo me hubiera quedado sordo. Me detuve en plena calle y observé. Hizo exactamente lo mismo que hizo en el castillo de Dublín. Salió de un portal, lo llenó todo de niebla, lo congeló, abrió otro portal y se desvaneció.

Me estremezco. ¡Estaba a media manzana de distancia! ¿Y si hubiera llegado un minuto antes? Entonces se me ocurre algo peor. ¿Y si hubiera sido yo la que no le hubiera encontrado por ningún sitio durante un mes? ¿Me habría desplazando de una escultura de hielo a la siguiente, esperando que se derritieran, preguntándome si había perdido a mi mejor amigo?

De repente siento muchísima vergüenza.

—Colega, siento haber estado desaparecida durante tanto tiempo.

Levanta la cabeza de golpe y me dedica una sonrisa que me mata.

—Colega. Gracias. Me alegro de que hayas vuelto.

—Oí que me salvaste la vida en la iglesia aquella noche. Eres lo mejor.

—No, tú eres la mejor.

Nos sonreímos y me parece que paso una hora en el cielo, y así de fácil, todo vuelve a estar bien entre nosotros.

Empezamos a cotorrear como locos, como si no hubiera pasado nada. Él me cuenta las novedades sobre nuevas pandillas que se han formado en la ciudad y yo le hablo de la biblioteca del rey *unseelie*. No puedo guardarme ese tipo de cosas fascinantes. Y por lo brillantes que se le ponen los ojos sé que se muere por verla.

Me cuenta que un enorme AFI de fuego casi quemó la abadía hasta los cimientos. Esa cosa evaporaba el hierro y el hormigón y, de haber llegado a la abadía, no hubiera quedado nada. Pero los hombres de Ryodan lo detuvieron atándolo al suelo de alguna manera. No me gusta que esté allí fuera junto a la abadía, atado o no. Me pone nerviosa.

Le cuento lo de los libros Boora-Boora y él se muere de la risa al imaginarme quitándome las frases de encima. Me explica que NosImportas empezó a pintar edificios de blanco para que las personas supieran que es uno de ellos. Se ve que si entras, te inscribes y asistes a las reuniones, te dan toda clase de comida. Le cuento que R'jan quiere posicionarse como rey de los *faes* y que el monstruo de hielo tiene un nombre: el rey Escarcha. Creo que es la vez que más detalles diarios de nuestras vidas nos hemos contado. Me dice que cada vez es más difícil encontrar comida. Le cuento lo de aquellos *faes* totalmente inertes en las escenas y que R'jan dijo que mataba a los *seelies* y *unseelies* del todo, que borraba hasta la última prueba de su existencia.

—Creo que puede andar detrás de la fuerza vital de las personas —le digo.

—Pero ¿por qué esas escenas? ¿Cómo las selecciona y por qué las congela? ¿Y si quisiera la fuerza vital de la gente, por qué no va donde están reunidas las grandes masas? En algunas de estas escenas, había muy pocas personas.

—Quieres decir, ¿que por qué congelaría el pequeño club debajo del Chester's cuando podría haber congelado todo el lugar?

—¿Congeló una parte del Chester's?

—Ese fue el primer lugar congelado del que tuve constancia. Es la razón por la que Ryodan me arrastró a este desastre.

—Entonces no puede andar detrás de la fuerza vital. También congeló la aguja de una iglesia y no había una sola persona o *fae* en ese lugar.

—Quizás solo estaba volando sobre esa aguja y la congeló accidentalmente. O tal vez hubiera una pequeña fuerza vital, como un ratón, y tenía hambre.

Él sonríe.

—Puede.

—Sin embargo, lo dudo. Creo que deberíamos etiquetarlas por orden de aparición. Quizás eso nos ayude a ver algo.

—Lo que me carcome —dice— es que ni siquiera podemos decirle a la gente algo tan simple como: quedaos en grupos pequeños y estaréis bien. La gente tiene miedo de su sombra, incluso. Toda la ciudad está al borde, los ánimos están encendidos y la peña se mete en peleas por nada. Tenemos que descubrir qué está pasando porque si no se mueren congelados primero, se matarán entre ellos. Han perdido demasiado y llevan mucho tiempo asustados. Mientras no estabas, no hubo *Diarios de Dani* y en tiempos como estos, que no haya noticias no es una buena noticia. Las personas necesitan creer que hay alguien en las calles cuidándolas.

—¿Qué me dices de NosImportas? ¿No se toman su trabajo en serio? Tío, cuando no estaba, deberían haber tomado el poder y colgar más ejemplares. ¡Un periódico tiene una responsabilidad con la gente!

—Lo único que NosImportas dice a la gente es que hay que «tomar el blanco» y todo irá bien. La mitad de esta ciudad se echa en brazos de la fe a ciegas; la otra mitad no les cree. Añádele la falta de comida y agua, y el frío brutal, y habrá una revuelta uno de estos días.

Me aparto el pelo de la cara y miro el tablero. Cuento veinticuatro chinchetas. Mis nueve bolsas resellables ya no son representativas de las escenas.

—¿Has recogido restos?

Me mira como preguntándome por qué clase de idiota le tomo, sonríe y recoge una caja en el suelo que está llena de más sobres amarillos como los que hay en la losa.

—He estado analizando muestras de las escenas, categorizando y aislando elementos en común. También he hecho fotos.

Le devuelvo la sonrisa porque las grandes mentes piensan igual y es genial estar tan compenetrados.

Mientras abre los sobres, vuelvo a pegar fotos de las escenas en nuestro tablero. Pensaba que mi idea de la fuerza vital era acertada hasta que él me indicó dos grandes fallos.

Mierda. Me alegro de tener estas bolsas con pruebas «imparciales». Empiezo a reír por lo bajo y luego recuerdo que Ryodan está muerto. Por alguna razón, me resulta difícil recordarlo. Como si pensara que fuera eterno o algo así. No tengo idea de por qué me repatea cada vez que pienso en eso. Vale, yo dejé salir a la bruja, pero él no consiguió esquivarla. Yo no me muevo tan rápido como él y me las arreglé para irme.

Ocho horas después ya no veo con claridad. Mirar trozos de escombros y luego estudiar el mapa me está poniendo los ojos del revés.

Llevo despierta tres días y mi alimento se basa en un subidón constante de azúcar gracias a las barritas de chocolate, los refrescos y el nubarrón que tengo en la cabeza y que me vuelve loca. Culpa. La culpa es para los perdedores. La culpa es para la gente que alberga sentimientos estúpidos como remordimiento. Contemplo la idea de que quizás los remordimientos son un proceso de acumulación de tiempo, algo tan inevitable como un armario lleno de ropa y más bolsas de ella en el ático. ¿Es el equipaje acumulado lo que hace envejecer a las personas? Si es así, hay que limpiar los putos áticos, llevar la ropa a tiendas de segunda mano y recordar cómo es caminar desnudo como un niño, con la barriguita al aire, siempre listo para echarse unas buenas risas. En cuanto mate a la Bruja Carmesí, enviaré este sentimiento de culpa al cuerno. El problema es que, hasta entonces, estaré atascada con él y me está poniendo más irascible que las hormonas. No me gusta sentirme responsable por mierdas así, como si unas pequeñas anclas me retuvieran en el mar cuando tengo ante mí una aventura incluso más grande.

Hay un poco de todo en las bolsitas de plástico: astillas de madera de los bancos de iglesia, vidrio tintado, pelo, trozos de hueso y alfombra y cuero, tierra, plástico, comida, fragmentos humanos y restos de *unseelie*. Hay pedazos de cristal blanco y tiras de alfombrillas para yoga, piezas de teléfonos, dientes, joyas, fragmentos de varios aparatos electrónicos, pedacitos de barras de hierro, un trozo de lavadero y estantes de metal. Hay papel y envolturas de plástico, parte de una uña unida aún al hueso, un audífono y la mitad de un permiso de conducir. La lista es interminable. Hacemos inventario de los contenidos de cada una de las escenas, lo pegamos al tablero de la muerte y tachamos todo lo que no estaba en cada bolsa.

Nos quedan los «escombros misteriosos», que es como decidimos llamar a la porquería que queda en el fondo de cada bolsita.

—¿Estas cosas… no sé, no te parecen extrañas, Mega?

Cojo un trozo de cristal y lo sostengo un segundo.

—Está más frío de lo que debería, como si todavía estuviera algo congelado. No se calienta por mucho rato que lo tengas en la mano.

—No, hay algo más, pero no sabría decirte qué.

Espero. No fui a la escuela y me asombra lo mucho que sabe Dancer. Si dice que hay algo más, es que es así.

Reflexiona en voz alta.

—Si no anda tras la fuerza vital, ¿cómo selecciona sus escenas? Puede ser que la cosa no quiera plástico o metal, que siempre está en todas las escenas de alguna forma, sino un ingrediente en el plástico o el metal. Puede que esta cosa vaya detrás de algún componente infinitesimal.

Empujo un montón de huesos hasta el borde de la losa de piedra, me tumbo junto a ellos, doblo los brazos detrás de la cabeza y empiezo a reconstruir mentalmente las escenas antes de estallar. Podría ser más fácil encontrar algo en común antes de quedar reducidas a polvo.

—¿Como una especie de vitamina o mineral que necesita para hacer algo?

—O un elemento común en las escenas que le haga pensar que lo que quiere podría estar en esa escena —dice Dancer.

—¿Eh?

—Podría ser como una especie de pescador que va allí donde hay agua salada, porque está buscando una ballena. No quiere decir que encontremos la ballena allí, pero sí encontraremos agua salada. Si averiguamos qué lo atrae, estaremos más cerca de detenerlo.

—Todavía hay tres escenas de las que no tenemos muestras. Las dos que dijo R'jan que se congelaron en Faery y la que hay debajo del Chester's.

—¿Puedes pedirle a Ryodan que nos ayude a conseguir muestras? Por lo que he oído, casi todos le deben algo a ese tipo.

Todas mis imágenes mentales se hacen añicos cuando Dancer dice su nombre. De repente veo dos imágenes al mismo tiempo: Ryodan en el nivel cuatro, riéndose, follando y más vivo que cualquier persona que haya conocido excepto yo, y Ryodan, desangrado en el callejón, con sus tripas colgando por un lateral del edificio, bromeando antes de morir... y entonces pienso algo muy extraño: ¡Apenas llegué a conocerlo!

—Sí, lo hice —murmuro, y me pongo de pie porque si voy a vomitar la barrita, no quiero estar tumbada.

—¿Qué hiciste? —pregunta Dancer.

Teníamos peleas constantes y le decía que lo odiaba.

—Se lo merecía. ¡Era el cabrón más arrogante e irritante que he conocido nunca!

—¿Merecía qué? ¿Y de quién hablas?

Parece que también tendré que comenzar a llamar EP a Ryodan porque está haciendo que me duela el estómago. No me gusta que no esté en el mundo.

—¿Significa esto que ha expirado el contrato o alguno de los tipos puede obligarme a cumplirlo? —Nunca se sabe con tipejos como ellos. No quiero volver al Chester's ni regresar a Barrons Libros y Curiosidades, suponiendo que pudiera, ya que ahora es simplemente Libros y Curiosidades y los ingredientes que hacían de esos lugares unos sitios tan emocionantes e increíbles no tienen nada que ver con los edificios en sí.

—¿Qué contrato?

Ahora que esos ingredientes se han ido para siempre tengo un mal presentimiento sobre Dublín, sobre todo el mundo. Es como si hubiera inclinado al mundo en su eje y lo hubiera puesto en una posición extraña, nueva y no tan segura, al eliminarlos.

—Mega. —Dancer está frente a mí—. Háblame.

—No podemos pedirle nada a Ryodan —le digo.

—¿Por qué no?

Me froto los ojos y suspiro.
—Porque lo maté.

Me despierto con el cuello dolorido y una bolsa resellable pegada en la mejilla con baba. Levanto la cabeza unos centímetros y miro por debajo del pelo, esperando que Dancer no me esté observando. Cuando lo encuentro mirando el tablero, suspiro aliviada.

Me despego la bolsa de la cara, me seco la baba con mi camisa y me froto las marcas de la mejilla. Noto la marca de un anillo además de un par de líneas de esas cremalleras. Ni siquiera recuerdo haberme quedado dormida. Pero en algún momento debí de dar una cabezada sobre las cosas que estaba examinando y me dormí. ¿Unas cuantas horas? ¿Más?

—¿Qué hora es?

—Qué día, querrás decir.

—¡Colega, dime que no he dormido tanto!

—Lo necesitabas. Sin embargo, no estoy seguro de que puedas moverte. Nunca he visto a nadie sentarse en una silla, dejar caer la cabeza sobre una piedra y no moverse durante quince horas. Pensé en acostarte en un lugar más cómodo pero me hiciste cambiar de opinión. —Se da la vuelta y me sonríe. Tiene un labio partido—. Se ve que no querías que te moviera y me arreaste un buen golpe en sueños.

—¡Joder, tío, lo siento! —No me acuerdo de nada.

—No te preocupes, Mega.

Mi estómago gruñe lo bastante alto para despertar a los muertos y me dice:

—Tengo algo que he estado guardando para ti. —Hurga en una de las bolsas del suelo, saca una caja y me la lanza.

Me ilumino como un árbol de Navidad.

—¡Joder! ¡Pop-Tarts! ¿Dónde has encontrado galletas rellenas? ¡Hacía meses que no las veía! —Incluso antes de que los muros cayeran, eran difíciles de encontrar—. ¡Y son mis favoritas, llevan chocolate y glaseado! —Abro el paquete y mastico con felicidad. Acabo con las dos primeras en un suspiro, luego reduzco la velocidad para saborear cada una de las seis galletitas deliciosas y llenas de conservantes y azúcar que quedan. Cuando los muros cayeron, todas las cosas buenas (todas las que son malas para ti, vamos), fueron las primeras que desaparecieron de los estantes. Los refrescos y el alcohol se agotaron muy rápido. Dulces, pasteles, galletas, tartas, cosas así, fueron las siguientes. Pop-Tarts, todos los cereales azucarados, también volaron de los supermercados. Soy igual de culpable que los demás. Lo divertido es que ahora casi daría mi brazo derecho por una comida caliente con carne hecha lentamente y un acompañamiento de zanahorias, guisantes, pan y salsa.

Aun así, las Pop-Tarts son celestiales y Dancer las consiguió para mí, lo que hace que tengan el doble de sabor. Yo voy comiendo y él me cuenta todo lo que ha estado pensando y ha descartado mientras dormía para que pueda buscarle fallos a su teoría, si es que los hay. Cuando termina de hablar, no estamos más cerca de una conclusión de lo que estábamos antes de que me durmiera.

—Entonces, al igual que antes, lo que tenemos es que en cada escena hay tierra, algún tipo de plástico y metal.

—De hecho, es tierra, plástico y hierro. El metal en cada una de las bolsitas resellables es principalmente hierro.

—Hierro es lo que usamos para aprisionar a los *faes*.

—Lo sé. ¿Recuerdas cuántos *unseelies* fueron congelados en el castillo de Dublín?

Asiento.

—Pensaba que fue porque había muchos.

—También resulta ser la ubicación con mayor cantidad de hierro. Se usaron toneladas de ese metal para construir las celdas.

—¿Dónde estaba el hierro en las otras escenas?

—Viejas vías de ferrocarril recorren la zona del campo donde aquella familia lavaba la ropa. Revisé los mapas y descubrí que las vías pasan junto a cuatro de las otras escenas. Encontré balas de hierro en dos bolsas. La aguja de la iglesia tenía unas campanas de hierro enormes. En el gimnasio se encontró parte de una tetera de hierro y unas campanillas del mismo metal. En otra escena había varios coches viejos que tenían el chasis de hierro. Ya no los hacen así. En el castillo de Dublín había todas esas celdas. El techo de uno de los viejos almacenes estaba hecho de hierro —prosigue él, detallando cada lugar.

—¿Por qué hierro? ¿Por qué no, pongamos, acero. ¿El acero no es hierro?

—El hierro se convierte en acero. Lo que veo es un predominio del hierro sin procesar, como las vías de tren, campanas y barrotes. Cosas antiguas. Ya no se ve tanto hierro sino compuestos del mismo. El acero es más fuerte y el hierro se oxida. ¿Te has fijado en que las vías viejas son casi siempre rojizas? Se debe a que son de hierro y se han oxidado.

—¿Crees que tenemos que volver a las escenas y ver si se llevó hierro?

—No. Me pregunto si el hierro está en el agua salada. Si eso es lo que lo atrae.

—¿Pero qué es lo que busca?

Se encoge de hombros.

—¿Quién sabe? ¿A quién le importa? Solo quiero saber dos cosas: cómo atraerlo hacia nosotros y cómo deshacernos de él. Sus metas son irrelevantes.

—Pero los *faes* odian el hierro.

—Lo sé. Eso es lo que hace que me pregunte si lo está atrayendo de algún modo. No digo que vaya hacia el hierro porque le gusta. Quizás está intentando destruir el hierro mediante la congelación. Quizás algún *fae* lo haya invocado para destruir los únicos medios que tenemos de aprisionarlos. Tal vez tratar de entender algo que puede abrir un portal multidimensional, navegar por el cielo, abrir otro portal y desaparecer, es un ejercicio de futilidad tan grande como tratar de adivinar los motivos de Dios.

—¿Crees en Dios?

—Colega, solo Dios podría haber creado la física.

Me río por lo bajo.

—O las Pop-Tarts.

Él sonríe.

—Ves. Ahí está la prueba de lo divino. Toda esa mancha de chocolate alrededor de tu boca.

—¿Me he manchado la cara de chocolate?

—Es algo difícil de ver con todas esas líneas de bolsitas resellables que llevas marcadas en la cara, pero sí.

Suspiro. Algún día estaré con Dancer sin intestinos en el

pelo, sin ropa extraña, sin ojos morados ni sangre y sin comida en la cara. Probablemente entonces no me reconozca.

—¿Pero qué hay de esos dos lugares en Faery? —digo.

—¿Qué les pasa?

—No puede haber hierro en Faery.

—Eso es una suposición errónea, posiblemente. Los muros cayeron. Todo se fracturó y Faery se ha estado filtrando en nuestro mundo. Tal vez partes del nuevo mundo también se están filtrando en ese reino y haya vías o campanas en esas partes. Necesitamos muestras de Faery.

—¿Y cómo leches vamos a conseguirlas? ¿Por qué no intentamos atraerlo con hierro y ver qué pasa?

—Ese es el plan B. Intentemos obtener muestras primero y yo seguiré analizando estas cosas. Hay algo que se me escapa, lo siento en mi interior. Necesito dedicarle más tiempo a las pruebas. Además, aunque lográramos que viniera, ¿qué haríamos con él? Necesitamos saber qué lo atrae y cómo detenerlo. Tú consigue las muestras y yo descifraré el resto. Si no hay hierro en Faery, sabemos que volvemos al punto de partida sin haber tenido que recoger toneladas de hierro y sin tener que encontrar un lugar para meterlo todo y donde nadie resulte herido.

Me pongo de pie y me acerco a la puerta.

Mientras me alejo, él me dice:

—No vayas a Faery sola, Mega. Haz que un tamizador lo haga por ti. No podemos perder otro mes. Tengo un mal presentimiento sobre estos lugares congelados.

—¿Porque siguen explotando?

Él se quita las gafas y se frota los ojos.

—No. Como si hubiera algo peor. Mucho peor. No puedo explicarlo, es un presentimiento.

Conozco a Dancer. Cuando tiene un presentimiento, lo que eso realmente significa es que su subconsciente está viendo algo que su cerebro consciente todavía no. Cada vez que me ha dicho que tiene un presentimiento, ha tenido una epifanía después. Confío en él como no he confiado nunca en nadie. Si quiere muestras y más tiempo, los tendrá.

Subo y salgo al exterior, a la noche de Dublín. Cae una suave nieve. La luna tiene un anillo rojo sangre.

Hay un lugar en el que seguro que encontraré a un *fae* tamizador. Mira por donde, también es el tercer lugar del que necesitamos una muestra. Con suerte, regresaré dentro de pocas horas con las últimas tres bolsas resellables que completarán nuestra cadena de pruebas.

Lo malo es que mi suerte no ha sido muy buena últimamente.

TREINTA Y TRES

«Who's your daddy?»
('¿Quién es tu papaíto?')

Chester's. Joder, odio este lugar incluso más que antes. Esta noche la cola que hay en la calle es una locura. Dublín está a varios grados bajo cero, la nieve ha empezado a caer con intensidad, se ha levantado un aire asesino y hay una cola que ocupa cinco manzanas. La peña está tiritando en el exterior, a pesar de las varias capas de ropa que llevan y de estar todos amontonados, a la espera de entrar.

Paso rápidamente junto a ellos, patino por un punto congelado y me deslizo alrededor de uno de los porteros humanos de Ryodan, que tiene las manos demasiado ocupadas controlando a la multitud como para detenerme. Bajo saltando la escalera de la entrada principal y abro de golpe las altas puertas negras del club.

Hoy vibra igual que siempre: la música retumba, las luces destellan y la gente se divierte como loca. Tenemos algo que está matando a inocentes en todas partes, que congela nuestra ciudad y la está convirtiendo en una zona ártica en junio y esto es lo que la gente hace al respecto: bailar, reír, emborracharse, echar un polvo, hacer como si los muros no hubieran caído, como si el mundo no hubiera perdido a la mitad de la raza humana y nada hubiera cambiado.

Durante un segundo me quedo en la plataforma que hay delante de la puerta —desde donde se ve todo— con el ceño fruncido y soplándome las manos para calentarlas. Necesito guantes, una bufanda y orejeras. El ceño fruncido no dura mucho porque la canción que está sonando ahora me distrae del enfado. Es una de mis canciones favoritas de hace algunas décadas, muy intensa en el bajo, y está tan fuerte que me hace vibrar las suelas de las botas de combate, me sube por las piernas y me llega al vientre. Me retumban hasta los huesos. Me encanta la música porque es genial. La música es como las matemáticas, y las matemáticas son la estructura de todo, casi perfectas. Antes de que todo se volviera tan loco, Dancer me enseñaba cosas sobre matemáticas que me dejaban boquiabierta.

Vuelvo a fruncir el ceño.

Jo está en el subclub infantil, vestida muy atractiva, y se está riendo de algo que alguna camarera vulgar le acaba de decir mientras se mueve con elegancia y va de mesa en mesa. Va charlando con los clientes y, de vez en cuando, mira a su alrededor, como si le echara un ojo a todo en general o como si buscara a alguien. Todavía tiene esos reflejos y las tetas brillantes. Me alegraré enormemente cuando se quite todo eso de encima y vuelva a ser la Jo que conozco.

Haré que dimita esta noche. No le debemos nada a un hombre muerto y si los otros tíos piensan intentar hacer valer nuestros contratos, bueno, que lo intenten. Nosotras nos largaremos de todos modos.

Gimo y pongo los ojos en blanco; acabo de darme cuenta de que no puedo hacer que dimita esta noche porque no puedo decirle que él está muerto. No puedo decirle a nadie que está muerto. Solo yo, Christian y quienquiera que moviera los cadáveres —suponiendo que no fuera Christian— sabemos que ha sido asesinado. Solo han pasado tres días. Puede que la gente no se lo acabe de creer y conociendo a Jo, seguro que se quedará durante semanas esperando que vuelva.

Me siento algo perturbada. He estado desaparecida casi un mes y ella no parece triste en absoluto. ¿No me ha echado de menos? ¿Se ha preocupado por mí?

Dejo de pensar en eso, miro hacia el techo para examinar las vigas y me pregunto qué clase de metal se usó al construir el Chester's. Si este lugar es tan viejo como parece, debería de ser hierro porque creo que el método de fabricación del acero se descubrió mucho después y es algo más reciente. Bueno, reciente en términos de lo viejo que es este lugar. Me pregunto entonces lo antiguo que es ese hierro. También pienso si Ryodan y sus amigos hechizaron todo esto o, tal vez, crearon su propio tipo de metal o lo trajeron del planeta en el que nacieron.

Me pregunto quién está al mando ahora que Barrons y Ryodan están muertos. ¿Lor?

Como si mis pensamientos lo hubieran invocado, le oigo decir detrás de mí, muy cerca de mi oreja:

—Cariño, qué cara tienes al venir aquí.

Me giro y le pregunto con recelo: «¿Qué quieres decir con eso?», pero él ya no está ahí para cuando termino la vuelta. Me pregunto si lo he imaginado, si no ha sido más que el producto de mi conciencia culpable. Entonces pienso que si realmente le he oído decir lo que creo que ha dicho, solo se refería a que Ryodan lleva un mes buscándome y ahora vengo tan campante como si no hubiera desaparecido, y cree que Ryodan me cortará el pescuezo por faltar al trabajo durante tanto tiempo. Porque, claro está, él tampoco sabe que Ryodan está muerto.

Precisamente por esto odio las mentiras. En cuanto dices una, sabes algo que nadie más sabe y tienes que acordarte constantemente de comportarte como si no lo supieras para que los demás no crean que actúas de una forma rara y descubran que sabes algo que ellos desconocen. Si lo hacen, te pondrán contra la pared y exigirán saber por qué estás raro, entonces les dirás alguna bobada y la usarán para hacerte meter la pata. ¡Y todo saldrá a la luz y te meterás en problemas! Es mucho más fácil no contar ninguna mentira para empezar.

Esta vez será difícil fingir. Aquí todo recuerda a Ryodan. ¡Joder, Ryodan es el Chester's! Sin lugar a dudas, es el lugar más difícil en el que podría estar para fingir que no está muerto, pero necesito esas muestras. El rey Escarcha congela algo prácticamente todos los días y Dancer cree que las cosas empeorarán.

Diviso un tamizador en el Club del Esmoquin y sonrío. La Perra Gris. Me va a encantar ponerle la espada en el cuello y darle órdenes. Mac prometió no darle caza, pero yo nunca juré algo tan estúpido. Además, no voy a darle caza, solo la amenazaré para que haga algo por mí. Con la mano cerniéndose sobre la empuñadura de la espada, trazo la cuadrícula lo mejor que puedo, teniendo en cuenta que la mayoría de las cosas en ella se están moviendo —tampoco me importa mucho golpear a todos estos idiotas con los codos—, y bajo las escaleras desplazándome. En el último momento, me desvío del Club del Esmoquin y me dirijo hacia Jo. Quiero verle la cara cuando me vea. Ver lo contenta que se pone de saber que estoy viva. Debe de haber estado tan preocupada por mí como Dancer y lo más correcto es dejarla tranquila.

—¡Dani! ¿Qué estás haciendo aquí? —Jo se pone blanca cuando paso zumbando hasta detenerme frente a ella—. ¿Estás loca?

No es la reacción que esperaba. ¿Dónde está la expresión de alivio, el gran abrazo, la emoción de verme con vida y de vuelta aquí?

—¿De qué estás hablando?

—¡Ryodan lleva un mes buscándote! ¡Has infringido el contrato!

—Y según eso —digo, cabreada—, tú deberías estar muerta. Pero no lo estás. El hecho es que estás muy bien. Supongo que acostarte con él te ha mantenido viva, ¿eh? ¿Has estado haciéndolo todo este tiempo? ¿No se ha cansado de ti?

Se ruboriza.

—Me dijo que no era justo que yo pagara por los disgustos que le das. Ryodan es un hombre inteligente y toma buenas decisiones. No es impulsivo como algunas personas. —Me lanza una mirada intencionada.

Me deja consternada.

—Ah, él era un... eh, ahora es un puto santo, ¿eh?

—Es un buen hombre. Deberías darle una oportunidad.

—¡Es hombre muerto, eso es lo que es! —digo, bruscamente, porque no puedo oír como lo defiende.

—¿Podrías dejar de amenazarlo a cada rato? Ya cansa. —Baja la voz—. Tienes que salir de aquí antes de que te atrape. Nunca lo he visto como ha estado desde que no ha podido encontrarte.

—No le tengo miedo a Ryodan. —Ojalá pudiera contárselo.

—Deberías. Lo has hecho enfadar demasiado esta vez, Dani. No sé qué hará cuando te vea y no estoy segura de que pueda detenerlo. No creo que me escuche siquiera.

Él nunca lo averiguará porque está muerto, pero no es eso lo que me obsesiona.

—¿Qué quieres decir con lo de que tampoco te escuchará? Ni que fueras especial para él…

Ella se sonroja y a su rostro se asoma una expresión suave, como de boba enamorada.

—Somos pareja, Dani. Ha pasado más de un mes y no salimos con nadie más. Todas las camareras hablan del tema. Nunca pensaron que alguien… ya sabes, que alguien lograra que un hombre como él sentara la cabeza.

Me quedo mirándola y parpadeo. Ryodan no va en serio con nadie. ¿Sentar la cabeza? Ya. Los tornados aterrizan, pero no se asientan. Dejan destrucción a su paso y no a gente radiante y feliz. La sola idea de él y Jo formando un hogar juntos y haciendo planes para el futuro me pone enferma. Ya, claro. ¿Y qué seré yo? ¿Su perrito faldero? Meneo la cabeza y me recuerdo, una vez más, que Ryodan está muerto. ¿Cómo consigue distraerme? Hablar como si él estuviera vivo me está confundiendo.

—Mira, paso de hablar contigo. Tengo cosas que hacer. ¿No has notado que Dublín se está convirtiendo en el Polo Norte?

—Pues claro. Tú eres la que se ha pasado un mes fuera y no le dijiste a nadie que te ibas a Faery con Christian.

—¿Eh? —La miro boquiabierta—. ¿Cómo lo sabes?

—Christian me lo dijo.

—¿Christian, el aterrador príncipe *unseelie*, pasó por aquí y te dijo que yo estaba bien?

—No sé por qué vino, pero me oyó hablando con Cormac ayer en el Club del Esmoquin sobre lo preocupada que estaba por ti y me dijo que acababais de volver y que estabas bien. No voy a decirle ni una palabra a Ryodan a pesar de que nos lo contamos todo, pero no me gusta que me pongas en la tesitura de tener que mentirle. ¡Ahora sal de aquí antes de que baje!

Las cosas están tranquilas esta noche. Me gustaría que siguieran así.

¿Contárselo todo? Ella está chalada. Ryodan era el tío más reservado que jamás conocí. Las cosas no están tranquilas aquí; como de costumbre, son una catástrofe inminente. Y no volverá a bajar nunca más.

Me alejo de Jo y me dirijo al Club del Esmoquin para reclutar los servicios de la Perra Gris, cuando alguien choca contra mí desde atrás con tanta fuerza que salgo volando hacia una de las columnas acanaladas de la salida del subclub infantil. Termino abrazándola, para no caer al suelo. La golpeo con tanta fuerza que se me va a poner otro ojo negro; el lado izquierdo de la cara se está convirtiendo ya en la madre de todas las contusiones. ¿Quién coño se atrevería a atacarme cuando llevo la espada encima? ¿Mac? ¿Tanto me odia que se ha vuelto estúpida? No he escondido la espada al entrar. De hecho, me he abierto el chaquetón de cuero para que todo el mundo viera que la he recuperado.

Me alejo trastabillando de la columna y estoy a punto de darme la vuelta cuando choco contra ella otra vez. Esta vez, juro que veo estrellas y escucho el cucú de los pájaros. Mi mano se desprende de la empuñadura de mi espada; estoy muy aturdida. Oigo a Jo gritar detrás de mí.

—¡Basta ya! ¡No le hagas daño! ¡Basta ya!

Me golpean de nuevo en cuanto comienzo a moverme. Esta vez me parto el labio contra la columna. Me jode tanto que cambio a modo rápido, cojo la espada y la desenfundo. Si es Mac, no quiero hacerle daño. Solo quiero huir, pero tiene que dejar de empujarme delante de todo el puto club. Tengo una reputación que mantener.

La espada me desaparece de la mano antes de que pueda darme la vuelta. Me pega y muerdo la dichosa columna por cuarta vez.

—Vuelve a moverte y te arrancaré el corazón de cuajo.

Me quedo inmóvil como los trozos de *unseelie* asesinados en las escenas congeladas. No puede ser Ryodan el que acaba de hablar, porque le destriparon y murió. Debo de estar alucinando. Eso o hay un fantasma persiguiéndome. Era de imaginar que el tío regresaría de entre los muertos para hacerme la vida imposible. Cuando estaba vivo, era todo un profesional en la materia.

Estoy tan aplastada entre la columna y lo que sea que está detrás de mí que casi no puedo respirar.

—No puedes estar aquí —digo—. Estás muerto.

Me golpea contra la columna una vez más y doy un grito.

—Supe de tu existencia cuando tenías nueve años —dice—. Fade me dijo que había visto a una niña humana en las calles que se movía como nosotros. Él abogó, al igual que el resto de mis hombres, por matarte inmediatamente. Rara vez he encontrado necesario matar niños humanos porque, de todos modos, no viven mucho tiempo.

Sí, eso suena a Ryodan. Frío. Desprovisto de inflexión. Quizás Ryodan tenía un hermano gemelo del que yo no sabía nada. Si no, me he vuelto completamente loca y me está atormentando mi conciencia culpable de un modo extraño e increíblemente real. Él murió. Vi cómo pasaba todo. No hay equivocación posible. Intento mover la mano, pensando en limpiarme la sangre de la cara. Él me la aplasta con su puño con tanta fuerza que noto que se me aplastan los huesos entre sí.

—Te he dicho que no te muevas. Ni un pelo. Lo entiendes.

Otra característica de Ryodan. Sin signos de interrogación. No me gusta nada que me provoquen, así que no digo nada. Me rompe un hueso del dedo meñique, con cuidado y con precisión. Es como si quisiera enseñarme que podría rompérmelos todos, uno a uno, si le diera la gana. Aprieto los dientes.

—Lo entiendo.

—Cuando tenías diez años, Kasteo me dijo que habías conseguido la espada. Una vez más mis hombres me dijeron que te la quitara y te matara. De nuevo, sentí que el cachorro que lloriqueaba moriría muy pronto.

—No soy un cachorro y no lloriqueo. ¡Ay! Me has dicho que no me moviera. No lo he hecho. ¡Solo he hablado!

—No lo hagas. Y sí lloriquearás antes de que termine la noche. En un segundo retrocederé y te soltaré. Te darás la vuelta y me seguirás, andando, detrás de mí. No hablarás con nadie.

No mirarás a nadie. Si alguien que no sea yo te habla, no responderás. No moverás ninguna parte de tu cuerpo que no sea absolutamente necesaria para subir las escaleras y entrar en mi despacho. Como desacates mis órdenes de alguna forma, te romperé la pierna izquierda delante de todo el club. Si me haces enfurecer mientras lo hago, te romperé la pierna derecha. Entonces te llevaré por las escaleras, que aún tienes opción de subir andando solita, y te romperé los dos brazos. Confío en que he sido claro. Respóndeme.

—Tan claro como el suelo de tu despacho. —No puede ser que esté vivo. Vi a la bruja arrancarle las tripas y cosérselas al vestido. Seguramente no me rompería los brazos y las piernas. ¿Verdad que no?

La presencia a mi espalda desaparece y por un segundo me siento desfallecer por el frío que siento. No me había dado cuenta de la cantidad de calor que desprendía él hasta que se ha apartado.

No hay manera de que esté vivo. Ryodan no puede estar detrás de mí. ¿Entonces Barrons también está vivo? ¿Cómo podrían estarlo? Sé que son difíciles de matar y todo eso, ¡pero la gente no sobrevive cuando la destripan! ¿Dónde consiguieron tripas nuevas? ¿Alguien se las sacó a la bruja y se las cosió de nuevo? ¿Parecerá el monstruo de Frankenstein?

No quiero volverme. No me gusta ninguna de las posibilidades a las que me enfrento. Si no es Ryodan, me he vuelto loca. Si es Ryodan, tío, estoy muerta.

—Date la vuelta, niña.

No consigo hacer que se me muevan los pies. No comprendo que esté de pie detrás de mí. Tiemblo como una hoja. ¡Yo! ¿Qué mierda me pasa? Con lo bruta que soy siempre. No tengo miedo a nada.

—Ahora.

Respiro hondo y me vuelvo. Le miro la cara, el cuerpo, la forma en que se para, la mirada en sus ojos y esa sonrisa arrogante.

O es Ryodan o un clon perfecto.

Hago algo inaudito en mí. Ni yo me lo creo. Detesto las hormonas, odio el Chester's y aborrezco a Ryodan con toda mi alma. ¡No podré superar esto en la vida!

Me echo a llorar.

Ryodan se da la vuelta y sube las escaleras a grandes zancadas.

Me arrastro detrás de él como una miserable. Todo el puto club ve cómo Dani Mega O'Malley camina detrás de Ryodan llorando como una Magdalena sin decir una palabra, como un perro faldero. No me lo creo. Odio mi vida y me odio a mí misma. Detesto mi estúpida cara. Quiero gritar: «¡Me ha roto las costillas y estoy llorando de dolor porque una me ha perforado un pulmón, pero soy fuerte y le daré una paliza! ¡Me repondré y os daré una paliza a todos los demás!» para salvar mi imagen, pero estoy bastante segura de que si digo una palabra Ryodan me partirá la pierna de verdad. Me seco los ojos, cabreada. Putos ojos blandengues y traidores, con sus conductos lagrimales igual de odiosos.

Todo el club se ha quedado en silencio. Los habituales y los *faes* crean un amplio pasillo para que podamos pasar. Nunca he dado un paseo de la infamia como ese y eso me cabrea muchísimo. Jo está pálida y su mirada va de mí a la espalda de Ryodan, y al revés. Puede que sea su favorita, pero por la expresión en su rostro veo que tiene miedo de presionarlo. Gesticula: «¡Discúlpate! Sométete o te destrozará».

Ni muerta. Mega no se somete. Paso junto a Lor en la base de las escaleras para subir a la primera planta. Aparto la cara porque no soporto que él me vea comportándome como un bebé. Se inclina más cerca y dice en voz baja, casi al oído:

—Cariño, puede que hayas salvado tu vida con esas lágrimas. Pensaba que tenías demasiado ego y muy poco sentido común para saber cuándo empezar a llorar. Él no soporta el llanto de una mujer. Lo destroza.

Lo miro. Me guiña el ojo.

Lo fulmino con la mirada porque no estoy autorizada para utilizar la lengua. Esta mirada le dice: «No soy una mujer y no estoy llorando. No le tengo miedo a nada».

—Él puede lidiar con el hecho de no poder controlarte siempre y cuando tú permitas que el mundo crea que sí puede. Él es el rey aquí, cariño. A los reyes no se les puede desafiar públicamente.

«A mí no me controla nadie. Nunca», gritan mis ojos. «¡Y desafío a quien me dé la gana y donde me apetezca!»

Sonríe.

—Te he oído, niña. Alto y claro. Solo recuerda lo que te he dicho.

Aprieto los dientes y sigo a Ryodan por las escaleras.

Se vuelve hacia mí en cuanto cierro la puerta.

—Para ya. Tú no lloras nunca. No llores. Deja de llorar ahora mismo.

—¡No estoy llorando! Se me ha metido algo en los ojos cuando me has empujado contra la columna. Además, espero que la gente muerta se quede muerta. Así que supongo que los dos estamos decepcionados, ¿no?

—¿Es así como te sientes? ¿Decepcionada? ¿Viste cómo me destripaban y moría, y ahora que estoy delante de ti, vivo, te sientes decepcionada?

—¿Acabo de oír, no sé, tres signos de interrogación?

—¡No me jodas! —Me empuja contra la pared con tanta fuerza que siento el panel retumbar contra mi espalda.

—¡A ti no te importa lo que yo sienta! Nunca te ha importado. Solo me das órdenes y esperas que obedezca y te enfadas si no lo hago. ¡No soy nada para ti, así que no finjas ahora que te importa en lo más mínimo lo que siento!

—La lealtad surge de lo que sientes o no sientes. No estás en la cuerda floja, niña. Has resbalado y te estás agarrando con una mano, que yo estoy a punto de soltar. Así que elige bien: «D» es de decepción al verme y de defunción. «L» es de lealtad y de longevidad. Convénceme de que debería dejarte vivir.

Su cara está a dos centímetros de la mía. Respira con dificultad y noto la violencia que emana de él. Lor me ha dicho que use las lágrimas para manipularlo. Paso de rebajarme y ser cobarde. Soy tan grande y mala como él. Está vivo y está aquí, intimidándome. Está claro que se prepara para —cuando haya terminado de darme la vara— pedirme que me presente a trabajar de nuevo.

Volvemos a ser nosotros. El Robin de su Batman.

Está vivo.

Empiezo a llorar.

—¡Basta! —Me golpea contra la pared otra vez con tanta fuerza que me castañetean los dientes, pero las putas lágrimas no paran de salir.

Reboto y utilizo ese rebote para golpearle con tanta fuerza como puedo. Me agarra la muñeca cuando lo golpeo y al salir volando hacia atrás, me lleva consigo. Chocamos contra su escritorio. Vuelo por encima de él, ruedo y me pongo de pie de un salto mientras me aparto el pelo.

Golpeo las palmas sobre el escritorio y gruño.

—¿No crees que lo haría si pudiera? ¿Crees que me gusta parecer una blandengue delante de todo el club? ¿Delante de ti? ¡Eres un capullo! ¿Y qué hacías al otro lado de ese muro? ¿Por qué tenías que estar ahí, en ese punto exacto, cuando salimos? Quiero decir, ¿quién tiene esa suerte de mierda? Desde que empecé a juntarme contigo, mi vida ha sido una pesadilla de cabo a rabo. ¿No podías quedarte muerto y ya está?

Él golpea el escritorio con las manos con tanta fuerza que la madera se agrieta en el medio.

—No me convence.

Lo fulmino con la mirada a través de las lágrimas.

—¡No intento convencerte! Yo no convenzo a nadie de nada. O me tomas o me dejas, pero no cambiaré. No pienso cambiar por ti ni por nadie y tampoco estoy mintiendo. Si crees que conseguirás algo con romperme los huesos uno a uno, lo llevas claro.

Estoy sollozando y no tengo ni idea de por qué. Solo sé que me siento como en el momento en que salí del muro con la Bruja Carmesí y la vi matar a Barrons y a Ryodan. He tenido un doloroso nudo dentro de mí y en cuanto he mirado a Ryodan y me he dado cuenta de que estaba vivo, pero vivo de verdad, que no iba a tener que pasarme la vida con su muerte en mi conciencia, sin volver a ver su sonrisa petulante, ese nudo se ha relajado. Al soltarse, me he deshecho y todo mi ser ha exhalado un suspiro de alivio. Supongo que, en algún lugar, todos tenemos un pozo lleno de lágrimas y si nunca las dejas salir, en el momento en que sale una sola se abre una compuerta y no puedes volver a cerrarla. ¿Por qué nunca nadie me cuenta las reglas de la vida? Si hubiera sabido que funcionaba de esta forma, me habría ido a un rinconcito y habría llorado hasta vaciar el pozo. Esto es peor que empezar a desplazarse con mal pie. Es una caída emocional sin control.

Lo miro y pienso, joder, ojalá Alina hubiera podido levantarse después de lo que le hice. Así Mac podría haber recuperado a su hermana. Y yo no tendría que andar odiándome a cada minuto, porque aunque estoy bastante segura de que Ro me hizo algo esa noche que me convirtió en una especie de autómata sin voluntad propia, estaba allí físicamente. ¡Estaba allí! La llevé al lugar donde murió entre mentiras mientras le decía que tenía que enseñarle algo muy importante. Yo no era más que una niña, así que ella confió en mí. Me quedé ahí en ese callejón y vi cómo la hermana de Mac moría a manos de un *fae* que yo podría haber detenido con un simple movimiento de la espada. Ahora ya no lo puedo deshacer y nunca podré quitármelo de la cabeza. Lo tengo grabado a fuego en el alma durante el resto de mi vida, ¡si es que tengo una después de todas las mierdas que he hecho!

Le hice un daño irreparable a Mac, el peor daño posible, y no podré enmendarlo.

Sin embargo, hay un resquicio de esperanza en este nubarrón: si Ryodan no está muerto, Barrons tampoco. Por lo menos, a Mac todavía le queda Barrons.

—Mataste a la hermana de Mac —dice Ryodan—. No me lo puedo creer.

Yo no lo he dicho.

—¡No te metas en mi cabeza!

Pasa por encima del escritorio y se me pone prácticamente encima. Me empuja contra la pared, me sujeta la cabeza entre sus manos y me obliga a mirarlo.

—¿Cómo te sentiste cuando pensaste que me habías matado?

Me mira dentro de los ojos como si no le hiciera falta que le respondiera; como si solo necesitara que lo pensara. Intento agachar la cabeza para que no pueda hurgar en mis pensamientos, pero no me lo permite. Me sostiene con firmeza, pero sin brusquedad. No me gusta nada cuando me hace esto. Prefiero pelear porque sé con certeza qué papeles interpretamos.

—Respóndeme.

No le respondo. No le responderé nunca. Lo odio porque

cuando pensé que lo había matado, me sentí más sola de lo que me he sentido en mucho tiempo. Como si no pudiera soportar vagar por esta ciudad sabiendo que él no estaba en ella. Como si de alguna manera, mientras él estuviera por ahí en alguna parte, si me metiera en problemas serios, siempre sabría adónde ir. Aunque no hiciera exactamente lo que yo querría que hiciera, me mantendría viva y me sacaría del embrollo que fuera para que sobreviviera un día más. Creo que esa es la clase de sensación que tienes de los padres cuando eres niño, si tienes suerte. Yo nunca tuve esa sensación, me acurrucaba en una jaula y cada vez que ella se ponía su perfume, se maquillaba y tarareaba al vestirse, me preocupaba que se olvidara de mí y yo acabara muerta. Deseaba que su nuevo novio fuera un inútil para que volviera más rápido a casa. Sé que por muchas cosas que haga Ryodan, nunca se olvidará de mí. Es meticuloso y ser así de detallista tiene muchas ventajas. Al menos en mi mundo y sobre todo cuando yo soy uno de los detalles.

No puedo apartar la mirada. ¿Cómo puede ser que esté vivo, joder? Noto como si estuviera rebuscando en mi cerebro. Me mató ver cómo se apagaba la luz de sus ojos claros en el callejón trasero de la librería de Barrons. Lo echaba de menos. Mierda, lo echaba mucho de menos.

Ryodan me dice con un tono realmente suave:

—Decepcionada o leal.

No tengo intención de morir.

—Leal —digo.

Me suelta y se aparta. Me desplomo todavía apoyada en la pared y me seco las lágrimas de la cara. Me duele todo: la cara, las manos, el pecho, las costillas.

—Pero vas a tener que…

—No intentes regatear conmigo ahora mismo.

—Pero no es justo que…

—La vida no es justa.

—¡Pero no soporto trabajar todas las noches!

—Supéralo.

—¡Me estás volviendo loca! ¡Una persona necesita tiempo libre!

—Niña, nunca te das por vencida.

—Estoy viva. ¿Cómo podría? —Me pongo de pie y me sacudo el polvo de encima. Mis lágrimas desaparecen tan misteriosamente como han venido.

De una patada, empuja una silla hacia mí.

—Siéntate. Hay reglas nuevas en la casa. Toma nota. Como infrinjas una, estás muerta. Dime que lo entiendes.

Pongo los ojos en blanco, me dejo caer en la silla y paso una pierna por un lado. La beligerancia es lo mío.

—Te escucho —digo, cabreada.

Odio las reglas. Siempre acaban jodiéndome.

Treinta y cuatro

«Where do you think you're going?
Don't you know it's dark outside»
('¿Dónde te crees que vas? ¿No ves que ya es de noche?')

Recorro el pasillo a cámara lenta, es decir, camino como una persona cualquiera, mientras insulto a Ryodan, pero en voz baja porque lo tengo al lado.

Las nuevas reglas de la casa son el montón de mierda más grande que haya oído nunca. Seguirlas me va a matar del asco. Moriré literalmente porque no hay manera de recordar todo lo que quiere que haga mientras realizo el seguimiento de todo lo que no tengo permitido hacer. Además del «Preséntate a trabajar todas las noches a las ocho» está la regla más ofensiva de todas: «No saldrás del Chester's sin que te acompañe uno de mis hombres».

—¿Así que no volveré a estar sola nunca? —exploto, anonadada—. Colega, necesito un tiempo para mí. —He estado sola la mayor parte de mi vida. Al cabo de un tiempo, tener demasiada gente alrededor empieza a irritarme. Me pongo nerviosa y rara. Y me canso también, es como si me desgastara el mero hecho de estar allí. Tengo que estar sola o estar con una persona como Dancer para recargarme de energía.

No responde.

¡Otra cosa que me jode es que supuestamente no debo cuestionarle o discutir con él en público! Uf, no voy a aguantar ni un asalto. La única forma en la que tendré la más mínima oportunidad es llevando bozal o cortándome la lengua.

—Puedes decirme lo que quieras en privado —dice—. Y eso es muchísimo más de lo que le permito a nadie.

—No quiero pasar tiempo en privado contigo.

—Qué pena —responde él—, porque tengo previsto que pases muchos ratos conmigo.

—¿Por qué me molestas? ¿Por qué no te olvidas de mí y me dejas vivir mi vida? —Es raro pensar que me ha estado vigilando desde que tenía nueve años. Nunca me he dado cuenta de nada. Tal vez él se haya dado cuenta de más cosas que cualquier otra persona, incluida mi madre.

Otra vez, me sigue dando largas.

Camino con él hasta el final del pasillo del tercer piso. Se detiene frente a un panel de cristal ahumado y se saca una capucha de tela del bolsillo. Cuando extiende la mano hacia mí, retrocedo y le digo:

—Estarás de coña, ¿no?

Se limita a mirarme sin mediar palabra hasta que le arrebato la capucha de la mano, me la pongo yo misma y le permito que me guíe del brazo.

Sufro la humillación de ir a ciegas y en silencio, y me concentro para absorber cada detalle que puedo. Cuento los pasos. Olfateo a través de la pesada tela. Escucho con atención. Cuando subimos a un ascensor y bajamos, cuento los segundos para poder descifrar a qué piso me está llevando para aprovechar la información cuando por fin tenga algo de tiempo a solas, y lo tendré. No puede tener a alguien vigilándome cada segundo de cada día. Se cansará. ¡Necesito volver con Dancer! Necesito hablar con Ryodan sobre lo de conseguir muestras, aunque cuando le saqué el tema del Monstruo de Hielo me dijo que me lo guardara.

Cuando llegamos a nuestro destino y me quita la capucha, me quedo anonadada al ver que Ryodan tiene su propio centro de operaciones. Obviamente es de lo mejor, es de tal perfección tecnológica que hace que el nuestro parezca un parque infantil. Vuelvo a estar celosa. Hay ordenadores por todos lados, CPU, monitores y teclados y no sé qué son la mitad de las cosas de la sala, y eso que sé un montón. ¡Dancer se volvería loco aquí!

También tiene un mapa, pero a diferencia del nuestro, que es de papel, el suyo es electrónico, en forma de panel de cristal suspendido del techo, de alrededor de seis metros de ancho y tres de alto. Es algo sacado de una película futurista. Tiene infinidad de líneas y puntos y áreas trianguladas marcados en diferentes colores.

—Siéntate.

Me dejo caer en una silla detrás de una enorme mesa de piedra frente al mapa. Hay nueve sillas alrededor de la mesa. Me pregunto cuánto tiempo lleva esta sala aquí, cuántos siglos llevan estos tipos —que parecen no morir nunca— sentándose a esta mesa para planificar. Me pregunto qué tipo de cosas les gusta planear. ¿Golpes de Estado? ¿Crisis económicas? ¿Guerras mundiales?

—Entonces Barrons también está vivo —digo para ver si pica.

—Sí.

—Pero ¿qué leches? No sé cuál es vuestro superpoder, pero lo quiero.

—Eso crees.

—No lo creo, lo sé.

—Ni siquiera sabes qué es y aun así lo aceptarías sin haberlo visto.

—¿El hecho de no morir nunca? ¡Pues claro que lo aceptaría!

—Y si tiene un precio.

—Tío, estamos hablando de la inmortalidad. ¡Ningún precio es demasiado alto!

Me dedica una leve sonrisa.

—Vuélvemelo a preguntar cuando seas mayor.

—¿Eh? —digo—. ¿En serio? ¿Cuando sea mayor puedo tener lo que sea que tenéis vosotros? ¿A qué edad? ¿A los quince?

—No he dicho que puedas tenerlo, sino que me lo puedes preguntar. Y no, a los quince no.

—Colega, dame un poco de esperanza.

—Acabo de hacerlo.

Le da un golpecito a un botón de un mando a distancia y, de repente, ya no veo Dublín en la cuadrícula. Ha alejado el zoom y ahora veo un mapa de los países de alrededor. Hay puntos en Inglaterra, Escocia, Francia, Alemania, España, Polonia, Rumania y Grecia. Lo aleja aún más y veo dos en Marruecos y uno en Noruega.

Suelto un silbido, horrorizada. Dancer y yo solo trabajábamos a pequeña escala.

—Hay más de un Monstruo de Hielo.

—No necesariamente. Creo que si hubiera más de uno, tendríamos noticias de todo el mundo y no es así. Hasta ahora, está confinado en esta región.

—Necesito muestras de Faery y del primer lugar que congeló en el Chester's.

—Explícate.

—Dancer y yo revisamos todas las pruebas. Hay hierro en todas las bolsas y...

—No.

—No me has dejado terminar.

—No me hace falta. El hierro no tiene nada que ver con esto.

—¿Y eso cómo lo sabes?

—Porque no hay ni una sola gota de hierro en ningún lugar dentro ni cerca del Chester's.

—Bueno, ¿de qué diantre está construido este lugar?

—Eso es irrelevante. Además —añade—, si anduviera detrás del hierro, se hubiera llevado las jaulas del castillo de Dublín y no lo hizo. Congeló el lugar y desapareció. Hemos estado estudiando el mapa y las escenas durante semanas. No hay ningún patrón, nada en común. Puse a mi mejor hombre a trabajar en eso, un profesional a la hora de encontrar piezas clave, y no encuentra el punto de inicio siquiera: no ve ningún orden en este caos.

—¿Quién es tu profesional? —Quiero hablar con él. Me fascina la teoría de los puntos clave. Si sabes por dónde empezar a tirar las fichas de un dominó, ¡eres dueño del dominó! Por supuesto, Ryodan tampoco responde a esa pregunta, así que le cuento la teoría de Dancer acerca del agua salada y las ballenas, y de que quizás le atrae algo porque está buscando otra cosa.

—Es posible, pero no el hierro.

—Tus hombres han estado alojando *faeries* unos cuantos miles de años, ¿verdad? Esa es la única razón por la que en este lugar no hay hierro.

—Hay otras cosas a las que no les gusta el hierro. No solo

a los *faes*. Una persona inteligente podría descubrir que faltan un montón de cosas en el Chester's. —Una débil sonrisa se asoma a sus labios y tengo la impresión de que me está desafiando a descubrir algo.

—Tío, si me quedo aquí encerrada el tiempo suficiente, lo descubriré. —Señalo el mapa—. Enséñame Dublín otra vez. —Reinicia el mapa y le digo—: Necesito el mando a distancia.

Él teclea algunos números —seguramente para bloquear algunos sistemas— y luego me lo entrega.

—Déjame mirar el mapa un rato.

Se va y cierra la puerta tras él.

Horas más tarde sigo mirando sin llegar a ninguna revelación, cuando comienzo a oler el aroma más asombroso del mundo. Intento concentrarme en el mapa, pero no puedo. Me meto una barrita de chocolate en la boca y me sabe a poliestireno. No he olido carne recién hecha en más tiempo del que puedo recordar. Nunca la comí en la abadía, de hecho. En algún lugar del Chester's, hay algún consentido dándose un festín. Se me llena la boca de saliva. Me deslizo por la silla, echo la cabeza hacia atrás e inhalo muy profunda y lentamente mientras me relamo, fingiendo que soy la afortunada destinataria. ¡Huele a todo tipo de especias! Creo que sea cual sea el tipo de carne, va acompañada de puré de patatas y algún tipo de verdura. Huele a ajo, sal y pimienta, manteca. Huele a cebollas, orégano y romero. Al pensar en este tipo de comida, me entran ganas de llorar. Estoy más que harta de barritas de chocolate, de proteínas y de cosas enlatadas. Me apetece tanto una comida casera que ni siquiera las Pop-Tarts me encandilan como antes.

Cuando se abre la puerta y aparece Lor empujando un carrito como los que ves en los hoteles para el servicio de habitaciones, me quedo ahí inmóvil, lo miro y pienso: ¿Será una nueva manera de torturarme? No muevo ni un músculo. Paso de quedar como una idiota. Seguramente Ryodan esté de camino para comérselo todo delante de mí, solo para hacerme sufrir.

Lor detiene el carro a un par de centímetros de las puntas de mis zapatos. Tengo que aferrarme a los brazos de la silla para no pegar un brinco y atacar lo que sea que haya en esos platos cubiertos.

—El jefe dice que comas.

Levanta la tapa de la bandeja más grande y ahí está la carne que crepita aún como si acabara de salir de la parrilla y su acompañamiento que consiste en puré de patatas y verduras variadas. Hay un cuenco con pan caliente recién salido del horno. ¡Y mantequilla! Casi muero de la emoción. Es todo de verdad y hasta me ha traído una jarra de leche. Es la vista más hermosa que he visto jamás. Miro mientras contengo la respiración.

—Estás escuálida —añade.

—¿Eso es para mí? —digo con asombro. Sigo sin moverme. Tiene que ser un truco. La carne es un entrecot con sus vetas de grasa perfectas. Es grueso y tiene las marcas de la parrilla; parece que lo hayan cocinado a la perfección. Solo lo he comido dos veces en mi vida. Una vez cuando mamá se prometió —no funcionó, el tío la dejó, como hacían todos al final— y otra cuando consiguió un trabajo nuevo que pensaba que nos sacaría de Irlanda para siempre si ahorraba todo lo que ganara durante tres años. La despidieron al cabo de un mes y se pasó semanas de llorera cada noche. Creo que pensó que si podía sacarnos de Irlanda, todo sería más fácil. Sé que otras familias *sidhe-seer* escaparon. La de Mac, por ejemplo.

Lor asiente.

Me levanto de la silla y me lanzó sobre el carrito a cámara rápida.

—Niña, cálmate. Será mejor que lo saborees.

Me tiemblan las manos al coger el tenedor. Voy derecha al entrecot y pincho un trozo grande. El primer bocado me explota en la boca con su jugo de carne que es pura perfección. Me dejo caer en la silla y cierro los ojos, mastico lentamente, con cuidado para notar todos los sabores. Tomo un poco del esponjoso puré de patatas y es como estar en el paraíso. El pan está tierno y caliente por dentro, crujiente por fuera. Hasta le han espolvoreado un poco de romero, igual como lo hacía mi madre. Me pregunto quién cocina por aquí y dónde está la cocina. Como la encuentre, voy a arrasarla. Unto mantequilla en el pan, que me zampo a lametazo limpio, y luego me unto más. Le doy un buen trago a la leche fría. Me obligo a contar hasta cinco entre cada trago y bocado. Entonces caigo en la cuenta de que nunca he visto comer a Ryodan. Tal vez coma como un cerdo en privado. ¡Quizá zampe entrecots y leche todos los días!

—La nieve se está acumulando y la temperatura baja cada vez más —dice Lor—. La gente hace colas que llegan a cinco manzanas en un intento de entrar. Los generadores y el combustible escasean y muchos mueren congelados. Es junio en Dublín. ¿Quién lo diría?

Mastico reverentemente mientras lo escucho y miro hacia la nada.

—Quizás no vaya tras un elemento como el hierro. Tal vez busque una sensación. Quizás había alguien follando en cada escena o comiendo o luchando o rezando o... algo.

—No tiene sentido. No había vida en el campanario.

Ya lo sabía, solo que durante un segundo se me olvidó.

—Así que volvemos a lo inanimado.

—Eso parece.

La comida se me acaba demasiado pronto. Tengo un sabor de boca increíble, el mejor que he tenido jamás. No volveré a comer otra vez hasta que sea absolutamente necesario y no pienso cepillarme los dientes durante un tiempo. Quiero deleitarme en el residuo que me haya quedado en las papilas gustativas hasta que no quede nada. Puede que nunca vuelva a comer este tipo de comida. Tras recoger hasta la última gota de salsa y jugo de carne con lo que me quedaba de pan, Lor coge el carro y se va.

Casi podría desmayarme por esta comida tan deliciosa. Digerirla me atonta un rato y me tiendo en el suelo, mirando hacia arriba, hacia el mapa.

No puedo sacarme de encima la sensación de que aún no veo el panorama completo. Estoy ahí tumbada, contemplando un mapa enorme y sé que hay algo en esas escenas que estoy pasando por alto o que interpreto mal. Puedo sentirlo. Al igual que Dancer, tengo corazonadas y las escucho con atención. Cuando era pequeña solía pasarme que no podía concentrarme a causa de todas las cosas que oía a mi alrededor. Cuando Ro me acogió, me enseñó a bloquear los oídos, a silenciar el ruido y a concentrarme. La vieja bruja me enseñó cosas buenas, pero nunca compensarán todas las maldades que hizo.

Me saco los tapones para los oídos de la mochila. Dancer me los hizo con una clase de material que absorbe el ruido mejor que los tapones normales. Me los pongo, me desconecto del mundo y comienzo a clasificar los hechos que conozco.

Uno: no va tras el hierro. No hay nada de hierro en el Chester's. Necesito llevarle esa información a Dancer cuanto antes.

Dos: no va tras la fuerza vital porque en una de las escenas no había formas de vida y dudo seriamente que un ratón bastara para atraerle.

Tres: tierra, metal y plástico son los únicos elementos físicos que todas las escenas tenían en común.

Empiezo a reconstruir mentalmente todas las escenas que he visitado, las etiqueto y las deposito en uno de los cajones más accesibles del fichero de mi cerebro, junto al lugar donde, a veces, Dancer y yo jugamos al ajedrez sin tablero. Es una parte importante de tu cerebro que debes ejercitar si quieres mantenerte ágil. Ser listo es útil, pero si no eres ágil mentalmente, no llegarás a ninguna parte, sino que te quedarás atascado en tus propios surcos y baches mentales.

En primer lugar está el subclub. Había más de cien humanos y *faes* ocupados en varias actividades sociales y sexuales. Visualizo la habitación en detalle, desde los potros de tortura hasta los sofás, desde la gente follando hasta la banda que estaba tocando en la esquina, la comida sobre la mesa, los tapices y los espejos en las paredes. Busco algo en el club que pueda divisar fácilmente en cada una de las otras escenas. Quizás vaya tras los tapices o un determinado espejo. Parece una tontería, sí, pero ¿quién sabe qué puede atraer a una criatura como esa? Quizás lo hechizaron y necesita algún objeto *fae* sagrado para liberarse. Con los *faes* nunca se sabe.

Luego está el almacén que se congeló, que estaba lleno de *unseelies* únicamente y a rebosar de cajones y cajas con armas. ¿Qué había en ese lugar que también estuviera en el club? No había tapices ni espejos a la vista, pero quizás hubiera alguno en un cajón en alguna parte detrás de todo ese equipo de audio y los demás aparatos electrónicos.

Luego están los dos pubs subterráneos con las cosas usuales: barras de madera, botellas, bebidas, taburetes, un enorme espejo detrás de la barra, gente que baila, algunos juegan al billar en una esquina o a los dardos en la otra. La madera podría proceder de cualquier objeto: los taburetes, la barra, los cuadros enmarcados en las paredes, el suelo mismo. El plástico también podría ser de cualquier cosa: tapones de botellas, sillas, platos, teléfonos... La lista es interminable.

En el gimnasio, había tres personas en un edificio lleno de cintas y máquinas elípticas y toda clase de bancos de pesas y unos veinte de esos cuencos tibetanos de cristal para meditar. Supongo que la madera en esa escena estaba en los marcos del edificio mismo. Regreso y empiezo a desmontar mentalmente la estructura de cada escena para poder añadir todas esas cosas a la mezcla.

—Esto es imposible —murmuro. Es peor que buscar una aguja en un pajar. Estoy buscando una docena de agujas en docenas de pajares diferentes que ya ni siquiera están ahí porque todos han explotado. Por lo que sé, hasta podría ir tras un vasito de plástico. ¿Tienen vasitos de plástico en Marruecos?

Reviso el resto de las escenas y me doy cuenta de que necesito más información de los accidentes que hubo mientras yo no estaba ahí para visualizar las escenas. Puede que Ryodan tenga un centro de operaciones envidiable, pero Dancer ya tiene listas hechas.

Lástima que me tengan encerrada.

Miro la puerta. No recuerdo haber oído a Lor cerrarla con llave. A Lor le gusta agitar y remover las cosas, mantenerlas activas.

Me desplazo hacia ella, giro el pomo y sonrío.

—Dani, no creo que esta sea una buena idea —dice Jo.

—Me ha dicho que no podía salir sin alguien de los suyos. Cuando te oigo hablar, entiendo que tú y él sois uña y carne. Eso te convierte en una de los suyos. ¿Lo eres o no? Porque, para mí, si el tío se acuesta contigo todos los días y no te considera una de los suyos, no solo te está jodiendo, sino que eres imbécil. —No me gusta nada manipular a Jo. Cuando su corazón está tan comprometido, es demasiado fácil. Y tiene el corazón colgando de las manos de Ryodan—. Colega, ¿has salido afuera últimamente? —la presiono. Tenemos que irnos ya. He tardado veinte minutos en encontrar el camino de vuelta a la parte principal del Chester's desde su centro de operaciones. Tengo el mal presentimiento de que Ryodan no piensa dejarme allí sola demasiado tiempo, con todos esos ordenadores. Yo no lo haría. Si estuviera encerrada allí mucho rato, eso es lo que estaría toqueteando en este momento, tratando de piratear sus sistemas—. El mundo se está cayendo a trozos. ¡La gente está muriendo! Solo quiero hacer un recado rápido y ya está. Un recadito de nada. No tardaremos mucho, en serio.

—Primero iré a preguntarle si le parece bien.

—¿Sabes dónde está? Porque yo hace horas que no le veo. ¿No es ya por la mañana? ¿Ya ha subido esas escaleras? ¿Aún te llama de esa manera para echar un polvete sobre el escritorio o te ha ascendido y ahora lo hacéis en una cama? ¿Tiene alguna especie de sistema de rangos que va por méritos? Si duras una semana completa, lo haces en una silla y si duras dos…

—Ahora solo estás siendo cruel —dice—. Basta ya.

—Era un decir. Me gustaría verte en un romance real, Jo. Te lo mereces. Eres la chica más bonita de este lugar y a todos les encantaría tener una cita contigo. ¿Sabes que se zampa entrecots, leche y pan y esas cosas? Hoy he comido a lo grande. ¿A ti también te da de comer así?

Intenta esconder su sorpresa, pero no lo consigue.

—¿Ya no está enfadado contigo?

—Pues no me lo parece.

—¿Entrecot?

Me relamo, saboreándolo.

—Del bueno.

—¿Leche?

—Ya te digo. —Asiento—. Mira, lo único que quiero hacer es ir a ver a Dancer y coger las listas.

—¿En serio te ha dado carne y leche?

Me reiría, pero es algo triste. Nos morimos por una comida casera como Dios manda. Cuando la primavera empezó a verdear los alrededores de la abadía, las chicas comenzaron a hablar sobre volver a cultivar verduras. Todos los alimentos se habían terminado al mes de la caída de los muros. Si quieres hornear algo, tienes que activar un generador para encender el horno. O bien tener una instalación parecida a la que Ryodan tiene aquí en el Chester's e incluso en este caso, solo puedes hornear cosas que no requieran mantequilla, leche o huevos. A Jo le mosquea tanto que me haya dado buena comida como el hecho de que no haya romanticismo en su relación.

—Llamaría y le pediría a Dancer que me las enviara con un mensajero, pero no hay ni teléfonos ni mensajeros. ¿Podemos ir y ya está? Regresaremos antes de que alguien sepa que nos hemos ido. Si Ryodan y tú realmente sois «algo», no te hará pasar un mal rato, ¿no? Sabrá apreciar a una mujer con un poco de coraje e independencia. —Sí, claro. Ryodan desprecia el coraje y la independencia. Le gustan los autómatas buenos y obedientes.

—¿Te ha dado algo más?

Si yo me acostara con alguien y esa persona le ofreciera a otra una comida increíble, estaría cabreada como una mona. La intimidad debería otorgarte privilegios o eso creo yo. Si no lo hace, no es más que una intimidad de boquilla, como la peña que en televisión está siempre cambiando de pareja y haciéndose daño los unos a los otros.

—Fresas y helado —miento.

—¿Helado? ¿En serio? ¿De qué tipo?

Está cayendo aguanieve cuando salimos. Los coches abandonados brillan con una capa de hielo y los árboles esqueléticos resplandecen como si estuvieran cubiertos de diamantes. Las ventiscas se suceden y la nieve se amontona. Hay mucha gente fuera del Chester's, pero es un grupo sombrío y callado y me doy cuenta de que no son personas con ganas de fiesta que quieren entrar, sino personas que tratan de sobrevivir. Supongo que a todos los fiesteros ya se les ha permitido entrar. Estos van envueltos en mantas, con gorros bien calados, que llevan orejeras y guantes. Seguro que no tienen generadores en casa y este clima, que se ha vuelto peligrosamente frío, los ha hecho salir a la calle en busca de una fuente de calor antes de que sea demasiado tarde.

Jo y yo miramos a la gente al pasar.

—Déjennos entrar —dicen—. Solo queremos entrar en calor.

Se nota que hay calor en el club, y mucho, porque en la zona que cubre el Chester's no hay nieve. La acera es un techo que no está bien aislado y el calor que irradia hacia arriba derrite la nieve. Ese signo evidente de calor basta para tener a la gente ahí deseando, esperando, entrar.

Hay gente mayor que no tiene nada que cambiar por comida, bebida o por el privilegio de pasar el rato en el Chester's. Los gorilas, grandes y musculosos, que Ryodan tiene fuera del club no los dejan pasar, y un grupo se ha desplazado hasta las ruinas de piedra y madera sin acumulaciones de nieve, que solían ser la parte superior del club. Han hecho hogueras dentro de unos bidones. Han reunido madera de los edificios aledaños y la han amontonado. Es como si pensaran quedarse una buena temporada; hasta que consigan entrar, por ejemplo. Parecen demasiado exhaustos para pelear. Un grupo ha empezado a cantar *Amazing Grace*. Al poco, cincuenta voces se unen al cántico.

—Quizás puedas hacer que tu «novio» entre en razón y deje entrar a esta gente —digo.

—Lo haré —dice ella—. O podríamos llevarlos en autobús a la abadía, ¿no?

—¿Y qué me dices de NosImportas? ¿Acaso no les importa una mierda? ¿No se supone que dan generadores a diestro y siniestro?

—Aunque así fuera —dice Jo—, algunas de estas personas son demasiado mayores para salir a buscar el combustible suficiente para mantenerlo en funcionamiento. Has estado fuera varias semanas y las cosas han cambiado mucho en ese tiempo. La gente solo habla del clima. Sobrevivir al último invierno no fue tan duro porque las tiendas todavía estaban llenas y las noches no eran tan, tan frías. Pero los suministros se han acabado. Nadie esperaba que el invierno llegara en junio. Todos los generadores han desaparecido. La gente está cambiando. Se pelean los unos con los otros para sobrevivir. Necesitamos un verano largo y caluroso que nos dé el tiempo suficiente para cultivar y recolectar comida antes de que vuelva el invierno. Tenemos que salir y conseguir provisiones en otros lugares.

—Van a morir, Jo. Si no detenemos al rey Escarcha, perderemos la otra mitad de nuestro mundo. —Echo la vista atrás y miro la multitud acurrucada alrededor de las latas de fuego encima del Chester's. Una madre ayuda a sus hijos a acercarse a uno de los barriles para que puedan frotarse las manos sobre las llamas. Unos ancianos, que parecen demasiado frágiles para abrirse paso entre el hielo y la nieve, observan a los niños con ojos cansados que han visto tres cuartos de siglo de cambios, pero nunca nada como lo que ha estado sucediendo desde el último Halloween. Unos hombres, que parecen haber sido oficinistas antes de que los muros cayeran, vigilan el perímetro y rodean a las mujeres, los niños y la gente mayor. Ahora son todos desplazados, expatriados. No tienen trabajo, nómina ni ninguna de las reglas según las cuales solían vivir. Parecen exhaustos. Desesperados. Eso me mata. Tienen que regirse por una canción nueva, otro himno. La gente necesita fe en momentos como este y no puedes darle fe a nadie: o la tienen o no la tienen. Sin embargo, seguramente sí puedas intentar darles esperanza.

Ella me mira, desolada.

—Si alguna vez hubo un momento para que nos deslumbraras con tu genialidad, es ahora.

—Estoy trabajando en ello, pero necesito material. Vamos. Volveremos antes de que alguien note que nos hemos ido.

Nos giramos y comenzamos a caminar por la calle. Voy a tener que dejarla en la superficie porque no pienso revelarle ninguno de los secretos subterráneos de Dublín. No obstante, la llevaré tan cerca como pueda y la dejaré en algún lugar protegido. La nieve cruje bajo mis botas un par de veces mientras me hundo a través de la nieve, luego hielo, nieve y hielo otra vez. Oigo a Jo atravesar tres capas porque pesa más que yo. El cielo está blanco y caen unos gruesos copos arremolinados en un despliegue vertiginoso, si los sigues con la mirada demasiado rato. Se derriten sobre mi rostro, la única parte de mí que está expuesta. Asaltamos el guardarropa del Chester's antes de salir, nos hemos acolchado con varias capas y nos hemos puesto gorros, guantes y botas. Si este clima se mantiene, podríamos terminar con tres metros de hielo y ventisca en el próximo día o dos, lo que cerraría la ciudad completamente. La gente que no ha pensado en salir en busca de calor, se congelará, atrapada por la nieve en sus escondites. Si el sol no comienza a brillar pronto, la nieve no se derretirá nunca. Simplemente seguirá apilándose. El tiempo es más extremo a cada día que pasa. ¡No puedo creer que perdiera casi un mes entero en la Mansión Blanca con Christian! Hablando de lo cual, miro alrededor con cautela, revisando todas las azoteas, para asegurarme de que la bruja no esté sentada en una de ellas, tejiendo, o peor aún, a punto de lanzarse sobre nosotras. La puta zorra destripadora me pone los pelos de punta. Me estremezco.

—Tenemos que desplazarnos, Jo. Cógeme de la mano.

Me mira como si estuviera desquiciada.

—¡Que te lo crees tú! Y menos aún sobre el hielo. La mitad de tu cara es un moretón y la otra mitad se está recuperando de otro. ¿Te has visto en el espejo últimamente?

—Eso no es porque sea descuidada al desplazarme. Es por tu amiguito Ryodan de los cojones.

—Ryodan de los cojones te romperá las dos piernas como des un paso más —anuncia Ryodan justo detrás de nosotras.

Me vuelvo rápidamente hacia él.

—¿Por qué me sigues como un acosador?

—Porque tú me obligas.

—¿Y cómo me encuentras? —¿Tengo unos intermitentes en la frente que le envían una señal directamente a él cada vez que desobedezco una orden? Me niego a creer que desde que me mordió pueda rastrearme a donde sea que yo vaya. La mera idea me ahoga. Está mal y es injusto.

—Volved adentro. Ahora.

—No me encontraste en la Mansión Blanca. —Se me enciende una bombilla en la cabeza. He estado ocupada con otras preocupaciones, si no, se me habría ocurrido antes—. ¡No puedes rastrearme en Faery! —Por eso estaba tan enojado. Casi doy un puñetazo al aire de lo feliz que soy. Ya tengo una zona segura. Si alguna vez necesito ocultarme de él, Faery es el lugar al que iré—. Y tú eres el que siempre me obliga a hacer cosas que hacen que tenga que hacer otras co-

e. No puedes simplemente suspender a la gente en el aire
ndo a ti te venga en gana.

Me suelta tan bruscamente que tropiezo sobre el hielo y
 me caigo, pero me coge en el último momento y me ende-
 otra vez. Sacudo el brazo para zafarme de él.

—No hace falta que haya amor —dice Jo—. Algunas veces,
sa no va de eso.

—¡Entonces no deberías estar acostándote con él!

—Con quién me acuesto es asunto mío —dice Jo.

—Yo no me «acuesto» con nadie. Yo follo —dice Ryodan.

—Gracias por esa aclaración tan necesaria —le espeto, ai-
—. ¿Oyes eso, Jo? Te está follando, ni siquiera tiene la
ncia de acostarse contigo. Es follar, simple y llanamente.
 rabia me nubla la vista. La gente de las hogueras canta
 alto que me resulta difícil pensar con claridad. Quiero a
cer. Ryodan me vuelve loca. Jo es un caso perdido. Dublín
 muriendo.

No lo soporto más, así que le doy un puñetazo a Ryodan en
ariz.

Todos nos quedamos inmóviles un segundo y ni siquiera
uedo creer lo que acabo de hacer. He atizado a Ryodan sin
io aviso ni provocación real. Al menos, no más de la habi-
.

Entonces Ryodan me agarra del brazo y empieza a arras-
me de vuelta al Chester's, más cabreado que nunca. De re-
te, Jo me agarra del otro, en un intento de detenerlo, mien-
 nos grita a los dos. Resbalo, patino sobre el hielo e intento
:ármelos de encima.

Avanzamos a trompicones a través de los montones de
e, peleando los unos con los otros, cuando, de golpe, el día
one neblinoso y dejo de oír los sonidos que estamos ha-
do. Muevo la boca pero no sale nada. Tampoco oigo a la
te de los barriles. Ni siquiera me oigo respirar. El pánico se
dera de mí y me oprime el pecho.

Ryodan y yo nos miramos el uno al otro y vivimos un mo-
ito de perfecta comunión como los que Dancer y yo tene-
 a veces. No nos hacen falta palabras. Estamos hechos del
mo material. En la batalla no hay otra persona con quien
siera estar. Ni siquiera Christian o Dancer.

sas que no son las que quieres que haga. No es mi culpa. Son
las reacciones que tú provocas.

—Ese es tu primer error. Aprende a reaccionar, niña.

—Ya lo hago. Intento hacer algo por nuestros problemas.

—Y tú, Jo —dice suavemente—. Deberías haber tenido
algo más de juicio.

—A ella no la metas —digo.

—Te ha ayudado a desobedecerme.

—No lo ha hecho porque, en realidad, no te he desobede-
cido. Me has dicho que podía salir con uno de «los tuyos». Estás acostándote con ella todos los días y si eso no la hace una de
los tuyos entonces tendrás que dejar de acostarte con ella. O lo
es o no lo es, y no pueden ser las dos opciones. No tienes la
oportunidad de follarte a la gente y luego pasar de ella. Así
que, dime, ¿es Jo una de los tuyos o un trozo de carne más en
tu interminable lista?

—Dani, basta —me advierte Jo.

—Y una mierda. No, no me voy a detener. —Estoy tan
enfadada que tiemblo—. ¡Él no te merece y tú mereces algo
mucho mejor! —No ayuda que detrás de Ryodan los de los
bidones de fuego hayan cambiado de canción una vez más y
ahora estén entonando una conmovedora interpretación de
Hail Glorious Saint Patrick aplaudiendo y golpeando los bidones con trozos de madera, con todo ese bullicio. Cuánto
más fuerte cantan, más se me calienta el ánimo—. Siempre
presiona a los que lo rodean, pero nadie le para los pies y ya
va siendo hora. O le importas o no le importas. Punto. Tiene
que decantarse por una de las dos opciones y quiero saber
cuál es.

—Ella importa —dice Ryodan.

Jo parece pasmada.

Eso me cabrea aún más. Vuelve a tener esa expresión soñadora y enamorada. Cualquiera se da cuenta de que ella no
es su tipo.

—Mentiroso. ¡No te importa!

—Dani, cállate ya —dice Jo.

Lo conozco. Sé cómo me engañó. Sé que es rizar el rizo.
Claro que es importante, pero no ha dicho «para mí». Importa
para el club, por razones económicas, porque es una camarera.

—¿Te importa en plan emocional? ¿La quieres?

—Dani, ¡que te calles! —exclama Jo, horrorizada. A Ryo-dan le dice—: No le respondas. Lo siento. No le hagas caso. Esto es muy vergonzoso.

—Respóndeme —le pido a Ryodan. Los de los cánticos se lo están pasando fenomenal bailando y cantando. Casi tengo que gritar para que me oigan, pero así está bien. Tengo ganas de gritar.

—¡Me cago en la puta! —brama Ryodan mirándoles de soslayo—. ¿No pueden irse a cantar a otro sitio?

—Quieren entrar —digo—. Se morirán en la puerta de tu garito porque eres demasiado gilipollas para salvarlos.

—El mundo no es responsabilidad mía.

—Obviamente. —Pongo todo el odio y asco de que soy capaz en esa única palabra.

—Quería ir a ver a Dancer —le explica Jo—. Creo que es importante. Algunas veces tienes que confiar en ella.

—¿La amas? —presiono.

Jo solloza como si fuera a morir de vergüenza.

—Dani, cállate ya, por el amor de Dios.

Espero que se burle de mí, que diga algo ofensivo, que me lance un insulto, pero solo dice:

—Define amor.

Miro directamente a esos ojos claros y fríos, y reparo en su expresión de desafío. No entiendo a este tío. Sin embargo, la definición que me pide es fácil porque tuve un montón de tiempo en una jaula para pensar en eso. De hecho, una vez vi un programa de televisión que daba la definición perfecta y es la que digo ahora.

—Amar es cuidar y preocuparse de forma activa por la salud y el bienestar del cuerpo y el corazón de otra persona. Activamente. No pasivamente. —En resumidas cuentas, acordarte de esa persona todo el tiempo. No olvidarte nunca de ella y tener en cuenta su existencia a cada hora de cada día, independientemente de lo que estés haciendo. Y nunca dejarla encerrada en algún lugar para que se muera, claro.

—Piensa en lo que eso implica —me dice—. Dar comida y techo. Proteger a esa persona de los enemigos y darle un lugar para descansar y sanar.

—Te has olvidado de la parte del corazón, per[o] otra cosa dado que no lo tienes. Lo único que tien[e] Ah, y más reglas.

Jo dice:

—Dani, ¿no podemos...?

Ryodan la interrumpe.

—Esas reglas mantienen viva a la gente.

Jo lo intenta otra vez.

—Mirad, chicos, creo que...

—Esas reglas estrangulan a la gente que ne[cesita] —replico yo, cortándola también. Nadie la está [...] todos modos.

De repente, él me agarra por las solapas de [...] me levanta del suelo. Los pies me cuelgan y [...] roza la mía.

—Según tu propia definición —continúa— amas a nadie. Se podría argumentar que solo [...] esas tres cosas con la gente más cercana a ti: lo[s] tus enemigos, matas a la gente a la que aman o [...] los maten. Cuidado. Estás en la cuerda floja n[...] niña.

—¿Por qué? ¿Porque te pregunto si amas a [...] fríamente, como si no estuviera colgando, in[...] manos. Como si no acabara de darme un malv[...]

—No es asunto tuyo, Dani —dice Jo—. P[...] mí...

—Deja de mirarte el culo y fíjate en el mu[ndo] —dice Ryodan.

—¿Que no me fijo en el mundo? —digo— que la mayoría de la gente y lo sabes. Bájame [...]

—... misma perfectamente. —Ahora Jo ta[...] breada.

—Y por eso estás más ciega que la mayorí[a...] dan.

—Eso no tiene sentido. Todavía estoy aquí[...] —Intento tocar el suelo con la punta de los pi[es...] todavía estoy a unos cuantos centímetros.

—Los árboles no te dejan ver el bosque.

—No hay bosque porque las Sombras lo [...]

Agarro a Ryodan y él me agarra a mí, y entre los dos protegemos a Jo, que está en medio.

Salimos de ahí desplazándonos como alma que lleva el diablo.

O, más exactamente, el rey Escarcha.

TREINTA Y CINCO

«she blinded me with science»
('Ella me cegó con la ciencia')

Como si estuviéramos encadenados juntos, Ryodan y yo nos detenemos aproximadamente a medio camino de la manzana. Avanzamos lo suficiente para escapar del peligro, pero permaneceremos lo suficientemente cerca para poder ver el Chester's.

Cuando echamos una mirada hacia atrás, ya es demasiado tarde. La temperatura aquí, donde nos hemos detenido, acaba de caer unos treinta grados por lo menos. El rey Escarcha está desapareciendo por una hendidura en el aire a unos noventa metros de distancia. Se aspira toda la niebla, la mancha oscura vuelve a un portal, la hendidura se desvanece y el ruido regresa al mundo.

Más o menos. Jo está llorando, pero suena como si estuviera haciéndolo dentro de una bolsa de papel bajo un montón de mantas.

Un día, en el campo que hay cerca de la abadía, una vaca me dio un cabezazo en el estómago porque choqué con ella al desplazarme a su lado, la desperté y se asustó. Ahora me siento de la misma manera: no consigo que me entre aire en los pulmones. Sigo intentando hincharlos, pero están tan planos como unas tortitas pegadas entre sí. Cuando por fin me las arreglo para respirar, suelto un gran resuello que suena hueco y muy raro, y está tan frío que quema.

Miro la calle con desaliento: todos están muertos. Todos y cada uno de ellos están muertos.

La parte superior del Chester's es una escultura de estatuas congeladas rodeada de hielo y silencio.

—¡Mierda, no! —exploto, sollozando al mismo tiempo.

Donde, hasta hace un momento, la gente hablaba y cantaba preocupándose y planificando cosas, viviendo, en definitiva, ya no queda una gota de vida. Todos los hombres, mujeres y niños que nos rodeaban están muertos.

La raza humana se ha reducido en otros pocos cientos.

Rey Escarcha: 25.

Humanos: 0.

Dublín será un puto pueblo fantasma como esto siga así.

Me quedo mirando. Bultos, montones y pilares blancos; la gente está cubierta de escarcha y glaseada bajo una gruesa capa de hielo brillante. Les cuelgan carámbanos de las manos y los codos. Sus respiraciones son ahora columnas heladas con cristales esmerilados en el aire. El frío que irradia la escena es doloroso, incluso desde aquí, como si parte de Dublín acabara de sumergirse en el espacio exterior. Los niños están congelados, acurrucados alrededor de los bidones de fuego, y se calientan las manos sobre ellos. Los adultos se han quedado helados abrazados los unos a los otros, algunos están tambaleándose y otros aplauden. Está todo silencioso, demasiado silencioso. Es inquietante. Es como si toda la escena estuviera aislada y se absorbiera todo el ruido.

A mi lado, Jo llora sin apenas hacer ruido. Es el único sonido en la noche, ¡joder, suena como si fuera el único ruido en el mundo entero! Ya me imaginaba que lloraría de esta forma tan elegante. Yo lloriqueo como un perro mocoso y me sorbo la nariz ruidosamente, no con pequeños suspiros y maullidos como los de ella. Me quedo ahí en silencio, tiemblo, aprieto los dientes y las manos para no gimotear.

Me retiro como suelo hacer cuando las cosas me superan. Finjo que no hay gente bajo toda esa escarcha y hielo. Me niego a permitir que me afecte lo que sucedió porque el dolor no salvará Dublín. Finjo que son piezas de un rompecabezas, pruebas nada más. Son la manera de evitar que vuelva a ocurrir, si puedo interpretar las pistas que han quedado, claro. Más tarde, volverán a ser personas para mí y entonces ya les haré una especie de monumento u homenaje.

Solamente querían entrar en calor.

—Deberías haber dejado que entraran —digo.

—Conjetura por qué ha venido a este lugar en este momento —dice Ryodan.

—¿Que conjeture? Y una mierda. ¡Tío, tienes el corazón más helado que el de esas personas! Además, es la pregunta del millón de dólares. —No puedo mirarlo. Si les hubiera permitido entrar, no estarían muertos. Si no hubiera perdido el tiempo discutiendo sobre estupideces y tratando de convencerle para que los dejara entrar, no estarían muertos. Me estremezco y me abrocho el botón superior del abrigo, justo por debajo del cuello, y me froto la escarcha de la punta de la nariz—. ¿Nuestras voces te suenan mal?

—Todo suena mal. Toda la calle me da una sensación rara.

—Porque hay algo que va mal —dice Dancer detrás de mí—. Pero que muy mal.

Me doy la vuelta.

—¡Dancer!

Me dedica una breve sonrisa, que no ilumina su rostro como de costumbre. Parece cansado, pálido y tiene unas ojeras enormes.

—Mega. Me alegro de verte. Pensé que ibas a volver. —Mira a Ryodan y luego a mí con aire perplejo.

Inclino la cabeza hacia un lado y me encojo de hombros. Lo último que quiero que haga es que saque a colación que le dije que Ryodan había muerto. Sabe interpretar mi gesto, como siempre. Ya reflexionaremos más adelante sobre cómo leches sobrevivió Ryodan al destripamiento.

—Volvía de…

—No, eso no va así —dice Ryodan—. Ahora vives en el Chester's.

—No.

—Tenía que ir a una parte —dice Dancer—. Y pensé que quizás habías venido por mí, pero no habías visto la nota que te había dejado.

Trato de esbozar una sonrisa que diga lo feliz que estoy de verle, pero me sale algo titubeante.

—Yo también, Mega.

Y entonces me sale una sonrisa como Dios manda, porque siempre estamos en la misma onda.

—Ella vive conmigo —dice Christian desde algún lugar por encima de nosotros—. Soy el único que puede cuidarla.

Miro hacia arriba, pero no lo veo.

—Me cuido a mí misma. No vivo con nadie y tengo mis propias guaridas. ¿Qué estás haciendo ahí arriba?

—Rastreo a la bruja. Intento descubrir la manera de atraparla. Es rápida, pero no se tamiza.

Doy un respingo y miro alrededor con cautela. ¡Lo que nos faltaba!

—¿Está aquí?

—Como hayas traído a esa zorra cerca de mí otra vez… —Ryodan no termina la frase. No hace falta.

—La dejé al sur de la ciudad, tejiendo. Estará ocupada un buen rato.

Oigo un zumbido rápido y repentino e, instintivamente, me agacho como si fuera una liebre sorprendida por un halcón. Creo que el sonido que hacen los cazadores alados está marcado a fuego en el subconsciente *sidhe-seer*. Me cae encima nieve negra.

—¡Christian, ya tienes alas! —Son enormes. Son increíbles. Ya puede volar y estoy tan celosa que casi no puedo soportarlo.

Él inclina la cabeza y me mira. En su rostro no queda nada humano.

—No lo digas como si fuera una vida maravillosa. No has oído el tintineo de una campana, sino el sonido de un demonio, y no un ángel, recién nacido. Y como cualquier otro recién nacido, necesita calostro. —Me mira con una expresión que supongo es una sonrisa—. Ah, y tú, dulce muchacha, eres la leche de la madre.

De repente, es el tío más guapo y buenorro que he visto en la vida, y parpadeo, incrédula. Un metro noventa y cinco de príncipe *unseelie* con pelo negro y piel bronceada, alas gigantescas, aterradores ojos iridiscentes y brillantes tatuajes que se mueven como una tormenta bajo su piel, pero yo veo a un guapo *highlander*. Más o menos. Esto es nuevo. No es un alarde de fuerza orgásmico-letal. Esto es un…

—¡Estás proyectando glamour! —Siento entonces una explosión de erotismo que casi me tira al suelo. Está aprendiendo a controlarse muy deprisa. Demasiado deprisa para mi gusto. Cojo la espada—. ¡Apágalo!

—Lo haré por ti hoy, pero no siempre. Y recuerda quién te devolvió eso, muchacha.

—Como la toques te cortaré las alas y las usaré para barrer el suelo del Chester's —dice Ryodan.

—Claro que la tocaré. Y cuando lo haga, no podrás hacer una mierda para detenerme —dice Christian.

—Nadie va a tocarme —digo yo—, a menos que yo lo diga. No soy propiedad pública.

—¿Qué os pasa a todos? —dice Jo—. Acaba de morir gente delante de nosotros y aquí estáis, discutiendo y...

—Humanos —la interrumpe Christian—. Son unos inútiles, de todos modos. —Mira a Ryodan—. Estás vivo. Lástima. Tenía la esperanza de que la Bbruja te hubiera dado tu merecido.

—Ni lo sueñes.

—Deberías haberlos dejado entrar —le dice Jo a Ryodan—. Entonces no estarían todos muertos.

—No me digas lo que debo hacer —dice Ryodan en un tono suave.

—Tiene razón —le digo—. Tendrías que haberlos dejado entrar. —El destello de dolor en los ojos de Jo me carcome—. Y no te ensañes con ella.

—Cierto, idiota —dice Christian—. Tendrías que haberlos dejado entrar. —Cuando lo miro, se encoge de hombros—. Estoy siendo solidario, muchacha. Es parte de una relación sana.

Pongo los ojos en blanco.

—No tenemos ninguna relación y no necesito tu apoyo.

—Si los hubiera dejado entrar, esa cosa podría haber entrado tras lo que fuera que lo atrajo hacia ellos en primer lugar y haber congelado todo el puto club —dice Ryodan.

Tiene razón, pero no voy a admitirlo.

—No te enfades con ella —repito—. Sé amable con Jo.

—Sé cuidar de mí misma, Dani —replica ella.

—Por difícil que pueda pareceros —empieza Dancer—, tenemos problemas más graves y grandes que sus egos. Oíd, tenemos que hablar. Entremos, que aquí hace un frío del carajo.

Ryodan lo fulmina con la mirada y por la expresión en su

rostro diría que no le gusta lo que ve con su extraña visión de rayos X.

—Cualquier cosa que sepas puedes decirla aquí mismo.

—Qué gilipollas eres —dice Dancer—. De vez en cuando tengo la breve ilusión de que eres más inteligente. Breve.

Jo y Christian miran a Dancer como si creyeran que quiere morir. Me río, pero por lo bajo. Ryodan parece muy molesto y no estoy de humor para que me vuelva a cargar sobre su hombro como un saco de patatas. Quiero oír lo que sabe Dancer porque, para que me busque, tiene que ser importante. Miro hacia atrás a la escena congelada y dejo de reír. Pensar en todas esas personas muertas me revuelve el estómago. Murieron en un segundo y sin motivo. La muerte ya es bastante mala de por sí; morir por nada es como poner sal a la herida.

Miro la escultura de hielo. La prueba está fresquísima de lo reciente que es. La mañana en que todos esos *unseelies* acabaron congelados en el castillo de Dublín no llegué a examinar la escena. Quiero acercarme tanto como pueda hoy, sin desplazarme porque aquella noche en la iglesia cuando acabé a cámara lenta y estuve a punto de morir, parecía que podía percibir mejor las cosas.

Me muevo por la calle, sabiendo que me seguirán: Dancer porque quiere decirme cosas; Jo porque es... bueno, Jo; Ryodan y Christian porque sienten una especie de territorialidad sobre mí, como si fuera un cochazo del que ambos son propietarios. Están tan engañados que casi me parto de la risa.

Afino mis sentidos *sidhe-seer*. Me abruma un sentimiento raro... hay algo que va mal. Es como si a las cosas congeladas les faltara un ingrediente esencial, como si ya no fueran tridimensionales, sino recortes de cartón en plena calle.

—Habla, niñato —le dice Ryodan a Dancer.

Sé que a Dancer le cabrea que se dirija a él de ese modo.

—Después de que te fueras, Mega, me quedé sentado allí durante horas, mirando. Sabía que me faltaba algo, que no examinaba bien las cosas. Empecé a pensar en cómo llegué a Dublín el pasado otoño para visitar el Trinity College y ver qué me parecía su departamento de Física. Quería saber si me gustaban los profesores y los laboratorios; si tenían equipo lo bastante bueno para el tipo de investigación en que pensaba especializarme. Bueno, eso ya no importa, ahora es solo un entretenimiento. Nunca llegué a visitar el lugar porque a los dos días de llegar cayeron los muros e ir a la universidad dejó de ser importante.

—Por el amor de Dios, crees que me importa quién eres —dice Ryodan.

—El tío este es tan gilipollas como dices, Mega —dice Dancer.

Me detengo a unos cinco metros de la gente congelada y miro alrededor. Jo y Dancer se han parado a unos tres metros y están temblando. Ryodan y Christian me flanquean. Estoy bastante segura de que Ryodan podría ir más lejos que cualquiera de nosotros, pero no lo hace. Cuando exhalo, se me congela el aliento en el aire. Me duelen los huesos del frío y me arden los pulmones. No puedo dar un paso más sin desplazarme. Me estremezco, tratando de asimilarlo todo. ¿Qué elemento está presente en esta escena que también estaba en todas las escenas que fueron congeladas? La respuesta está justo aquí, delante de mis narices, si es que puedo dejarme de ideas preconcebidas y verlo.

Hay madera, plástico, metal y tierra por todas partes, pero sé que no es tan simple.

No hay espejos. No hay tapices. No hay paredes. No hay alfombra. No hay muebles reales de ninguna clase. No hay *unseelies*. Es una escena bastante simple, en realidad. Gente acurrucada alrededor de bidones con fuego dentro para mantenerse calientes. ¿Había fuego en las otras escenas? Al igual que a la horrenda Mujer Gris le atrae la única cosa sin la que fue creada, la belleza, ¿se sentirá atraído el Monstruo de Hielo por el calor que nunca podrá tener?

—¿Así que finalmente fuiste a la universidad? —le pregunto.

—Sí. Fui al laboratorio de análisis óptico. Ese sitio es la caña. Quería saber qué les sucedía a las cosas que se congelaron a nivel molecular y por qué todavía estaban frías; por qué teníamos esa sensación tan rara.

Contemplo y descarto la teoría del fuego rápidamente. Se me ocurren cinco escenas en las que no había fuego presente. Escarbo entre mis recuerdos, busco el archivo donde puse las imágenes reconstruidas de las escenas y las pego en una pantalla imaginaria. Las examino mientras escucho; voy hacia delante y hacia atrás, dividiéndolas, analizándolas.

—¿Y qué te encontraste?

—El Trinity estaba más o menos intacto. Parece que la gente no roba cosas que no responden a sus necesidades más inmediatas. Cerré con candado todo lo que quería guardar para mí antes de irme. ¡Tienen sistemas láser de femtosegundo ultrarrápidos! La configuración es increíble. Casi todo aquello con lo que siempre quise jugar está allí. ¡Tía, tienen un FT-IR conectado a un microscopio infrarrojo Nicolet Continuum!

—Joder —digo con admiración, aunque no tengo ni pajolera idea de lo que acaba de decir. Vuelvo a mirar más allá de mi pantalla mental hacia la escena que tengo delante y me pregunto si esta gente también lo vio venir, como muchos de los demás. Deben de haberlo visto. Debajo del hielo veo que tienen las bocas abiertas y los rostros desencajados. Al final estaban gritando. En silencio, pero gritando igual.

—Si conseguimos llevar los generadores suficientes, no habrá ningún tipo de espectroscopia que no pueda realizar —dice alegremente Dancer.

—¿Qué diablos es una espectroscopia? —dice Christian.

—El estudio de la interacción entre la materia y la energía radiada —dice Dancer—. Quería excitar a las moléculas para poder estudiarlas.

—Qué... excitante —dice Ryodan.

—Pues yo prefiero excitar a las mujeres —dice Christian.

—Sí, sí, a mí también me excita —les espeto—. No os burléis de Dancer. Os da mil patadas a los dos. Tal vez, pueda excitar vuestras moléculas y eliminarlas.

—La excitación —continúa Dancer— se puede conseguir de varias maneras. Me interesaba especialmente la temperatura y la velocidad; la energía cinética de nuestros detritos en las bolsas resellables. Pensé que el estado base de los átomos podría decirme algo.

A un chico que dice cosas como «cinética» y «detritos» hay que quererlo.

—¿Qué es la energía cinética? —dice Jo.

—Todo vibra, todo el tiempo. No hay nada inmóvil. Los

átomos e iones se desvían constantemente de su posición de equilibrio —explica Dancer—. La energía cinética es la energía que un objeto posee debido a su movimiento.

—El sonido es un tipo de energía cinética —digo yo. A menudo, me pregunto sobre las propiedades de mi capacidad de desplazarme, por qué puedo utilizar la energía de la manera que lo hago, de dónde la obtengo, cómo puede ser que la cree mi cuerpo, pero no el de otra persona. Me fascinan los diferentes tipos de energía, lo que pueden hacer, cómo todo lo que nos rodea está en constante movimiento, aunque sea a un nivel minúsculo—. Cuando uno rasguea una guitarra, se mueven las moléculas y vibran en la frecuencia en la que vibran en esas circunstancias. Su energía cinética crea sonido.

—Exactamente —dice Dancer—. El restallar de un látigo también es otro ejemplo de energía cinética, pues el sonido que produce se debe a que una parte del látigo se está moviendo más rápido que la velocidad del sonido y crea una pequeña explosión sónica.

—No lo sabía. —Ahora estoy celosa de un látigo. La velocidad del sonido es de más de mil cien kilómetros por hora. Yo no produzco explosiones sónicas. Quiero un látigo. Me gusta la idea de andar por ahí haciendo explosiones sónicas por todas partes. Alucino con que no me lo haya contado antes.

—Será mejor que con esto vayas a alguna parte —dice Ryodan.

—Pues claro —digo—. Dancer no pierde el tiempo.

—Está perdiendo el mío.

Hay algo que me carcome. Me alivia saber que esta gente murió rápidamente y sin sufrir, porque acabo de calcular la trayectoria más probable del rey Escarcha, desde donde lo vi desaparecer, y mi primera suposición era errónea. No puede ser que esta gente lo viera venir. Ninguno miraba en la dirección desde la que vino. Murieron instantáneamente, sin saber qué los mató. Estoy algo aliviada. A diferencia de mí, la mayoría de la gente no parece que quiera vivir su muerte a cámara lenta. Mamá solía decir que esperaba morir mientras dormía, de una forma fácil y sin dolor. No fue así.

—Nunca creeréis lo que he descubierto —dice Dancer—.

Miraba directamente los resultados y aun así me negaba a aceptarlo. Seguí revisando, haciendo pruebas diferentes y probando diferentes objetos. Volví, llené más bolsas resellables y seguí probando. Los resultados siempre eran los mismos. Sabes lo que es el cero absoluto, ¿verdad, Mega?

—¿Como este puto sitio, no? —pregunto, pero no lo digo en serio, porque si lo hiciera, no estaría aquí. Estaría muerta. Frunzo el ceño, examino la escena y trato de darle sentido a algo. Si no lo vieron venir, ¿por qué estaban gritando? ¿Sintieron el mismo pánico sofocante que sentí yo en el castillo de Dublín antes de que llegara?

—¿Pero lo del cero absoluto no es una teoría solamente? —dice Christian.

—Técnicamente sí porque no se puede eliminar toda la energía. La energía del estado fundamental sigue existiendo aunque el enfriamiento por láser ha logrado producir temperaturas de menos de una milmillonésima parte de un grado Kelvin.

—A ver, una vez más, ¿adónde quieres llegar? —dice Ryodan—. ¿Quieres decir que estas escenas se están enfriando hasta el cero absoluto?

—No. Lo digo solo para ilustrar la conexión entre el frío extremo y la actividad molecular, y el hecho de que incluso con el frío más extremo posible, todos los objetos todavía tienen algún tipo de energía.

—¿Y? —pregunta Jo.

—A nivel molecular, los escombros que deja el rey Escarcha no tienen absolutamente nada de energía. Nada.

—¡Eso es imposible! —exclamo.

—Lo sé. Hice las pruebas una y otra vez. Probé varias muestras de cada escena. Fui al castillo de Dublín, tomé trozos de *unseelie* de la nieve y los sometí a varias pruebas también —dice—. Están inertes, Mega. No hay energía. No hay vibraciones. Nada. Están inmóviles. Más muertos que muertos. ¡Las cosas que estuve examinando no pueden existir y, sin embargo, las tenía en las manos! La física, tal como la conocemos, está siendo reinventada. Estamos en el umbral de un nuevo mundo.

—¿Así que crees que le atrae la energía y se la come? ¿Es

como una especie de combustible que utiliza para poder moverse a través de las dimensiones? —propone Jo.

Dancer sacude la cabeza.

—No creo que sea tan simple. La mayoría de las escenas que congeló no tenían una reserva impresionante de energía. Si buscaba la energía, hay un número infinito de lugares más ricos en ese combustible. Mi hipótesis es que la ausencia de energía al desvanecerse es un efecto secundario y quizás completamente involuntario de lo que sea que esté haciendo, algo tangencial a su objetivo primordial.

—Me dio la misma impresión con mis sentidos *sidhe-seer* en el castillo de Dublín, como si no fuera maligno o destructivo a propósito. Sentí que era enormemente inteligente y que iba buscando algo.

—¿Cuál es su objetivo principal? —pregunta Ryodan.

Dancer se encoge de hombros.

—Ojalá lo supiera. No he sido capaz de averiguarlo. Todavía. Estoy trabajando en eso.

—Bueno, ¿qué se supone que podemos hacer? —dice Jo, mirando alrededor—. ¡Tiene que haber algo!

—¿Quedarnos parados, esperar a que la maldita cosa decida aparecer mientras estamos buscando y entonces golpearlo con lo que sea que tengamos a mano en los dos segundos que esté en nuestro mundo? —pregunta Christian con disgusto—. Por lo menos, yo sé qué quiere la Bruja Carmesí: tripas e inmortales, a ser posible. —Le lanza una mirada a Ryodan—. Y sé qué utilizar como carnaza.

—Yo también —dice Ryodan.

—¿De qué estáis hablando? —dice Jo, mirando de Christian a Ryodan—. ¿Quién es la Bruja Carmesí?

Me doy cuenta de que no ha visto mi *Diario de Dani* ni sabe que Ryodan ha estado muerto. No tiene ni idea de que su «novio» es inmortal. Decido guardar esa bomba para el momento perfecto. También decido que voy a pasar mucho tiempo con Christian y Ryodan, esperando a que la bruja venga tras ellos. Yo la dejé salir y soy yo quien tiene que enviarla de vuelta al infierno.

Ryodan le dice a Dancer:

—Trabaja más deprisa. Vuelve al laboratorio y encuéntrame la respuesta. Dublín se está convirtiendo en Siberia y la cosa acaba de echarme un montón de mierda congelada sobre el club.

—Al menos no congeló la puerta —digo—, porque entonces no podríamos volver a entrar.

Ryodan me echa una mirada: sabe que conozco la forma de volver a entrar.

—Prueba con un lanzallamas —dice Christian—. Va bastante bien… hasta que todo explota.

—Ya que hablamos de eso, ¿alguna idea sobre lo que hace explotar las escenas? —le pregunto a Dancer.

—Pienso que crea una especie de vacío energético donde las cosas se vuelven inestables. Como he dicho, la física no está funcionando bien. Es posible que los objetos reducidos a nada de energía sean frágiles y cuando los alteran las vibraciones de los objetos alrededor, explotan. La falta de energía también puede ser como una falta del «pegamento» necesario que mantiene unida la materia. Excepto que en estos casos están cubiertos de hielo. Una vez que esa cáscara se ve comprometida, se deshace todo. Cuanto mayor sea la perturbación de las moléculas que rodean la escena, más violenta será la explosión. Cuando entras desplazándote para examinar la escena, generas una perturbación de vibraciones muy significativa.

A veces, se me escapan las cosas más obvias. ¿Cuántas escenas explotaron cuando Ryodan y yo nos movíamos a cámara rápida por ellas y nunca lo relacioné? Reflexiono sobre lo que Dancer acaba de decirme, lo contrasto con otros hechos y lo mezclo todo bien para ver qué obtengo.

El rey Escarcha no deja energía tras de sí cuando se desvanece. La extrae de todo lo que congela.

R'jan me dijo que cuando el rey Escarcha atacó lugares en *seelie*, los *faes* no fueron solo asesinados, sino que fueron borrados como si no hubieran existido nunca.

Las dos veces que vi aparecer al rey, desapareció todo el sonido. No podíamos oír nada. Dancer confirmó un tercer caso de silencio similar y las secuelas de sonido hueco en el incidente de NosImportas del que fue testigo.

¿Por qué debería desaparecer el sonido? ¿Por qué todo dejaba de vibrar en el instante en que aparecía el rey? ¿Por qué dejarían de vibrar las cosas? ¿Por qué estaba succionando energía? ¿Qué está haciendo exactamente el rey? ¿Qué lo atrae hacia esos sitios? ¿Cuál es el factor común? Hasta que lo descifremos, no tendremos esperanza de detenerlo. Somos unos blancos fáciles.

Examino el cuadro congelado que tengo delante. Necesito respuestas y las necesito ahora. Antes de ir a la Mansión Blanca podría haber tenido un poco más de margen, pero desde que he estado fuera, las cosas en la ciudad se han vuelto gravísimas. Hay demasiada nieve y el frío se está haciendo demasiado extremo. Si el rey no mata a la gente, lo hará el frío.

¿Cuántos cientos, incluso miles de personas más morirán antes de que averigüemos cómo detenerlo? ¿Qué pasa si luego va a la abadía? ¿Y si me quita a Jo? ¿Qué pasa si los generadores de todo el mundo se quedan sin combustible y todos mueren encerrados, solos?

Suspiro y cierro los ojos.

Me estremezco. Lo que necesito ver lo tengo justo delante de mis narices. Puedo sentirlo, pero no lo estoy viendo bien porque no lo miro con unos ojos claros y libres de conflictos. Necesito un cerebro como el mío y los ojos de Ryodan.

Me concentro en la parte trasera de los párpados y dejo que la oscuridad me acoja en su seno. Construyo un útero blando donde puedo empezar el proceso de borrarme a mí misma, de separarme del mundo; ese mundo en el que existo, en el que soy parte de la realidad y lo único que veo está coloreado por mis pensamientos y sentimientos.

Me despojo de todo lo que sé sobre mí misma, todo lo que soy, y me hundo en una cueva tranquila en mi cabeza donde no hay corporeidad ni dolor.

En esa caverna sombría no visto un abrigo largo de cuero negro, ni ropa interior de calaveras con tibias cruzadas y tampoco hago bromas. No me gusta ser una superheroína. No creo que Dancer sea guapo y no soy virgen, porque en realidad ni siquiera existo.

En esa cueva, nunca he nacido y nunca moriré.

Todas las cosas se destilan hasta encontrar su esencia.

Entro en mi cabeza y me convierto en esa otra yo, aquella de la que no le cuento nada a nadie.

La observadora.

Ella no siente hambre en su estómago ni tiene los músculos agarrotados por estar en una jaula días y días. Ella no es Dani, puede sobrevivir a cualquier cosa y no siente nada. Ve lo que tiene delante solo y exactamente por lo que es. No se le rompe un poco el corazón cada vez que su madre se va y no pone un precio demasiado alto para su supervivencia.

No me dejo ir y la busco con frecuencia porque una vez me quedé atrapada allí y ella se hizo cargo y las cosas que hizo...

Vivo con el miedo de no poder volver a ser Dani.

¡Es tan inteligente! Y dura, también. Lo ve todo. Es difícil ver como lo hace ella. Me hace sentir como un bicho raro. Cree que soy una cobarde. Pero nunca me rechaza cuando vengo.

Abro los ojos y examino la escena. Es una buena receptora. Las cosas entran y salen y ella las procesa. Sin ego ni identidad. Aquí hay un rompecabezas y todos los rompecabezas se pueden resolver, todos los códigos se pueden decodificar y de todas las cárceles se puede escapar. No hay un precio demasiado alto para el éxito. Es un fin y hay medios, y todos los medios están justificados.

Los hechos, carentes de emoción, toman un aspecto completamente diferente.

Algunas personas golpean bidones. Otras tienen los puños en el aire. Unas aplauden, otras se calientan. Recojo y desecho. Lo desnudo todo hasta su esencia.

Sus cuerpos están inclinados y se mueven de una forma que sugiere intención, incluso cierta relajación. No acusan la tensión muscular e instintiva ni la flexión de la columna ante el pánico. Todos aquellos cuyas bocas están abiertas parecen estar formando una «e» alargada. Tienen los ojos casi cerrados y se les nota la tensión de los tendones en el cuello.

Yo no podía verlo, pero ella sí.

Está justo aquí, frente a nosotros. Ha estado aquí delante todo el tiempo. Ella cree que es obvio y que yo soy imbécil. Y yo creo que ella es una sociópata que está de atar.

Tengo la respuesta, pero no puedo regocijarme porque ella no siente nada. Cierro los ojos para desprenderme, pero ella no me lo permite. Quiere quedarse. Piensa que está mejor preparada que yo. Intento abandonar la cueva, pero ella me esconde todas las puertas. Visualizo unas luces brillantes, como las de la parte superior de Barrons Libros y Curiosidades. Ella las apaga.

Abro los ojos porque no puedo soportar la oscuridad.

Ryodan me mira, atento.

—Dani —me dice—. ¿Estás bien?

Lo pregunta con tono interrogativo, como una persona normal, y eso me llega. Me sorprenden las cosas que la agitan. Eso hace que me suelte y pueda liberarme. Supongo que mi sentido del humor es más de Dani, no de ella, que cualquier otra cosa en nosotras porque cuando él entra en mi mente, ella desaparece sin más. Durante unos brevísimos segundos sé que volveré a olvidarme. Creo que ella me hace olvidarla hasta que vuelva a necesitarla o vaya demasiado lejos.

Pero justo en ese momento, lo olvido todo otra vez.

Reproduzco todas las escenas que tengo archivadas; busco y encuentro esa única cosa en común que me costó tanto tiempo ver. Todo este tiempo la he tenido delante de mis narices, pero no conseguía dejar atrás mis prejuicios. Solo veía lo que esperaba ver y no se correspondía con la realidad.

—Por todas las frecuencias congeladas, Dancer —digo en voz baja—. ¡Está bebiendo batidos de sonido!

—¿Qué? —pregunta Dancer.

Ninguno de ellos estaba gritando. Creía que la gente gritaba de miedo, pero resulta que estaban cantando.

La música cambia bajo mis pies. Acaba de empezar una canción de *heavy metal* en el Chester's y las vibraciones aumentan tanto en ritmo como en intensidad. Noto que me pongo lívida.

Si tengo razón...

Y tengo razón.

Hay miles de personas debajo de nosotros, en el Chester's, y aunque no me apasiona especialmente el estilo de vida que han escogido, la guerra en la que estamos ahora va a necesitar a todos los seres humanos que nos queden.

—¡Tenemos que apagarlo! —digo—. ¡Tenemos que apagarlo todo ahora mismo! ¡Tenemos que cerrar el Chester's, joder!

TREINTA Y SEIS

«Oh the weather outside is frightful»
('Hace un tiempo horrible fuera')

Al otro lado de la ventana cubierta de hielo de mi habitación, unos gruesos copos de nieve flotan perezosamente hacia el suelo. Sin embargo, a diferencia de mí, ellos no conocen la urgencia. En la abadía, la nieve obedece a una directiva principal muy simple: caer sin cesar. Empezó dos días después de que Sean se fuera a trabajar al Chester's y no ha parado durante veintitrés días.

Mi corazón sufre una acumulación similar: el frío se acumula en unos valles y surcos peligrosos. A pesar de nuestros esfuerzos por mitigarlo, el invierno se cobra más de nuestro mundo cada día que pasa. El nuestro ha quedado reducido a caminos que hay que abrir a pala entre paredes blancas de hielo que nos llegan hasta la cintura. No sé cómo navegar ni hacerme camino en este nuevo terreno. Tengo miedo de que los duendes de la nieve de los que hablaba mi abuela acechen en la nieve, a la espera de llevarse a aquellos que se pierdan en este desierto invernal de un blanco cegador.

Sean no ha podido volver a la abadía ni yo he podido salir durante quince días. Nos aventuramos en el campo con hachas y sierras solo para procurarnos madera de los árboles caídos y congelados, para poder mantener el fuego ardiendo. Se nos ha acabado la gasolina y los generadores permanecen callados en un silencio que nos recuerda los tiempos auspiciosos de los que ya no disfrutamos. Nos quedan muy pocas velas y nos faltan ingredientes para hacer más. Si no fuera por las pilas que Dani se pasó semanas guardando obsesivamente como protección contra las Sombras hace meses, posiblemente ya estaríamos todas muertas, incapaces de protegernos de las amorfas apariciones que todavía puedan acechar dentro de nuestros muros, aunque no hemos visto ninguna desde la noche que confinamos a Cruce en el sepulcro subterráneo. Algunos dicen que el rey *unseelie* se las llevó consigo cuando se fue. La esperanza es lo último que se pierde.

Al caer la noche, nos reunimos en las salas comunes para conservar los suministros. Es imposible saber cuándo dejará de nevar. El cielo está negro como la noche —no sabemos si es por la tormenta de nieve— pero todavía nos llega algún rayo de luz solar que logra atravesar las nubes. Si no quitamos pronto el peso de la nieve acumulada encima del tejado de la capilla, perderemos tanto el tejado como los soportes interiores. El hielo aplastará el altar y la ventisca se apoderará de los bancos. Esta mañana muy temprano, las vigas crujían y gemían en un himno sombrío mientras rezaba «Dios, concédeme serenidad, sabiduría, fuerza, coraje y fortaleza».

Pero no todo es nieve en la abadía y no todo es frío dentro o fuera de nuestras paredes.

Mi ala de la abadía está a unos dieciocho grados muy agradables y sin necesidad de encender ningún fuego.

Mis aposentos se acercan a los veintiséis; una temperatura sofocante para alguien nacido y criado en la isla Esmeralda. Me seco la frente y me aparto unos mechones de pelo detrás de las orejas. Me desabrocho el primer botón de la blusa y me seco el sudor de la piel.

Al otro lado de la ventana, el mundo de fuego cristalino se eleva sobre la abadía, tan resplandeciente como los diamantes bajo un caprichoso rayo de sol. Entre eso y el muro de mi habitación, la nieve brilla por su ausencia.

En ese estrecho límite crece la hierba.

¡Es hierba tan verde como el trébol de san Patricio! Verde como el trébol deforme que simboliza la misión y la integridad de nuestra orden de Ver, Servir y Proteger.

Contra la argamasa que se desmorona en la pared de mi dormitorio, hay unas sensuales flores en los mismos tonos que la zarzamora, la orquídea, la cereza y las flores de Bizancio, que se inclinan y se mecen con unas flores tan pesadas en sus delicados tallos que se arquean y asienten. Resultan demasiado armoniosas en esa brisa tan distinta a lo que siente mi alma, templada un momento pero helada al siguiente.

Si abriera la ventana, el aroma que entraría flotando me envenenaría. Las flores apestan a unas especias que me recuerdan las alfombras persas y tierras lejanas donde se fuman pipas de agua en el desayuno y los sultanes tienen harenes, donde la vida es perezosa, licenciosa y dura muy poco. Aunque se vive muy bien, como diría Cruce.

Me seco el sudor de las manos y aliso un plano sobre el escritorio señorial de Rowena. Debo saber, aunque no quiero saberlo, si lo que he empezado a sospechar es verdad.

Aunque el AFI está atado a un trozo de tierra que se ha quemado hasta adquirir un tono negro liso y brillante como la porcelana, si alguien se acercara, no sentiría calor. El mundo de fuego está contenido.

Sin embargo, entre el AFI y nuestra abadía crece esa repugnante hierba a pesar de la nieve; esa hierba sobre la cual Cruce me tumba delicadamente en mis sueños, en medio de unas flores perfumadas, donde me hace sentir cosas por las que me odio cuando llega el amanecer.

No sé mucho de geografía. Sé dónde está el este cuando sale el sol y sé dónde está el oeste cuando se pone.

Rowena protegía muchos secretos y hacía sonar sobre nuestras cabezas las llaves prendidas en el brazalete de poder que llevaba en la muñeca hasta el día en que murió. Hace cuatro noches descubrí un escondite en su dormitorio cuando, desesperada por resistirme a otro tortuoso sueño, me puse a examinar hasta el último centímetro del apartamento de la Gran Maestra, en busca de pistas reveladoras de paneles falsos o tablas en el suelo que fueran retráctiles. En el falso fondo de un armario con siglos de antigüedad encontré mapas, esbozos y planos, de muchos de los lugares que me desconciertan, y en los cuales soy incapaz de adivinar su interés.

Ahí dentro, también encontré los planos de la abadía en rollos, encuadernados en grandes volúmenes planos, tanto de la planta superior como de la subterránea. Es el plano de la cámara subterránea y los pasajes adyacentes donde el Sinsar

Dubh estuvo enterrado, sobre el que ahora coloco el esbozo transparente de mi ala que he preparado.

Los hago coincidir para que coincidan, esquina con esquina, y chasqueo la lengua en una protesta silenciosa, una técnica que perfeccioné cuando era más joven para no gritar cuando me embargaba la intolerable emoción de otra persona.

¡La habitación de Cruce está debajo de mi dormitorio!

Eso suscita la pregunta: ¿el falso verano que hace crecer la hierba y florecer las flores proviene del adyacente mundo de fuego o del príncipe de hielo que descansa debajo?

Decido que quizás pueda soportar a Ryodan, al menos hoy, porque cuando le digo que cierre el Chester's, el tío ni siquiera me hace otra pregunta.

Rodea la escena congelada y se dirige directamente hacia la trampilla de metal en el suelo. El hielo termina a unos cinco metros de ella, de lo que estoy realmente agradecida porque la entrada trasera que se supone que no conozco está muy lejos de aquí y requiere mucha navegación subterránea. Y conociéndolo, desde que se enteró de que yo conocía su existencia, es probable que la haya cerrado y haya pedido a sus hombres que abran otra. Pero esa también la encontraré. Para mí es como un juego. Al intentar ocultarme cosas, me entran más ganas de encontrarlas.

Lo sigo, feliz de que crea en mí. Jo y Christian seguro que no lo hacen. Están detrás de mí y me acribillan a preguntas que Dancer tampoco contesta, creo que es porque sigue enfrascado pensando en todas las ramificaciones de lo que acabamos de descubrir. Eso, o está tan obsesionado como yo por apagar todo lo que nos rodea lo antes posible.

Todavía me faltan algunos datos que no creo que pueda reunir ya que todas las escenas explotaron. Puede que solo tengamos especulación para trabajar. Sé que al rey Escarcha le gusta el helado, pero no sé de qué sabor. Y estoy bastante segura de que es quisquilloso o ya nos hubiera congelado hace meses.

Sigo a Ryodan a su despacho, donde corta la electricidad de los subclubs. Con cada golpecito que da en la pantalla del ordenador, muere un subclub. Tengo unas ganas enormes de soltar una risotada y gritar, sobre todo cuando el subclub infantil queda oscuro y en silencio.

Las luces bajan de intensidad y la música se detiene.

La gente, las putas ovejas que deberían haberse sacado ya las cabezas del culo hace semanas y haberse unido para salvar nuestra ciudad, protestan airadamente. Algunos siguen bailando como si no hubiera pasado nada, como si estuvieran oyendo música en sus cabezas.

Otros se encogen de hombros y vuelven prácticamente a follar en la pista de baile, medio desnudos, ¡como si todos quisieran ver sus traseros flacuchos cortesía de los bichitos de Papa Roach!

—¿Puedo dirigirme a todos los clubs a la vez? —digo—. ¿Tienes algún tipo de sistema de megafonía por aquí?

Me mira como diciendo «Buen intento. No pienso permitir que te dirijas en masa a mis clientes».

Me río por lo bajo. Tiene razón. Podría pasarme horas despotricando.

—Tienes que explicárselo —digo—. Tienen que entender a lo que se enfrentan. Tienes que contarles quién es el rey Escarcha y que no pueden salir y hacer ruido o de lo contrario podrían morir. Y tienes que decirles cómo explotan las escenas, así si alguien sale no hará ninguna tontería con la gente congelada allí arriba y no acabará con cortes por la metralla. Y no olvides decirles que incluso aquí deben permanecer tan callados como puedan y...

Ryodan pulsa un botón en su escritorio.

—No habrá luz ni se oirá música hasta nuevo aviso. —Suelta el botón.

—¿Eso es todo? —le digo. ¡Suerte que no es él quien tiene que escribir *El Diario de Ryodan*! A través del suelo de cristal, observo a la gente susurrar, enojada. Muchos están borrachos y no les gusta que les cambien el plan. Quieren su pan y su circo. Por eso vienen aquí—. Jefe, ¿qué mierda ha sido eso? Al menos, podrías decirles que no se vayan o morirán.

Vuelve a pulsar el botón.

—No salgáis de aquí o moriréis.

En ese instante se hace un silencio embarazoso, como si todos pensaran que él es Dios o algo así, y tanto humanos como *faes* dejan todo lo que están haciendo y se sientan. Solo al cabo de un rato comienzan a hablar de nuevo.

—Creo que deberías cerrar las puertas —apunta Jo—. No les dejes salir por su propio bien.

—Preferiría que salieran, así habrá menos gente que lo atraiga hacia aquí.

—Si quieres que te diga qué hacer para proteger este lugar —digo—, será mejor que los mantengas a salvo.

—Pensaba que te daba asco la gente que viene a mi club.

—Siguen siendo personas.

Pulsa el botón una vez más.

—Si salís, os asesinarán. Si hacéis ruido, os echaremos a la calle. No hagáis que me cabree.

Y así de simple, el Chester's queda completamente en silencio.

TERCERA PARTE

No hay nanas para acostar a los niños.
No hay himnos para velar a los muertos.
No hay *blues* que alivien el dolor.
No hay *rock and roll* por el que vivir.
Sin música todos seríamos sociópatas
o estaríamos muertos.

El libro de Rain

Treinta y siete

«The sound of silence»
('El sonido del silencio')

Llamo a mis *sidhe-seers* para que nos reunamos en la capilla debajo de los aleros que crujen.

Antaño, nuestro sanctasanctórum apenas podía dar alojamiento a la mitad de nosotras. Sentadas ahora entre las ordenadas hileras de majestuosas columnas de marfil, las que quedan aguardan en un silencio que hace eco salvo por el crujido de las vigas y la resonancia hueca de mis pisadas mientras recorro el pasillo central que lleva al santuario en la parte oriental de la iglesia.

Unos ojos apagados y desesperados siguen mis movimientos. Mis chicas ocupan los once primeros bancos de la nave. Los fantasmas de mis queridas amigas llenan el resto. Fue un invierno muy duro, seguido por una primavera fallida y burlona.

¡Y ahora esta nieve incesante!

Me siento más fuerte en la capilla.

Aquí, lo divino desafía al diablo que acecha tras la puerta. La fe es una llama inextinguible en mi corazón. Aunque Cruce me ha seguido hasta aquí dos veces, estos suelos sagrados permanecen incorruptos. No ha sido capaz de entrar.

Unos relicarios de marfil pulido y oro, adornados con piedras preciosas, presiden el altar. Hay más escondidos en los santuarios donde antaño parpadeaban las velas, hasta que nos vimos obligadas a aprovecharlas para otros fines. Estas urnas y cajas mantienen huesos sacrosantos y trozos de tela de santos canonizados pero no por la Santa Sede sino por una iglesia más antigua. No sufro ningún conflicto porque residan junto a huesos aceptablemente venerados. Los huesos son huesos y las buenas personas son buenas personas. Les ruego a todos que velen por nosotras en nuestro tiempo de necesidad.

Entro al coro elevado en el presbiterio y me acerco al atril. No tenemos electricidad para encender el micrófono, pero ya no hace falta porque mi voz llegará sin problemas a las pocas filas delanteras ocupadas.

Quedamos doscientas ochenta y nueve.

Lloraría si tuviera lágrimas, pero se me secan cada amanecer cuando despierto, exhausta, manchada de semen que no es mío por derecho pero sí por culpa, por decirlo de algún modo. ¡Es semen de aquel que acaba de meter sus dedos en la pila de agua bendita y ahora se traza una cruz en la frente, los labios y el corazón!

Viola mi santuario y se burla de mis rituales.

Sus dedos no arden en llamas, no le atraviesan los rayos de retribución celestial ni se le destierra al infierno como Satanás. Creía que no podía cruzar la puerta. ¿Se ha divertido engañándome todo este tiempo o ha reunido la fuerza necesaria para proyectarse?

Me guiña el ojo mientras camina por el pasillo central. Cerca de la cruz, se detiene y despliega sus alas.

Es un ángel oscuro. Tiene tanto las alas como el alma oscuras.

En mi iglesia. ¡En mi iglesia!

Las chicas susurran. Entonces soy consciente de que tengo la mirada fija en Cruce, el Cruce desnudo y exquisito, inmóvil en el centro de mi capilla, con las alas extendidas por todo el pasillo, que se estira a mitad de camino al cielo, y mi primera reacción es el pánico. Que no parezca que lo veo o Margery me remplazará.

Paseo mi mirada sobre los bancos y bajo las barreras para saber el estado de sus corazones. Llevo meses amortiguando sus emociones porque han conocido tanta ira, pena y temor últimamente que no puedo aplacar más su dolor diario.

La ansiedad me derriba. La vergüenza me quita el aliento. Me aprieto el hueco de la garganta como si pudiera accionar el cierre ahí escondido que controlara mis inhalaciones.

Por primera vez en lo que va de mes, veo las cosas con claridad.

Si soy la única que ve a Cruce, deberían destituirme. Si no lo soy, si otras también lo ven, y he mantenido silencio todo este tiempo, deberían condenarme.

¿Por qué es famosa la guerra? Pues porque divide. Corta a la mitad y convierte en enemigos incluso a los hermanos y hermanas, padres e hijos. Guerra ha estado dividiendo a mi familia desde que nací y tal vez, de hecho, me haya estado prestando una atención poco común.

¿Qué hay mejor que dividir?

Rocky, el primo de Sean, tenía un reloj de oro y diamantes grabado con su credo. Se prometió, a pesar de la educación, linaje o riqueza, que seguiría siempre esta simple estrategia: aislar la marca.

El silencio es el mejor aislante de todos.

¿Me he puesto en sus manos?

Él se detiene arrogante, seguro de mí, seguro de nuestra complicidad privada. Todas las mañanas debe de sentirse muy orgulloso de tenerme como un témpano aislado en este invierno que se ha adueñado de nuestro mundo.

Me vuelvo hacia las mujeres a mi cuidado.

—De entre vosotras, ¿quién ve a Cruce de pie en el pasillo?

Ryodan convoca una reunión en una de las salas del segundo piso. Nunca he visto un silencio semejante en el club. La gente se sienta sola y sin hablar. Las luces son tenues y toda la música está apagada. No noto la más mínima vibración bajo los pies. Un suave resplandor irradia a nivel del techo y del suelo. Debe de tener algún tipo de iluminación metida en tubos detrás de las molduras. Siempre he creído que tenía generadores gigantes en algún lugar y que simplemente no sentía la vibración por encima de la música, incesante y atronadora. Si no son generadores, ¿qué mantiene las luces encendidas?

—Tío, pensaba que lo apagarías todo.

—Y todo está apagado.

—¿Qué alimenta las luces que siguen encendidas?

415

—La mayor parte del Chester's funciona con energía geo-
térmica.

Me doy un golpe en la frente con la palma. Por supuesto.
Siempre tiene los mejores juguetes. ¿Por qué no excavaría
hasta llegar al centro de la Tierra y aprovecharía la energía pla-
netaria? ¡El tío ha vivido tanto que sabe la tira!

Jo, Dancer, Christian y yo nos unimos a seis de los hombres
de Ryodan. Cada vez que Jericho Barrons no entra en la sala
conmigo, suspiro aliviada. Uno de estos días tiene que pasar,
claro. Es inevitable. Y uno de estos días será probablemente con
Mac a su lado. No pasa nada. He vivido la mayor parte de mi
vida con la amenaza de «uno de estos días» por una razón u
otra. A los superhéroes suele pasarles.

Ryodan envía a tres de sus hombres al club para mantener
el orden y envía a los otros tres al exterior para que rastreen
todos los ruidos que encuentren y los apaguen. Jo templa sus
órdenes con: «Y traed al Chester's a toda persona que descu-
bráis para que podamos mantenerla con vida».

Lo observo detenidamente cuando ella añade algo a sus órdenes como si se creyera con ese derecho. Como si ella fuera su
novia y ambos fueran un equipo para salvar el mundo juntos o
algo así. Ya veremos si sus tipos la obedecen. Me dejarán boquiabierta si vuelven con un grupo variopinto de supervivientes. No le puedo leer el rostro porque es como si lo hubiera cerrado para mí.

Se niega a permitirme que encienda una imprenta y saque
un *Diario de Dani*. Se lo discuto, pero Jo tiene algo de razón:
nadie se atreverá a salir a menos que sea estrictamente necesario de todos modos. Por eso, el tiempo perdido imprimiendo y
empapelando la ciudad se invertirá mejor si nos reunimos y nos
ponemos al corriente para trazar un plan conjunto. ¿Cuándo se
ha convertido en la voz de la razón? ¡Ah, y la chica glamurosa,
claro! Cuando se quita el abrigo y la bufanda, sus tetas no brillan, pero seguro que lleva un sujetador con relleno.

—¿Batidos de sonido? Dani, ¿qué pasa? —dice Jo.

—Le atrae la música —explico—. Al principio, pensaba que
le atraía el canto, pero no. Va tras un componente de la música:
ondas de sonido, frecuencias. Quién sabe, quizás una sola nota.
Y no hace falta que el sonido lo haga una persona. Puede venir

de un estéreo, de un instrumento musical, de las campanas de una iglesia, de la radio de un coche e incluso de un *unseelie* que grite una nota lo suficientemente alta para hacer que el cristal estalle en mil añicos.

—Como en el castillo de Dublín, la noche en que congeló las jaulas —dice Christian. Ha estado callado, pero noto su mal genio. Le cuesta mantener la calma.

—Exactamente. O podría atraerle el tintineo de unos cuencos de cristal.

—En el gimnasio —dice Ryodan.

—Correcto. O el sonido de alguien que toca una tabla de lavar, golpea un cazo y canta.

—La gente que lavaba la ropa —dice Dancer.

—Y el extraño artilugio de alambre que ese hombre llevaba alrededor de la cabeza no era un dispositivo médico para una lesión de cuello, sino un soporte de armónica —les explico—. Con esa banda improvisada, la pequeña familia logró hacer la clase de ruido que atrae al rey Escarcha.

—Seguro que el grupo que tocaba en ese subclub también lo hizo.

—Entonces, ¿por qué no congeló todo el club? —dice Christian.

—Supongo que le atrae un sonido concreto. De la misma manera que a mí me gustan los Frosties pero no los Corn Flakes. Los dos son copos pequeños y crujientes, pero ya te digo yo que no son lo mismo para mis papilas gustativas. Todo el equipo de audio del almacén debía de estar conectado y encendido. En la iglesia, donde estuve a punto de morir, estaban cantando y tocando el órgano. En todos los bares subterráneos había un grupo de música o un equipo.

—La gente de NosImportas también cantaba y tocaba el órgano —dice Dancer.

—Entonces, ¿cómo averiguamos qué ruido le gusta? —dice Jo—. Todas las escenas explotaron, ¿no?

—No creo que nos haga falta —dice Dancer—. Solo tenemos que establecer y delimitar un sitio, hacer una enorme variedad de sonidos y esperar a que venga.

—Gran idea, niñato —dice Christian—. ¡Y así nos congelaremos todos!

—No necesariamente —dice Ryodan.

—¿Qué quieres decir? ¿En qué piensas? —La expresión de cordero degollado de Jo parece decir que él es la persona más inteligente que jamás ha conocido. ¡Por favor! Dancer es la persona más inteligente que jamás ha conocido y yo soy la segunda.

Cuando nos lo dice, me limito a negar con la cabeza.

—No funcionará —digo.

—En realidad, Mega —dice Dancer—, sí podría funcionar.

—Mentira. Está dando por supuestas muchas cosas.

—Creo que vale la pena intentarlo —dice Dancer.

—¿Ahora lo defiendes? —pregunto.

—Solo defiendo la idea, Mega.

—¿Estás seguro de que puedes conseguirlo? —pregunto a Ryodan—. ¿Sabes cuántas cosas podrían salir mal?

Ryodan me fulmina con la mirada.

Jo se ha puesto pálida.

—Estás loco. Hablas de liberar a un monstruo para destruir otro.

—El mundo se está helando —le dice Ryodan a Jo—. Si esto continúa, el rey Escarcha terminará lo que Cruce comenzó: la destrucción del mundo. A veces, es mejor tapar el agujero como puedas y preocuparte por arreglar el barco después. Si las opciones son hundirse hoy o mañana, prefiero que sea mañana.

Muchas veces, él y yo pensamos de una forma parecida, pero no pienso reconocerlo nunca.

Me mira y me dice:

—Tú y el niñato id a por lo que necesitamos. Quiero estar listo al anochecer.

Me ataca la complejidad carmesí de la rabia de Margery.

Se pone de pie para exigir mi inmediata renuncia como Gran Maestra, pero antes de que pueda organizar el alboroto y el motín que tanto desea, una a una las cabezas se inclinan y las manos se levantan. Son como banderas blancas de rendición que se izan hasta que todas las mujeres tienen el brazo por encima de la cabeza excepto una. Mi prima vuelve a su lugar en el banco, con los puños apretados y los nudillos blancos en el regazo.

Me abro con un objetivo muy claro. Su furia no tiene fin y va dirigida hacia mí en su totalidad. Ella se creía la única y me castiga a mí por la lascivia de nuestro enemigo. Es una boba: en casos de infidelidad, si un hombre se va, no es culpa de la mujer con la que se acuesta. Un corazón digno evita la tentación, a pesar de la magnitud. Está claro que mi corazón no es digno.

Le hago caso omiso a ella y miro a mis chicas con remordimiento y resolución.

Al no decirles nada, les fallé. No solo me aislé yo misma, sino que las separé las unas de las otras.

—¿Alguna de vosotras se lo confesó a alguien?

No oigo respuestas y tampoco las necesito. Por sus rostros adivino que ninguna habló del tema con nadie. Nos hemos convertido en un grupo de islas apocadas por la vergüenza, que comen, trabajan y viven juntas pero completamente desconectadas. Todas llevamos más de un mes librando la misma batalla infernal y en lugar de compartir esa carga, la sufrimos solas y en silencio.

—Hemos permitido que nos separara —les digo—. Eso era exactamente lo que él quería. Pero se acabó: hemos descubierto su engaño y ahora estamos unidas contra él.

Las enormes alas de Cruce se agitan. Es el único sonido que alguna vez he oído hacer a una imagen proyectada de él. Nuestro enemigo cobra fuerza cada día que pasa.

Una vez más, me pregunto si se trata de Cruce o si la hierba crece por la presencia del AFI. Si se trata del AFI, al estar sobre la jaula de Cruce, ¿podría debilitar también la integridad de esas barras de hielo? No he vuelto a visitar su cámara desde la última vez que Sean y yo hicimos el amor. Sin mi amante que me ancla y me sujeta, no pienso arriesgarme a nada.

¿Este príncipe tan astuto ideó la manera de convocar ese fragmento de mundo de fuego para liberarse? Si bajara hasta las entrañas de la abadía hoy, ¿qué encontraría?

¿Oscuridad, musgo y huesos? ¿Ya no habría ningún barrote, tal vez?

—¿Debemos marcharnos de la abadía? —pregunta Tanty Anna—. ¿Es la única manera de escapar de él?

—¡Es nuestro hogar! ¡No podemos irnos! —protesta Josie.

—¿Adónde iríamos? ¿Y cómo llegaríamos allí? ¿En trineos tirados por perros? —dice Margery.

—Ya no quedan perros. Las Sombras se los comieron todos —dice Lorena.

—Era una broma. La cosa es que no podemos irnos —replica Margery—. Bajo ninguna circunstancia. Este es nuestro hogar y no permitiré que nadie me aleje de él.

La miro fijamente y me centro en ella. Mi prima querría que desapareciéramos todas, sin importar cómo ni por qué, mientras lo tuviera para sí misma. No la ha disuadido en absoluto la inconstancia de su afecto.

Me seco ligeramente el cuello y la frente. La temperatura en la capilla va en aumento. Huele a flores, picantes y dulces.

No puedo mover a Cruce, pero sí puedo y pienso hacer algo con el AFI.

Tengo que encontrar la manera de ponerme en contacto con Ryodan y sus hombres. Él ya tiene a mi Sean, ¿qué más me puede arrebatar?

Moveremos el mundo de fuego y lo llevaremos de vuelta a su lugar de origen. Si la hierba muere, ya tendré mi respuesta. Mundo de fuego o príncipe de hielo; ¿cuál de los dos está sobrecalentando nuestro hogar? ¿Se reían las Parcas mientras cosían el tapiz que congeló a nuestro mayor enemigo en nuestro sótano y luego pusieron el calentador encima?

No creo que los fragmentos de Faery sean de ida. Si pudieron sujetar el AFI, seguro que lo pueden desplazar también.

Treinta y ocho

«*Burning down the house*»
('*Quememos la casa*')

El éxodo desde Dublín es sombrío.

No es fácil dejar la ciudad. Nos hace falta formar un pequeño ejército para conseguir salir.

Antes de partir, creamos señuelos de sonido en los límites norte, sur y oeste de la ciudad, en barrios abandonados donde ya no vive nadie. Dancer los instala y retransmite desde una fuente de radio central. Hasta Ryodan está impresionado y eso me hace sentir orgullosísima de Dancer, mi mejor amigo. Con suerte, bastará para evitar que al rey Escarcha le atraiga todo el ruido que tenemos que hacer para escapar de esta cárcel nevada en la que se ha convertido Dublín.

Hago una parada rápida en la taberna Cock & Bull y quito algo de la pared que he deseado desde que Dancer me lo mencionó. Es el único lugar que yo recuerde donde había visto un látigo, colgado como si fuera un objeto de decoración junto a unos gigantescos cuernos de toro. Estoy segura de que me será útil de alguna manera. Y si no, ¿entonces qué? No puedo resistirme a hacer que algo se mueva más rápido que la velocidad del sonido. ¡Las explosiones sónicas son lo mío!

Los motores de los camiones rugen embravecidos mientras abren camino para que los Hummer y los autobuses puedan avanzar entre la nieve amontonada en enormes bancos, congelada hasta adquirir la solidez de una roca. Las calles están intransitables y la nieve sigue cayendo en gruesos copos sobre los parabrisas. Tenemos a unos tíos delante que conducen quitanieves y camiones que van echando sal. No sé dónde encontraron el equipo porque aquí no solemos tener esa clase de nieve. Conociendo a Ryodan, seguro que lo tiene todo escondido en algún almacén, preparado para cualquier cosa, incluso la aparentemente imposible.

Tengo que reconocer que eso me gusta en él. Estoy acostumbrada a sentirme la única que ve venir lo más chungo y siempre trato de inclinar la balanza a mi favor. Es bueno saber que alguien más también se está preparando.

Tiene razón. Hay que tapar el agujero porque el barco se está hundiendo. Como pasen unos días más, no creo que el éxodo sea posible. Nos quedaríamos congelados en el interior. No me gusta nada el plan que estamos a punto de poner en marcha, pero tenemos que hacerlo. A veces, cuando se monta un buen follón, lo mejor es terminar de montarlo del todo.

Antes de que sea demasiado tarde.

Cuando lleguemos a la abadía y le digamos a Kat lo que vamos a hacer, le va a dar algo.

La noche trae una aurora boreal violeta a nuestra casa. Unas llamas de color berenjena parpadean sobre la brillante capa de nieve cubierta de hielo como si fueran olas en un océano de alabastro.

Nos reunimos en las ventanas de nuestra sala común para observar el baile de los vapores violáceos. Me angustia ser consciente del tiempo que he pasado en mi habitación durante el pasado mes para no traicionar las visitas de Cruce. No reparé en que todas nos estábamos separando por razones similares. Nuestra abadía se había vuelto inquietantemente silenciosa y solitaria, y yo, su líder, no me había dado cuenta. Nunca más me permitiré olvidar que el aislamiento es el primer paso hacia la derrota.

Esta noche nuestro visitante indeseado está ausente y eso resulta muy llamativo. Es la primera noche en semanas que no ha seguido mis pasos. Sabe que estamos enfadadas y que su presencia solo nos sulfuraría más. Margery también está ausente. Me enfrentaré a la avispa que hay en nuestro nido cuando amanezca. Ella y yo llegaremos a un acuerdo o tendrá que irse.

Esta noche abrimos nuestro precioso alijo de maíz en frascos —que sellamos al vacío a finales del verano pasado— y que hacemos estallar con aceite sobre el fuego. Hacemos de esta noche una celebración, reconfortadas por lo último que nos quedaba de sidra escaldada sobre una fogata y condimentada con canela y clavo. La comunión, la calidez y los buenos olores del aire ayudan a infundir una sensación de gratitud y esperanza, y nos reconectamos a la familia que una vez fuimos, valorándonos de nuevo. Ahora que sabemos que Cruce ejercía sus dotes de seducción sobre todas nosotras, ya no nos sentimos divididas por la culpa.

Cuando oigo el rugido de unos motores que se acercan a la abadía, temo por la seguridad de mis chicas y les pido que se retiren a la cafetería mientras me acerco a la puerta. Tres de aquellas que servían en el Refugio, el círculo íntimo de Rowena, se niegan a irse, y otras tres dan un paso adelante para unirse a ellas, Tanty Nana la primera, con sus ojos sabios rodeados de arrugas. Me infunden valor. Comienzo a entender el propósito del círculo elegido.

Las siete nos abrigamos con capas, bufandas y guantes, y salimos a la nieve. Las luces de color lavanda flotan sobre un terreno crepuscular que evoca un ambiente surrealista y de ensueño. Observamos cómo unos camiones con enormes palas labran su camino sobre nuestra entrada cubierta de blanco, seguidos por cuatro Hummer y dos autobuses.

Cuando Ryodan se baja del asiento del conductor de uno de los camiones, durante un brevísimo instante pienso: ¡mira qué casualidad, puedo pedirle que remolque el AFI!

El sentido común se impone y se me enfría el corazón.

Sí, quería verle, pero que venga esta noche, que use máquinas para hacer un camino a través de las montañas de hielo y alcanzar nuestro hogar, significa que tenemos algo que quiere. Y mucho.

Lo observo con los ojos entrecerrados. La falta de pezuñas hendidas, cola o cuernos visibles no disfraza al diablo que tengo en la puerta. Él se abre paso entre la nieve con sus miembros largos y paso seguro. Es un hombre apuesto, pero a diferencia de mi Sean, la impresión es de gracia animal, algo no humano. Además de que, por supuesto, no está aquí de verdad.

Ningún hombre se para por donde camina él. No noto nada. Es sorprendente. Es sensacional y es raro, porque es la antítesis de la sensación. Aunque no me guste reconocerlo, es un alivio grandísimo. No siento nada emanando de él. Nunca he estado en contacto con alguien que me ofrezca un silencio emocional tan maravilloso.

Me coge ambas manos a modo de saludo y se inclina para darme un beso en la mejilla. Giro la cara, acerco los labios a su oreja y le susurro:

—No lo conseguirás. Sea lo que sea, no vas a llevártelo. La respuesta es no.

Noto la calidez de su aliento en la oreja.

—He venido por algo a lo que querrás renunciar.

Me pregunto si siempre habla del mismo modo en que le hablan. El diablo es el maestro de la asimilación. Así es como se gana la entrada: aparenta ser un amigo.

—Te digo que no. —Tal vez, sí tenemos algo que intercambiar. Quizás le daré lo que sea que quiera si me quita ese AFI de ahí. Pero es mejor negarlo desde el comienzo.

Me acaricia los brazos hasta los codos y los aprieta ligeramente para acercarme a él.

—Podríamos hacer un trueque.

¿Lee los pensamientos o es que se le da bien descifrar las expresiones de los demás?

—Devuélveme a mi Sean —susurro. Su barba de dos días me raspa la mejilla.

—Tu querido Sean lleva libre varias semanas —me murmura al oído.

Trato de disimular una sacudida y ahogo un grito de protesta. No sé si dice la verdad. Si es una mentira, no puede ser más amarga e hiriente.

—No es una mentira. —Deja caer las manos y retrocede. De repente, me noto fría donde me ha estado tocando.

Veo a Dani salir de uno de los autobuses. Las nubes se abren en mi corazón atribulado y de pronto me siento optimista. Su pelo de fuego es como un halo de luz de sol alrededor de su rostro resplandeciente, delicado y magullado. La sonrisa con la que me saluda es contagiosa. La he echado mucho de menos.

Abro los brazos a sabiendas de que nunca vendrá hacia

ellos corriendo como me gustaría. A sabiendas de que cualquier abrazo que le robe a esta niña será solo eso… robado. Debajo de esa apariencia dura y llena de moratones, brilla el oro puro. Irradia luz como nadie que conozca. Eso me hace más dura y más gentil con ella a la vez. Aunque es rebelde, malhumorada e irritable como cualquier adolescente, no tiene ni una pizca de mala voluntad y eso que ha tenido razones para sentirla. De hecho, tiene razones suficientes para llenar un libro, pero solo irradia entusiasmo y felicidad por estar viva. Me doy cuenta de que Ryodan está observando con atención mi modo de mirarla. Una vez más, me pregunto si puede leerme los pensamientos y, si es así, ¿hasta dónde puede leer?

—¿Por qué habéis venido? —pregunto.

Dani se acerca hasta detenerse sobre el hielo frente a mí y suelta en una ráfaga de aliento:

—Hola, Kat, ¿qué tal? Hacía mucho tiempo que no nos veíamos, ¿eh? ¿Va todo bien por aquí? ¿Tenéis suficiente para comer y esas cosas? Siento no haber estado por aquí para revisar cómo va todo, pero acabé atrapada en Faery. ¡Tía! ¡No te creerás las cosas que han pasado! Brrr, ¡qué frío hace aquí afuera! ¡Ah, y creemos saber cómo detener al *unseelie* responsable de convertir nuestro mundo en una zona ártica! Oye, me estoy congelando, ¿nos dejas entrar o qué?

Volvemos a estar en la sala común mirando por la ventana mientras la confederación más peculiar que he visto nunca colaborar en una meta común se prepara para destruirnos.

No puedo verlo de otra manera. Se equivocan. No funcionará y es demasiado peligroso.

Cinco hombres que no existen, un príncipe *unseelie* violento, inmensamente poderoso y obsesionado por el sexo, que se cree enamorado de Dani, una Jo excesivamente radiante y feliz, y un muchacho guapo con gafas para quien Dani es el sol, la luna y las estrellas y que me recuerda a mi Sean, pero que alberga secretos tan oscuros y profundos que ni mis dones pueden adivinarlos, trabajan juntos mientras descargan el equipo de los autobuses y lo cargan sobre montones de nieve y hielo para llevarlo después a la ubicación escogida.

Mientras Dani me contaba su plan para atrapar al rey Escarcha con el AFI, Ryodan permaneció en silencio, y por un buen motivo. Sabía cuáles eran mis objeciones y que no podía refutarme ninguna de una forma válida. Al final, antes de tener tiempo de darle o denegarle el permiso —se lo habría denegado sin dudar—, me dijo que si no cooperaba de alguna forma, destruiría la abadía y seguiría adelante con su plan.

—La destruirás de cualquier manera —respondí yo.

—No, no lo haremos. ¡Funcionará, Kat! —exclamó Dani.

—Eso no lo sabes. Ni siquiera sabes si se puede asesinar al rey Escarcha.

La mirada de Ryodan reflejó las mismas posibilidades de éxito que yo percibo y se limitó a preguntar:

—Cuánto tiempo más creéis tú y tu gente que sobreviviréis si sigue nevando así.

Tiene una manera muy desagradable de formular las preguntas.

Piensan liberar un monstruo.

—Suponiendo que esto funcione y el rey Escarcha sea destruido, ¿cómo piensas volver a sujetar el AFI? —le pregunto.

Hasta Dani tuvo la delicadeza de apartar la mirada.

No puedo leer a Ryodan, nunca seré capaz de hacerlo, pero puedo leer al resto de su séquito.

En el fondo, no están convencidos de poder conseguirlo.

TREINTA Y NUEVE

«Crystal world with winter flowers turn
my day to frozen hours»
('El mundo de cristal con sus flores invernales
convierten mi día en horas heladas')

*N*unca he ido a un concierto de *heavy metal*, aunque he visto algunos en la televisión. Dancer ha ido a todo tipo de espectáculos. Crecer en una jaula tuvo muchos inconvenientes. Cuando salí, había tantas cosas que quería hacer que ya no podía hacerlas todas. Ahora todos los grupos buenos están muertos y esta noche es probablemente lo más cerca que estaré nunca de asistir a un concierto. Las luces violetas que parpadean en el cielo son perfectas para un concierto de rock, es como tener nuestro propio espectáculo láser. He visto algunos en la televisión y son geniales.

Es una locura la cantidad de altavoces, bafles, cables y cosas que recogimos Dancer y yo. Creo que nos pasamos un poco, pero la tienda de música que saqueamos estaba intacta y repleta de equipos. Las ventanas no estaban rotas y tenía la caja registradora llena de dinero. Creo que en tiempos de guerra nadie piensa «Venga, voy a robar un estéreo». Al final, llenamos los dos autobuses, pensamos que cuanto más alto sonara la música, mejor.

Montamos el escenario de sonido junto a la abadía, entre la pared y el AFI.

Trabajar cerca de esa cosa es muy raro porque sabes que, como alguien te empuje en su dirección, mueres en el acto. Me asusta de todas las maneras, pero tengo trabajo que hacer conectando los altavoces mientras Dancer acopla todo lo demás. El camino largo, ancho y carbonizado de detrás es un recordatorio constante de que acabaré carbonizada si lo toco. Aunque el AFI no emite calor de verdad, no se acumula la nieve en ese suelo árido. Es como si, al pasar, hubiera dejado algo opuesto al frío.

El embudo facetado es más alto que la abadía; tiene, al menos, treinta metros de ancho en la parte más alta y se estrecha hasta unos doce en la base. Es lo bastante grande para tragarse a un rey Escarcha, e incluso más. El situado debajo de este está quemado y tiene un acabado negro, liso y brillante, aunque el fragmento de mundo de fuego no irradie calor. Hay una cenefa de guardas brillantes retorciéndose alrededor de la base, que está firmemente atada a un bucle negro sobre una caja negra tallada con símbolos a unos seis metros de distancia. Rodeo el AFI y miro con recelo esa caja negra pensando, ¿cómo puede ser que esa cosita del tamaño de un cubo de Rubik evite que un AFI se vaya flotando? No puede pesar más de doscientos gramos. ¡Le doy un ligero puntapié para ver lo lejos que puede llegar y casi me rompo un dedo! No puedo resistirme e intento levantarla del suelo.

Ni siquiera puedo moverla sobre la nieve.

—¿Y esto? ¿Tienes alguna clase de metal ultradenso del que nunca he oído hablar? —digo con aire gruñón, pero si me ha oído no me responde. ¿Cómo puede tener estas cosas tan geniales? ¿Dónde leches las consigue?

Levanto la vista hacia el embudo. Es inquietantemente hermoso, todo planos y ángulos cristalinos que reflejan los deslumbrantes tonos violetas de la aurora boreal. Envío un pensamiento silencioso al universo: por favor, haz que esto funcione. No permitas que tengamos bajas esta noche.

Una vez más, Kat está afuera, mirándonos. Ryodan le ha dicho que tiene que sacar a las *sidhe-seers* de ahí antes de empezar. Eso la ha vuelto loca porque ha interpretado que la abadía era una baja aceptable para él. Sin embargo, lo conozco y sé que no decía eso. Solo pondera todas las posibilidades y sabe que intentar mover casi trescientas mujeres en medio de una crisis así es una pesadilla. Llevo mucho tiempo tratando de desplazarlas en tiempos de paz y silencio y he tenido la misma suerte que con un espejo roto clavado bajo una herradura invertida junto a una escalera debajo de la cual acaba de pasar un gato negro. Como ovejas que son, las *sidhe-seers* se agrupan por naturaleza hasta que tú quieres que se vayan a otra parte. Entonces se convierten en caracoles o animalitos de culos blandengues y patas rotas.

Como estamos a punto de comenzar, supongo que están todas dentro abrigándose. Desplazo el equipo a su sitio con mi supervelocidad y eso es lo único que evita que me ponga a tiritar. Bueno, el nerviosismo por el hecho de pasarme de la raya y acabar carbonizada también me ayuda a entrar en calor. Algunos de los hombres de Ryodan están encendiendo fogatas y unas pocas *sidhe-seers* empiezan a salir despacio para reunirse en el exterior.

Veo a Kat caminando hacia mí desde la abadía. Parece muy pequeña con la melena volando hacia atrás y su cuerpo como un junco que podría romperse muy fácilmente. Me preocupo por Kat. Sé que no quería dirigir la abadía, pero todas insistieron. Kat emana algo pacífico y fuerte que te hace sentir cómodo cuando probablemente no deberías hacerlo. Siempre dice que la fe es una roca y que mientras tengas los pies firmemente plantados en ella, no puedes tropezar.

—Dani.

—Hola, Kat.

—Está demasiado cerca de la abadía. Ponlo más cerca del AFI.

—No puedo. Cuando el rey Escarcha venga, si el AFI está demasiado cerca de los altavoces, el embudo podría acabar congelado antes de poder cortar el amarre y usarlo.

—Si no está más cerca, el rey Escarcha podría aparecer, congelarlo todo y desaparecer antes de que el AFI llegue a él siquiera.

No digo nada. Ya había caído en eso cuando Dancer y yo calculamos el tiempo.

—¿De verdad crees que esto puede funcionar?

Conecto dos altavoces a un generador y empiezo a ajustar los parámetros.

—¿Qué parte?

—Todo.

—Bueno, estoy segura de que acabaremos por atraerlo hacia aquí. No sé por qué sonido vendrá exactamente, pero al final lo conseguiremos. Cuando Dancer termine, la música tendrá los mismos decibelios que en un estadio. Lo apagamos todo dentro y alrededor de la ciudad; Dancer bajó la señal de los señuelos cuando llegamos aquí. Si el sonido es el equivalente a lo que atrae al rey Escarcha, y no me equivoco con esto, estará hambriento y le hemos dejado una sola fuente de alimentación. Le doy noventa y nueve por ciento de posibilidades a que lograremos atraerlo.

—¿Y destruirlo?

Reflexiono sobre eso. De hecho, no me lo quito de la cabeza.

—Oí que el AFI lo incineró todo a su paso, hasta rocas grandes y edificios de hormigón. ¿Es verdad?

Ella asiente.

—El AFI es parte de Faery, de modo que no tratamos de quemar un monstruo *fae* con fuego humano. Intentamos quemarlo con fuego de su propio mundo y creo que eso aumenta muchísimo las probabilidades.

—Pero ¿quién dice que el fuego triunfará sobre el hielo? Dijiste que ni siquiera estaba hecho de hielo. ¿Y si está hecho de algo sobre lo que el fuego no tiene efecto? ¿Qué pasa si invocas al rey Escarcha y este congela el AFI?

He intentado no pensar en esa posibilidad.

—Entonces la cagaremos y tal vez estiremos la pata, Kat.

Me mira y esbozo una sonrisa pícara.

—¡Pero entonces al menos nos habremos deshecho del AFI!

Me lanza una mirada penetrante.

Extiendo las manos con las palmas hacia arriba.

—¿Qué quieres que diga? No voy a mentirte. Eres como Christian. Ya lo sabes de todos modos.

—Te das cuenta de que se necesita una sincronización impecable. Tienes que atraerlo a una ubicación precisa, cortar la ligadura que sostiene el AFI y esperar a que el Monstruo de Hielo quede atrapado en los pocos segundos que pasa en nuestra dimensión. Y quienquiera que corte ese amarre puede quedar congelado.

—¡Tía, solo nos hacen falta unos segundos de nada! La mayoría de nosotros puede desplazarse y Christian se tamiza. ¡Somos rápidos de la hostia! Lo estamos montando todo prácticamente encima del AFI. En el mismo instante en que el rey Escarcha aparezca, cortamos el amarre y tanto el montaje de sonido como el Monstruo de Hielo desaparecerán.

Pasea la vista por los catorce metros entre el escenario de sonido y el muro de lo que solían ser las habitaciones de Ro, pero que ahora son suyas.

—Y también la abadía.

—Tendremos que volver a amarrarlo antes de que eso suceda.

—Una vez más, eso requerirá una sincronización impecable.

—Una vez más, todos nos desplazamos a supervelocidad. Además, tengo oído que el AFI no se mueve tan deprisa. Ryodan dice que mientras tenga treinta segundos y lo termine todo antes de entrar en la abadía, no habrá problemas.

—¿Y si llega a la abadía?

—No lo hará.

—¿Y si lo hace? —insiste.

—Mira, tenemos un minuto antes de que choque contra la pared de la abadía. No permitiremos que se la trague. —No pienso comentarle que Ryodan dijo que si entraba en la abadía él sería incapaz de detenerlo hasta que saliera por el otro lado. Mencionó algo de un hechizo de contención que solo funciona si rodeas por completo, por los cuatro lados, al objeto que quieres contener.

—Un momento —dice Kat en voz baja—. ¿Te das cuenta de que si destruye este lugar perderemos todo lo que nuestra orden lleva miles de años reuniendo? Nuestros libros y objetos sagrados, nuestra historia, nuestro hogar. ¿Ves el césped y las flores que crecen bordeando la pared? ¿Te das cuenta de que si el AFI atraviesa la abadía, podría derretir la prisión de Cruce y liberarlo? ¡El Sinsar Dubh andará suelto por nuestro mundo en el cuerpo de un príncipe *unseelie*!

—Mira, Kat, no digo que sea un plan perfecto, pero si no tienes mejores ideas, apártate y déjanos hacer nuestro trabajo.

—Miro las hierbas heladas, los árboles congelados y los montones de nieve que nos rodean—. ¿Cuánto tiempo crees que sobreviviremos de esta manera?

Ella suspira y dice:

—Esa es la única razón por la que no os he detenido.

—¡No nos has detenido porque no puedes! —digo acaloradamente—. ¡Tú eres una persona normal y todos nosotros somos superhéroes!

—No permitiré que se trague mi abadía, Dani. No permitiré que estas mujeres queden desprovistas del único hogar que han conocido. Al igual que tú, estoy dispuesta a arriesgar mucho por aquello en lo que creo.

La observo mientras se va. Empieza a preocuparme un poco.

Son casi las ocho cuando comienza nuestro concierto. Ponemos planchas de madera contrachapada sobre la nieve para sostener el equipo de audio y montamos una segunda plataforma a poca distancia de los generadores que usamos para encenderlo todo, luego una tercera plataforma para las fuentes de música y para que no se nos congele el culo. Hemos puesto esa lo bastante lejos para no acabar congelados cuando aparezca. Hemos hecho un par de fogatas y apilamos madera cerca. Tanto el pelo como la ropa me huelen a humo de madera y durante un segundo siento como si estuviera en unas vacaciones familiares o algo así. Con toda la gente que hay, incluyendo seis personas que son lo bastante rápidas, y todavía no he conseguido hacer una pelea de bolas de nieve decente.

Jo, Ryodan, Christian y yo nos reunimos en la plataforma, listos para cortar el amarre cuando aparezca el monstruo.

—Jo no debería estar aquí —digo—. No puede desplazarse.

—Pues no pienso irme —dice ella.

—Haz que se vaya —le digo a Ryodan—. A menos que quieras ser responsable de su muerte.

—Ryodan no permitirá que me pase nada —dice ella.

Pongo los ojos en blanco.

—Tío —le digo a Ryodan—, sácala de aquí.

—Es una mujer hecha y derecha —me espeta—. Puede tomar sus propias decisiones.

Jo se ruboriza.

Me entran arcadas.

—Bien. Pues pesará sobre tu conciencia. —Joder. Ahora tendré que vigilar a Jo y preocuparme también por todo lo demás.

Kat, las *sidhe-seers* y un par de los hombres de Ryodan están en el lado opuesto de la abadía, junto al lago, sentados frente a unas hogueras en un silencio total. Conversar está prohibido porque no se puede hacer ningún ruido.

Tengo un mal presentimiento al mirarlos.

—¿Estás seguro de que deberían estar tan lejos? —le pregunto a Ryodan.

—Necesitamos separarnos para que, en el peor de los casos, no nos congelemos todos.

—¿Estamos preparados? —Dancer se acerca y se nos une en la plataforma.

—Sal de aquí, niñato. No tienes ningún superpoder —le espeta Ryodan.

—Claro que sí —dice Dancer tranquilamente—. Yo fui quien le salvó la vida cuando vosotros la hubierais matado. ¿Te acuerdas?

—Si Jo se queda —digo, tirando piedras contra mi propio tejado—, Dancer se queda. —Genial. Ahora tengo que cuidar a dos personas que no pueden desplazarse.

Dancer y yo nos recostamos contra un par de altavoces adicionales que amontonamos para tener algo en lo que apoyarnos.

—Sube el volumen —le digo—. Que empiece la fiesta. —Le doy el iPod, que he cargado especialmente para el espectáculo de esta noche. Hay unas diez mil canciones. De Motorhead a Mozart, de Linkin Park a Liszt, de Velvet Revolver pasando por Wagner, Puscifer y Pavarotti y todos los demás artistas de casi cualquier género. Hasta tengo canciones de dibujos y otros programas de la televisión.

Diez minutos después, Lor dice:

—¿Qué mierda es esta? ¿Quién le dejó cargar el iPod?

—Nadie más trajo uno —digo—, así que he escogido una música increíble.

—¿Dónde demonios está Hendrix en esta cosa? —Lor lo saca del puerto y lo mira con cara de pocos amigos—. ¿Quién dice que esto es música?

Jo dice:

—¿Has puesto algo de Muse? Me encanta Muse.

—De haber sabido que teníais un gusto musical tan malo, hubiera traído más tapones para los oídos —digo—. Vaya ofensa al buen gusto. Vale, Hendrix tiene un pase, pero ¿qué es Muse? ¿Algo que se come?

—Bueno, pues los Charlatans —dice Jo—, que es lo que eres.

—Y The Cure es lo que necesitamos, no te jode —dice Dancer—. Dejaos de historias, anda.

—¿No tienes nada de Mötley Crüe o Van Halen? —dice Lor—. ¿Quizás Girls, Girls, Girls?

—Qué tal algo de Flogging Molly —pregunta Christian—. Dani, cariño, ¿cómo puede ser que no te guste Devil's Dance Floor? ¿Y qué me dices de Zombie?

—Tengo *Dragula* y *Living Dead Girl* —digo a la defensiva.

—¡*Living Dead Girl* es una de mis favoritas! —dice Christian, que le quita el iPod a Lor para buscar la canción.

Se lo cojo y me lo escondo detrás de la espalda.

—No os metáis con mi lista de reproducción. Nadie más ha pensado en traer un iPod, así que ahora mando yo.

Ryodan me quita el iPod tan deprisa que ni lo veo venir.

—¡Oye, devuélvemelo!

Busca en la lista de reproducción.

—Qué te pasa con tanto Linkin Park. Qué manía.

—Tío, necesitamos ruido. Dejad de sacar el iPod del puerto. —Dancer le quita el iPod a Ryodan y lo vuelve a poner en su sitio—. Y Mega está enamorada de Chester.

—¡Qué va!

—Es verdad, Mega.

—¡Pero si es viejo!

—¿Cómo de viejo? —dice Christian.

—¡Fijo que tiene ya treinta por lo menos!

Lor se ríe.

—Pues qué viejo, ¿no, niña?

—Ya ves —contesto. Me gusta Lor.

—¿Tienes algo de Adele? —dice Jo, esperanzada.

—Ni una sola canción —respondo, contenta—. Sin embargo, tengo algunas de Nicki Minaj.

—Que alguien me mate —dice Ryodan y cierra los ojos.

Y

Cuatro horas después me empieza a doler la cabeza.

A las seis horas, soy un dolor de cabeza andante, me duele el culo y se me están acabando las barritas de chocolate.

A las ocho, estoy harta de Nicki Minaj.

A las nueve, daría casi cualquier cosa por cinco minutos de silencio.

Christian, Dancer y yo nos hemos estado pasando una caja de aspirinas y ahora está vacía. Tengo tapones para los oídos en el bolso, pero no podemos utilizarlos porque no queremos que se nos pase nada y meter la pata.

Al otro lado del camino de entrada, al otro lado de la abadía, las *sidhe-seers* están envueltas en mantas y dan cabezadas. Claro, como la música por allá no les está sacudiendo los huesos... Estoy tan celosa que me dan ganas de escupir. Desanimada, me como otra barrita de chocolate. Estoy hasta las narices de las barritas de chocolate.

—Dijiste que estabas segura de que esto funcionaría —dice Jo de forma impaciente.

Estoy agotada. No he dormido en días. Me froto los ojos y le digo, enfadada:

—Puede que tengamos que esperar un rato.

—¿Pero... cuánto? —dice Christian en un tono de voz gutural. Lo miro. Mira más allá de la abadía, a las *sidhe-seers*, y la expresión en su rostro es la de un príncipe *unseelie* puro y hambriento de sexo. Los tatuajes caleidoscópicos fluyen bajo su piel. Bajo sus vaqueros se adivina una... vaya. Vale, mejor que no mire ahí.

Me doy cuenta de que nueve horas es tal vez el tiempo más largo que ha pasado sin sexo en varios meses.

—No mires así a mis amigas —digo—. ¡Están fuera de los límites de los príncipes *unseelies*!

Él me mira y tengo que apartar la mirada rápidamente. Desprende tanta fuerza como un volcán. Me noto la humedad de la sangre en las mejillas por una simple mirada a sus ojos.

—¿Cuánto tiempo? —dice con voz ronca.

—Bueno, solo congeló uno de los clubs del Chester's. Eso significa que la mayor parte de la música no hace ese sonido que está buscando. Si necesitas irte y encontrar a alguien para… ya sabes, ve. Pero intenta no matar a nadie, ¿de acuerdo?

Me echa una mirada. Ni siquiera lo estoy mirando y la noto.

—¿Cómo es eso posible? Hemos estado escuchando cosas rarísimas —dice Lor, cabreado—. ¿Cómo puede ser que esta cosa no quiera matarlas? ¡Debería haber estado aquí hace horas! Me duele la cabeza y eso que yo nunca tengo dolor de cabeza.

—No pienso irme a ninguna parte hasta que estés a salvo —me dice Christian, la mar de tranquilo.

—Qué singular. El caballeroso príncipe *unseelie* de la polla mortífera —se burla Ryodan.

—Me tomaré eso como un cumplido —dice Christian.

—Me estoy hartando de que critiquéis mi música —les digo.

—Perfecto, entonces la cambio —dice Lor.

—Como me toques el iPod te rompo los dedos.

—Inténtalo, cariño. —Cambia de canción.

Me tapo las orejas con las manos.

—Argh… ¡Odio a Hendrix!

—Entonces, ¿por qué lo tienes?

—¡No lo sé! Pensé que *Purple Haze* era un título genial, luego la escuché y no me dio tiempo a eliminarla. ¿Quién escribe letras tan tontas? ¿«Discúlpame mientras beso a este chico»?

—«Cielo» —me corrige Jo.

—¿Qué? Eso tampoco tiene sentido. ¿Y qué leches es «la niebla púrpura», ya puestos?

—Eliminará a Jimi —dice Lor con incredulidad—. Sacrilegio.

Dancer sube el volumen. Mucho.

—¡Traidor!

—Lo siento, Mega, pero tengo que coincidir con él esta vez.

Miro a Ryodan como si esperara que me ayudara o algo, pero se queda ahí sentado y veo que Jo está acurrucada junto a uno de sus grandes hombros. El puño de la camisa de él brilla en la garganta de ella porque tiene el brazo alrededor de su cuello y casi hace que me explote la cabeza aunque no sé por qué. Ni que fuera una persona real, con novia y todo, en lugar de una bestia salvaje que se limpiaría los dientes con los huesos de ella si así lo quisiera. Encima Jo se lo está creyendo y… ¡Ah! ¡No soporto seguir mirándolos!

—A ver, esto no es una hoguera de las de campamento con abrazos y arrumacos —les aclaro.

Ryodan me mira, divertido.

Me cabrea tanto que me pongo de pie y me alejo.

—No te preocupes, Mega —dice Dancer—. Hemos montado bien la trampa. El monstruo vendrá.

Tiene razón. Justo en ese momento aparece.

Lo malo es que no es el que queríamos.

CUARENTA

«Is it the end, my friend?
Satan's coming 'round the bend»
(¿Este es el fin, amigo? Satanás está
a la vuelta de la esquina')

*L*a Bruja Carmesí irrumpe en plena noche entre las luces lavanda y en una nube de putrefacción; el borde andrajoso de su vestido de intestinos serpentea detrás de ella a ritmo de *Purple Haze*. Viene volando hacia nosotros, sale disparada hacia arriba, hasta la claraboya más alta del techo de la abadía, y entonces se posa allí.

Todos nos hemos levantado de golpe.

—¿Cómo nos ha encontrado? —quiero saberlo—. ¿Creéis que el ruido también la atrae a ella?

Se balancea de un lado a otro, moviéndose solo de la cintura para arriba; es como un reptil espeluznante que nos escudriña con unos agujeros negros donde deberían estar sus ojos.

—Creo que la perra va detrás de mí —dice Christian—. Soy el príncipe *unseelie* más débil con tripas inmortales. Al menos, todavía por un tiempo.

—Es como un murciélago, ¿no? ¡Hacemos muchísimo ruido y, aunque no puede ver nada, sí puede usar la ecolocalización! —exclamo.

—No lo sé, pero me da igual. Vayamos a por esta zorra —dice Christian.

—¿Y cómo diablos llegamos? —pregunta Ryodan. Lo miro. Noto que desea matarla con todas sus fuerzas, como si fuera algo personal.

Miro a Jo cuando digo:

—¿Qué? ¿No sientes deseos de morirte hoy?

Ryodan ya no está junto a Jo. Me ha cogido del brazo y me ha apartado unos seis metros de distancia sin que yo haya tenido tiempo de parpadear siquiera.

—Como el *highlander* le diga algo a Jo sobre esto, pensará que miente. Pero a ti lo más seguro es que te crea. Mis hombres la matarán como se entere y yo no seré capaz de detenerlos.

Lo miro, seria, y me doy cuenta de que por primera vez me está diciendo la verdad.

—¿No puede saber que eres inmortal?

—No.

—¿Por qué yo sí?

Ya ha desaparecido. Vuelve a estar con Jo, a quien pasa un brazo protector por encima de sus hombros.

¡La bruja viene en picado a por nosotros!

Es como una extraña batalla de ópera rock que se vuelve más extraña aún cuando empieza la siguiente canción que Lor ha puesto en la lista de reproducción y empieza a sonar *Black Sabbath* a tropecientos decibeles. Como si la Bruja Carmesí no fuera lo bastante perturbadora ya, suena esa canción tan rara de fondo. No me malinterpretéis, la puse en la lista porque me gusta escucharla de vez en cuando, pero tengo que estar de buen humor porque esa canción me inquieta y a casi todo el mundo con el que he hablado le pasa lo mismo.

¡Dancer es el primero en quien pienso! Lo agarro y le grito que se aferre a mí pase lo que pase. Cuando la bruja se abalanza sobre nosotros, nos agachamos como si fuéramos una gran ola y luego nos desplazamos en diferentes direcciones.

En el último segundo, ella vira hacia Christian y veo que tenía razón: es a él a quien quiere. Pero cuando casi alcanza a Lor con una de sus lanzas óseas, me doy cuenta de que pillará a cualquiera a quien pueda ponerle esas terribles agujas de tejer encima.

Todos nos desplazamos o nos tamizamos, nos agachamos y la esquivamos. Intento sostener bien a Dancer mientras vigilo a Ryodan, que tiene a Jo, y me saca de quicio que ella tenga que estar aquí, en medio de esta lucha. No tiene nada especial con qué protegerse excepto a Ryodan, y a mí no me basta.

No puedo moverme lo suficientemente rápido, cuidarla y sostener a Dancer, así que me desplazo al otro lado de la abadía y lo dejo con las *sidhe-seers*.

—Mega, ¿qué estás haciendo?

—No tienes ninguna oportunidad contra ella y yo a duras penas. ¡No hagas que me maten por tener que preocuparme por ti!

Él replica, muy tranquilo:

—No quiero ser una carga.

—Bueno, pues lo eres, así que no te preocupes —le espeto. Me moriría si le pasara algo.

Él sacude la cabeza, disgustado, como si no se hubiera imaginado nunca lo traidora que puedo ser y eso que solo quiero mantenerlo a salvo.

—Llévame allí. Dame tiempo para reconectar las cosas. ¡Podemos electrocutarla con el material que hemos traído y enrollarle un cable alrededor!

—¡Ni siquiera sabemos si funcionaría la electrocución! ¡Quizás la succione sin más y la use como combustible!

—¡Tampoco sabemos si no va a funcionar!

Ahora mismo, estamos gritándonos a la cara.

Jo aparece de repente y tropieza con nosotros.

—¡Oye! —grita a lo que creo que es el culo de Ryodan, que acaba de desaparecer—. ¡No puedes dejarme aquí!

—¡Vosotros dos! ¡No os mováis! —les pido.

Vuelvo a la zona del equipo de sonido, donde estamos dando vueltas y vueltas, tratando de evadir a la zorra mientras pensamos en cómo eludir sus lanzas óseas.

Ozzy se lamenta. Nunca he oído esta canción a través de un centenar de altavoces; *Black Sabbath* a este volumen hace que se me ponga la carne de gallina. Me siento como si estuviera de verdad en una misa negra y el mismísimo Aleister Crowley pudiera manifestarse espontáneamente. Es curioso cómo las canciones pueden hacerte sentir de diferentes maneras. Me pregunto si los sonidos que colecciona el rey Escarcha le hacen sentir algo y por eso va detrás de ellos.

Mientras avanzo en zigzag, pienso en cómo las cosas que

creó el rey *unseelie* acabaron siendo tan feas e incompletas mientras que los *seelies* son tan hermosos y completos.

Entonces empiezo a pensar en cómo todos los *unseelies* van buscando algo; algo que parece que no tienen. ¿Por qué el rey Escarcha buscaría el sonido? Las cosas se silencian totalmente cuando él aparece. ¿Es porque absorbe el ruido o porque su mera existencia erradica los sonidos?

Tal vez sea más complejo que todo eso. ¿Y si el rey Escarcha busca aquello de lo que todos los *unseelies* carecen en su nivel más bajo, más profundo? ¿Y si es el único *unseelie* lo bastante inteligente para atacar la raíz del problema y, a diferencia de la ingenua Mujer Gris que se pasa la vida tratando de recolectar la belleza que nunca podrá ser suya, o la Bruja que quiere terminar un vestido que nunca podrá completar, el rey Escarcha quiere conseguir la canción sin la que fueron creados? ¿Va tras el Canto de la Creación? ¿Se lo está comiendo a trocitos, poco a poco?

—¡Agáchate, boba! —ruge Lor, y yo ruedo y me desplazo. La gente se estrella contra mí desde lados opuestos y casi me aplastan. Oigo el quejido de un par de costillas.

—¡Tíos, soltadme! —Tanto Christian como Ryodan tratan de sacarme de allí—. ¡He perdido la concentración un par de segundos porque estaba pensando demasiado! ¡No volverá a pasar!

—Eso está clarísimo —dice Ryodan.

Y justo entonces me encuentro encima de su hombro, con el viento zumbando a mi lado y alborotándome el pelo, ¡y me deja ahí en el corral de las ovejas!

¡A mí! ¡A Mega! Me acaban de dar de lado.

—¡No puedes dejarme aquí! —exclamo, indignada. Me desplazo para volver a la acción en cuanto piso el suelo, pero choco contra Christian, que me echa sobre su hombro y me lanza de nuevo hacia Ryodan, que me deja en medio del corral.

—¡Basta ya! —Me duelen las costillas. Tienen que dejar de cargarme de una puta vez.

—No seas una carga —dice Ryodan, y desaparece.

Parpadeo, incrédula.

—¿Qué? ¿A que mola? —Dancer me mira con frialdad.

—¡No soy una carga! —Me espero a que lleguen una vez

más al otro extremo y luego vuelvo a desplazarme hacia allí. Soy una superheroína, joder. Los superhéroes no se quedan de brazos cruzados.

La bruja intenta matar a Christian.

¡Y encima Lor y Ryodan no hacen nada para ayudarlo! De hecho, no entiendo a qué juegan. Intentan mantenerse a ambos lados de ella, uno al frente y el otro atrás, y no dejan de moverse aunque la zorra los bloquea una y otra vez con sus piernas mortales. Se apartan, la embisten, los bloquea; se apartan, la embisten de nuevo, los bloquea. Es un ataque frío y metódico, y si tuvieran todo el tiempo del mundo, podría llegar a funcionar.

Podría. Tal vez.

¿Y en este caso? ¿Cómo piensan matarla? No me parece el mejor plan porque no veo que tengan armas.

La bruja sube rápidamente y se lanza en picado sobre Christian. Este tropieza con el hielo y se cae.

Sale tamizándose de ahí y de repente está justo donde estaba. Parece sorprendido, como si tamizarse no hubiera funcionado como esperaba.

Y esa fracción de segundo fue lo que ella necesitaba.

¡La bruja lo atrapará esta vez!

Y a nadie le importa siquiera. Nadie va a salvarlo.

Black Sabbath suena más malvada con cada segundo que pasa y todo me pone de los nervios. Saco la espada y se la lanzo a la zorra directamente a la cabeza. Ella la oye cortar el viento, gira bruscamente hacia un lado y explota contra Lor, que sale despedido hacia atrás.

¡Y, de golpe, ella desaparece!

La espada se ha clavado en un banco de nieve y me empieza a doler la mano por su ausencia.

La mirada de Christian va de ella hacia mí: le brillan muchísimo los ojos.

—Has lanzado la espada por mí. —Parece estupefacto.

Yo también me siento estupefacta. Nunca suelto la espada. A diferencia de Mac, no la comparto en la batalla. Nunca.

Ryodan tiene la cabeza agachada y me mira de una manera que solo le he visto hacer una vez antes. Lor parece cabreadísimo.

—Tío —digo, porque no sé qué leches decir—. ¿Me la devuelves?

Christian se aparta la melena morena del hombro y me dedica una sonrisa.

—Princesa, si por mí fuera, te construía una Mansión Blanca. —La espada pasa volando en medio de la noche: puro acero con destellos violeta.

—¿Dónde coño se ha metido la zorra esa? —gruñe Lor—. Quiero darle una buena.

—Ni idea —digo. Todos miramos alrededor con cautela.

Es entonces cuando las *sidhe-seers* empiezan a gritar.

CUARENTA Y UNO

«You must whip it, whip it good»
('Atízale bien con el látigo, dale un buen meneo')

La bruja no iba a ninguna parte con nosotros, así que se fue a por presas más débiles.

Todos nos desplazamos o tamizamos. Soy la última en llegar.

¿Cuándo leches me he convertido en la tortuga del grupo?

Dos *sidhe-seers* mueren al instante y sus tripas salen volando.

Al cabo de un rato, sus entrañas caen en la nieve en un enredo húmedo y brillante.

Se me traba la mandíbula y me noto un calambre muscular del tamaño de una nuez. Aprieto tanto los dientes que me duelen mogollón.

La bruja ni siquiera las aprovecha para tejer. Está claro que ni las quería. Se las ha cargado y se las ha quitado de encima como si fueran basura.

Es a Christian a quien quiere y parece que se dispone a matarnos a todos, uno a uno, para llegar a él.

—¡Entrad! —les grito a las mujeres en un intento de llevarlas en manada de vuelta a la abadía.

Las *sidhe-seers* se escabullen y se dispersan como una manada de gacelas que huyen de un guepardo. Qué ovejas más imbéciles. Si son animales de manada deberían echar a correr en manada, ¿no?

¡La bruja baja en picado y ataca a otras dos de mis hermanas! La sangre lo salpica todo y la gente grita como loca.

Estoy tan enfadada que no puedo dejar de temblar. Es un

caos total. Antes solo teníamos que cuidar de unos pocos, pero ahora la bruja se está abalanzando sobre cientos de humanos indefensos y ya no sé a quién ayudar primero.

Ryodan está cubriendo a Jo, Kat y a varias más.

Lor protege a un grupo de guapas y rubias. Vaya, ¡qué casualidad!

Christian tiene unas cincuenta mujeres alrededor. Me doy cuenta de que ha activado su atractivo de *fae* orgásmico-letal y lo está usando a modo de imán. Es como si tuviera una segunda piel hecha con *sidhe-seers* hermosas. Me pregunto si lo ha hecho a propósito, como un escudo, o si le flaquean las fuerzas y no puede reprimirse. Si lo ha hecho como un escudo, seré yo misma quien lo mate.

¿Cómo vamos a matar a la bruja? Ninguno nos podemos acercar lo suficiente; no podemos pasar sus piernas letales. Ni siquiera me sirve la espada. Puedo lanzarla, pero la zorra es más rápida que una bruja en una escoba de quidditch. Empiezo a pensar que la ocurrencia que ha tenido Dancer de intentar enrollarle un cable alrededor para electrocutarla no es tan mala. Lo malo es que no tenemos cables a mano.

—¡Por todos los rayos, truenos y centellas! —exclamo. Puede que no tenga un cable, pero sí tengo algo largo y delgado, e Indiana Jones le dio un buen uso en momentos desesperados.

Saco el látigo, me desplazo hasta el límite exterior del grupo en busca de un sitio donde tenga más probabilidades de acertar, ¡y lo lanzo en dirección a la bruja!

El látigo se mueve sin fuerza, se me cae sobre la cabeza y me enredo con él. Ni siquiera puedo quitarme la maldita cosa de encima. Juro que esos dos hoyos negros de su rostro me observan con divertido desdén. Parece ser que manejar un látigo requiere bastante habilidad, pero no tengo tiempo para aprenderla. En la televisión, no parecía tan chungo.

—¡Mega! —grita Dancer. Lo veo entre el grupo, saltando y haciéndome señas con las manos.

Lo enrollo bien, ato la cuerda alrededor del mango para que tenga más peso y se lo lanzo. Él lo atrapa, lo despliega y lo hace restallar contra la bruja, que vuelve a abalanzarse sobre el grupo.

El látigo llega a escasos centímetros de su pierna izquierda y se oye algo parecido a un estallido.

La zorra inhala —es un sonido horrible, como húmedo y estridente— y sube disparada al cielo. No sé si es porque flipa al ver que algo se le ha acercado tanto o si tiene el oído tan sensible que la explosión sonora le ha provocado una especie de migraña. Sea lo que sea, no le ha gustado nada.

Cuando vuelve a bajar, Dancer le apunta a la cabeza y el látigo le restalla al oído.

Ella se tambalea hacia atrás, sube deprisa y desaparece entre las luces púrpuras.

Dancer y yo nos miramos y sonreímos. Él golpea el látigo a modo triunfal.

Sin embargo, esta vez no restalla. No hace ruido alguno, ni siquiera un pequeñísimo siseo al cortar el aire. Acaba de desaparecer todo el sonido.

Cuando la niebla aparece al fin, todos estamos en el lado equivocado del terreno de juego.

CUARENTA Y DOS

« Try to set the night on fire»
('Préndele fuego a la noche')

Creo que la razón por la que no sentí nada de pánico antes de la llegada del rey Escarcha fue porque sentía ya tanto pánico en ese momento que no podía estar más asustada. La carnicería que había provocado la Bruja Carmesí con las *sidhe-seers* me había sacado tanto de quicio que hasta olvidé por qué estábamos allí fuera, en la nieve.

¿No queríamos invocar al rey Escarcha? Pues ya lo tenemos aquí.

Alguien tiene que cortar ese amarre de los huevos porque si no soltamos el AFI, el rey Escarcha congelará los altavoces, desaparecerá y todo habrá sido en vano. Peor aún, si es tan inteligente como creo, no caerá en la misma trampa dos veces. La sensibilidad que desprende es estratosférica. No es un *unseelie* ingenuo. No lo sé seguro porque no los he visto a todos todavía, pero podría ser el monstruo más complejo de los que creó el rey. Tal vez le pusiera una pizca de sí mismo en la probeta.

Me da la impresión de que lo que pasa después es a cámara lenta, aunque sé que en realidad todo pasa superdeprisa.

Ryodan y Lor desaparecen y llegan al otro extremo del campo a cámara rápida. Frustrada, miro a las *sidhe-seers* y la hendidura que se está abriendo ya, tratando de averiguar cómo protegerlas y cortar la ligadura al mismo tiempo. ¿Salvo a las mujeres que me importan y que están a mi lado o salvo al mundo? Puede que sea una superheroína, pero tengo los sentimientos de una persona normal.

Veo a Christian y él me mira intensamente. Sin emitir

ningún sonido me dice: «No puedes hacer las dos cosas, Dani, mi amor».

«Lo sé», articulo enojada.

«Es a mí a quien quiere.»

«Ya, ¿y qué quieres decir con eso?»

«Que te largues.»

Durante un segundo, no lo encuentro por ningún lado.

Al momento lo veo en medio del campo, interponiéndose entre el otro extremo y yo, con los brazos extendidos, la cabeza hacia atrás, y con una expresión del tipo «ven a por mí si te atreves».

«¿Qué estás haciendo?», grito, pero no me sale ningún sonido.

La Bruja Carmesí baja en picado.

Me sacudo con fuerza como si fuera yo la que padece cuando ella lo destripa.

Sin embargo, no lo desolla. Lo atraviesa con una pierna como si fuera un pincho moruno y se lo lleva a la falda del vestido. Mientras se lo introduce, él me mira. No entiendo nada. ¿Por qué lo ha hecho? ¿Qué sentido tiene? ¿Por qué haría una estupidez así?

A medida que él se desvanece en el cielo, atrapado en sus horribles piernas, intento quitármelo de la cabeza. Me niego a procesar lo que acaba de hacer. Ahora puedo dejar a las *sidhe-seers* atrás con relativa seguridad. Ya pensaré después en lo que acaba de hacer Christian.

Suponiendo que haya un después, claro.

Me desplazo hacia el rey Escarcha. Es muy extraño no poder oír ni un solo ruido ni notar vibraciones. Al menos las personas sordas pueden sentir las vibraciones del sonido. Esto es peor que una cámara de privación de sonido, es un mundo de privación sensorial con el rey Escarcha dentro.

Al acercarme veo que Lor y Ryodan se dirigen hacia la caja negra a cámara lenta, o así me lo parece. Los dos están cubiertos de una capa espesa de hielo blanco que continuamente se agrieta cuando se mueven. Hace tanto frío como la noche en que casi la palmo en la iglesia.

El rey Escarcha se cierne silenciosamente sobre la montaña de altavoces, que va congelando uno a uno. Está tardando más tiempo de lo normal, supongo que todos esos decibelios hacen que la fuente de alimentación sea más rica, más gustosa. Parece que lo lama todo como hace uno cuando se le manchan los dedos de chocolate.

Cuando me desplazo y aparezco detrás de Ryodan, este se vuelve y ruge en silencio: «¡Vete de aquí, joder!».

Una especie de agujas heladas me perforan los pulmones con cada inhalación y mi corazón se esfuerza por latir. Me noto la cabeza pesada y me doy cuenta de que se me ha congelado el pelo. Lo agito y el hielo se quiebra en una lluvia de cristales blancos.

«¡No llegarás a tiempo!», le grito mientras evalúo la distancia que hay entre el monstruo de hielo y el AFI. Cuando este abrió la hendidura y se deslizó hacia nuestra dimensión, apareció en el peor lugar posible: entre el AFI y los altavoces, no entre los altavoces y la abadía. Aunque no congeló el agujero, hace demasiado frío en las proximidades de la caja para llegar hasta allí a cortar el amarre.

Miro a Ryodan. Él puede sobrevivir a este frío, pero yo no. No sé por qué. Supongo que también tiene que ver con ser capaz de sobrevivir después de que le destriparan. Siempre ha podido acercarse más a las escenas congeladas que yo.

Sin embargo, yo me desplazo más deprisa que él, que se ralentiza cuando se acerca al centro del frío. Como si caminara a duras penas en un charco de cemento.

No me detengo a pensar. Es posible, es el único plan que tengo y no hay tiempo para dudas.

Me estrello contra la espalda de Ryodan y lo obligo a avanzar. Nos movemos a cámara rápida hacia la caja negra y me entiende a la perfección: yo soy su locomotora y él es mi escudo. Yo puedo empujarnos a los dos, pero él tiene que dirigir y cortar.

Noto cómo me saca la espada del abrigo y nos ponemos manos a la obra. Él se congela y se agrieta varias veces, así que tiene que ir sacudiéndose los cristales como un perro que se sacude el agua. Siento como si me muriera de frío y resucitara una y otra vez. Me noto los pulmones en carne viva con cada respiración, de modo que la contengo todo lo que puedo. Me duelen los huesos y juro que hasta se me han congelado los ojos. Empiezo a ver borroso.

A pesar del dolor nos impulso hacia delante porque este es mi mundo y ningún *fae* tocapelotas me lo arrebatará. Tengo la boca abierta en un aullido silencioso. Ryodan se sacude con fuerza mientras nos obliga a ir hacia el epicentro helado.

Él baja la espada y corta el amarre.

Creemos que el AFI se moverá muy despacio.

En base al ritmo que Kat nos comentó cuando las *sidhe-seers* estuvieron vigilando el recorrido hacia nuestro hogar, entre el momento de cortar el amarre y que el fragmento de mundo de fuego choque contra la pared más alejada de la abadía pasa un minuto más o menos. Tenemos suficiente tiempo para volver a sujetarlo ya que, según sus cifras, disponíamos de dos minutos por lo menos.

Sus cálculos eran erróneos. Muy, muy erróneos.

Como un coche de carreras modificado, el AFI se libera con una explosión y choca contra el rey Escarcha.

Acelero todo lo que puedo de manera que las cosas sucedan a cámara lenta.

El fragmento de mundo de fuego se traga al rey Escarcha. Lo engulle literalmente.

El sonido vuelve. Oigo respiraciones agitadas. Jadeos. En algún lugar, la gente está llorando.

Se ha ido. El rey Escarcha se ha ido. Así, como por arte de magia.

Ha funcionado tan bien que casi no me lo creo. Me quedo allí aturdida y algo recelosa. No soy la única confundida. Ryodan también mira alrededor con los ojos entrecerrados. Lor está medio agachado, como si creyera que el cielo se le fuera a caer encima. Me reiría —porque es bastante triste que no puedas aceptar un final feliz—, pero aún tenemos problemas y gordos. El AFI está devorando la montaña de altavoces congelados y se dirige directamente hacia la abadía.

Kat, Dancer y las otras *sidhe-seers* corren hacia nosotros.

—¡Cruce está debajo de la abadía! —grita Kat—. ¡Tienes que detenerlo!

Ryodan y Lor inician los cánticos, pero por la expresión en

el rostro de Ryodan veo que no cree que pueda terminar a tiempo. Los diez o doce segundos que nos quedan antes de que golpee la pared no son los treinta que él necesita para acabar.

Kat empieza a chillarle a Ryodan porque no va lo suficientemente rápido y Jo le grita a Kat por regañar a Ryodan, porque el pobre está haciendo todo lo que está en sus manos. Entonces se suman todas las *sidhe-seers*. Como Ryodan y Lor están mirando hacia abajo, hacia el cordón que están intentando formar con magia, nadie mira el AFI y yo soy la primera en ver lo que está pasando.

Ya sabía yo que no podía haberla palmado tan fácilmente.

En la base del fragmento de mundo de fuego se está formando una capa de hielo.

La parte inferior del embudo se está volviendo azul y tiene una costra de escarcha blanca.

El AFI se ha tragado al Monstruo de Hielo, pero ahora este está congelando el agujero.

Mientras observo, la escarcha se extiende rápidamente hacia arriba.

—Eh… tíos —digo.

—¡No me jodas! —explota Dancer—. ¿Está volviendo a salir?

Lor levanta la mirada.

—Mierda.

—Será hijo de puta —coincide Ryodan.

El rey Escarcha congela el AFI de dentro hacia fuera.

No sé si el mundo de fuego es un infierno abrasador que hace el sonido que al monstruo le gusta comer o si acaban de librar una gran batalla de fuego y hielo, y el hielo ha ganado.

El AFI se agrieta y sisea, emite vapor y explota, mientras el fuego empieza a enfriarse.

El hielo pesa y hace que se detenga. A medida que el embudo gigante gana sustancia, se vuelve demasiado pesado para seguir flotando. Al final, se estrella estrepitosamente contra el suelo como un carámbano que se ha desprendido de un desagüe y se queda alojado en la nieve.

Nos quedamos mirando el embudo gigante de hielo en el

suelo e intentamos procesar cómo han cambiado las cosas tan de repente. Primero, el Monstruo de Hielo estaba muerto y la abadía estaba en peligro. Ahora la abadía está a salvo, pero el monstruo no está muerto.

No hemos podido cargárnoslo y prácticamente todos los presentes que no puedan desplazarse morirán en cuanto salga.

Las paredes del AFI comienzan a temblar y a sacudirse como si el rey Escarcha tratara de encontrar el punto más débil para salir de su congelado cascarón.

Entrecierro los ojos.

Los cascarones son delicados, frágiles, pero esto no es un cascarón. De hecho, todo el interior del mundo de fuego debe de ser hielo sólido ahora mismo. Eso significa que, en este momento, el rey Escarcha está completamente encapsulado en una de sus propias esculturas de hielo.

Está atrapado en un momento de vulnerabilidad perfecta. Tal vez sea el único momento de vulnerabilidad que haya conocido jamás.

Sé lo que sucede cuando se hace vibrar una escena helada: explota.

—Dancer —grito—. ¡Utiliza el látigo! ¡Haz explosiones sónicas! —A Ryodan y Lor les digo—: ¡Desplazaos alrededor de él! —A las *sidhe-seers*—: ¡Salid de aquí cagando hostias!

Luego entro yo, desplazándome tan rápido como puedo teniendo en cuenta que voy en reserva.

Dancer hace restallar el látigo y nosotros nos desplazamos como locos.

El AFI congelado tiembla y, de repente, un millón de pequeñas fisuras aparecen en su superficie.

La tierra tiembla también y se oye un estruendo como si dentro del agujero hubiera truenos del tamaño de una galaxia.

De golpe, oigo el ruido más horrible que he oído jamás, como si todos los sonidos que el rey Escarcha se hubiera tragado salieran en un eructo disonante, como si alguien arañara una pizarra y entonces —¡Joder, me encanta ser una superheroína!—, exactamente como imaginaba, los monstruos fusionados explotan.

CUARENTA Y TRES

«Celebrate good times, come on!»
('Celebremos los buenos tiempos, ¡venga!')

*E*stoy radiante. No puedo negarlo. Irradio felicidad por todos los costados. Nunca he vivido una aventura tan increíble en vida y eso que ha habido algunas increíbles.

Estamos en la gran sala de la abadía y entramos en calor frente a unas fogatas que arden en tres de los laterales. En la chimenea principal han puesto a hervir cacao instantáneo (mezclado con agua, no con leche) y la sala entera huele como una fábrica de chocolate. Kat ha sacado una reserva escondida de malvaviscos (algo rancios, pero ¿qué más da?) y una lata de galletas duras como una piedra, que llevaba tiempo guardando para una ocasión especial, así como un poco de miel riquísima, aunque extrañamente gelatinosa. Todo sabe a gloria. Cada vez que como, soy muy consciente de que pronto podríamos no tener más de estas cosas.

¡Hemos ganado! Entablamos combate con los más villanos que hayan existido y hemos vencido. A diferencia de la última gran batalla que se libró aquí, he podido presenciar su derrota con mis propios ojos. No he tenido que oírlo al día siguiente de boca de terceros que han tenido la suerte de haber estado allí. Además, ningún rey *unseelie* todopoderoso ha tenido que venir a rescatarnos en el último segundo. ¡Lo hemos conseguido nosotros solos!

Cuando explotó el AFI que contenía al rey Escarcha, las astillas de hielo salieron disparadas por doquier. Tuvimos que agacharnos, esquivarlas, agarrar a los más lentos y entrar corriendo en la abadía para resguardarnos de los proyectiles. Aun así, hemos terminado todos con rasguños, cortes y moretones. Unos daños colaterales inevitables, vamos.

Esperamos dentro hasta que reinó el silencio durante un rato y nos pareció que ya habían dejado de caer los escombros. Salimos para hurgar en los trozos y convencernos de que las amenazas habían desaparecido de verdad. Dancer examinó las cosas unos cinco minutos antes de dedicarme una sonrisa y declarar, triunfante, que los escombros eran materia inerte. Quiere llevar algunas muestras a los laboratorios de la Trinity, pero me dijo que estaba seguro en un noventa y ocho por ciento de que no saldría nada de los restos.

—¿Cómo supiste que iba a funcionar? —me pregunta Jo.

—No lo sabía —digo mientras le doy un bocado a una galleta bañada en miel y me lamo las migajas de los dedos—. Pero cuando vi que el rey Escarcha congelaba el mundo de fuego desde el interior, me di cuenta de que estaba atrapado en una de sus propias escenas, como si fuera un insecto en ámbar. Y cada vez que Ryodan y yo nos desplazábamos por una escena congelada, esta acababa hecha añicos del tamaño de metralla. —Me encojo de hombros—. ¿Quién sabe? Tal vez se hubiera quedado atrapado allí y hubiera estallado solito con el tiempo, pero todo indicaba que conseguiría salir.

—Yo también lo pensé —dice Lor, y todos coinciden con él.

—Lo del látigo ha sido muy inteligente, Mega —me dice Dancer.

Me pavoneo.

—Nos ha ido de un pelo. Hemos tenido suerte —dice Kat.

—¡Suerte y una mierda! ¡Éramos superhéroes en acción! —Buena parte de esa superheroicidad se debe a un buen cálculo de tiempo y a unas maniobras delicadas. Si ella quiere fingir que ha sido suerte, no pienso desperdiciar aliento que podría usar para comer, la verdad.

—Hoy, la Dama Fortuna tiene un nombre. —Ryodan me mira.

—Ya te digo —dice Lor—. Buen trabajo, pequeña.

Casi se me caen las galletas. No podría ser más feliz ahora mismo. Creo que irradio luz literalmente.

Me contoneo hacia la chimenea y me como tres malvaviscos, uno detrás de otro.

—¿Os podéis creer lo que ha hecho el príncipe *unseelie*? —dice Josie la gótica.

Se me atraganta el último malvavisco que iba a tragarme entero. Entro a cámara rápida para toser deprisa y sacarlo, pero no funciona. Se me ocurre demasiado tarde que lo de entrar a cámara rápida no ha sido lo más inteligente. La fricción y la saliva aumentan el atasco como un tampón empapado. Se me hincha en la garganta y me obstruye las vías respiratorias.

Yo misma me golpeo en el pecho con el puño, pero no sirve de nada. Estoy a punto de hacerme la maniobra de Heimlich contra el respaldo de una silla cuando Lor me golpea en el centro de la espalda y el malvavisco sale volando hacia el escudo de armas que hay sobre la chimenea.

—Tío, no hacía falta que la empujaras —dice Dancer—. Le hago la Heimlich muy a menudo. No mastica cuando come.

Me doy la vuelta y veo a Dancer levantarse del suelo, con cara de pocos amigos. Está cansado y me pregunto cuándo fue la última vez que durmió. Se me olvida que no tiene superpoderes como el resto de nosotros por mucho que tenga un cerebro superdesarrollado.

—Límpialo, Dani —dice Kat—, o se cocerá encima del medallón.

Cojo una servilleta de la bandeja de galletas; ya no me siento tan ufana. Ha habido bajas. Durante un segundo se me había olvidado.

—Christian se sacrificó porque yo no me decidía.

—Un príncipe *unseelie* se sacrificó —me corrige Kat, como si no supiera bien qué pensar sobre eso.

Yo tampoco. ¿Se sacrificó para que tomar una decisión fuera más fácil? En un par de segundos más ya la hubiera tomado, pero habríamos perdido a muchas más *sidhe-seers* a manos de la Bruja Carmesí. ¿Fue esa su forma de demostrar que todavía no era un *unseelie* completo? Tal vez intentaba compensar el hecho de haber matado a la mujer con la que se había acostado o quizá fuera su idea de otro regalo de bodas.

—Está bastante claro que está obsesionado contigo, cielo —dice Lor.

—Estaba obsesionado —matiza Ryodan—. La Bruja Carmesí se lo ha cargado. Me ha ahorrado la molestia y nos ha librado del muy cabrón.

Ahora tengo el doble de razones para localizar a esa perra y matarla. Tengo que liberar a Christian para poder estar a la par y zanjar el asunto que hay entre nosotros.

—Hemos perdido a algunas *sidhe-seers* —digo—. Una de ellas ha sido Tanty Nana. Era demasiado mayor y nunca debería haber estado ahí para empezar.

Todos nos quedamos en silencio un segundo, pensando en ella y en las otras que han muerto.

Entonces Ryodan se incorpora y me dice:

—Venga, niña. Nos vamos.

—¿Eh? ¿Adónde?

—Ahora vives conmigo.

—¡Y una mierda!

—Vivirá en la abadía, como antes —dice Kat.

—¡Y una mierda!

—Mega puede cuidarse sola —dice Dancer—. Si no os habéis dado cuenta ya es que estáis ciegos. Dadle espacio para respirar.

—¡Ya te digo! —Estoy totalmente de acuerdo. Adoro a Dancer y se lo hago saber con una mirada cómplice.

Ryodan dice:

—Necesita reglas.

Lor interviene.

—Jefe, lo único que necesita es a alguien con quien entrenar y con quien gastar esa energía ilimitada que tiene.

Kat tercia:

—Lo que necesita es…

Mientras todos están enfrascados hablando de mis necesidades, de las cuales no saben una mierda, hago como el viento y salgo volando, asegurándome de dar un buen portazo al salir.

Le robo el Hummer a Ryodan y pongo rumbo a la ciudad.

Nunca me alcanzará con uno de los autobuses o los camiones, que son los únicos otros vehículos que hay en la abadía.

Ojalá pudiera llevarme a Dancer conmigo, pero nunca habría escapado de haber aminorado la marcha.

Nadie sabe lo que necesito mejor que yo. Probablemente sigan allí, discutiendo y tratando de decidir cómo controlarme y dirigir mi vida.

Me echo a reír.

—Ya os podéis ir olvidando, colegas.

CUARENTA Y CUATRO

«This is not the end, this is not the beginning»
('Esto no es el fin, pero tampoco el inicio')

Recorro las calles de Dublín a toda velocidad tras abandonar el Hummer en la carretera principal, donde Ryodan o uno de sus hombres puedan encontrarlo cuando vuelvan al Chester's, porque por muy furiosa que me ponga, no quiero robarles nada. Además, seguramente se pasaría la eternidad buscándome en lugar de limitarse a darme órdenes, como suele hacer. No quiero volver a estar en su punto de mira.

¿Vivir en el Chester's? ¡Ni besándome la petunia, oye!

—El culo, el culo —murmuro con el ceño fruncido. «Petunia» es una de las palabras de Mac. Ella y Alina tuvieron una educación tan exquisita y protegida que no dijeron «mierda» hasta que tuvieron poco más de veinte años, cuando empezaron a confraternizar con *faes*. Hasta ese momento tenían un vocabulario propio y bonito para las cosas. No me gusta nada lo bonito. No me gusta pensar en Mac. Recuerdo verla por primera vez en un banco en el Trinity College, hermosa y de aspecto frágil. Cuál fue mi sorpresa al descubrir que en realidad estaba hecha de acero como mi espada y yo. Recuerdo sentir que mi mundo iba a cambiar por fin y que el pasado podría convertirse, milagrosamente, en algo que no había existido nunca.

La echo de menos. Me fastidia saber que está en algún lugar de esta ciudad recorriendo las calles igual que yo y pensando en matar *faes*, salvar al mundo y matarme a mí. Puede que ella esté en una calle y yo en otra, y esas calles nunca coincidan o una de nosotras morirá.

Después de lo genial que ha sido el día no me puedo creer que me vengan ahora estos pensamientos tan deprimentes. Acelero por Temple Bar esquivando coches y farolas y todo tipo de cosas medio enterradas en montones de nieve. Ahora que el rey Escarcha se ha ido, la nieve debería de empezar a fundirse. ¡Qué ganas tengo de que llegue el verano! No me pongo morena, pero me salen pecas. A Dancer le gustan las pecas.

—Verano —digo, sonriendo. A ver si llega ya. Volverán a tener un huerto en la abadía en el que sembrarán una mezcla de verduras como las que comí en el Chester's. Me pasaré por ahí más a menudo cuando empiecen a crecer las cosas. Puedo hacer acopio de barritas de chocolate y recorrer Irlanda en busca de vacas, cabras u ovejas. Tal vez incluso cerdos—. ¡Ay, qué ganas de beicon! —Se me hace la boca agua de solo pensarlo.

Ahora mismo tengo un montón de cosas por hacer y moverme con toda esta nieve es tedioso. No puedo desplazarme durante mucho tiempo porque tengo que aminorar continuamente y volver a trazar la cuadrícula mental. Han aparecido muchos montones de nieve y hielo de un día para otro. Cada vez que reduzco la velocidad se me empiezan a congelar los dedos de las manos y de los pies. Es de noche, sopla una fuerte brisa del océano y juraría que estamos a unos seis grados bajo cero.

Fijo la cuadrícula en su lugar, recorro un cuarto de manzana, me detengo y vuelvo a trazarla. Me desplazo unos doce metros, doblo una esquina patinando, choco contra un montículo, caigo rodando como una croqueta y vuelvo a trazar la cuadrícula mientras resbalo un poco más. Me estrello contra la fachada de un edificio y se me congela el aliento en el aire al jadear bruscamente. Maldigo mi estampa y me froto la espalda. Mañana me va a salir un moretón enorme.

Lo primero en mi lista de cosas por hacer es editar un *Diario de Dani* ántes de que los NosImportas de los huevos lo hagan y distorsionen las noticias como les dé la gana. La peña tiene que saber todas las noticias: que el villano que congelaba a la gente está muerto, que pueden volver a hacer ruido, que la nieve sí se va a derretir y que aunque no lo parezca ahora mismo, el verano llegará por fin. Tienen que saber que ya recuperé la espada y que no estoy indefensa, que he vuelto a mis asuntos y que velo por ellos. También quiero que se enteren de que pienso encontrar a la Bruja Carmesí, que morderá el polvo en cuanto se me ocurra cómo matarla y recuperar a Christian.

Mañana exploraré Dublín a cámara lenta, como una persona normal, en busca de supervivientes bajo la nieve y los llevaré donde haya alimento y refugio, lo que significa que Ryodan tendrá que alojar a más gente en el Chester's. La ciudad sigue recibiendo golpes: los muros siguen cayendo y estallan nuevos disturbios por la comida que se roba, por no hablar del invierno asesino en plena primavera. Las cosas no volverán a ser predecibles nunca más y será mejor que empecemos a asumirlo. Sospecho que perderemos a mucha más gente antes de que cambie el curso de los acontecimientos. A la mayoría de la gente le cuestan los cambios. A mí no. Me encanta reinventarme. Cambiar significa que puedes volver a elegir y convertirte en alguien nuevo. A menos que estés muerto como Alina, en cuyo caso no puedes volver a elegir. Por eso conseguiré que Ryodan me cuente el secreto para poder vivir eternamente.

Reduzco la velocidad para sortear un montículo de nieve cubierto de hielo. Vuelvo a sentirme melancólica una vez más, pensando en todos los fantasmas que suelo ver en estas calles, cuando, de repente, noto la punta de algo afilado y puntiagudo en la espalda.

—Suelta la espada, Dani —dice Mac, detrás de mí, en un tono muy suave.

—Sí, claro. Te crees que me lo voy a tragar. —Me echo a reír. Mi imaginación hiperactiva me juega malas pasadas muchas veces. Como si Mac fuera capaz de acercarse sigilosamente a mí por detrás sin que mi oído privilegiado lo perciba. Como si pudiera caminar por ahí de noche sin un MacHalo encima. Yo llevo puesto el mío y sé lo brillante que es. Si de verdad la tuviera detrás, proyectaríamos el doble de luz de la que se ve ahora.

Me desplazo.

Eso intento, al menos. No ocurre nada. Es como aquellas dos

veces con Ryodan en las que, de repente, se me había acabado el combustible. Un depósito sin gasolina; un tren sin motor.

Cierro los ojos con fuerza y vuelvo a intentarlo.

Aún sigo allí. Todavía noto la punta de una lanza en la espalda.

—He dicho que sueltes la puta espada —dice Mac.

Bajo cero

SE ACABÓ DE IMPRIMIR

EN OTOÑO DE 2013

EN LOS TALLERES GRÁFICOS DE EGEDSA

ROÍS DE CORELLA 12-16, NAVE 1

SABADELL

(BARCELONA)